COMMENTAIRE SUR ISAÏE

SOURCES CHRÉTIENNES

Fondateurs : H. de Lubac, s. j., et † J. Daniélou, s. j.

Directeur : C. Mondésert, s. j.

N° 276

THÉODORET DE CYR

COMMENTAIRE SUR ISAÏE

TOME I

(Sections 1-3)

INTRODUCTION, TEXTE CRITIQUE, TRADUCTION ET NOTES

PAR

Jean-Noël GUINOT

Agrégé de l'Université, Docteur ès Lettres

LES ÉDITIONS DU CERF, 29, Bd de Latour-Maubourg, PARIS

1980

Ce volume a été préparé et mis au point pour l'impression avec le concours de l'Institut des « Sources Chrétiennes »

(E.R.A. 645 du Centre National de la Recherche Scientifique)

ISBN 2-204-01665-9

Avant-propos

Ceux qui ont en mains le volume du *Commentaire sur Isaïe (Kommentar zu Jesaia)* de Théodoret de Cyr, édité par A. Möhle, en 1932, à Berlin, dans les *Mitteilungen des Septuaginta-Unternehmens* (Bd. V) de l'Académie des Sciences de Göttingen, s'étonneront peut-être que nous ayons reproduit intégralement dans la présente édition, avec le texte grec publié par cet auteur (décédé en 1971), son apparat des chaînes et son apparat critique, et que, dans son Introduction, notre collaborateur J.-N. Guinot ait repris toutes les données essentielles fournies par Möhle dans sa propre introduction sur le manuscrit de ce texte. Cela n'a pas été décidé avant qu'une assez longue enquête nous ait prouvé que les exemplaires du livre publié en 1932 étaient actuellement rarissimes et que l'éditeur avait depuis longtemps disparu.

De plus, M. le Professeur Dr. R. Hanhart, Leiter des Septuaginta-Unternehmens der Akademie der Wissenschaften in Göttingen, nous a fait connaître le plein accord de sa Commission pour que nous reprenions le mieux possible l'édition de Möhle, dont il a bien voulu, à plusieurs reprises, vérifier pour nous l'exactitude sur les photographies du manuscrit conservées à Göttingen. Qu'il veuille bien être assuré de notre vive gratitude pour les réponses qu'il a pris la peine de donner à toutes nos questions et pour toutes les recherches qu'il a faites à notre demande.

Jean-Noël Guinot s'est donc efforcé de conserver tout ce qu'apportait de neuf un ouvrage aujourd'hui introuvable, en y joignant naturellement ce que réclamaient les normes de la collection « Sources Chrétiennes » : une introduction sur l'exégèse de Théodoret, une traduction française et des notes. Les lecteurs apprécieront certainement son apport personnel à cette édition : il est fondé sur une connaissance approfondie de l'œuvre exégétique de Théodoret.

Cl. Mondésert

INTRODUCTION

CHAPITRE PREMIER

LE COMMENTAIRE SUR ISAÏE DE THÉODORET DE CYR

Théodoret et son temps[1]

La vie de Théodoret (393 - circa 466) se confond en partie avec l'histoire de l'Église au ve siècle, du moins pour la période qui va approximativement du concile d'Éphèse (431) à celui de Chalcédoine (451). L'évêque de Cyr fut, en effet, au cœur de la querelle doctrinale qui opposa Antioche à Alexandrie à l'occasion de l'hérésie nestorienne. Dès 430, à la demande de Jean d'Antioche, Théodoret devient le champion des Orientaux en réfutant les *Anathématismes* que Cyrille d'Alexandrie vient de lancer contre

1. Sur la vie et l'activité de Théodoret, on pourra consulter l'*Historia Theodoreti* de P. Garnier (*PG* 84, 89-198, Paris 1684) ; la *Dissertatio de vita et scriptis Theodoreti* (*PG* 80, 35 A - 66 B, Halae 1769) de J. L. Schulze (et non de Jacques Sirmond comme on l'a parfois écrit) ; les pages consacrées à Théodoret par L. S. Le Nain de Tillemont au t. XV (1711) de ses *Mémoires pour servir à l'histoire ecclésiastique des six premiers siècles,* 16 vol., Paris 1693-1712 (p. 207-340 et les notes p. 868-878) ; la biographie de Théodoret écrite par J. H. Newman, *Historical Sketches,* vol. II, p. 303-362, London 1876. Aucun de ces travaux anciens ne dispense toutefois de recourir à ceux de P. Canivet, notamment à son *Histoire d'une entreprise apologétique au Ve siècle* (thèse), Paris, Bloud et Gay 1958, et à l'introduction de son édition de la *Thérapeutique des maladies helléniques,* 2 vol., *SC* 57, Paris 1958.

Nestorius, mais qui atteignent en réalité l'ensemble des antiochiens. Désormais la carrière de Théodoret est étroitement liée au déroulement de ce conflit christologique : principal artisan de l'Acte d'Union entre Antioche et Alexandrie en 433, Théodoret est déposé en 449 au Brigandage d'Éphèse, puis exilé, avant de retrouver son siège et de voir son orthodoxie reconnue au concile de Chalcédoine qui met un terme à cette longue querelle. Il fallut bien des luttes et des déchirements avant que chaque parti se rendît compte que le conflit tenait peut-être plus à des différences de formules qu'à des conceptions fondamentalement opposées. A cette prise de conscience progressive, Théodoret ne fut pas étranger ; par son action et par ses écrits, il a grandement contribué à établir et à préciser la christologie orthodoxe.

Théodoret et l'exégèse

Toutefois, plus encore que son rôle de premier plan dans ce conflit doctrinal, c'est son œuvre exégétique qui a valu très tôt à Théodoret la réputation dont il a longtemps joui. Malgré des prédécesseurs aussi illustres que Diodore de Tarse, Théodore de Mopsueste et Jean Chrysostome, Théodoret a pu passer pour l'un des meilleurs représentants de ce qu'il est convenu d'appeler l'« école » d'Antioche[1] et même, aux yeux de quelques-uns, pour

1. Seules des raisons de commodité nous font conserver cette appellation tout à fait impropre pour désigner l'exégèse antiochienne. Il n'y eut jamais à Antioche rien de comparable au Didascalée d'Alexandrie. On peut tout au plus, en un sens très large — c'est celui que nous adoptons —, parler d'une « école de pensée ». A la suite de S. Lucien et de Dorothée (cf. G. BARDY, *Recherches sur saint Lucien d'Antioche et son école*, Paris 1936), les exégètes antiochiens ont porté à la lettre du texte et à sa réalité historique une grande attention ; ils ont voulu par là se garder de ce qu'ils considéraient chez certains alexandrins comme une utilisation excessive de l'allégorie. Sur ces questions, voir J. GUILLET, « Les exégèses d'Alexandrie et d'Antioche. Conflit ou malentendu ? », *Rev. Sc. Rel.*,

l'un des plus grands exégètes de l'antiquité chrétienne[1]. Par son étendue, l'œuvre exégétique de Théodoret est considérable. L'évêque de Cyr a interprété presque tout l'Ancien Testament, sous forme de commentaires suivis ou de recueils de « quaestiones » destinées à éclairer certains passages obscurs ou difficiles. Il a également donné un commentaire suivi des *Épîtres* de S. Paul[2]. D'une telle entreprise exégétique, poursuivie de façon aussi méthodique, on trouverait peu d'exemples chez les Pères grecs. Or cette œuvre immense nous est parvenue dans son intégralité. Ce ne saurait être uniquement l'effet du hasard. L'examen des Chaînes prouve que l'on tenait en grande estime les commentaires de Théodoret. Autant que la qualité de l'interprétation, la longueur raisonnable de chaque ouvrage a dû très tôt favoriser des copies intégrales :

t. 34 (1947), p. 257-302 ; sur l'« école » d'Antioche en général, cf. F. VIGOUROUX, art. « École exégétique d'Antioche » in *Dictionnaire de la Bible*, t. I, Paris 1891, p. 683-687 ; V. ERMONI, « École théologique d'Antioche », *DTC*, t. I, Paris 1923, col. 1435-1439.

1. Tel est l'avis de Photius qui trouve le style de Théodoret particulièrement bien adapté au commentaire exégétique (PHOTIUS, *Bibliothèque*, éd. R. Henry, cod. 203, t. III, Paris 1962, p. 102-103).

2. *PG* 82, 35-878. Ce commentaire est le seul qui nous soit parvenu de ceux que Théodoret composa sur le N.T. Sa date est incertaine, mais peut être précisée d'après deux lettres de Théodoret à un ami anonyme (*Correspondance*, t. 2, *SC* 98, ép. 1 et 2). Dans la première lettre (*id.*, p. 20-21), Théodoret sollicite l'avis de son correspondant sur le commentaire de S. Paul qu'il lui a envoyé peu de temps auparavant ; la seconde (*id.*, p. 20-23) est une lettre de remerciements pour les éloges reçus. Y. Azéma pense que ces deux lettres sont légèrement antérieures à 448, puisque la lettre à Eusèbe d'Ancyre (ép. 82, *ibid.*, p. 198-205) est antérieure à 449 et que la lettre au pape Léon (ép. 113, *id.*, t. 3, *SC* 111, p. 56-67) est datée de sept.-octobre 449 ; or toutes deux font mention de ce commentaire. D'autre part, comme la *Quaestio I in Lev.* (*PG* 80, 300 A) à propos des sacrifices de la Loi renvoie également au *Commentaire des Épîtres de Paul*, on peut penser que ce commentaire est postérieur aux commentaires de Théodoret sur l'A.T. et qu'il faut lui attribuer une date voisine de 447.

Théodoret a été servi par sa concision. Toutefois, jusqu'à notre époque, la disparition de son *Commentaire sur Isaïe* rendait incomplète la série des interprétations prophétiques. On ne pouvait connaître ce commentaire que par le texte des Chaînes rassemblées et éditées en 1642 par Jacques Sirmond. Le faible espoir que conservait ce dernier de voir retrouver un jour le texte intégral de l'*In Isaiam*[1] sembla rapidement s'évanouir chez ses successeurs : on se contenta donc de reproduire son édition des Chaînes[2] qui, suffisant à faire pressentir l'intérêt de ce commentaire, en faisaient déplorer encore plus vivement la perte[3].

La découverte de l'*In Isaiam*

Pourtant, en 1899, dans le quatrième volume de sa *Bibliothèque de Jérusalem*, Papadopoulos-Kérameus publie la liste des manuscrits conservés à Constantinople

1. Sirmond écrit dans sa préface (reproduite in *PG* 80, 29-30) : « Dans le second volume qui contient l'interprétation des prophètes, afin de compenser quelque peu la perte des commentaires sur Isaïe qu'on ne trouve nulle part, nous avons emprunté à ces mêmes Chaînes les passages qui portaient le nom de Théodoret. Puisqu'on ne saurait douter que ces derniers représentent la moëlle et le suc de tout ce que Théodoret avait écrit sur Isaïe, on pourra du moins y recourir jusqu'à ce qu'apparaisse l'ouvrage dans son intégralité. Du reste, l'espoir d'entrer en sa possession a disparu depuis longtemps, si je ne me trompe, chez les Grecs eux-mêmes ; en effet, pour se consoler de sa perte, ils ont entrepris également des Extraits de cette nature dont nous nous souvenons avoir vu des copies à Rome et à Paris, mais qui n'allaient pas au-delà du chapitre XV d'Isaïe. »

2. Nouvelle édition des Chaînes de Sirmond en 1770 ; ce sont elles que reprend J.-P. Migne en 1864 (*PG* 81, 216-493).

3. Cf. J.-L. Schulze, *Dissertatio...*, *PG* 80, 56 D : « Il faut grandement déplorer que ne nous soit pas parvenu dans son intégralité le commentaire sur Isaïe dont nous n'avons que des fragments » ; J. Fessler, *Institutionibus Patrologiae*, Oeniponte 1851, t. II, auquel J.-P. Migne emprunte sa *Notitia historica et litteraria* (*PG* 80, 9-20), déplore en des termes presque semblables la perte du commentaire sur Isaïe (« Valde dolendum est... », p. 13, note t).

dans le couvent du très saint Sépulcre (Μετόχιον τοῦ παναγίου Τάφου)[1] ; or, dans l'inventaire qu'il dresse du manuscrit n° 17, on relève la mention suivante : « Folio 96ª : Commentaire de Théodoret évêque de Cyr sur le prophète Isaïe. Début : Εἰ μὲν τὴν ἑμαυτοῦ κτλ. Folio 186ª : Du même, (commentaire) sur le prophète Jérémie, etc.[2] ». Est-ce parce qu'on s'est résigné à la disparition définitive de l'*In Isaiam* que la découverte du commentaire échappe à son auteur ? En tout cas, si quelques années plus tard A. Rahlfs relève l'indication fournie par Papadopoulos, c'est pour s'interroger sur la valeur qu'il faut lui accorder[3]. Aussi continue-t-on à dire que le *Commentaire sur Isaïe* est perdu[4].

1. Papadopoulos-Kérameus, *Bibliothèque de Jérusalem*, t. IV, Moscou 1899 (réimpression anastatique, Bruxelles 1963). Les volumes IV et V contiennent la liste des manuscrits conservés au couvent du très saint Sépulcre de Constantinople qui relève du Patriarcat de Jérusalem.

2. Le commentaire sur Isaïe occupe donc les folios 96 à 185 du ms. n° 17. Il est suivi dans le même codex, selon les indications de Papadopoulos, des commentaires de Théodoret sur Jérémie et sur Ézéchiel : « Folio 186ª : Du même, (commentaire) sur le prophète Jérémie. *Incipit :* Χρὴ καθὰ καὶ ἐν ταῖς προλαβούσαις βίβλοις, κτλ. Folio 315ª : Du même, (commentaire) sur le prophète Ézéchiel. *Incipit :* Οἱ μὲν τοῦ σώματος, κτλ. Trois folios de ce volume étaient à l'origine vierges (f. 312-314), mais par la suite quelqu'un a inscrit sur eux les indications suivantes : ‘ En l'année 1402 : l'émir Chanès vint et fit la guerre ’, etc. ». Papadopoulos transcrit (*op. cit.*, p. 32-33) toute cette chronique. — Si le début du *Com. sur Ézéchiel* donné par Papadopoulos correspond à celui qui figure dans Migne (*PG* 81, 808 A), il en va tout autrement pour le *Com. sur Jérémie* (*id.*, 495 A : Ἐγὼ μὲν ᾤμην τὴν Ἱερεμίου τοῦ θείου προφητείαν,κτλ. ; il faudrait donc pouvoir comparer le texte du ms. 17 à celui que donne Migne pour dire s'il s'agit du même commentaire.

3. Alfred Rahlfs, *Verzeichnis der griechischen Handschriften des Alten Testaments*, Berlin 1914, p. 433 : « D'après Faulhaber, ce commentaire n'a pas été retrouvé sous une forme indépendante. ... Est-ce que par hasard, à Constantinople, dans le Métochion du Saint-Sépulcre n° 17, il n'y aurait pas une copie isolée ? »

4. Bardenhewer, *Histoire littéraire de l'Église ancienne*, vol. 4,

Sa véritable découverte est due, en réalité, à August Möhle. Chargé de préparer l'établissement du texte d'Isaïe en vue de l'édition des Septante de Göttingen[1], Möhle cherche à connaître l'état de la recension lucianique chez les exégètes qui l'ont utilisée. Or Théodoret est de ceux qui citent d'ordinaire intégralement le texte qu'ils commentent : la découverte de son *In Isaiam* serait donc précieuse[2]. En 1929, Möhle entreprend de photographier divers manuscrits des Septante au mont Athos, à Athènes, à Patmos et à Constantinople dans le couvent du très saint Sépulcre. Il espère retrouver là le commentaire dont parlent Papadopoulos et Rahlfs. Formée d'une salle voûtée, au rez-de-chaussée, la bibliothèque du Métochion est située à proximité d'un réservoir d'eau connu sous le nom de « sterna » (στέρνα) à Constantinople. Möhle, en novembre 1929, photographie les folios 96 à 187 du ms. nº 17 qui, selon les indications données par Papadopoulos, contiennent le texte de l'*In Isaiam*. Contraint de travailler hâtivement, il manque de temps pour procéder au séchage du manuscrit : le papier en est très humide, les bords pourris, et les lettres en cet endroit peu visibles ou complètement disparues ; il ne peut tourner les folios sans arracher quelques lambeaux. Möhle estime à 5 % l'importance de la destruction du manuscrit. Le développement de ses photographies à Göttingen lui permet de constater que

Munich 1924, p. 237 : « Le commentaire de Théodoret sur Isaïe... est perdu » et, plus curieusement encore, P. CANIVET, *Thérapeutique*, introd., p. 25 : « Le commentaire sur Isaïe étant perdu, le texte reproduit (in *PG* 81, 215-494) est celui des Chaînes grecques. »

1. Il s'agit de l'édition critique du texte des Septante que poursuit l'« Entreprise des LXX » de Göttingen ; pour Isaïe : Joseph Ziegler, *Isaias. Septuaginta. Vetus Testamentum Graecum XIV*, Göttingen 1939, 2e édition 1967.

2. Les Chaînes permettent, en effet, une connaissance approximative du commentaire proprement dit, mais ne donnent que très peu de chose du texte biblique (cf. *infra*, ch. VI : Le texte de l'*In Isaiam*, p. 106).

ce manuscrit contient bien le commentaire complet de Théodoret sur Isaïe. Möhle fait alors appel aux Chaînes pour compléter le texte de son édition[1], avant d'obtenir en mai 1931 l'autorisation de consulter pendant quelques semaines le manuscrit dans le Métochion : avec regret il constate les progrès de sa détérioration, au point que sa photographie est désormais plus lisible et plus complète que le manuscrit, qui continue depuis lors inexorablement à pourrir et à s'émietter. Pourtant ce manuscrit risque fort d'être le seul témoin grec de l'*In Isaiam*[2]. En 1932, Möhle donne l'édition de ce texte et l'on est désormais en possession de tous les commentaires de Théodoret sur les prophètes.

1. Cf. *infra*, ch. VI : le texte de l'*In Isaiam*.

2. Tel est le sentiment d'August Möhle (introd., p. VII). Selon lui, il y a peu d'espoir de trouver un autre manuscrit du commentaire : Les mss des commentaires sur Isaïe mentionnés par A. Rahlfs (*Verzeichnis...*, p. 438) comme commentaires d'auteurs inconnus ne sont pas de Théodoret : le ms. de Venise, *Bibl. Marc., Append. I 37* contient le commentaire de Basile de Néopatra ; des deux mss du Caire (aujourd'hui à Alexandrie), *Bibl. Patrist. gr.*, le ms. 97 contient le commentaire de Basile le Grand et le ms. 114 (d'après les photographies de 10 pages) les λόγοι κατὰ τοῦ Μωάμεθ et les ἀπολογίαι, mais absolument aucun commentaire. La petite collection non cataloguée des mss du Patriarcat œcuménique consultée par Möhle en 1931 n'offre pas le commentaire sur Isaïe de Théodoret. Les mss de Paris, *Bibl. Nat. Suppl. gr. 773* et de Berlin, *Bibl. d'État, Phill. 1459* ne contiennent pas, comme l'indiquent les catalogues, le commentaire de Théodoret sur Isaïe 1 à 16, mais seulement une copie des passages des Chaînes de Florence, *Bibl. Laur., Plut. V 8* portant le nom de Théodoret. Le catalogue de S. Eustratiadès-Arcadios indique que le ms. Athos (XIe s.), βατοπαιδίου 237, contient sur sa dernière feuille un fragment du commentaire de Théodoret sur Isaïe (τεμάχιον ἐξηγήσεως εἰς τὸν Ἡσαΐαν), mais, faute d'avoir pu consulter ce ms., Möhle n'a pas pu vérifier la véracité de cette affirmation.

La place de l'*In Isaiam* dans l'œuvre exégétique de Théodoret

Grâce à la critique interne, on peut aisément déterminer l'ordre qu'a suivi Théodoret dans la rédaction de ses commentaires. Il lui arrive, en effet, d'exposer les raisons qui l'ont conduit à commenter tel prophète avant tel autre et de renvoyer à ses ouvrages antérieurs, afin d'éviter les redites ou pour inviter à comparer entre eux les textes de l'Écriture. Il fait aussi à plusieurs reprises dans ses commentaires le point sur son entreprise exégétique.

La préface de l'*In Psalmos* permet ainsi de situer respectivement cinq commentaires. Théodoret aurait aimé faire du Psautier son premier travail d'exégète (πρὸ τῶν ἄλλων θείων λογίων), mais il a dû renoncer provisoirement à ce projet pour sacrifier à d'autres obligations et donner successivement ses commentaires sur le *Cantique des Cantiques*, sur *Daniel* (« l'homme des désirs »), sur *Ézéchiel* et sur *les douze prophètes mineurs*[1]. D'autre part, l'*In Isaiam* est présenté par Théodoret comme l'avant-dernier de ses commentaires sur les prophètes[2]. L'*In Jeremiam* met donc fin à cette série de commentaires, comme le confirmerait, s'il en était besoin, la conclusion de l'ouvrage[3].

La date de l'*In Isaiam*

La facilité que l'on a à situer *l'In Isaiam* dans l'ensemble de l'œuvre exégétique de Théodoret ne se retrouve pas quand il s'agit de déterminer sa date de composition. La

1. *In Psal.*, *PG* 80, 860 AB : « Mais ceux qui nous réclamaient l'interprétation des autres écrits divins ne permirent pas à ce désir qui était le nôtre de trouver son accomplissement. Les uns nous ont, en effet, demandé d'expliquer le *Cantique des Cantiques* ; les autres ont désiré connaître la prophétie de l'homme des désirs ; d'autres ont réclamé que leur fussent rendues claires et évidentes les prédictions enveloppées d'obscurité d'Ézéchiel l'inspiré, et d'autres, celles des douze prophètes. »

2. *In Is.*, II, 34-37.

3. *In Jer.*, *PG* 81, 805 AB ; ce commentaire renvoie, en outre, à l'*In Ez.* (*id.*, 665 B) et à l'*In Is.* (*id.*, 620 C).

correspondance de notre auteur fournit, toutefois, quelques éléments de datation et notamment un *terminus ad quem*. A quatre reprises[1], Théodoret dresse pour ses correspondants une liste de ses écrits qui fait état de ses travaux sur l'Écriture ; deux lettres (ép. 82 ; 113) comportent même la mention précise de ses commentaires sur les prophètes. De l'avis de Théodoret, l'examen de ces écrits devrait fermer la bouche à ses détracteurs et suffire à prouver son orthodoxie. Chacune de ces lettres évoque, en effet, un moment de la lutte engagée contre lui par Eutychès : l'accusation d'hérésie (ép. 82), la déposition au Brigandage d'Éphèse (ép. 113-116), la réhabilitation au concile de Chalcédoine (ép. 146). En décembre 448, date de la première de ces lettres, Théodoret avait donc achevé tous ses commentaires sur les prophètes et ils étaient répandus dans le public[2].

Il est plus difficile de déterminer avec précision un *terminus a quo*. Les indications fournies par la correspondance sont à cet égard trop vagues pour être à elles seules décisives[3]. Le recours à la critique interne permet toutefois une approximation raisonnable. Au cours de la querelle doctrinale entre antiochiens et alexandrins, le vocabulaire christologique de Théodoret a évolué de façon assez nette pour permettre de situer la plupart de ses ouvrages par

1. Théodoret, *Correspondance*, ép. 82 (t. II, p. 202-203) ; ép. 113 (t. III, p. 64-65) ; ép. 116 (*id.*, p. 71-73) ; ép. 146 (*id.*, p. 176-177).

2. C'est du moins ce que laissent entendre les formules utilisées par Théodoret : « Quiconque le désire peut lire mes anciens ouvrages... » (ép. 82) ; « Or par ces livres il est facile de voir... » (ép. 113) ; « C'est sans peine assurément... » (ép. 146).

3. Dans sa lettre à Eusèbe d'Ancyre (*Correspondance*, t. II, ép. 82, p. 202-203), Théodoret distingue entre ses ouvrages antérieurs au concile d'Éphèse (431) et ceux qu'il a écrits « depuis douze ans » ; dans la lettre 113 (*id.*, t. III) au pape Léon (sept.-oct. 449), la précision semble plus grande en apparence, mais en réalité il est bien difficile d'établir avec certitude une relation entre les dates avancées et la liste des ouvrages énumérés.

rapport au concile d'Éphèse (431)[1]. A partir de cette date, sans cesser d'être un ardent défenseur du dyophysisme, Théodoret paraît avoir totalement renoncé, en raison de leur ambiguïté, aux expressions concrètes pour désigner les deux natures du Christ[2]. Tous les écrits d'où les formules concrètes ont disparu seraient donc postérieurs à 431. C'est le cas de tous les commentaires exégétiques. Peut-on préciser davantage? Si l'on tient pour assurée la date de 435 attribuée aux sermons *Sur la Providence* que cite l'*In Psalmos*[3], ce commentaire et du même coup l'*In Isaiam* sont postérieurs à cette date. Mais de combien? Nous ignorons tout de la façon dont travaillait Théodoret, de son rythme de composition, du temps qu'il a consacré à la rédaction de chaque commentaire. Toutefois, puisque l'*In Isaiam* est l'avant-dernier de ses commentaires sur les prophètes, on peut avec vraisemblance retenir une date qui soit plus proche de 447 que de 435[4].

1. L'évolution du vocabulaire christologique de Théodoret a été étudiée dans ce sens par M. Richard, « L'activité littéraire de Théodoret... », p. 82-106 et « Notes sur l'évolution doctrinale... ».

2. On entend par « formules concrètes » les expressions du type : le Dieu, le Verbe assumant, l'homme, l'homme assumé, l'homme visible, etc. De telles formules pour désigner la nature divine ou la nature humaine du Christ pouvaient évidemment faire croire qu'on distinguait en lui deux personnes (πρόσωπα) et non plus seulement deux natures (φύσεις).

3. A. Bertram (*Theodoreti episcopi Cyrensis doctrina christologica*, Hildesiae 1883) place après 435 les sermons sur la Providence et l'ensemble de l'œuvre exégétique de Théodoret. M. Richard (« L'activité littéraire de Théodoret... ») adopte d'abord à la suite de Bertram cette même date de 435, puis (« Notes sur l'évolution doctrinale... ») retient pour *terminus a quo* du *De Providentia* la date de l'Acte d'Union (433) et pour *terminus ad quem* celle de 437. La date de l'*In Psalmos* est donc soumise à cette imprécision.

4. K. Jüssen (« Die Christologie des Theodoret von Cyrus nach seinem neuveröffentlichten Isaiaskommentar » *Theologie und Glaube* XXVII, 1935, p. 452) a proposé la date de 445 ; c'est peut-être vouloir être trop précis et mieux vaut observer la même prudence

Commentaires antérieurs sur Isaïe

Au moment où il rédige ce commentaire, Théodoret a, en tout cas, de nombreux devanciers, tant antiochiens qu'alexandrins, mais leurs interprétations ne nous sont pas toutes parvenues.

a. Antioche

La perte pour nous la plus regrettable est celle du commentaire de Théodore de Mopsueste[1]. Nous connaissons toutefois suffisamment les grandes tendances de son exégèse[2] pour nous faire une idée de son *In Isaiam* : Théodore devait y accorder la première place à l'interprétation littérale et historique et reconnaître, grâce à l'interprétation typologique le plus souvent, le messianisme d'un petit nombre de prophéties.

De Jean Chrysostome, en revanche, nous possédons sur Isaïe six homélies[3] et un commentaire inachevé dans la tradition grecque[4], mais que ferait connaître presque intégralement, selon certains, une version arménienne[5].

en ce domaine que M. Richard (cf. p. 18, n. 1) dont les conclusions ont été reprises par l'ensemble de la critique moderne.

1. On sait par Ébedjésu, début du xive s. (J. S. Assemani, *Bibliotheca Orientalis*, Clem.-Vat., III, p. 30-35) et par la *Chronique de Séert* (Addai Seher, *Patrologie Orientale* V, p. 289-290), première moitié du xiiie s. (?), que Théodore de Mopsueste avait consacré à chacun des grands prophètes un volume de commentaires. Seuls deux fragments de son *In Isaiam* (*Is.* 10, 22 et 23) nous seraient parvenus. A. Möhle qui les a publiés (introd., p. xxv, note 1) refuse de les attribuer à Théodore sous prétexte que leur auteur considère la péricope comme une prophétie. R. Devreesse *(Essai sur Théodore)* ne se montre pas aussi catégorique.

2. Nous possédons, en effet, son commentaire sur les douze prophètes mineurs (*PG* 66, 124-632).

3. *PG* 56, 97-148.

4. La tradition grecque n'a conservé que le commentaire d'*Isaïe* 1 - 8, 10 (*PG* 56, 11-94) considéré par certains (Bardenhewer, *Gesch. der Altk. Lit.*, t. III, Fribourg 1902, p. 336 et encore par J. Quasten, t. III, p. 611), à tort semble-t-il, comme un remaniement d'homélies sur Isaïe.

5. Ce commentaire en arménien, édité à Venise en 1880 par les

Mékitharistes, comprend : *Isaïe* 2, 2 - 21, 2 ; 28, 16 ; 30, 6 - 64, 10 ; les Mékitharistes en ont donné une traduction latine (Venise 1887) qui reproduit pour *Isaïe* 1 - 8, 10 celle de Montfaucon ; les variantes arméniennes sont toutefois indiquées en notes. J. Avetisean a publié en arménien les prolégomènes de ce commentaire et l'interprétation d'*Isaïe* 1 - 2, 2 qui manquaient dans l'édition arménienne de 1880 (« The Newly Discovered Part of the Armenian Version of St John Chrysostom's Commentary on Isaias », *Sion* 9, 1935, p. 21-24). On a beaucoup discuté de l'authenticité de ce commentaire. Les Mékitharistes le tiennent naturellement pour authentique, mais leurs arguments n'emportent pas toujours la conviction. Bardenhewer notamment reste sceptique ; L. Dieu (« Le commentaire arménien de S. Jean Chrysostome sur Isaïe, ch. VIII-LXIV est-il authentique? », *Revue Hist. Eccl.* 17, 1921, p. 7-30), sans dissimuler les difficultés que pose ce commentaire, conclut à son « authenticité absolue ». A sa suite, J. Quasten (t. III, p. 611) estime qu'il n'y a pas lieu de mettre en doute son attribution à Chrysostome. En revanche J. Ziegler (*Isaias*, Avant-propos, p. 13 et 73-74) doute de cette appartenance à Chrysostome en se fondant sur l'examen du texte biblique. Mais l'argument n'est peut-être pas entièrement décisif : le texte lucianique qu'utilise Chrysostome — il fait l'éloge de cette version à laquelle vont ses préférences en commentant *Isaïe* 9, 6 (Mékitharistes, p. 132) — est sans doute assez composite au même titre que celui de Théodoret. Il reste que la principale difficulté vient précisément des variantes signalées : alors que jusqu'en *Isaïe* 8, 10, l'auteur du commentaire ne renvoie qu'une fois et indirectement à l'hébreu et au syriaque et qu'il ne fait aucune référence aux versions de Symmaque, d'Aquila et de Théodotion, il ne cesse, dès *Isaïe* 8, 11, de renvoyer à ces versions et cite douze fois le texte hébreu. Que les deux parties du commentaire aient été rédigées à deux époques différentes comme le veulent les Mékitharistes (*op. cit.*, introd. p. xviii) ou qu'avec L. Dieu (art. cité), on suppose en outre un changement de méthode dans l'interprétation, cette disparité ne laisse pas d'être troublante. A cela s'ajoute encore le silence de la tradition grecque sur ce commentaire dont les Chaînes n'ont rien gardé. Néanmoins, la *Clavis Patrum Graecorum*, t. II, 1974 (n° 4416) le donne parmi les œuvres authentiques de Chrysostome. Pourtant, un récent article de J. Dumortier (« Une énigme chrysostomienne : le commentaire inachevé d'Isaïe », in *Mélanges de Science religieuse UNIVERSITAS* — n° spécial pour le centenaire de la Faculté Catholique de Lille —, Lille 1977, p. 43-47) reprend sous un jour nouveau l'ensemble du problème et, sans déclarer catégoriquement l'énigme résolue, invite fortement à conclure que ce commentaire arménien attribué à Chrysostome est apocryphe. Selon J. Dumortier,

Condisciple de Théodore de Mopsueste, Chrysostome s'attache, lui aussi, en priorité, à établir le sens littéral et historique du texte, mais recourt plus volontiers à l'interprétation figurée[1]. S'il use avec prudence de la typologie[2], il hésite sans doute moins que ne devait le faire Théodore à reconnaître la portée messianique des prophéties. De ce fait, son exégèse se révèle en général plus souple et plus nuancée que celle de l'évêque de Mopsueste.

b. Alexandrie

Des commentaires alexandrins d'Origène et de Didyme l'Aveugle sur Isaïe nous n'avons rien conservé, mais S. Jérôme qui les

seule la première partie du commentaire (*Isaïe* 1 - 8, 10) aurait été rédigée ; la suite se présentant sous forme de notes sténographiques indéchiffrables pour le scribe grec, il serait vraiment curieux que le traducteur arménien se fût montré plus expert que ce dernier ; cette « suite » arménienne serait plus vraisemblablement l'œuvre d'un épigone arménien désireux de couvrir sa propre interprétation de l'autorité et du renom de Chrysostome. Cette hypothèse, qui a le mérite de résoudre des contradictions qu'on essayait jusqu'ici d'expliquer tant bien que mal, nous paraît entraîner l'adhésion. Seule la partie du commentaire conservée en grec appartient donc à Chrysostome.

1. Jean Chrysostome se montre, en revanche, comme beaucoup d'antiochiens, méfiant à l'égard de l'allégorie. Il n'y fait appel qu'avec d'extrêmes réserves et préfère s'en tenir au sens littéral (*PG* 55, 126, 209 ; *PG* 56, 23). Selon lui, quand le texte est à entendre en un sens allégorique, l'Écriture l'indique avec netteté (*PG* 56, 60).

2. Chrysostome en a précisé de manière assez stricte les « règles » (*PG* 51, 247 ; 53, 528-529). Dans son *Commentaire d'Isaïe*, il recourt une dizaine de fois à l'explication typologique (*Is.* 35, 8-9, 10 ; 40, 4, 11 ; 43, 15, 19 ; 49, 1, 6 ; 51, 11 ; 52, 14 ; 54, 3 ; 60, 11) en retenant presque toujours (9 cas) le retour d'exil de Babylone comme « figure » d'une réalisation totale de la prophétie avec le Christ, le N.T., l'Église.

a lus[1] pour rédiger son propre *In Isaiam*[2] leur a sans doute beaucoup emprunté, en dépit du fréquent reproche d'allégorisme qu'il adresse à leurs auteurs. C'est du reste avec aussi peu de bienveillance que le même Jérôme parle du *Commentaire sur Isaïe* d'Eusèbe de Césarée qui n'a été longtemps connu que par les Chaînes[3]. La lecture du texte intégral de ce commentaire[4] invite aujourd'hui à nuancer ce jugement trop sévère[5] : si la dépendance d'Eusèbe à l'égard d'Origène est confirmée[6], il est injuste pourtant

1. Jérôme (*PL* 24, 21 A) déclare qu'Origène a interprété la prophétie d'Isaïe jusqu'à la vision des quadrupèdes (*Is.* 30, 6) en un commentaire de 30 vol., dont le 26e est perdu ; toujours selon lui *(ibid.)*, Didyme a donné 18 vol. de commentaires depuis *Isaïe* 40, 1 jusqu'à la fin de la prophétie. En outre, et sans parler des Σημειώσεις (*i.e.* Excerpta), Origène a composé 9 homélies sur Isaïe *(ibid.)* dont Jérôme a donné une traduction latine (*PL* 24, 901-936 ; cf. *Die Griechischen Christlichen Schriftsteller, Origenes Homiliae in Isaiam*, Leipzig 1925, p. 242-289).

2. S. Jérôme, *In Isaiam*, *PL* 24, 17-678.

3. Jérôme parle de l'*In Isaiam* d'Eusèbe à deux reprises, mais en des termes quelque peu différents ; dans son *De viris inlustribus* (*PL* 23, 726 B - 727 A), il le donne pour un commentaire en dix livres, et dans la préface de son propre *In Isaiam* (*PL* 24, 21 A) pour un commentaire en quinze livres. On n'en connaissait que les éléments des Chaînes rassemblés par Montfaucon (*PG* 24, 85-526), puis complétés par R. Devreesse (« L'édition du commentaire d'Eusèbe de Césarée sur Isaïe. Interpolations et omissions », in *Revue biblique* 42, 1933, p. 540-555) jusqu'à la découverte du texte intégral par A. Möhle (« Der Jesaiakommentar des Eusebios von Kaisareia fast vollständig wieder aufgefunden », in *Zeitschrift für die neutestamentliche wissenschaft* 33, 1934, p. 87-89).

4. J. Ziegler, *Eusebius Der Jesajakommentar*, *GCS* IX, Akademie-Verlag, Berlin 1975.

5. Au dire de S. Jérôme, Eusèbe oublie souvent sa promesse initiale d'une interprétation littérale et historique pour tomber dans l'allégorisme d'Origène (*In Is.*, lib. 5 ad *Is.* 18, 2, *PL* 24, 179 B) ; mais Jérôme se montre trop injuste et, sous l'imputation d'origénisme, condamne parfois des ouvrages qu'il n'a aucun scrupule à piller.

6. Cf. J. Ziegler, *Eusebius Der Jesajakommentar*, Avant-propos, p. xxxi-xxxiv ; à sept reprises, Eusèbe signale l'endroit précis où

d'insinuer que ce commentaire n'est qu'un tissu d'allégories. L'interprétation d'Eusèbe, qui s'ouvre largement aux influences alexandrines, se garde, en effet, d'imiter dans l'allégorie ou la subtilité les excès de certains exégètes alexandrins. La voie moyenne où elle se tient apparente plutôt cette exégèse à celle des Cappadociens[1].

Le même souci de mesure dans l'interprétation paraît avoir animé Cyrille d'Alexandrie dont nous avons conservé le *Commentaire sur Isaïe*[2]. Le sens spirituel reste pour Cyrille le but de l'interprétation, sans que cela suppose de sa part un recours systématique à l'allégorie. Dans la préface de son commentaire, s'affirme au contraire la

s'achèvent diverses sections du commentaire d'Origène sur Isaïe. Cela prouve qu'il rédige son propre commentaire en suivant des yeux l'interprétation d'Origène.

1. Signalons, pour mémoire, un long commentaire sur *Isaïe* 1-16 attribué à Basile de Césarée (*PG* 30, 117-668), dont Théodoret a lu le commentaire *Sur le Cantique* (*In Cant.*, *PG* 81, 32 B). Cette attribution est en réalité fort contestée ; pour l'état de la question, voir J. Gribomont (*Introductio et admonestationes in tomos 29, 30, 31, 32*, 1960, p. 3-4), qui paraît favorable à l'authenticité ; néanmoins, au dire de J. Quasten (*op. cit.*, t. III, p. 315), ce commentaire, qui emprunte beaucoup à ceux d'Eusèbe sur Isaïe et sur les Psaumes, est peu dans la manière de Basile ; J. Ziegler, *Isaias, op. cit.*, p. 12-13 et 53, doute également de son appartenance à Basile ; enfin, la *Clavis Patrum Graecorum*, n° 2911, le signale encore parmi les *dubia*. Par sa longueur, par le caractère touffu d'une interprétation qui prend parfois l'allure d'une homélie et qu'entrecoupent de trop nombreuses citations, ce commentaire a bien peu de points communs avec celui de Théodoret. Un examen précis portant sur la tropologie, la typologie, la polémique et la christologie dans les deux commentaires ne permet que des rapprochements rares et parfois assez lointains, en tout cas peu significatifs dans la mesure où il s'agit d'interprétations qui se retrouvent le plus souvent chez Chrysostome, Eusèbe ou Cyrille. Nous les signalerons éventuellement dans le cours du commentaire.

2. Ce commentaire qui occupe pratiquement tout le volume de Migne (*PG* 70) est sensiblement plus long que celui de Théodoret ; il est divisé en cinq livres.

volonté de donner la priorité au sens littéral et historique[1] ; néanmoins l'anagogie et, dans une certaine mesure, la typologie sont les moyens habituels de le dépasser. En fait, l'*In Isaiam* de Cyrille ne paraît pas avoir souffert du discrédit dans lequel on a longtemps tenu, à la suite notamment de S. Jérôme et de Théodore de Mopsueste, l'exégèse alexandrine.

Les sources de Théodoret

Est-il possible maintenant de déterminer ce que Théodoret peut devoir à ses prédécesseurs ? Certes, l'*In Isaiam* ne contient aucune allusion directe ou indirecte aux commentaires que nous venons d'énumérer, mais cela ne signifie nullement que Théodoret les ait ignorés. Nous savons, de son propre aveu, qu'il n'hésitait pas à consulter les œuvres de ses devanciers et à leur emprunter au besoin[2].

A défaut de certitudes, on peut au moins retenir les hypothèses les plus vraisemblables et, d'abord, écarter sans grande hésitation le commentaire de S. Jérôme : Théodoret paraît avoir ignoré le latin. D'autre part, la préface de l'*In Canticum* (*PG* 81, 32 B) et celle de l'*In Psalmos* (*PG* 80, 860 CD) renseignent assez précisément sur les commentateurs dont Théodoret cherche à connaître l'interprétation. La liste de noms qu'il donne dans l'*In Cant.* témoigne de son intérêt pour les trois grands courants — alexandrin, cappadocien et antiochien — de l'exégèse[3]. Dans l'*In Psalmos*, Théodoret prend nettement position, mais sans donner de noms cette fois, en faveur d'une

1. *In Isaiam*, *PG* 70, 9 A (τῆς ἱστορίας τὸ ἀκριβές) ; mais, dans le même temps, Cyrille affirme nettement le but de son exégèse : « Le terme de la Loi et des prophètes, c'est le Christ » *(ibid.)*.

2. Théodoret ne dissimule ni ses lectures ni ses emprunts : cf. *In Cant.*, *PG* 81, 48 C ; *In XII proph.*, *id.*, 1545 B ; *In Psal.*, *PG* 80, 860 CD.

3. Théodoret nomme tour à tour Eusèbe de Césarée, Origène, Cyprien de Carthage, Basile le Grand, Grégoire de Nysse et Grégoire de Nazianze, Diodore de Tarse et Jean Chrysostome (*PG* 81, 48 C).

exégèse qui s'écarte d'un allégorisme excessif autant que d'un littéralisme historique étroit[1]. A n'en pas douter, Théodoret vise ici respectivement certains exégètes alexandrins et antiochiens, preuve qu'il s'est astreint à la lecture de leurs commentaires sur les Psaumes. On comprendrait mal qu'il ait renoncé à cette manière de procéder au moment de composer son *In Isaiam*.

Selon toute vraisemblance, Théodoret s'est adressé en priorité aux exégètes de tendance antiochienne. Toutefois, on reste d'autant plus surpris de constater que son commentaire ne doit presque rien à celui de Jean Chrysostome[2]

1. *In Psal.* (*PG* 80, 860 CD). Selon Théodoret, cet excès de littéralisme historique apparente ce type d'interprétation à l'exégèse judaïsante. Théodoret paraît, du reste, déplorer cette attitude de la part d'exégètes chrétiens (ὡς Ἰουδαίοις μᾶλλον τὴν ἑρμηνείαν συνηγορεῖν, ἢ τοῖς τροφίμοις τῆς πίστεως) et l'on pense naturellement à l'exégèse de Théodore de Mopsueste ; cf. aussi *In Mich.*, *PG* 81, 1760 D et le chapitre IV de cette introduction à propos de la polémique anti-juive.

2. Le fait est surprenant et donne des armes supplémentaires à ceux qui refusent d'attribuer ce commentaire à Chrysostome. En premier lieu, le texte biblique de Chrysostome est loin d'être identique à celui de Théodoret, même si tous deux utilisent fondamentalement la version lucianique. En outre, les références aux versions d'Aquila, de Symmaque et de Théodotion se font rarement pour les mêmes versets d'Isaïe chez les deux interprètes (20 fois sur 100 environ) et, quand le fait se produit, ce ne sont pas toujours les mêmes péricopes ou les mêmes mots qui les intéressent. Il en va de même pour l'interprétation proprement dite. On peut certes trouver une dizaine de cas sur une bonne quarantaine où les interprétations figurées de Chrysostome et de Théodoret sont voisines sur le fond, sinon dans la forme ; mais, à deux exceptions près, aucune des explications typologiques de Théodoret n'existe chez Chrysostome ; en revanche, l'accord est plus sensible (7 endroits sur 18) quand il s'agit de refuser d'appliquer la prophétie à l'histoire juive de l'A.T., mais on ne retrouve pas alors dans le commentaire arménien la vigoureuse polémique anti-juive caractéristique de tels passages chez notre auteur. Du reste, si la polémique contre les Juifs n'est pas absente du commentaire arménien, elle ne se rencontre jamais — en dépit de quelques similitudes sur le fond — avec celle de Théodoret, qu'il

que notre auteur a pour ce dernier la plus vive admiration[1]. Empruntait-il davantage à l'*In Isaiam* de Théodore de Mopsueste ? On est en droit de le penser, même s'il nous est aujourd'hui impossible d'en faire la preuve. On peut en revanche déterminer sans grands risques d'erreur les points sur lesquels Théodoret se sépare du maître antiochien, en se fondant sur la comparaison de leurs commentaires respectifs des douze prophètes mineurs[2]. Théodore y fait peu de place aux prophéties messianiques directes et même à l'explication typologique : il préfère chercher à l'intérieur de l'histoire juive de l'A. T. l'accomplissement des prophéties. Or, Théodoret refuse le plus souvent cette manière d'exégèse judaïsante pour accorder une place plus large aux prophéties messianiques directes ou indirectes.

s'agisse du transfert des Promesses, de polémique théologique ou exégétique. Dans le cas de la polémique contre les idoles, on ne peut jamais non plus établir une relation directe entre Théodoret et Chrysostome, bien que la teneur de leur commentaire soit voisine puisque tous deux paraphrasent le plus souvent Isaïe. Enfin, la polémique contre les hérétiques tient peu de place dans le commentaire arménien et reste toujours très générale *(haeretici)*, alors que Théodoret s'en prend fréquemment aux hérésiarques ; nous n'avons pas trouvé un seul cas où ces deux polémiques se rencontrent. Quant à la christologie, elle est relativement peu développée dans le commentaire de Chrysostome et on peut tenir pour assuré que Théodoret ne lui doit aucune de ses nombreuses remarques en ce domaine. Si le commentaire arménien avait bien pour auteur Chrysostome, il faudrait convenir que Théodoret ne lui aurait guère emprunté.

1. Cf. *In Cant.*, *PG* 81, 32 B.

2. La comparaison entre le commentaire de Théodore de Mopsueste et celui de Théodoret *Sur les douze prophètes mineurs* a été ébauchée, en ce qui concerne les prophéties messianiques, par L. Pirot (p. 260-275). Nous avons, de notre côté, repris cette comparaison en l'étendant à l'usage que font les deux exégètes de l'interprétation figurée, de l'histoire, de la grammaire, et à leurs développements christologiques ; or l'exégèse de Théodoret, contrairement à ce qu'on pouvait penser, dépend bien peu, pour les douze prophètes au moins, de celle de Théodore. Nous avons, en tout cas, noté plus de divergences que de similitudes.

Toutefois, son opposition ne se marque jamais ouvertement : pour rejeter l'interprétation de Théodore, l'évêque de Cyr se contente du pronom indéfini τινές. Or, cet emploi du τινές reparaît dans tous ses commentaires, notamment dans l'*In Isaiam*[1]. En outre, si certains développements polémiques de l'*In XII proph.* — à l'égard de Zorobabel notamment — sont repris de manière assez proche dans l'*In Isaiam*, c'est qu'ici comme là Théodoret refuse l'interprétation de Théodore[2]. Nous avons donc comme une preuve indirecte qu'il a lu son *Commentaire sur Isaïe* et, selon toute vraisemblance, il s'en est souvenu au moins autant qu'il s'en écarte[3].

1. Sur cette utilisation polémique de l'indéfini τις-τινές, cf. *In Is.*, 2, 46-48 ; 6, 332 s. ; 355 s. ; 9, 358 s. ; 12, 64 s. (τοὺς οἰομένους).

2. La comparaison des commentaires *Sur les douze prophètes mineurs* de Théodore et de Théodoret fait clairement apparaître cette différence dans l'interprétation. Aux prophéties que Théodore applique d'ordinaire exclusivement au retour des Juifs de Babylone et à Zorobabel ou que, plus rarement, il considère comme des « figures » (*PG* 66, 205 A ; 301 D - 304 A ; 364 B - 365 A ; 372 B - 373 B ; 472 D - 473 A ; 556 C - 557 B), Théodoret n'accorde tout au plus que cette dernière valeur (*PG* 81, 1628 A ; 1857 BC) ; le plus souvent, il leur refuse même ce rôle pour les rapporter directement au Christ (*id.*, 1705 BC ; 1760 D - 1761 A et C ; 1768 BC ; 1924 A). Or Théodoret dans l'*In Isaiam* (4, 478-482 ; 9, 358-366 ; 15, 335-340) renouvelle, en des termes presque identiques, les remarques qu'il fait dans l'*In XII proph.* à propos de Zorobabel. On peut donc conclure qu'ici comme là il s'oppose à l'interprétation trop systématiquement vétéro-testamentaire de Théodore de Mopsueste.

3. Dans sa *Dissertatio* (*PG* 80, 56), Schulze se demandait déjà si, dans les Chaînes de l'*In Isaiam* réunies par Sirmond, une bonne partie n'appartenait pas à Théodore de Mopsueste. Fr. A. Specht (*Der exegetische Standpunkt des Theodor von Mopsuestia und Theodoret von Kyros in der Auslegung messianischer Weissagungen aus ihren Commentaren zu den kleinen Propheten dargestellt*, Munich 1871, p. 29-30) pense lui aussi que Théodoret a beaucoup emprunté à Théodore. Tel est encore l'avis de L. Pirot (p. 83). Nous le croirions volontiers, mais l'exemple du commentaire de Chrysostome (à ne considérer même que la partie grecque), envers qui on pouvait penser que la dette de Théodoret était grande, invite à la prudence.

De même, si tout porte à croire que Théodoret a consulté les commentaires d'Origène et de Didyme[1], rien ne permet plus aujourd'hui de l'affirmer. On peut, en revanche, tenir pour assuré qu'il connaît l'*In Isaiam* d'Eusèbe ; mais, en dépit de quelques cas où les deux commentaires paraissent assez voisins, Théodoret lui doit peu. Son commentaire n'est, en réalité, jamais directement tributaire de celui d'Eusèbe : on y chercherait vainement des passages littéralement empruntés ou même seulement démarqués du commentaire eusébien[2]. Si Théodoret lui devait quelque

1. Il paraît peu probable que Théodoret ait négligé de lire l'*In Isaiam* d'Origène, dont il a consulté jadis le *Com. sur le Cantique* (*PG* 81, 32 B). De Didyme, on est certain qu'il a utilisé l'*In Zachariam*, même si, en définitive, il lui doit peu (cf. L. Doutreleau, Didyme l'Aveugle, *Sur Zacharie*, 3 vol., *SC* 83-84-85, Paris 1962 ; vol. 83, p. 39-40). Il serait donc logique que Théodoret ait également consulté le commentaire sur Isaïe de Didyme.

2. Voir à ce sujet l'intéressant parallèle qu'établit J. Ziegler (*op. cit.*, Avant-propos, xlix) entre le commentaire d'un même passage (*Is.* 43, 3) chez Eusèbe, Procope de Gaza, Théodoret et Jérôme ; peut-on encore parler de filiation dans le cas de Théodoret ? Ziegler constate qu'il n'emprunte jamais directement des phrases entières ou des raisonnements, mais seulement quelques mots isolés. De notre côté, nous avons fait subir au commentaire d'Eusèbe le même examen qu'à celui de Chrysostome. Eusèbe utilise le texte des LXX que donne la recension hexaplaire, à laquelle il emprunte aussi les variantes hébraïques ou celles provenant de Symmaque, d'Aquila et de Théodotion, en beaucoup plus grand nombre chez lui que chez Théodoret ; en revanche, aucun appel n'est fait au syriaque. Dans son commentaire, l'interprétation figurée est naturellement bien représentée, mais elle est loin de tenir toute la place ; nous avons relevé entre les explications d'Eusèbe et de Théodoret une parenté parfois assez étroite, au moins sur le fond (12 cas environ sur une cinquantaine), mais la manière dont chacun des exégètes a recours au sens figuré plaide en faveur de l'indépendance de Théodoret. Cette indépendance est encore plus nette en matière de typologie : aucune des explications de Théodoret ne se retrouve chez Eusèbe ; et, si l'on fait l'épreuve inverse, chaque fois que Théodoret rejette l'explication typologique, on constate qu'Eusèbe ne songe même pas à recourir à ce mode d'interprétation. Si l'on ne relève

chose, il vaudrait mieux le chercher, selon nous, dans les tendances les plus générales de son exégèse : à travers l'interprétation d'Eusèbe, il a pu subir le meilleur de l'influence origénienne. Cela peut avoir contribué, en partie, à contrebalancer chez lui la tendance au littéralisme héritée de Théodore de Mopsueste.

Enfin, on imagine difficilement que Théodoret ait pu ignorer l'*In Isaiam* de Cyrille d'Alexandrie : la polémique qui longtemps les opposa les a sans aucun doute habitués à un examen réciproque de leurs écrits. L'impression générale est qu'il existe une parenté d'ensemble entre leurs commentaires. Sur le fond de l'interprétation, les divergences sont pratiquement inexistantes ; plusieurs développements théologiques ou christologiques, à partir des mêmes versets d'Isaïe le plus souvent, méritent d'être rapprochés et bien des interprétations figurées du commentaire de Cyrille se retrouvent pour l'essentiel dans celui de Théodoret. Toutefois, rien ne permet de conclure que notre auteur emprunte directement à Cyrille[1]. Les

pas chez lui de violente polémique anti-juive, on voit néanmoins une parenté étroite entre son commentaire et celui de Théodoret dans la manière de traiter le thème du transfert des Promesses, notamment à propos des termes « Liban » et « Carmel ». En revanche, les occasions de rapprochement entre les deux commentaires sont pratiquement inexistantes (à une exception près sur *Is.* 41, 24), si l'on considère la polémique contre les idoles ; c'est encore plus vrai de la polémique contre les hérétiques, puisque aucune des attaques de Théodoret ne se retrouve dans le commentaire d'Eusèbe. Enfin, aucun développement christologique de Théodoret (à l'exception peut-être du com. d'*Is.* 19, 1) ne provient du commentaire d'Eusèbe ; à quelques reprises, toutefois, et en dépit d'un commentaire différent des mêmes versets, on note que les deux exégètes font état des mêmes variantes ou citent en référence les mêmes passages scripturaires : dans ce cas, les citations d'Eusèbe sont presque toujours plus abondantes que celles de Théodoret. En définitive, la dette de Théodoret à l'égard d'Eusèbe paraît assez légère.

1. Ainsi les interprétations figurées de Théodoret se rencontrent une vingtaine de fois avec celles de Cyrille, donc plus souvent qu'avec

similitudes que l'on peut relever entre leurs commentaires viennent sans doute du fait qu'ils puisent l'un et l'autre à un patrimoine commun[1] et qu'ils partagent tous deux

celles d'Eusèbe. Mais on ne peut jamais affirmer que l'interprétation de Cyrille est à l'origine de celle de Théodoret : l'accord n'est souvent que partiel ou les voies pour parvenir à une explication fondamentalement identique sont différentes ; enfin, l'expression reste indépendante et Théodoret ne « copie » jamais. En revanche, aucune des interprétations typologiques de Théodoret n'est retenue ni envisagée par Cyrille ; et, quand Théodoret refuse d'accorder à tel personnage ou à tel événement de l'A.T. le rôle de « figure », le commentaire de Cyrille n'envisage même pas la possibilité d'une explication typologique (sauf en *Is.* 43, 19, où Cyrille reconnaît une figure que n'accepte pas Théodoret). Si l'on compare maintenant la polémique dans les deux commentaires, on constate l'indépendance de Théodoret à l'égard de Cyrille. Certes, il n'est pas impossible de faire quelques rapprochements plus ou moins convaincants entre leurs polémiques contre les idoles. Mais, sur le chapitre du transfert des Promesses où l'accord était fréquent entre Théodoret et Eusèbe, Cyrille et Théodoret ne se rencontrent que trois fois ; dans tous les autres cas (théologie, exégèse) où notre auteur s'en prend aux Juifs, aucun rapprochement n'est possible avec le commentaire de Cyrille. De même, aucune des attaques de Théodoret contre les hérétiques n'existe chez Cyrille qui aborde rarement le sujet et ne nomme aucun hérésiarque. Enfin, les questions christologiques, comme on s'y attend, retiennent l'attention des deux exégètes. Souvent, à l'occasion des mêmes versets d'Isaïe, on trouve chez eux des développements similaires, au moins sur le fond ; mais on n'a jamais l'impression que Théodoret dépende de Cyrille (cf. *infra*, p. 32, n. 1). Leur manière d'aborder les sujets et de les traiter ne pouvait guère être identique du fait sans doute de leur tempérament et de leur formation, mais surtout de la date à laquelle chacun a rédigé son commentaire : Cyrille avant le concile d'Éphèse, Théodoret après la longue querelle avec Alexandrie.

1. Nous prendrons pour seul exemple l'interprétation de « léger nuage » (*Is.* 19, 1) que les deux exégètes entendent de la nature humaine du Christ. On serait donc tenté de dire que Théodoret emprunte son explication (*In Is.*, 6, 203-206) à Cyrille ; mais ce dernier déclare lui-même (*PG* 70, 452 B) la trouver chez d'autres exégètes. Il rapporte, du reste, une seconde explication selon laquelle « léger nuage » désignerait la Vierge Marie. EUSÈBE (*GCS* 124, 25 s.) pense déjà que ces mots annoncent la venue du Christ dans

les préoccupations de leur temps, notamment en matière christologique. En réalité, et en dépit de quelques ressemblances, ces deux commentaires restent bien différents. Au point de vue de la méthode d'abord : la critique textuelle est pratiquement absente du commentaire de Cyrille[1]. Ensuite, les points précis de convergence, au regard de l'ensemble des deux commentaires, sont relativement peu nombreux. Même dans ce cas, la parenté n'existe guère que dans la teneur générale de l'interprétation : les formules presque toujours, et l'argumentation, parfois, restent indépendantes. En outre, l'abondance des citations, dont la nécessité est rarement impérative, tend à égarer le lecteur de Cyrille loin du commentaire proprement dit, si bien que son *In Isaiam* ne laisse pas la même impression de clarté que celui de Théodoret. Enfin, d'un point de vue doctrinal, Théodoret ne paraît rien devoir à Cyrille dont les développements christologiques n'ont

la chair, en raison de sa naissance virginale et de sa conception spirituelle, et rattache le passage à la fuite en Égypte. Quant à CHRYSOSTOME (*Mékith.*, p. 187, l. 4-8), après une explication littérale de « nuage », il avance, sans la reprendre à son compte (« non est perfacile admittendum »), l'interprétation d'autres exégètes *(alii)* qui rapportent ces termes à la Vierge Marie. Que la paternité de cette double interprétation revienne à Origène ou à Didyme, cela est vraisemblable ; mais on mesure avec cet exemple la difficulté d'une attribution précise à tel exégète de ce qui est, en fait, devenu un bien commun.

1. On ne trouve jamais chez lui, par exemple, de référence directe aux versions d'Aquila, de Symmaque et de Théodotion. Parfois, certes, il signale une variante, mais sans en indiquer précisément l'origine : νεᾶνις au lieu de παρθένος en *Is.* 7, 14 (*PG* 70, 204 B) ; κλοιοῖς au lieu de πλοίοις en *Is.* 43, 14 (*id.* 901 A) ; γλύμμα pour Ἰησοῦν en *Is.* 60, 18 (*id.* 1345 A), mais on sait par EUSÈBE (*GCS* 377, 24-25 et 29-30) que γλύμμα vient d'Aquila et Ἰησοῦν de l'hébreu. De même, il lui arrive de préciser assez longuement le sens d'un mot (ἐκτήσω, *PG* 70, 868 D) ; mais de telles remarques sont excessivement rares.

pas toujours la fermeté qu'on attendrait de lui[1]. En définitive et malgré les apparences, Théodoret doit sans doute assez peu à l'*In Isaiam* de Cyrille.

Parmi tant de sources possibles, il est donc en réalité bien difficile d'identifier avec certitude celles que Théodoret a le plus utilisées. L'absence d'emprunts directs aux œuvres qui nous sont parvenues ne doit pas faire trop rapidement conclure à l'indépendance totale de Théodoret. Inversement, il serait abusif de s'autoriser de quelques similitudes entre son commentaire et ceux de ses prédécesseurs pour ne voir en lui qu'un compilateur. En fait la tentation est grande de penser que Théodoret est surtout tributaire de l'interprétation de Théodore de Mopsueste. Nous pensons en avoir fourni la preuve, au moins de manière négative, en montrant que son interprétation paraît à plusieurs reprises combattre celle de

1. La christologie occupe néanmoins une place très importante dans le commentaire de Cyrille : nous avons relevé plus de vingt passages où la question est abordée et, d'ordinaire, en des développements plus longs que ceux de Théodoret. Mais CYRILLE se révèle plus « dyophysite » qu'on ne pourrait le croire, quand il montre que certains termes (παῖς, δοῦλος) ou passages ne peuvent s'entendre que de l'humanité du Christ. Ses formules manquent parfois encore de la netteté et de la fermeté que la polémique avec Antioche leur donnera plus tard. Il dit, par exemple, en parlant de l'Incarnation, que la divinité est descendue dans la chair comme dans un « temple » (*PG* 70, 316 A : ὡς ἐν ἰδίῳ ναῷ) ; il parle du Verbe venu dans le monde « dans la ressemblance de la chair » (*id.* 22 C : ἐν ὁμοιώματι σαρκός), du « Dieu manifesté dans la forme humaine » (*id.* 204 D - 205 A : τὸν Θεὸν ἐν ἀνθρωπείᾳ μορφῇ πεφηνότα), du Verbe apparu « dans la ressemblance de l'homme et reconnu comme un homme par son aspect » (*id.* 1036 D : ἐν ὁμοιώματι ἀνθρώπου γενόμενος, καὶ σχήματι εὑρεθεὶς ὡς ἄνθρωπος), mais cette fois la formule est de S. Paul (*Phil.* 2, 7) ou encore du Verbe qui s'est manifesté « dans notre propre apparence » (*id.* 1053 D : ἐν εἴδει τῷ καθ' ἡμᾶς). De telles formules, malgré leur origine ou leur parenté pauliniennes dans certains cas, pourraient laisser croire à une union relâchée et ne manquent pas de surprendre sous la plume de celui qui voulut, à Éphèse, les faire bannir du vocabulaire christologique.

Théodore. Mais il faut rester prudent : on aurait pu tout autant penser que Théodoret devait beaucoup à l'interprétation de Jean Chrysostome ; or la comparaison de leurs commentaires sur Isaïe invite à se montrer plus circonspect. On peut néanmoins tenir pour assuré que Théodoret a puisé à l'ensemble de la tradition exégétique pour écrire son *In Isaiam*, qu'il s'est ouvert sans doute largement aux influences alexandrines, tout en restant fidèle à ses maîtres antiochiens, même s'il n'est plus possible aujourd'hui de reconnaître exactement le nombre et la provenance des matériaux qu'il a empruntés pour « tisser un ouvrage » bien à lui[1].

Le dessein de Théodoret

Théodoret ne serait-il en définitive qu'un habile compilateur? Il s'en défend à plusieurs reprises : sans dissimuler ses emprunts, il prétend apporter sa contribution personnelle à l'entreprise collective qu'est à ses yeux l'interprétation de l'Écriture[2]. Quelles raisons ont donc conduit Théodoret à commenter Isaïe?

Le prologue de l'*In Isaiam* ne fait état que d'une obligation morale : celle de faire bénéficier autrui de son savoir[3]. La raison n'est pas nouvelle chez Théodoret : sans douter absolument de son intention pastorale, on reconnaît néanmoins un lieu commun de la rhétorique[4]. Aussi, doit-on chercher ailleurs les raisons de ce commentaire.

Théodoret a le goût des ouvrages de longue haleine :

1. Cf. *In XII proph.*, *PG* 81, 1548 B, où la comparaison est utilisée par Théodoret lui-même pour parler de ses emprunts.

2. Théodoret justifie son entreprise en la présentant à la fois comme la transmission d'un héritage qu'il a fait sien (*In Cant.*, *PG* 81, 48 C : οὐ κλοπή, ἀλλὰ κληρονομία πατρῴα) et comme un moyen d'apporter sa pierre à un édifice commun (*In XII proph.*, *id.*, 1545 BC - 1548 AB).

3. *In Is.*, II, 1-16.

4. On retrouve la même idée dans l'*In Dan.* (*PG* 81, 1257 A et C) et dans l'*In XII proph.* (*id.*, *praef.* 1545-1548).

l'idée d'offrir à ses lecteurs une série complète de commentaires sur les prophètes a pu le séduire[1], mais non entraîner à elle seule sa décision. L'*In Isaiam* ne peut pas être davantage le fruit d'une « polémique d'école » visant les excès de littéralisme d'un Théodore : à cette époque, notre auteur n'en est plus à définir sa méthode exégétique. Ne trouverait-on pas alors dans la polémique menée contre les païens, les Juifs et les hérétiques, la justification de l'*In Isaiam*? On est un instant tenté de le croire. En réalité, malgré la place qu'elle occupe dans le commentaire, cette polémique n'est plus d'actualité : elle est devenue un lieu commun de l'exégèse[2]. Du reste, bien longtemps avant l'*In Isaiam*, Théodoret a écrit plusieurs ouvrages spécialement dirigés contre les païens, les Juifs et les hérétiques[3]. Cette triple polémique ne peut donc pas être à l'origine du commentaire sur Isaïe.

Au ve siècle, la controverse christologique reste seule d'actualité. Si une volonté polémique préside à la composition de l'*In Isaiam*, elle s'exerce nécessairement en ce domaine. Or, fort curieusement, le ton n'est jamais plus neutre que lorsque Théodoret aborde les questions christologiques. Mais le détachement n'est qu'apparent ou plutôt

1. Théodoret ne faisait, du reste, qu'imiter en cela de nombreux autres exégètes, dont Théodore de Mopsueste. Dès l'*In Dan.* (*PG* 81, 1257), on peut penser que Théodoret a l'intention de commenter un jour tous les prophètes, même s'il lui a fallu présentement (ἐπὶ τοῦ παρόντος) faire un choix. En outre, il aime à renvoyer à ses commentaires antérieurs, à faire le bilan de son activité (*In Is.*, II, 35-36) et c'est avec une espèce d'évidente satisfaction qu'il constate à la fin de l'*In Jer.* (*PG* 81, 805 AB) qu'il a commenté tous les prophètes.

2. Cf. sur ce point chapitre IV.

3. Selon P. Canivet (*Histoire d'une entreprise...*, p. 42-79), *la Thérapeutique* serait l'ouvrage de Théodoret dirigé contre les païens et les Juifs ; de ses écrits contre les hérétiques, on ne connaît plus aujourd'hui que le nom : *Contre les Ariens et les Eunomiens*, *Contre les Macédoniens* ou *Sur l'Esprit Saint*, *Contre les Marcionites*, *Contre les Apollinaristes*.

d'ordre méthodologique : en préférant l'objectivité à la passion, Théodoret entend montrer le bien-fondé des thèses antiochiennes. Certes, l'*In Isaiam* n'est pas le seul de ses commentaires à répondre à de telles préoccupations, mais en raison même du caractère de la prophétie d'Isaïe, il est l'un de ceux où s'affirment le plus nettement ses positions.

En écrivant l'*In Isaiam*, Théodoret n'a pas tant, semble-t-il, le dessein de mener une polémique indirecte contre Cyrille et les alexandrins[1], que de montrer à tous le fondement irréfutable du dyophysisme antiochien : l'Écriture.

1. L'*In Isaiam* ne présente même pas de critique des thèses d'Apollinaire — attaqué à la fin de l'*In Ez.* (*PG* 81, 1256 A) — ce qui aurait pu être un moyen indirect d'atteindre Cyrille et les alexandrins suspects de renouveler son erreur. A l'époque où Théodoret écrit son commentaire, Cyrille est peut-être déjà mort (444) et, en tout cas, du côté antiochien comme du côté alexandrin, on paraît s'efforcer de ne pas remettre en cause le compromis de l'Acte d'Union (433).

CHAPITRE II

STRUCTURE DU COMMENTAIRE *IN ISAIAM* ET CRITIQUE TEXTUELLE

A. STRUCTURE DU COMMENTAIRE

Une longue tradition exégétique a imposé au commentaire scripturaire un schéma traditionnel que respecte fidèlement l'*In Isaiam* de Théodoret. On y reconnaît toutefois la marque antiochienne dans la sobriété et la concision de l'interprétation.

La préface

Malgré de légères variantes, la préface (πρόλογος) de l'*In Isaiam* présente une structure commune à presque toutes les préfaces des commentaires de Théodoret : la justification de l'entreprise et l'énoncé de quelques principes généraux d'interprétation. En réalité, seul le premier point est véritablement développé ici et la seule raison invoquée par Théodoret, après le traditionnel aveu d'indignité, est son obéissance à la loi morale qui prescrit le partage des richesses, en l'occurrence ses connaissances scripturaires[1].

1. A l'origine des commentaires, il y aurait le plus souvent, s'il faut en croire Théodoret, la sollicitation d'amis ou de fidèles désireux de pénétrer le sens de l'Écriture (cf. *In Cant.*, *PG* 81, 28 A ; *In Dan.*, *id.*, 1257 C, 1260 A ; *In XII proph.*, *id.*, 1548 CD ; *In Jer.*, *id.*, 496 A ; *In Psal.*, *PG* 80, 860 B à propos de l'*In Ez.* ; *Quaestiones sur l'Octateuque*, *id.*, 76 A). Toutefois, dans certains commentaires *(In Cant.*, *In Psal.)* l'intention polémique est évidente.

La fin du « prologos » est naturellement consacrée à l'annonce précise du sujet : la prophétie d'Isaïe. Théodoret en profite pour situer ce travail par rapport à ses commentaires antérieurs, rappelle d'un mot les règles qu'il s'est fixées — concision et clarté — et souhaite faire œuvre utile. Il précise enfin la nature de son interprétation : un commentaire linéaire (κατὰ μέρος). Sous la brièveté des indications, on reconnaît toutefois les divers points habituellement développés par Théodoret dans ses préfaces. Seule particularité : l'énoncé des principes directeurs de l'interprétation, situé d'ordinaire à la fin du « prologos », apparaît ici au terme de l'argument (ὑπόθεσις).

L'argument

Plus que la préface, du reste, cet argument s'écarte du schéma traditionnel. L'exposé historique destiné à situer le prophète dans son temps et par rapport aux autres prophètes en est curieusement absent[1]. Théodoret consacre en fait l'essentiel de l'argument à mettre en évidence les grands thèmes de la prophétie d'Isaïe : prédictions messianiques (Υ, 7-15), annonces visant Israël (*id.*, 15-19), oracles relatifs aux Nations (*id.*, 19-21). Sans prétendre ramener toute la prophétie à ces trois ensembles, Théodoret indique par avance les orientations qui seront celles de son commentaire.

L'argument s'achève sur quelques remarques de méthode. Tout n'est pas à expliquer au même titre dans cette pro-

1. Cela surprend de la part d'un antiochien d'autant plus que Cyrille dans la préface de son *In Isaiam* (*PG* 70, 12-13 AB) trace une vaste fresque historique pour situer le prophète Isaïe dans son temps. Mais cela s'explique : Théodoret, dans des commentaires précédents, a exposé à plusieurs reprises la situation politique et religieuse à l'époque d'Isaïe ; d'autre part, il semble avoir préféré ménager dans son commentaire de petits « sommaires » historiques visant un ensemble limité de la prophétie et plus aptes, de ce fait, à en faciliter la lecture (*In Is.*, 1, 12-14 ; 2, 3-6 ; 3, 4-31.222-253, etc.).

phétie : Théodoret ne s'attardera donc que sur les difficultés du texte, sans cesser de rechercher, même dans ce cas, la concision.

Le commentaire linéaire

En l'absence d'indications portées sur le manuscrit, on doit à une remarque de Théodoret de connaître la répartition de son commentaire en deux livres de longueur presque égale[1]. L'équilibre de la composition se retrouve à l'intérieur de cette division, chaque livre contenant dix sections, elles aussi d'étendue comparable. La fin de chaque section est signalée par une brève exhortation à se conformer aux enseignements du prophète ou à fuir une conduite impie, par une prière ou un souhait, suivis de la doxologie. Théodoret ne semble jamais arrêter une section parce qu'il estime avoir assez écrit : ses divisions sont logiques et respectent en général le mouvement du texte d'Isaïe. De cette manière, chaque section offre au lecteur un ensemble cohérent, d'autant plus satisfaisant pour l'esprit qu'un thème le sous-tend parfois et lui donne une véritable unité[2].

A l'intérieur de chaque section, pour servir la clarté de son commentaire, Théodoret divise la phophétie d'Isaïe en grandes masses[3]. Loin de procéder à une répartition

1. *In Is.*, 10, 483-486 ; on peut lire sur le f° 143 B : « Livre 2, Section 11 », mais cette mention est due à une main différente et récente, ainsi qu'une glose « l'interprète de ce livre a séparé ici en deux la prophétie d'Isaïe » (MÖHLE, *op. cit.*, p. XXIII, § 2).

2. Ainsi les deux premières sections s'organisent autour de la ruine des Juifs à l'époque romaine comme d'autres sont dominées par la polémique contre les idoles (ex. sections 5 et 6, 13 à 15), par le thème de la rédemption (ex. sect. 17) ou celui du salut des Nations (ex. sect. 10). En outre, Théodoret ménage assez souvent en début de section des « résumés », qui lui permettent de faire le point et de rappeler les grandes lignes de son interprétation (voir par exemple le début des sections 3, 4, 8, 10, 11, 20...).

3. Ces divisions correspondent le plus souvent à celles de nos Bibles actuelles, mais pour bien apprécier la tâche de Théodoret

arbitraire du texte, il s'efforce d'en montrer la raison logique : chaque section comporte ainsi un certain nombre de « chapitres ». Les divisions que suggère l'histoire sont pour Théodoret un premier moyen de dominer son texte : la mort des rois, la succession des règnes fournissent des indications précieuses, mais les ensembles ainsi déterminés restent d'ordinaire encore trop vastes. La présence d'un titre en tête de quelques prophéties[1] facilite beaucoup la tâche de Théodoret. Elle reste relativement aisée quand, sans porter de titre, le texte désigne clairement — par la présence d'un nom propre le plus souvent — la réalité concernée. Mais, dans tous les autres cas, de loin les plus fréquents, Théodoret doit se livrer à un véritable travail de critique littéraire : le style d'un passage, sa structure logique, ses liens avec un développement précédent sont alors les facteurs qui permettent à Théodoret de reconnaître dans le texte biblique des ensembles cohérents. C'est là que se manifeste le mieux l'esprit d'analyse et de synthèse de notre exégète. A ces divisions par grandes masses, qui correspondent souvent aux chapitres de nos Bibles actuelles, s'ajoutent des subdivisions commandées elles aussi par l'examen du style, l'enchaînement des idées, la présence d'un mot annonciateur d'un nouveau développement dont Théodoret met en évidence l'idée principale : chant de victoire ou de deuil, hymne à Dieu, prosopopée, etc. Enfin, l'emploi répété d'un nombre limité

on doit rappeler que la division de la Bible en chapitres et en versets n'est intervenue qu'assez tard (XIIIe et XVIe siècles respectivement). D'autres exégètes (cf. L. Doutreleau, DIDYME L'AVEUGLE, *op. cit.*, p. 28-29) se sont montrés moins soucieux d'introduire des divisions logiques dans leurs commentaires et n'ont pas su comme Théodoret dominer leur texte.

1. Notamment les chapitres 13 à 23 d'Isaïe relatifs aux peuples étrangers.

de formules[1] pour introduire ou clore chaque développement contribue à rendre sensibles, même pour un lecteur pressé, divisions et subdivisions dont, le plus souvent, Théodoret indique au moins d'un mot le contenu[2]. Cela fait qu'il se dégage du commentaire une impression générale de clarté, d'organisation logique voulue par un exégète qui domine son texte.

Cette division du texte en « chapitres » et en « paragraphes » a surtout l'avantage d'éviter le morcellement de la pensée que tend à opérer un commentaire linéaire. Théodoret cite toujours le texte qu'il commente[3] et le fait sans « accommodation ». La longueur des péricopes (τὸ προκείμενον, τὸ ῥητόν) est fonction de la difficulté du texte prophétique, de sa richesse et de l'importance que lui accorde Théodoret : un ou deux mots peuvent constituer le lemme, mais aussi deux ou trois versets de nos Bibles. Il est rare qu'un lemme excède cette longueur, si bien que

1. Théodoret signale d'ordinaire simultanément la fin d'une prophétie et le début de la suivante à l'aide d'un nombre restreint de formules : un participe aoriste précédé de ἐνταῦθα ou de οὕτω, suivi d'un verbe à l'indicatif présent du type προλέγει ou d'expressions comme τρέπει τὸν λόγον, μεταφέρει ou μεταβαίνει τὴν προφητείαν (*In Is.*, 2, 88.441 ; 3, 495.738-739 ; 4, 142-143 ; etc.) ; μετά suivi de l'accusatif et du verbe « prédire » (*id.*, 3, 452 ; 6, 581-582.603 ; 14, 436 ; etc.) ; ἐντεῦθεν accompagné d'un verbe exprimant l'idée de prédiction (*id.*, 2, 640 ; 8, 241.458 ; 9, 350 ; 10, 264 ; etc.).

2. Toutefois, l'exposé de Théodoret n'offre pas toujours la même rigueur : il lui arrive de ne pas marquer nettement le début d'un nouveau développement et de ne pas en indiquer aussi clairement le contenu. Les « transitions » qui donnent après coup l'idée générale du passage commenté sont dans ce cas très utiles pour le lecteur (v.g. *In Is.*, 2, 441 ; 3, 495.738 ; 7, 637-638 ; etc.).

3. Les exceptions sont relativement rares, si l'on considère l'ensemble du commentaire ; mais il arrive à Théodoret de donner une paraphrase du texte d'Isaïe quand il juge inutile de commenter en détail (v.g. *In Is.*, 2, 349 s. ; 4, 329 s. ; 5, 532 s. ; 6, 289 s. ; 11, 211 s. 398 s. ; etc.).

le commentaire est toujours en étroite liaison avec le texte et dépasse rarement la valeur d'une page. Théodoret s'interdit en effet tout développement étranger au texte, toute fioriture, toute « ecphrasis » : l'explication reste constamment linéaire et le style, d'une sobriété qui n'exclut pas la sécheresse.

La conclusion finale

La brièveté de la conclusion générale est une constante des commentaires de Théodoret. Celle de l'*In Isaiam* reproduit en tous points un schéma traditionnel : une formule annonce la fin de l'ouvrage ; puis Théodoret invite le lecteur qui aurait trouvé dans le commentaire les éclaircissements désirés, à louer le Seigneur ; sinon, à se montrer indulgent à son égard. En échange de son travail, Théodoret compte sur les prières de ses lecteurs pour parvenir à la Jérusalem céleste. Suit la doxologie.

La structure de l'*In Isaiam* est donc fondamentalement identique à celle des autres commentaires de Théodoret. On y retrouve les mêmes qualités de rigueur, de concision et de clarté, si bien qu'on ne s'égare jamais dans un ensemble aussi vaste que la prophétie d'Isaïe. Depuis la présentation générale du texte dans l'argument jusqu'au détail du commentaire qui s'intègre toujours dans un ensemble nettement défini, la volonté didactique de Théodoret est partout manifeste.

B. La critique textuelle

La recension lucianique et les Hexaples

Du désir de connaître l'état de la recension lucianique, généralement utilisée en milieu antiochien[1], provient avons-nous dit, la découverte de notre commentaire. Car Théodoret a pour habitude de citer intégralement le texte biblique qu'il commente. Or, dans l'*In Isaiam*, c'est fondamentalement celui de Lucien qu'il utilise et qu'il faut reconnaître sous la mention « les Septante »[2].

Au premier abord, on serait toutefois tenté de croire que le texte biblique de notre commentaire provient de la recension hexaplaire. A plusieurs reprises, en effet, Théodoret signale dans son texte la présence d'astérisques[3]; or on sait qu'Origène usait de ce signe pour noter que la version des Septante omettait un ou plusieurs mots du texte hébreu et qu'il comblait cette lacune à partir des autres versions grecques de la Bible. Mais cette première impression ne résiste pas à l'examen. Tout d'abord, la mention de ces astérisques n'apparaît que dans le *Commentaire sur Isaïe* et elle y est trop peu fréquente pour donner à croire que l'on a affaire à la recension origénienne des Septante[4] ; mais surtout, Théodoret renvoie clairement à

1. Selon S. Jérôme (*In Paralip.*, *PL* 28, 1324), les trois grandes recensions bibliques utilisées en Orient ont chacune une aire d'influence déterminée : Alexandrie et l'Égypte utilisent la recension d'Hésychius ; Constantinople et Antioche, celle de Lucien ; la Palestine, celle d'Origène, d'Eusèbe et de Pamphile. Voir aussi G. Bardy (chap. IV, « L'œuvre scripturaire de Lucien »).

2. Il va sans dire qu'on ne trouve pas chez Théodoret la recension lucianique dans toute sa pureté (cf. J. Ziegler, *Isaias*, p. 80-81).

3. *In Is.*, 2, 205 ; 7, 391 ; 12, 309 ; 16, 319 ; 18, 623.

4. L'argument, en réalité, n'est pas contraignant, car seuls quelques copistes ont pris soin de recopier les signes critiques —

trois reprises à cette recension, deux fois pour noter que le texte de son lemme s'en écarte[1], une fois pour souligner l'identité des leçons[2]. La conclusion s'impose : le texte biblique de Théodoret est irréductible à celui de la recension hexaplaire des Septante, malgré la présence d'astérisques dont l'origine, parfois difficile à établir, semble récente[3]. C'est donc bien la recension lucianique, épisodiquement contrôlée par celle d'Origène[4], qui fournit à Théodoret le texte biblique de son commentaire.

Recours à l'hébreu

Théodoret, toutefois, ne s'en tient pas à la seule version des Septante. Il sait faire appel au texte hébreu[5], habituellement désigné dans son commentaire par Ὁ Ἑβραῖος et une seule fois par Ἡ Ἑβραϊκὴ Γραφή[6]. A trois reprises[7], il s'agit de noter l'absence dans le texte hébreu d'un mot qui tantôt figure dans le lemme, tantôt en est exclu. Dans tous les autres

astérisques et obèles — de la recension origénienne ; le plus souvent on les a négligés. D'autre part, si l'on prend pour point de comparaison l'*In Isaiam* d'Eusèbe, on peut être surpris de voir cet exégète mentionner seulement deux fois la présence d'astérisques et une fois celle de l'obèle (Eusèbe, *In Is.*, *GCS* IX, éd. J. Ziegler, introd. p. xxxviii-xxxix) ; et pourtant, Eusèbe utilise un texte qui reflète d'assez près la recension d'Origène.

1. *In Is.*, 19, 133-134 ; 20, 58.
2. *Id.*, 14, 119.
3. Voir sur ce point l'introduction de J. Ziegler à son édition d'Isaïe, p. 90-92.
4. Si la référence directe à la recension hexaplaire apparaît seulement dans l'*In Isaiam* et dans l'*In Psalmos* (où elle revient 13 fois), cela ne signifie nullement que Théodoret ait aussi peu recours à ce texte. On serait même tenté de croire, sans pouvoir l'affirmer, qu'il dispose d'un exemplaire des *Hexaples* — au moins pour Isaïe et le Psautier — lui permettant de confronter son texte, non seulement à celui des LXX, mais aussi à l'hébreu et aux autres versions grecques.
5. Théodoret le lit sans doute dans les *Hexaples*, cf. note précédente.
6. *In Is.*, 19, 136.
7. *Id.*, 12, 517 ; 14, 117 ; 19, 135-136.

cas, la référence à l'hébreu a pour but d'expliquer un terme ou de justifier une traduction.

Outre la Bible hébraïque, Théodoret consulte aussi l'*Interprétation des noms hébreux* (Ἡ Ἑρμηνεία τῶν Ἑβραϊκῶν Ὀνομάτων). En réalité, il ne renvoie qu'une seule fois à cet ouvrage, pour donner le sens du mot « thapheth »[1]. Il est néanmoins permis de penser qu'il l'utilise beaucoup plus souvent pour donner l'équivalent grec d'un nom commun ou d'un nom propre qu'a conservé sous la forme hébraïque la version des Septante[2]. On ne saurait, toutefois, en apporter la preuve.

Aquila, Symmaque et Théodotion

En réalité, la critique textuelle de Théodoret fait appel en priorité aux versions d'Aquila, de Symmaque et de Théodotion[3]. Lorsque leur interprétation concorde,

1. *Id.*, 8, 270.

2. On peut au moins supposer avec vraisemblance que, s'il n'a pas eu recours à l'*Herménéia* pour l'interprétation d'un nom aussi courant que « séraphin » (*In Is.*, 3, 119), il a pu l'utiliser par exemple pour préciser le sens de « èlgibôr » (*id.*, 3, 849-850), de « béloau » (*id.*, 3, 718), de « iésôa » (*id.*, 19, 439-441).

3. Aquila, Symmaque et Théodotion ont chacun donné une traduction grecque de la Bible hébraïque comme l'avaient fait avant eux les Septante. Leurs versions nous sont essentiellement connues par les fragments conservés des *Hexaples* d'Origène et par les citations des Pères. C'est ainsi que l'*In Isaiam* de Théodoret apporte quelques fragments nouveaux.

Des trois interprètes, Aquila nous est le mieux connu (S. Irénée, Eusèbe, S. Épiphane) : originaire de Sinope (Pont), il se serait converti au judaïsme et aurait fait sa traduction de la Bible la 12e année du règne d'Hadrien (128-129). Aux dires d'ÉPIPHANE (*De mens. et pond.* 14, *PG* 43, 261) et de JUSTIN (*Dial. cum Tryph.* 68-71, *PG* 6, 638 s.), toute idée de controverse avec les chrétiens n'aurait pas été étrangère à son entreprise. Dans un souci de fidélité au texte original, Aquila a tendance à transposer en grec de façon très servile le texte hébreu (ORIGÈNE, *Epist. ad Africanum* 2, *PG* 11, 52 B ; JÉRÔME, *In Is.*, *PL* 24, 483). Cet attachement à la lettre contribua sans doute largement à la diffusion de sa version dans

Théodoret d'ordinaire ne les nomme pas séparément, mais se contente de les désigner par la formule « les trois interprètes » (οἱ Τρεῖς Ἑρμηνευταί), le plus souvent abrégée sous la forme « Les Trois » (οἱ Τρεῖς)[1]. On trouve aussi deux fois le tour οἱ περὶ τὸν Ἀκύλαν qui paraît désigner non le seul Aquila, mais également Symmaque et Théodotion[2].

les milieux juifs hellénisés, qui l'adoptèrent de préférence à celle des LXX.

Nos renseignements sont beaucoup plus rares sur les deux autres interprètes dont on ne sait même pas avec certitude lequel est antérieur à l'autre. Il est communément admis aujourd'hui, en dépit d'Épiphane qui aurait interverti les dates *(loc. cit.)*, que la version de Symmaque est postérieure à celle de Théodotion. Ce serait donc sous le règne de Marc-Aurèle (161-180) que Théodotion, juif d'Éphèse ou ébionite selon toute vraisemblance, aurait procédé à une révision du texte des LXX plutôt qu'à une véritable traduction comme l'avait fait Aquila. Quant à Symmaque, dont l'appartenance à la secte des ébionites est presque certaine, il semble avoir connu les travaux de ses prédécesseurs et utiliser notamment la version d'Aquila pour rédiger la sienne sans doute vers la fin du IIe s. (sous le règne de Commode ?). Mais, à la différence des LXX et surtout d'Aquila, Symmaque renonce au littéralisme pour donner du texte hébreu une traduction plus intelligible dans un grec débarrassé de tout hébraïsme (Jérôme, *In Is.*, *PL* 24, 21 ; *In Amos*, *PL* 25, 1019). C'est à cette clarté dans la traduction que Symmaque doit de trouver grâce aux yeux de Théodore de Mopsueste (R. Devreesse, *Le com. de Th. de Mop. sur les Ps. (I-LXXX)*, Città del Vaticano 1939, p. 364, 25 et 365), et c'est elle encore que souligne le plus volontiers Théodoret dans son commentaire (cf. *infra*, p. 53, n. 2). Sur ces trois interprètes, cf. F. Field (t. I, Prolegomena, ch. 2-4) ; H. B. Swete, *An Introduction...*, p. 29-53 ; pour Aquila, E. Mangenot, art. « Aquila », in *DTC* I, Paris 1903, c. 1725-1728.

1. Cela se rencontre 26 fois dans notre commentaire ; à six reprises, toutefois, bien qu'il y ait accord, Théodoret les nomme séparément.

2. C'est au moins assuré pour le premier des deux cas où cette formule apparaît dans l'*In Isaiam* (3, 848). Pour convaincre les trois interprètes — οἱ περὶ τὸν Ἀκύλαν — d'avoir falsifié le texte des Écritures en traduisant comme ils l'ont fait le terme hébreu « èlgibôr » en *Is.* 9, 5, Théodoret invoque leur interprétation d'« Emmanuel » en *Is.* 8, 9-10 ; or, à cet endroit (*In Is.*, 3, 593), Théodoret écrit οἱ Τρεῖς. La formule οἱ περὶ τὸν Ἀκύλαν désigne

Quand les trois interprètes sont successivement nommés, c'est ordinairement que chaque version est autonome ou qu'il n'y a accord qu'entre deux interprètes[1].

Enfin, Théodoret utilise — indifféremment, semble-t-il — les expressions « les autres interprètes » (οἱ Ἄλλοι Ἑρμηνευταί) et « le reste des interprètes » (οἱ Λοιποὶ Ἑρμηνευταί), fréquemment abrégées en οἱ Ἄλλοι et οἱ Λοιποί. On les trouve employées seules ou en liaison avec les tours qui désignent d'autres versions. Ces expressions qui peuvent accompagner le nom d'un des trois interprètes n'entrent jamais en opposition avec l'énumé-

donc ici les trois interprètes. On peut logiquement penser qu'il en va de même dans le second cas (*In Is.*, 14, 525), mais il faut se souvenir que l'expression peut aussi n'être qu'une manière un peu plus solennelle de désigner une seule personne. Pourtant, dans le *Commentaire d'Osée* (*PG* 81, 1617 B), la formule οἱ περὶ τὸν Ἀκύλαν καὶ τὸν Σύμμαχον qui, à première vue, ne signifie rien d'autre qu'« Aquila et Symmaque », paraît devoir nécessairement désigner aussi Théodotion : elle ne sert, en effet, qu'à rappeler l'interprétation donnée préalablement comme celle des trois interprètes (*id.*, 1616 D : οἱ Ἄλλοι Ἑρμηνευταί, καὶ Ἀκύλας, καὶ Σύμμαχος, καὶ Θεοδοτίων).

1. Le cas se produit à 18 reprises dans l'*In Isaiam.* On a affaire sept fois à des versions différentes les unes des autres ; on trouve sept fois l'accord Symmaque-Théodotion contre Aquila, trois fois Aquila et Théodotion contre Symmaque, une fois Symmaque et Aquila contre Théodotion. En dépit du fait que Symmaque semble avoir « révisé » la version d'Aquila (H. B. Swete, *An Introduction...*, p. 29 s. et 64-65), notre commentaire ferait plutôt entrevoir une parenté entre les versions de Symmaque et de Théodotion. Mais il serait bien hasardeux de l'affirmer. Car, dans le cas où seulement deux des interprètes sont nommés, l'accord est moins souvent réalisé entre Symmaque et Théodotion (6 fois) qu'entre Symmaque et Aquila (8 fois) et n'existe qu'une fois entre Aquila et Théodotion. A titre de comparaison, dans l'*In Psalmos*, l'accord s'établit aussi souvent entre Symmaque et Aquila qu'entre Aquila et Théodotion, tandis qu'il est beaucoup moins fréquent entre Symmaque et Théodotion. Il est donc bien difficile, à partir des commentaires de Théodoret, d'apprécier le degré de dépendance de ces trois versions.

ration de leurs trois noms ou avec la mention οἱ Τρεῖς[1]. On doit en conclure que les termes οἱ Ἄλλοι et οἱ Λοιποί sont encore une manière de désigner Aquila, Symmaque et Théodotion[2], dans la mesure où, en dehors des Septante, ils sont les trois principaux traducteurs de la Bible en langue grecque.

La Peshitta et l'appel au syriaque

On pourrait penser, toutefois, que ces formules sont assez générales pour être plus hospitalières et inclure par exemple, à l'occasion, la version que Théodoret désigne à deux reprises dans l'*In Isaiam* par ὁ Σύρος. La rareté des références explicites ne doit pas, en effet, faire conclure trop vite à une utilisation aussi limitée de cette version par Théodoret[3]. Mais les deux passages de notre commentaire qui en font état inter-

1. On rencontre, en effet, οἱ Ἄλλοι deux fois avec Symmaque et une fois avec Aquila, et οἱ Λοιποί quatre fois avec Symmaque ; mais aucune de ces tournures ne se trouve opposée à οἱ Τρεῖς ou n'accompagne, pour s'en distinguer, l'énumération des trois membres du groupe. Car il arrive que la formule générale οἱ Ἄλλοι — comme c'est le cas pour οἱ Τρεῖς (v.g. *In Is.*, 3, 718-720) — soit précisée par la mention du nom des trois interprètes (cf. *In Os.*, *PG* 81, 1616 D, et surtout *In Zach.*, *id.*, 1916 C, où Théodoret souligne par un φημί qu'il désigne bien ainsi Aquila, Symmaque et Théodotion). On trouve même dans l'*In Psal.* (*PG* 80, 1196 A) la formule οἱ Ἄλλοι Τρεῖς Ἑρμηνευταί suivie des noms d'Aquila, de Théodotion et de Symmaque.

2. Dans notre commentaire, deux passages le prouvent de manière indiscutable : dans le premier (*In Is.*, 3, 718-720), le groupe οἱ Ἄλλοι Ἑρμηνευταί est repris presque aussitôt par la mention οἱ Τρεῖς, précisée à son tour par le nom de chaque interprète ; dans le second passage (*id.*, 10, 54-58), on a le mouvement inverse : Théodoret dit d'abord οἱ Τρεῖς Ἑρμηνευταί, puis donne la leçon de chaque interprète, avant de rapprocher de la version des Septante celle des trois interprètes, désignés cette fois par οἱ Λοιποί.

3. *In Is.*, 7, 116 ; 9, 267-270. Il se pourrait, en effet, que Théodoret utilise davantage cette version qu'il consulte fréquemment, par exemple, dans son commentaire de Jérémie.

disent d'assimiler cette version à celles des trois interprètes et permettent d'affirmer qu'il s'agit, non pas d'une traduction grecque, mais de la Peshitta[1]. Cette version syriaque est la seule, en effet, à donner du terme hébreu « thapheth » (*Is.* 30, 33) l'interprétation que rapporte Théodoret[2]. Celle de « Siim » (*Is.* 23, 13) par démons (δαιμόνια) provient, elle aussi, de cette version[3]. En réalité, la traduction littérale du syriaque serait « les esprits » (πνεύματα) ; mais, comme en grec, le mot peut désigner les démons. Du reste, pour prouver l'exactitude de cette interprétation, Théodoret renvoie à *Isaïe* 34, 14, où les

1. A. Möhle (p. xxiv, § 4), à la suite de Rahlfs (*Mitteil. d. LXX- Untern. I*, Berlin 1909, p. 404-412) et de Field (*op. cit.*, proleg., p. lxxvii-lxxxii), considère cette version comme « une traduction grecque de l'hébreu, réalisée par un syrien qui nous est inconnu ». Ce sont encore les mêmes autorités qu'invoque J. Ziegler, *Isaias* (p. 113, n. 3). Plusieurs raisons, à notre avis, invitent à rejeter cette opinion. Tout d'abord, il n'est pas surprenant que Théodoret, dont la langue maternelle est le syriaque, consulte une version syriaque de la Bible. Ensuite, l'imprécision du terme ὁ Σύρος n'autorise pas à conclure qu'il s'agit d'un syrien qui a traduit la Bible en grec : la comparaison de cet emploi avec celui de ὁ Ἑβραῖος pour désigner le texte hébraïque invite au contraire à penser à une traduction faite en syriaque. Il est vrai que Field (*op. cit.*, p. lxxv s.) croit à l'existence d'un interprète appelé ὁ Ἑβραῖος aussi peu connu que « le Syrien » avec lequel il se rencontre souvent ; mais cette opinion ne paraît pas avoir été retenue dans les ouvrages postérieurs qui reconnaissent tous dans ὁ Ἑβραῖος une manière de désigner le texte hébreu (A. Möhle, *loc. cit.* ; J. Ziegler, *Eusebius, GCS*, p. 444). Enfin, il serait étrange que Théodoret désignât par ὁ Σύρος une version différente de celle que nomme ainsi Théodore de Mopsueste et dont il parle en des termes qui ne laissent aucun doute sur sa nature : le syrien inconnu qui a traduit la Bible hébraïque l'a traduite en syriaque et non en grec. Théodore le répète presque chaque fois qu'il mentionne cette version dont il fait très peu de cas (*PG* 66, 437 C ; 452 CD ; 468 A). Tout paraît donc permettre d'affirmer que cette version et la Peshitta ne font qu'un.

2. *In Is.*, 9, 267-270.

3. *In Is.*, 7, 116.

Septante traduisent cette fois le mot « Siim » par δαιμόνια. Or, si l'on se reporte à ce verset dans la Peshitta, on trouve de nouveau « esprits » pour traduire « Siim », mais ici le sens d'« esprits impurs » est confirmé par la présence du mot « démon » pour traduire le second terme de l'hébreu « bouc ». Sous la mention ὁ Σύρος, il faut donc reconnaître la Peshitta. En revanche, quand, par deux fois encore, Théodoret fait appel au syriaque — pour préciser le sens de la variante « patachra » donnée par quelques exemplaires[1] et pour expliquer un hébraïsme décalqué par les Septante[2] — ses remarques ne doivent rien à la Peshitta, mais prouvent sa connaissance du syriaque.

Exemplaires non caractérisés

Théodoret confronte enfin son texte à celui que donnent divers exemplaires habituellement désignés par une formule assez vague ἔνια τῶν ἀντιγράφων[3]. Le terme ἀντίγραφα paraît en effet désigner un groupe de manuscrits et non une véritable version biblique (ἔκδοσις) au sens où on l'entend par exemple de la version d'Aquila. Sans pour autant former un groupe homogène[4], ces exemplaires dépendent vraisemblablement de la version des Septante. L'utilisation de ces manuscrits par Théodoret, pour contrôler son texte et l'amender au besoin[5], est du reste très

1. *In Is.*, 3, 716-717 ; cf. aussi l'interprétation de πάτεχρον (*id.*, 11, 391-392).

2. *In Is.*, 20, 455-457 ; à cet endroit (*Isaïe* 65, 20), du reste, la Septante porte « un homme de cent ans » et l'édition d'Isaïe de J. Ziegler (p. 363) atteste que la leçon υἱός — celle de notre texte — provient de la recension lucianique. C'est l'un des nombreux cas qui permettent d'affirmer que Théodoret utilise la version de Lucien.

3. On trouve huit fois la formule ἔνια τῶν ἀντιγράφων (*In Is.*, 3, 714 ; 7, 6 ; 14, 115.388.524 ; 16, 259 ; 18, 507-508 ; 19, 133-134) ; une fois ἔνια ἀντίγραφα (*id.*, 3, 842-843) et une fois encore une formule un peu plus ample τὰ ἀκριβῆ τῶν ἀντιγράφων (*id.*, 11, 391).

4. Tel est aussi l'avis de Möhle (p. xxiii, 3).

5. Théodoret leur emprunte essentiellement des variantes, mais d'importance inégale (*In Is.*, 7, 7 : ἀπώλετο au lieu de ἀπώλοντο ;

proche de celle qu'il fait de la recension hexaplaire des Septante.

Théodoret ne se contente donc pas de la recension lucianique, mais pratique la critique de son texte de deux façons : d'une part en le comparant à celui qu'offrent d'autres éditions — la cinquième colonne des *Hexaples* et les ἔνια τῶν ἀντιγράφων —, de l'autre en confrontant la version des Septante à celles d'Aquila, de Symmaque et de Théodotion, à la Peshitta et au texte hébreu lui-même. C'est dire l'intérêt qu'il porte à la critique textuelle[1].

Autorité reconnue aux différentes versions

Mais dans quelle mesure cette critique est-elle « scientifique »? On s'est interrogé sur la connaissance que Théodoret avait de l'hébreu. Nous sommes parfois surpris de le voir invoquer, en quelques passages difficiles ou controversés, l'autorité des Septante ou celle de S. Paul, au lieu de faire directement appel à l'hébreu[2]. Pourtant, sans prétendre que Théodoret ait de cette langue une maîtrise parfaite, il la connaît sans doute assez pour recourir au texte original et le comparer à celui des Septante, pour donner le sens d'un mot, pour relever dans le texte grec un idiome hébraïque et au besoin l'expli-

11, 392 : πάτεχρον au lieu de πάταρχον ; 14, 524 : πονηρίαν au lieu de πορνείαν) ; il s'agit parfois d'un mot absolument différent (*id.*, 14, 388 : Δαγών au lieu de Βήλ ; 18, 509 : μάταια au lieu de ἀνομίαν), d'un texte qui s'écarte sensiblement de celui du lemme (*id.*, 16, 260) ou qui constitue un apport original par rapport au texte de base du commentaire (*id.*, 3, 841-842).

1. Théodoret est en cela beaucoup plus proche d'un Origène ou d'un Eusèbe de Césarée que de Théodore de Mopsueste qui ne juge pas indispensable le recours à l'hébreu dans la mesure où pour lui la version des Septante en est le fidèle reflet, plus fidèle en tout cas que la version syriaque (*In Sophon.*, *PG* 66, 452 C - 453 C ; *In Habacuc, id.*, 437 CD) et que celle de Symmaque (DEVREESSE, *Com. de Théodore sur les Ps.*, p. 364, 33 - 365, 4).

2. *In Is.*, 3, 360 s. à propos de παρθένος ; 6, 351 s. pour le sens de « Asédek ».

quer. En outre, sa connaissance de l'hébreu apparaît plus certaine encore si l'on considère l'affinité de cette langue et du syriaque[1] indubitablement connu de lui comme le prouvent son utilisation de la Peshitta, mais aussi sa capacité à remarquer dans un groupe de manuscrits grecs un terme syriaque qui lui permet de rétablir la leçon la plus conforme au texte hébreu[2]. Plus que d'autres exégètes, par sa connaissance de l'hébreu et du syriaque, Théodoret peut donc apprécier les qualités des différentes versions bibliques.

On serait tenté de croire que la fréquence de leur utilisation est fonction du crédit qu'il leur fait. Dans ces conditions, l'autorité de la Peshitta, citée seulement à deux reprises, serait bien faible aux yeux de Théodoret. Mais cette version est davantage utilisée dans d'autres commentaires[3]. Il semble donc que Théodoret n'ait pas eu à son

1. La parenté du syriaque avec l'hébreu ne saurait fournir à elle seule la preuve que Théodoret connaît l'hébreu : comme le note L. Pirot (*op. cit.*, p. 100, n. 1), S. Augustin connaissait le punique plus proche de l'hébreu que le syriaque et ignorait pourtant l'hébreu. Mais le fait que Théodoret soit capable de comparer entre elles les deux langues — l'*In Isaiam* (20, 455-457) en offre un exemple — prouve qu'il connaît suffisamment bien leur structure respective. P. Canivet (*Histoire d'une entreprise...*, *op. cit.*, p. 26, n. 12, et *Thérap.*, *op. cit.*, introd. p. 15) tient pratiquement pour assurée la connaissance de l'hébreu par Théodoret. Toutefois, c'est une question aujourd'hui fort débattue que d'apprécier la connaissance de l'hébreu qu'avaient les Pères. Celle d'Origène, par exemple, en dépit de ce qu'on a longtemps cru, paraît avoir été très limitée (D. Barthélemy, « Origène et le texte de l'A.T. », in *Epektasis*, Beauchesne, Paris 1972, p. 247-261) ; de même Didyme l'Aveugle ignorait pratiquement l'hébreu ; enfin, selon L. Pirot (p. 95), à l'exception de S. Lucien, de Polychronius et de Diodore de Tarse, « les principaux exégètes de l'école d'Antioche ignorèrent l'hébreu ». Il semble néanmoins justifié d'ajouter à ces trois noms celui de Théodoret.

2. *In Is.*, 11, 392.

3. Par exemple, elle est invoquée six fois dans l'*In Psal.* et seize fois dans l'*In Ezechiel.* ; elle est même la seule version à être utilisée par Théodoret dans l'*In Jerem.* Le cas est, du reste, assez curieux

égard, malgré l'usage fort circonspect qu'il en fait, les mêmes préventions que Théodore de Mopsueste[1].

En revanche, Théodoret consulte abondamment les versions d'Aquila, de Symmaque et de Théodotion. S'il se plaît à en souligner la parenté par des expressions (οἱ Τρεῖς, οἱ Ἄλλοι, οἱ Λοιποί) qui paraissent leur accorder une même estime, on perçoit en fait sa préférence pour l'interprétation de Symmaque, dont la qualité essentielle serait la clarté[2]. Toutefois, la fréquence avec laquelle Théodoret fait appel à ces trois interprètes ne doit pas faire illusion sur l'autorité qu'il leur reconnaît : il met en doute leur objectivité et les accuse même à l'occasion de falsifier l'Écriture par esprit de parti[3]. En réalité, des prises de position aussi violentes sont l'exception : dans la pratique Théodoret se révèle à l'égard des trois interprètes beaucoup moins sévère que Théodore de Mopsueste[4].

pour rendre plus impérieuse encore la confrontation du texte donné par *PG* 81, 496-805 avec celui du manuscrit conservé au Métochion de Constantinople (voir chap. I, p. 13, n. 2).

1. Cf. *supra*, p. 49, n. 1 (fin).

2. La préférence de Théodoret pour Symmaque est très nette. Des trois interprétations, c'est le plus souvent la sienne qui est donnée la première. Symmaque est cité seul 45 fois, tandis qu'Aquila ne l'est que sept et Théodotion cinq. En outre, Théodoret utilise très fréquemment l'adverbe σαφέστερον pour introduire la version de Symmaque et en souligner la clarté. Ce jugement de valeur constitue, du reste, une espèce de lieu commun chez les Pères, à la suite d'Origène vraisemblablement ; en tout cas, Eusèbe, Jérôme et Théodore de Mopsueste mettent eux aussi en avant la clarté de Symmaque ; cf. D. Barthélemy, « Eusèbe, la Septante et les ' autres ' » in *La Bible et les Pères* (Colloque de Strasbourg 1969), Paris 1971, p. 52.

3. La présentation de ces trois interprètes qu'on a attribuée à Théodoret (*PG* 84, 28 C - 29 AB) est à cet égard révélatrice : Aquila et Symmaque seraient des chrétiens qui ont renié leur foi pour passer au judaïsme et Théodotion serait un sectateur de Marcion. Dans l'*In Isaiam* (3, 370-373), Théodoret dénonce avec violence leur malhonnêteté intellectuelle.

4. Dans son *Com. sur les Ps.*, Théodore cite abondamment la version de Symmaque dont il souligne volontiers la clarté par les

La version des Septante est sans conteste celle qui jouit aux yeux de Théodoret de la plus grande autorité : il la tient pour inspirée au même titre que le texte hébreu[1]. Cela explique son respect pour la lettre du texte qu'il commente sans jamais le désavouer[2]. Toutefois, le respect de Théodoret pour cette version n'est pas aveugle, comme l'était celui de Théodore de Mopsueste : conscient d'être en présence d'une traduction, il ne juge pas inutile le recours à l'hébreu[3] ; persuadé d'autre part qu'elle a perdu sa pureté originelle au cours des siècles, il croit nécessaire et avantageux de la confronter aux autres versions faites à partir de l'hébreu. Mais la manière dont le fait généralement

mots σαφέστερον, φανερώτερον, σαφῶς (cf. R. Devreesse, *Com. de Théodore sur les Ps.* : σαφέστερον 58, 27-28 ; 117, 10 ; 139, 3 ; 378, 1.18 ; 379, 16 ; 382, 20.22 ; 383, 12 ; 408, 17 ; 436, 4 ; 441, 17 ; 466, 11 ; 494, 7 ; 509, 16 ; 533, 15 ; 560, 2 ; φανερώτερον 152, 18 ; 176, 14 ; 177, 4 ; 178, 21 ; 188, 7 ; 247, 4 ; σαφῶς 444, 12 ; 492, 3 ; φανωτέρως 186, 9 ; voir aussi L. Pirot, p. 100-104), mais sans lui en faire toujours une qualité : il aurait tendance à trop s'éloigner du texte hébreu (R. Devreesse, *Essai sur Théodore,* p. 57 et *Com. de Théodore sur les Ps.*, p. 364-366 où Théodore compare longuement la version de Symmaque au texte hébraïque ; cf. aussi *id.*, p. 398, 9-10). Théodore utilise, en revanche, beaucoup moins la version d'Aquila et très peu celle de Théodotion (cf. R. Devreesse, *Com. de Théodore sur les Ps.*, Index). Enfin, en dehors de son commentaire *In Psalmos,* Théodore ne paraît pas avoir utilisé les versions de Symmaque, d'Aquila et de Théodotion.

1. C'est pour cette raison qu'elle est supérieure à celles d'Aquila, de Symmaque et de Théodotion (*In Psal.*, *PG* 80, 864 AC ; *In Is.*, 3, 369-370).

2. Voir par ex. *In Psal.* (*PG* 80, 864 B) et *In Is.* (19, 133-136) ; l'obscurité du texte n'est pas, à ses yeux, sans contribuer à imposer l'idée d'un texte inspiré.

3. Si Théodore ne parle pas d'inspiration à propos de la version des Septante, il juge en revanche inutile de recourir à l'hébreu (cf. *supra*, p. 51, n. 1) ; à l'inverse, malgré son respect pour les Septante, Théodoret sait considérer cette version comme une traduction parfois imparfaite ou maladroite en raison même de son littéralisme (*Quaest. I Reg.*, *PG* 80, 529 A ; *In Cant.*, *PG* 81, 120 AB).

Théodoret traduit en fait la primauté accordée aux Septante : après l'énoncé de la péricope, Théodoret présente les variantes des différentes versions, avant de revenir à l'interprétation du texte initial, celui des Septante[1].

Fonction des variantes présentées

Le rôle de ces variantes dans le commentaire est d'abord celui d'un apparat critique, non pas vraiment destiné à amender le texte du lemme[2], mais à l'éclairer en offrant un début d'explication : la seule juxtaposition des variantes d'un même passage permet une meilleure intelligence du texte. Donner la traduction de mots hébreux conservés par les Septante, préciser le sens d'un mot obscur, faire comprendre une expression idiomatique, supprimer une ambiguïté, tel est le plus souvent le rôle des variantes présentées par Théodoret. Mais, au-delà de cette fonction purement explicative, les variantes servent à montrer la cohérence interne du texte des Septante, en devenant un moyen de le justifier, d'en résoudre les apparentes contradictions et de mettre en évidence, sous la diversité des expressions, l'unité de l'inspiration. Car, à des degrés divers, toutes les versions

1. Le procédé est presque constant (v.g. *In Is.*, 3, 318-319.423 ; 7, 120 s.586 s. ; 8, 67 s.155 s. ; 9, 58 s.398 s. ; etc.).

2. Théodoret semble, en effet, avoir un trop grand respect de son texte pour oser le corriger. Il maintient, par exemple, en *Is.* 60, 8, la leçon « C'est Sion » (*In Is.*, 19, 133-136) qui a tout l'air d'une glose et ce n'est sans doute pas lui qui a introduit dans son lemme, en *Is.* 41, 3, les mots οὐχ ἥξει absents de la version des Septante, mais donnés par tous les autres interprètes (*id.* 12, 307-309). Tout au plus laisse-t-il entrevoir sa préférence pour une variante en la commentant au détriment du texte du lemme ; c'est le cas en *Is.* 63, 12, où la leçon ἀπὸ θαλάττης est visiblement préférée à celle du lemme ἐκ τῆς γῆς. Il est, en tout cas, excessivement rare qu'il choisisse ouvertement de corriger son texte comme il le fait en *Is.* 37, 38, en retenant la leçon πάτεχρον donnée par quelques exemplaires (ἀντίγραφα) de préférence à celle de son texte πάταρχον (*id.* 11, 392).

sont un reflet du texte hébreu inspiré : aussi Théodoret n'hésite-t-il pas à commenter une variante pour l'enseignement qu'elle peut offrir, même si en définitive il préfère s'en tenir au texte qui est le sien. Néanmoins, Théodoret n'accepte pas aveuglément toutes les variantes : il sait opérer un choix et, parfois même, rejeter avec vigueur telle ou telle traduction[1].

1. Le cas le plus net est celui où il refuse la leçon νεᾶνις pour imposer celle de παρθένος (*In Is.*, 3, 360 s. ; cf. aussi *id.*, 14, 115-121).

CHAPITRE III

LA MÉTHODE EXÉGÉTIQUE DE THÉODORET

La critique textuelle pratiquée dans l'*In Isaiam* est en partie déjà révélatrice de la méthode exégétique de Théodoret. L'interprétation d'une prophétie reste toujours pour lui en priorité une explication de texte : sans négliger la critique littéraire, l'auteur met en fait l'ensemble de ses connaissances au service de son commentaire. En subordonnant sans cesse son exégèse à l'examen du texte, Théodoret choisit la voie de la rigueur et de la raison pour décider du sens et de la portée de la prophétie.

A. Critique littéraire

Stylistique

Pour comprendre un texte, il est indispensable d'en apprécier le ton. Aussi Théodoret n'hésite-t-il pas à souligner, quand il le juge nécessaire, le mode d'expression utilisé par le prophète, les changements de ton et divers procédés littéraires[1].

1. Théodoret note, par exemple, que le prophète s'exprime sur le mode de l'ironie (*In Is.*, 7, 140 ; 14, 206.542), de la raillerie (*id.*, 2, 125 ; 5, 443 ; 6, 574 ; 14, 314.425.516), du reproche (*id.*, 12, 197) ou de la lamentation, et c'est souvent en fonction de cette analyse qu'il opère le découpage du texte biblique (cf. chap. II) ; il note encore que le ton est celui du souhait (*id.*, 7, 590), de la prophétie (*id.*, 10, 392) ou de l'ordre (*id.*, 15, 158), que le prophète fait de l'interro-

Attentif à ces variations stylistiques dans l'ensemble de la prophétie comme à l'intérieur d'un même passage, Théodoret a soin de déterminer la nature exacte de phrases susceptibles de plusieurs modes de lecture[1].

Les figures de style utilisées par le prophète retiennent elles aussi l'attention de notre exégète. Sans toujours les désigner par le nom que leur ont donné les grammairiens, surtout quand elles sont d'un usage aussi fréquent que les métaphores, les métonymies, les comparaisons ou les paraboles, il a soin de noter leur présence et de préciser d'un mot au moins la réalité qu'elles recouvrent[2].

Enfin l'explication stylistique de Théodoret met en évidence dans le texte grec des tournures étrangères à cette langue et décalquées de l'hébreu ou du syriaque. Ce sont elles que Théodoret désigne le plus souvent sous le nom d'« idiome »[3], mais le terme sert aussi à caractériser certaines habitudes du langage courant : proverbes ou métonymies entrées dans l'usage[4].

Grammaire

La compréhension exacte du texte passe parfois par un examen grammatical minutieux. Ainsi, Théodoret relève pour les expliquer l'emploi d'un pluriel là où le singulier serait en apparence

gation suivie de la réponse un procédé littéraire destiné à servir la clarté, ce qui n'est pas sans rappeler le style de certains psaumes (*id.*, 19, 563 s.), etc.

1. C'est presque toujours pour inviter à lire le texte de façon interrogative, que l'interrogation n'existe que dans le ton (*In Is.*, 14, 559 ; 17, 269-270), qu'il faille éviter une confusion entre le τίς d'interrogation et le pronom indéfini (*id.*, 13, 54 ; 16, 12-14.428 ; 19, 563 s.) ou distinguer un μή interrogatif de la négation (*id.*, 2, 542-543 ; 16, 36).

2. Quand la figure de style est moins habituelle, Théodoret donne presque toujours son nom : c'est le cas de la prosopopée (*In Is.*, 2, 584 ; 5, 251 ; 7, 41.696 ; 9, 140-141 ; 14, 16 ; 15, 445 ; 16, 7) et de l'éthopée (*id.*, 6, 496).

3. *In Is.*, 1, 140-144 ; 2, 239-240 ; 4, 103 ; 5, 27 ; etc.

4. *Id.*, 4, 212-215 ; 17, 480-481 ; 20, 140-142.242-243.394-395.

plus attendu (3, 639-642) ou le cas inverse (6, 378-386), le passage surprenant, à l'intérieur d'un même verset (*Is.* 40, 9), du singulier au pluriel (12, 97-99), la présence significative d'un pronom possessif (1, 77-80 ; 2, 300). De même, il justifie par le procédé de l'énallage l'emploi d'un verbe au futur pour parler d'événements passés (4, 102-103 ; 6, 80-81), par une habitude scripturaire (2, 239-243) la présence d'une forme verbale active alors que le véritable sens est passif (3, 184-188). Un brusque changement de personne à l'intérieur d'un même passage (1, 101-102), la difficulté à reconnaître avec certitude le sujet d'un verbe (7, 32-34 ; 14, 271-272) suscitent également une brève remarque de la part de Théodoret. Enfin, même les problèmes d'accentuation ont leur place dans cette analyse du texte[1] ; l'interprétation de λαλία dont Théodoret fait un synonyme de φιλαργυρία, lorsque la pénultième porte l'accent (9, 58-60), en est l'exemple le plus curieux.

Onomastique, étymologie et sémantique

L'interprétation des noms propres, même si elle est le plus souvent anecdotique ou fantaisiste, peut aussi servir à l'intelligence du texte ; tel est, par exemple, le cas des brèves remarques de Théodoret sur des noms propres de lieux ou de peuples[2]. Mais cette explication de termes a parfois pour le commentaire une plus grande importance : celle du nom « Emmanuel » (3, 388-389) en est le meilleur exemple[3].

Il en va de même du rapprochement étymologique entre le terme hébreu « jésôa », traduit par « Sauveur », et le nom de « Jésus ». D'autres remarques, enfin, sur la signification

1. Cf. *supra*, p. 58, n. 1, à propos du τίς interrogatif.

2. Cf. « Somoron » (*In Is.*, 3, 308-310) ; « Édom » (*id.*, 6, 557-559 ; 10, 329-330 ; 19, 571-572.577-578) ; « Séir » (*id.*, 6, 565-568) ; « Philistins » (*id.*, 5, 379-384).

3. Cf. aussi « èlgibôr » (*In Is.*, 3, 849-851) ; « Asédek » (*id.*, 6, 351-353).

des mots χριστός (14, 73-75.103-107), ἀνάθημα (5, 27-32) ou ἀποστάσιον (16, 9-10) relèvent plus directement de la sémantique.

B. Auxiliaires de l'interprétation

Sciences diverses Théodoret ne saurait, toutefois, se contenter d'une critique purement littéraire. Son commentaire s'enrichit en réalité des apports les plus divers. Parmi ces auxiliaires de l'interprétation les disciplines « scientifiques » sont bien représentées : psychologie, médecine, agriculture, botanique, zoologie, sciences physiques, arts manuels[1]. Plusieurs remarques sont directement suggérées par le texte prophétique ; beaucoup proviennent sans doute d'un fonds commun à la rhétorique et à l'exégèse dans lequel Théodoret puise

1. *Psychologie* : les états d'âme sont commandés par des événements extérieurs (*In Is.*, 5, 499-500 ; 9, 191-194 ; 14, 10-13.144-149) ; influence du psychisme sur le physique (*id.*, 18, 423-424) ; connaissance du cœur humain (*id.*, 1, 83 ; 2, 311-315.538-540 ; 11, 364 s. ; 20, 387-388). *Médecine* : Dieu médecin des âmes (*id.*, 1, 113-117 ; 4, 105-106 ; 9, 150-152 ; 17, 88-90) ; chute des cheveux (*id.*, 2, 361-365) ; lèpre (*id.*, 2, 592-593) ; accouchement (*id.*, 17, 204-205) ; efficacité des remèdes (*id.*, 11, 515-521). *Agriculture et botanique* : arbres et plantes (*id.*, 1, 412-413.418 ; 3, 214-215 ; 4, 26-29 ; 6, 119-120 ; 11, 316-317 ; 12, 428-430 ; 17, 494-497) ; boissons (*id.*, 2, 571-574 ; 6, 284-286 ; 8, 62-65) ; alimentation (*id.*, 8, 206-210) ; moisson (*id.*, 7, 25-27 ; 8, 220-221) ; parfums (*id.*, 11, 549 ; 18, 211-212). *Zoologie* : animaux (*id.*, 2, 479-480.710-711 ; 3, 219-221.472-473 ; 4, 419-423 ; 5, 192.460-461 ; 9, 18-20.316 ; 10, 339-340 ; 12, 278-279 ; 13, 42.229-230 ; 20, 507-510) ; insectes (*id.*, 3, 437 ; 9, 522 ; 16, 112-113 ; 18, 525-527). *Sciences physiques* : calamités (*id.*, 5, 116-120 ; 7, 222-225 ; 8, 21-26) ; astres (*id.*, 5, 88-90 ; 7, 392-393 ; 9, 423-425 ; 10, 353-355 ; 12, 229-232 ; 18, 380-382) ; acoustique (*id.*, 5, 173-178) ; feu (*id.*, 3, 286-287 ; 5, 78). *Arts manuels* : poterie (*id.*, 8, 373 s. ; 14, 169-170 ; teinture (*id.*, 1, 289-291) ; ferronnerie (*id.*, 13, 357-360 ; 17, 349-351) ; métaux (*id.*, 1, 331-333 ; 5, 103-105 ; 20, 681-682) ; pierres précieuses (*id.*, 5, 105-106 ; 17, 312-319).

abondamment ; mais, presque aucune ne paraît relever d'un goût gratuit pour l'érudition. La fonction de ces remarques est d'ordinaire d'expliquer la lettre du texte, mais parfois aussi de fonder une explication figurée.

Géographie

Dans le même but, les remarques d'ordre géographique sont abondantes dans l'*In Isaiam* et permettent au lecteur de situer ou de reconnaître les lieux dont parle la prophétie, parfois même de constater, à partir de telle réalité, la nécessité ou l'impossibilité de certaines interprétations. A côté de bien des remarques de géographie générale[1], d'autres remarques ont trait à la géographie physique[2], à la toponymie[3] ou à la géographie humaine[4]. Sur ces deux derniers points, le domaine du géographe devient souvent celui de l'historien.

C. Rôle privilégié de l'histoire

Parmi tous les auxiliaires de l'interprétation, l'histoire occupe, en effet, une place privilégiée. Cela s'explique en partie par le caractère historique du texte d'Isaïe, surtout dans sa première partie, mais la volonté qu'a Théodoret de fonder historiquement la prophétie en est la vraie raison.

1. Elles concernent essentiellement la situation des pays (*In Is.*, 4, 547-551 ; 13, 112-114 ; 15, 384-389), la position des montagnes (*id.*, 3, 308-310 ; 5, 291-293 ; 6, 55-57.565-566 ; 8, 390-392 ; 11, 66), la configuration ou la topographie de lieux que Théodoret connaît, soit personnellement, soit par des témoins oculaires (*id.*, 5, 10-11 ; 6, 484-486 ; 7, 18-19 ; 16, 175-183.411-412).

2. Cf. *In Is.*, 1, 146-151 ; 4, 26-29 ; 7, 315 ; 20, 92-95.

3. Voir par exemple les remarques de Théodoret sur la Libye et Tharsis (*In Is.*, 7, 7-9 ; 19, 157-162 ; 20, 717-718) ; sur Chypre et les Kitiens (*id.*, 7, 9-13), sur Lobna (*id.*, 11, 202).

4. Voir les remarques concernant la Galilée (*In Is.*, 3, 762-763 ; 8, 36-38), la Philistie (*id.*, 4, 38-41), Kédar et l'Idumée (*id.*, 12, 620-621 ; 19, 90-92.111-114), l'Éthiopie (*id.*, 13, 91-92 ; 19, 92).

Son commentaire fait donc d'incessants appels à l'histoire, mais sous formes de remarques éparses, en dépendance étroite du texte prophétique : on y chercherait en vain un exposé logiquement construit ou même une fresque historique esquissée à grands traits[1]. En outre, parmi les rares développements d'une certaine ampleur, quelques-uns seulement appartiennent en propre à l'*In Isaiam*[2] ; la plupart constituent en fait des lieux communs (τόποι) de l'exégèse de Théodoret[3]. Enfin, il va sans dire que les connaissances de notre auteur paraîtront souvent limitées ou fantaisistes à l'historien moderne[4] ; mais ce serait un jeu

1. Nous avons noté (cf. chap. II) l'absence même de tout exposé liminaire sur la situation historique à l'époque d'Isaïe.

2. On ne peut guère citer que les développements relatifs à la faute d'Ozias (*In Is.*, 3, 8-31) ou au règne d'Achaz (*id.*, 3, 222-253) qui ne sont en réalité qu'un résumé de *II Chr.* 26 et 28, 1-18, et le rappel par les sommets — plus caractéristique de la manière de Théodoret — de l'histoire de Jérusalem depuis le siège de Vespasien jusqu'à la fondation d'Aelia Capitolina par Hadrien (*id.*, 3, 198-211).

3. Voici quelques exemples de ces « topoi » (les chiffres entre parenthèses donnent les références à l'*In Isaiam*, les autres à *PG* 81) : *a)* Les phases successives de la conquête assyrienne (3, 302-306 ; 4, 269-272), cf. *In Ez.*, 812 A ; 1037 B ; *In Os.*, 1552 AC ; *In Mich.*, 1745 C ; *In Nahum*, 1788 A ; *In Jer.*, 741 D ; — *b)* Les campagnes de Nabuchodonosor contre Jérusalem (8, 458-467 ; 16, 385-389), cf. *In Dan.*, 1457 C ; *In Ez.*, 812 BC ; 984 D - 985 A ; *In Jer.*, 692 BD ; — *c)* La dynastie perse, Cyrus et ses successeurs (5, 43-47.54-59), cf. *In Dan.*, 1393 B - 1397 B ; 1416 CD ; 1440 AB ; 1449 B ; 1501 C ; 1541 D ; *In Ez.*, 1121 D ; *In Nahum*, 1805 A ; — *d)* La reconstruction de Jérusalem et du Temple (20, 164-172), cf. *In Dan.*, 1457 C ; 1473 CD ; 1476 D ; *In Ez.*, 820 B ; 1168 CD ; *In Agg.*, 1861 AB ; — *e)* Le triomphe de l'Empire romain (2, 69-74.79-87), cf. *In Dan.*, 1308 D - 1309 A ; *In Mich.*, 1761 D.

4. En cela, du reste, Théodoret n'est pas une exception : l'exégèse patristique est remplie de « topoi » historiques dont l'exactitude est souvent très approximative. L'*In Isaiam* témoigne, à plusieurs reprises, de connaissances mal assurées, voire erronées, de l'ignorance de tel ou tel fait, d'un appel quelque peu fantaisiste à la chronologie, etc. Quand cela nous a paru nécessaire, nous l'avons signalé en note.

un peu vain que d'en souligner la fragilité par rapport aux nôtres. Ce qui doit retenir notre attention, en définitive, c'est la manière dont Théodoret, à l'intérieur du système d'interprétation qui est le sien, utilise le fait historique.

Histoire ancienne Les références à l'histoire ancienne, naturellement les plus nombreuses dans l'*In Isaiam*, concernent à la fois les événements contemporains d'Isaïe et ceux dont l'exégète découvre l'annonce dans sa prophétie. Au hasard du commentaire, on voit peu à peu se dessiner une histoire des grands empires[1]. Celle d'abord de l'Assyrie avec les règnes de Téglat-Phalasar III, de Salmanasar V et surtout celui de Sennachérib[2]. La domination babylonienne se confond pour l'essentiel avec l'histoire de Nabuchodonosor et de ses campagnes contre Jérusalem. Un troisième ensemble,

1. Cf. les tables chronologiques dans le dernier volume.

2. Théodoret semble ignorer le règne de Sargon II (721-705) et voir en Sennachérib le successeur de Salmanasar V. Dans son *Commentaire d'Osée* (*PG* 81, 1552 ABC) il attribue à ce dernier la prise de Samarie, qui devait revenir à Sargon (721) puisque Salmanasar était mort au cours du siège. Le texte d'*Isaïe* (20, 1) fait pourtant mention de Sargon, mais sous la forme « Arna » dans certains manuscrits des LXX. Est-ce sous cette forme que le lisait Théodoret et, dans ce cas, n'a-t-il pas su identifier le personnage ? Théodoret, en effet, ne cite pas le verset et se contente de résumer le texte d'Isaïe (*In Is.*, 6, 457-465), mais sa paraphrase ne laisse pas voir qu'il situe nettement les événements — notamment la prise d'Azôtos — dans l'histoire générale de l'Assyrie. La présentation des faits dans *IV Rois*, 17, 1-6 et 18, 9-13 explique peut-être la méprise de Théodoret : ces deux passages relatent le siège de Samarie par Salmanasar ; puis, sans mention d'un changement de règne, le récit continue avec pour sujet « le roi d'Assyrie » suivi de la mention de la prise de Samarie. Aussitôt après commence le récit de l'invasion de Sennachérib. Théodoret, dont les livres des *Rois* sont l'une des sources habituelles, a pu croire qu'il n'y avait pas d'intermédiaire entre Salmanasar et Sennachérib, comme le laisse penser également l'énumération d'*In Isaiam*, 3, 302-306.

relatif à la Perse, s'organise autour de Cyrus — prise de Babylone, libération et retour des Juifs en Palestine —, mais laisse entrevoir la succession dynastique, de Cambyse à Artaxerxès Longue-Main. Enfin, excepté un bref aperçu du règne d'Auguste et de l'action d'Hadrien contre Jérusalem, les remarques sur l'Empire romain visent toutes le règne de Vespasien et la prise de Jérusalem par Titus. On pourrait encore tracer, mais dans une moindre mesure et en rapport avec les grandes périodes qu'on vient de définir, une histoire de l'Égypte et de la Syrie. Mais, en réalité, comme dans la prophétie d'Isaïe, le royaume de Juda ne cesse d'être au centre de la vision historique de Théodoret. Ses vues sont donc en dépendance étroite de celles du prophète et l'histoire qui l'intéresse est d'abord celle du peuple juif dans sa relation avec Dieu. C'est pour la faire mieux comprendre que Théodoret rappelle ou précise des faits qu'un historien moderne chercherait à situer dans un contexte beaucoup plus large.

Histoire contemporaine

Contrairement à l'histoire ancienne, l'histoire du ve siècle apparaît assez peu dans le commentaire. On devine à peine la réalité politique d'un Empire dont les dignitaires sont désormais chrétiens[1]. De fréquentes remarques de toponymie attestent néanmoins la réorganisation de certaines régions par le pouvoir impérial : presque partout des noms grecs ont officiellement remplacé les noms de villes indigènes, sans entraîner toujours leur disparition définitive de l'usage populaire[2] ; des villes jadis importantes

1. C'est visiblement plus la réalité religieuse que la réalité politique qui intéresse Théodoret en ce domaine, cf. *In Is.*, 4,425-429 ; 15, 328-330.471-475 ; 19, 187-191 ; 20, 504-507.

2. C'est par exemple le cas de Philadelphie que ses habitants continuent à appeler Amman (*In Is.*, 4, 548-550) et sans doute de plusieurs autres villes comme Samarie devenue Sébaste (*id.*, 3, 310), même si Théodoret ne le note pas expressément.

ont vu leur rôle décroître au profit d'autres cités. On devine aussi le rôle que commencent à jouer dans la vie du ve siècle ces Arabes qui portent déjà en Syrie le nom de « Sarrasins » (5, 160-164). On voit enfin assez bien quel est le sort des Juifs dans l'Empire à l'époque de Théodoret : devenus « les métèques du monde » (1, 266), ils sont en réalité mis au ban de la société (20, 396-397).

Beaucoup mieux que l'histoire profane, l'*In Isaiam* laisse entrevoir la situation et la vie de l'Église à l'époque de notre auteur. Le christianisme semble avoir définitivement triomphé du paganisme[1] : destruction des derniers temples païens[2] dont les ruines servent parfois à l'édification ou à l'ornementation d'églises chrétiennes[3], substitution du culte des martyrs à celui des idoles[4], extension de l'Église aux dimensions du monde[5]. Celle-ci est désormais une institution reconnue et protégée par le pouvoir impérial

1. Le triomphe du christianisme sur le paganisme est un point que Théodoret aime à rappeler dans ses commentaires comme dans d'autres écrits (*Hist. Eccl.*, *PG* 82, 1241 CD et 1265 C), en opposant de façon volontairement schématique « le règne des idoles » à celui du Christ qui y met fin (cf. chap. IV, « La polémique contre les païens »). En réalité, la mort officielle du paganisme n'empêche pas la survivance de certaines croyances païennes et celle de pratiques clandestines (*Thérap.*, III, 79 s. ; VIII, 22-24 à rapprocher d'*In Is.*, 2, 183-187). En outre, Théodoret n'ignore pas les persécutions dont sont victimes à son époque les chrétiens de Perse (*Thérap.*, IX, 32 ; *Hist. Eccl.*, *PG* 82, 1272-1276), mais elles ne mettent plus en danger la vie de l'Église comme cela avait été le cas au temps de Julien. Le désir de rendre sensible l'importance du changement opéré dans le monde par la venue du Christ l'emporte donc chez Théodoret sur l'exactitude historique.

2. Théodoret déclare avoir été témoin d'événements semblables, dans sa jeunesse vraisemblablement (*In Is.*, 2, 194-196).

3. *In Is.*, 7, 171-175 ; cf. aussi *Thérap.* VIII, 68-69.

4. *In Is.*, 10, 85-87 ; cf. *Thérap.* VIII, le culte des martyrs.

5. *In Is.*, 6, 175-176 ; 12, 623-626 ; les Nations se sont converties (*id.*, 19, 220-225) et l'Église occupe une position éclatante (περιφανής : *id.* 2, 33-43).

qui, avec les fidèles, contribue à son entretien matériel[1]. Aussi se fait-on plus que jamais du nom de chrétien un titre de gloire (13, 308-310 ; 200, 400-407). La vie de l'Église apparaît, elle aussi, au hasard du commentaire : assemblées liturgiques unissant des hommes de toutes conditions sociales (4, 425-429 ; 20, 504-507), processions en l'honneur du Christ et des martyrs (19, 143-150), fréquents pèlerinages aux lieux saints de Jérusalem[2], recueillement des fidèles dans les églises (15, 480-482 ; 20, 356-357), monachisme (4, 436-439) et ascétisme (9, 486-490)...

L'*In Isaiam* présente en réalité une image fort embellie de la situation de l'Église au ve siècle, si l'on songe à ses divisions. Mais les renseignements fournis par Théodoret — leur généralité le prouve — n'ont pas pour objet de constituer une véritable histoire de l'Église.

Sources historiques de Théodoret

Le texte prophétique est pour Théodoret la première source d'information et nous avons noté les limites que cela impose à sa vision historique[3]. De plus, comme la prophétie d'Isaïe se recoupe souvent avec les livres des *Règnes* et des *Paralipomènes*, Théodoret demande à ces ouvrages historiques un complément d'information[4]. Dans

1. Les empereurs sont les pères adoptifs (τιθηνοί) et nourriciers (τροφοί) de l'Église et assurent sa subsistance (*In Is.*, 15, 471-475 ; 19, 242-244) ; les fidèles entretiennent eux aussi leur clergé (*id.*, 7, 175-179).

2. Théodoret évoque notamment le pèlerinage des « Arabes » (*In Is.*, 19, 111-120) ; il souligne le motif de ces pèlerinages : voir les lieux où s'est opérée la Rédemption (*id.*, 1, 382-396 ; 15, 468-471) et note certains comportements habituels des pèlerins (*id.*, 15, 482-486).

3. Cf. *supra*, « Histoire ancienne », p. 64.

4. Théodoret renvoie surtout au quatrième livre des *Règnes* (8 fois) et au second des *Paralip.* (9 fois) et assez souvent à ces deux ouvrages conjointement (6 fois). La référence est d'ordinaire précise (*In Is.*, 3, 501-502.567-568 ; 4, 269 ; 5, 518-519 ; 6, 441-442 ; 7, 764-765 ; 11, 5), mais Théodoret se contente parfois d'indiquer le titre

une moindre mesure, pour l'histoire de l'Église primitive, les *Actes des apôtres* jouent un rôle comparable.

En dehors de ces sources scripturaires, l'*In Isaiam* fait quelques références explicites au Flavius Josèphe de la *Guerre des Juifs*[1]. On peut du reste penser, malgré l'absence de toute allusion directe, que Théodoret a également relu dans les *Antiquités juives* les pages relatives aux expéditions assyriennes de Téglat-Phalasar, de Salmanasar et de Sennachérib[2]. Sur le chapitre des Mèdes et des Perses, l'*In Danielem* atteste que Théodoret a consulté Josèphe (*PG* 81, 1393-1397 ; 1577 B-D). L'utilisation de son œuvre a donc pu être plus considérable que ne le laisse entendre le petit nombre de références avouées. De même, rien dans l'*In Isaiam* ne permet d'affirmer que Théodoret a consulté les historiens grecs, mais l'absence de référence n'interdit pas péremptoirement une telle hypothèse[3].

Ce rapide examen des sources montre où vont les préférences de Théodoret : l'Écriture est à ses yeux l'autorité suprême. S'il reconnaît à l'occasion les qualités et l'honnêteté de Flavius Josèphe, il n'hésite pas à rejeter

de l'ouvrage (*id.*, 3, 234-235 ; 11, 72-73.367-368.402 ; 19, 94). Dans tous ces cas, la référence paraît dispenser Théodoret de la citation ; inversement, il lui arrive de citer sans indiquer la référence (2, 648-649 ; 9, 61-62 ; 12, 269-270).

1. Cf. *In Is.*, 2, 236-237.578-579 ; 6, 653-654 ; 18, 304-305.

2. Flavius Josèphe, *Antiquités juives*, l. IX et X.

3. Cf. *In Is.*, 14, 476 : le verbe λέγεται atteste l'emprunt direct ou de seconde main à un historien grec (Hérodote ? Xénophon ?). Du reste, dans l'*In Ez.* (*PG* 81, 1112 C), Théodoret fait référence aux « histoires grecques », et dans l'*In Dan.* (*id.*, 1396 B) il confronte l'opinion de Flavius Josèphe à celle des historiens grecs. Ce sont encore peut-être ces derniers qu'il désigne à plusieurs reprises dans quelques commentaires par l'expression οἱ ἔξω συγγραφεῖς (*In Dan.*, *id.*, 1297 B ; 1441 C ; *In Nahum*, *id.*, 1808 B) ou par un tour plus ample οἱ ἔξω τοῦ καθ' ἡμᾶς λόγου ἱστοριογράφοι τε καὶ συγγραφεῖς, σοφισταί τε καὶ ῥήτορες (*In Dan.*, *id.*, 1501 C).

son témoignage s'il contredit le texte biblique[1]. Cette attitude s'explique par le caractère inspiré que Théodoret reconnaît à l'ensemble de l'Écriture qui ne saurait par conséquent être mensongère[2]. Malgré la pauvreté, à nos yeux, de telles exigences critiques — ce sont celles de l'époque —, il serait injuste de ne pas reconnaître l'intérêt et le respect que porte Théodoret au fait historique. A cet égard, sa démarche intellectuelle révèle un esprit d'autant plus soucieux de rigueur et d'objectivité qu'il entend mettre l'histoire au service de son interprétation.

D. L'interprétation de Théodoret

Dans l'« hypothésis » de l'*In Isaiam*, Théodoret définit sommairement l'exégèse qu'il entend pratiquer : « A considérer l'ensemble des écrits du prophète, les uns sont clairs (σαφῆ) et ont un sens évident (γυμνὴν διάνοιαν), les autres sont présentés de façon figurée (τροπικῶς) et réclament un commentaire » (Υ, 25-27). Son commentaire fera donc état tour à tour du sens littéral et du sens figuré de la prophétie.

1. Le fait que Josèphe ne soit pas chrétien en fait parfois aux yeux de Théodoret un témoin digne de foi (*In Dan.*, *PG* 81, 1544 B), mais son crédit comparé à celui de l'Écriture est pratiquement nul (*id.*, 1393-1397).

2. Théodoret, en effet, ne semble pas faire de différence entre les prophéties et les livres historiques sous le rapport de l'inspiration ; pour lui l'Écriture est inspirée (*PG* 84, 20 : Πᾶσα μὲν ἡ καθ' ἡμᾶς Γραφὴ Παλαιά τε καὶ Καινὴ θεόπνευστός ἐστι), elle est tout entière parole de Dieu. Or, par essence, Dieu est incapable de mensonge (ἀψευδής) et ce même caractère s'applique naturellement à sa parole (v.g. *In Is.*, 12, 63-64 ; *In Ez.*, *PG* 81, 957 A : ἀψευδὴς γὰρ ὁ τοῖς προφήταις ἐμπνέων). C'est pourquoi l'exégète cherche avant tout à montrer « la vérité de la prophétie » comme celle de tout autre texte biblique.

Sens littéral et historique

L'interprétation selon le sens littéral propre occupe en réalité une place prépondérante dans le commentaire[1]. Simple paraphrase du texte dans bien des cas[2], elle fait néanmoins presque toujours appel aux divers auxiliaires de l'interprétation, notamment à l'histoire. Aussi l'explication selon le sens littéral est-elle souvent une interprétation καθ' ἱστορίαν[3]. D'autre part, la priorité que paraît lui accorder Théodoret dans la présentation des divers sens[4] ne saurait surprendre de la part d'un antiochien,

1. Les antiochiens, on le sait, accordent une grande importance à l'établissement du sens littéral qui permet d'insister sur la réalité du texte biblique. Théodoret présente assez peu souvent le sens littéral à l'aide d'expressions caractéristiques — κατὰ τὸ ῥητόν (*In Is.*, 5, 346 ; 9, 201.486 ; 12, 48-49 ; 20, 522), κατὰ τὴν πρόχειρον ἔννοιαν (*id.*, 3, 580-581) —, mais on le reconnaît aisément quand Théodoret lui oppose un sens figuré, d'autant plus qu'un adverbe (ἐναργῶς : *id.*, 1, 198 ; 15, 387) ou une expression avec εἰκός (*id.*, 5, 470 ; 19, 201-203) souligne parfois dans ce cas la présence du sens littéral.

2. La paraphrase constitue bien souvent, en effet, le premier stade de l'interprétation chez les Pères, qui veulent avant tout rendre intelligible pour les lecteurs grecs de leur temps la langue des Septante ; ils s'efforcent donc d'en traduire les tours (hébraïsmes) et les mots dans la langue qui leur est familière (cf. M. Harl, « Influence du grec biblique sur la langue spirituelle des chrétiens », in *La Bible et les Pères*, Colloque de Strasbourg 1969, Paris 1971, p. 245-246).

3. Le sens littéral est très souvent, en effet, un sens historique, si bien que, pour désigner l'interprétation littérale, les antiochiens emploient aussi fréquemment les termes ἱστορία, τὰ πράγματα, καθ' ἱστορίαν, etc., que les expressions κατὰ ῥητόν, κατὰ λέξιν, ἡ πρόχειρος ἔννοια, etc. (cf. Pirot, p. 178).

4. La remarque ne vaut que dans le cas où plusieurs sens sont présentés successivement par l'exégète, qui très souvent se contente d'une seule interprétation fondée sur le sens littéral propre ou sur le sens métaphorique. Quand Théodoret propose deux interprétations, il établit le plus souvent en premier lieu le sens littéral propre (*In Is.*, 2, 32 s. 160 s. ; 3, 485 s. ; 5, 166 s. ; 8, 318-319 ; 9, 194 s. ; 12, 48 s. ; 14, 6 s. ; 17, 236 s. 480-483 ; 19, 114-120.164-172.201-203) avant de passer à l'explication figurée ; à sept reprises, toutefois,

chez qui le désir d'expliquer le texte ne se sépare jamais de la volonté d'en établir la réalité littérale et historique.

Sens figuré

Toutefois, dans bien des cas, l'interprétation littérale se révèle impossible[1] — qu'elle entre en contradiction avec le simple bon sens, l'histoire ou d'autres disciplines — ou bien ne suffit pas à épuiser le sens de la prophétie[2]. Diverses raisons invitent donc Théodoret à dépasser le sens littéral pour recourir à l'interprétation figurée[3]. En réalité, sous le terme assez vague de « sens figuré[4] », l'exégète présente divers types d'interprétation. Le plus souvent, il s'agit d'un sens métaphorique[5], mais ce peut être aussi un sens spirituel ou

il donne la priorité au sens figuré (*id.*, 5, 343 s. 432 s. 468 s. 497 s. ; 6, 359 s. ; 9, 482 s. ; 18, 420-421) et paraît même lui accorder sa préférence. Néanmoins, dans cette manière d'insister sur le sens littéral, on reconnaît les tendances antiochiennes de cette exégèse soucieuse d'établir la réalité du texte biblique trop facilement évacuée par une utilisation abusive de l'allégorie chez certains alexandrins.

1. Voir par exemple *In Is.*, 5, 9-13.417-419 ; 6, 157 s. ; 7, 120 s. 337 s. ; 10, 202 s. ; 14, 244 ; 18, 430-433 ; 19, 228-231 ; 20, 522 s.

2. C'est le cas lorsque le sens littéral est pauvre (*In Is.*, 1, 326 s. ; 3, 156 s.), surprenant (*id.*, 10, 448 s.), banal (*id.*, 6, 284 s.) ou indigne de Dieu (*id.*, 14, 215-216).

3. Le recours au sens figuré est rarement présenté par Théodoret comme une nécessité (ἀνάγκη, *In Is.*, 9, 202), mais plutôt comme une possibilité (*id.*, 2, 166 : εἰ δέ τις τροπικῶς νοεῖν βούλεται... ; 3, 488 : Εἰ δὲ καὶ τροπικῶς ἐθέλοι τις τὸ χωρίον νοῆσαι... ; 17, 243 : οὐκ ἄν τις ἁμάρτοι... ; 19, 143-144 : εἰ δέ τις καταμάθοι... ; etc.).

4. Lorsque le sens figuré est nettement désigné, c'est le plus souvent (22 cas, cf. index des mots grecs) par l'adverbe τροπικῶς ; le nom (τροπή) et l'adjectif (τροπικός) sont d'un emploi beaucoup plus rare. Théodoret utilise également παραβολή et ses dérivés, plus rarement l'adverbe πνευματικῶς (*In Is.*, 18, 615) ou l'adjectif (*id.*, 18, 431 ; 19, 231). Mais, parler de métaphore, de prosopopée, d'image, de comparaison, etc., ce sont autant de manières de souligner l'existence d'un sens figuré.

5. C'est de loin le cas le plus fréquent ; cf. par ex. *In Is.*, 1, 109 s. :

moral très proche de ce que d'autres exégètes appellent l'anagogie[1]. Dans quelques cas, enfin, l'interprétation entretient avec le sens littéral un rapport si lointain ou si subtil qu'on serait presque tenté de parler d'allégorie[2].

Le sens figuré se révèle donc assez composite. Il reste néanmoins, à quelques exceptions près, un véritable sens littéral au point qu'il est parfois absolument nécessaire de l'établir si l'on veut respecter la lettre du texte (19, 121. 144.172-173) et atteindre ainsi « la vérité de la prophétie » (9, 200-205).

Sens typique

De façon plus épisodique, l'exégèse de Théodoret fait appel à l'explication typologique. Cette dernière participe, en réalité, des deux autres modes d'interprétation : de l'interprétation selon le sens figuré, car elle impose de dépasser le sens obvie ; de l'interprétation selon le sens littéral ou historique, car il importe d'établir la réalité du fait ou du personnage présentés par le texte prophétique avant de pouvoir les considérer respectivement comme le « type » (τύπος) d'un autre fait ou d'un autre personnage — « l'antitype » (ἀντίτυπος) — que l'exégète découvre dans l'histoire du Nouveau Testament. Toutefois, une vague ressemblance ne suffit pas à déterminer un typisme[3]. On ne le reconnaît

tête = rois et chefs, cœur = prêtres et docteurs ; 1, 326 s. : changeurs et cabaretiers = prêtres et docteurs corrompant la Loi par l'adjonction de leurs propres doctrines ; 2, 167 s. : chênes = homme qui tirent orgueil de leur force physique, cèdres = ceux dont l'empire est florissant, vaisseaux = ceux dont l'intelligence est vive, etc.

1. Voir par ex. *In Is.*, 3, 60 s. 156 s. ; 7, 332 s. 577 s. ; etc.

2. Par ex. *In Is.*, 3, 552 s. 805 s. ; 6, 172 s. ; etc.

3. Les antiochiens n'ont recours à l'interprétation typologique que s'ils découvrent entre le « type » et l'« antitype » des liens étroits. JEAN CHRYSOSTOME a, du reste, clairement défini — après Diodore de Tarse et Théodore de Mopsueste — les « règles » à observer en matière de typologie (*PG* 51, 247 et 53, 528-529). Cf. à ce sujet A. VACCARI, « La Θεωρία nella scuola esegetica di Antiochia », *Biblica* I, 1920, p. 3-36.

qu'après avoir établi que la prophétie s'est réalisée deux fois[1], que la seconde réalisation dépasse en quelque façon la première et qu'elle est seule à rendre compte de la prophétie dans sa totalité. Aussi le rôle de l'histoire est-il considérable dans l'interprétation typologique, puisque tout revient en définitive à apprécier le degré d'accomplissement (τέλος) de la prophétie à l'intérieur de l'A. T. : si elle y est pleinement réalisée, on ne saurait parler de « figure » ; en cas de réalisation partielle, la découverte d'un antitype accomplissant entièrement la prédiction est nécessaire, puisqu'une prophétie ne peut être mensongère (ἀψευδής). Dans les deux cas la décision appartient le plus souvent à l'histoire[2].

L'interprétation typologique est donc soumise à l'observation de règles assez strictes. Théodoret en fait néanmoins largement usage dans l'*In Isaiam*[3]. La prophétie lui offre naturellement quelques figures du Christ, mais beaucoup de typismes concernent le mystère du salut, les apôtres, l'Église et les croyants ; certains mêmes se rapportent aux temps eschatologiques. Malgré la diversité des cas envi-

1. C'est cette double réalisation de la prophétie que Théodoret souligne à plusieurs reprises par l'expression, à première vue ambiguë, de « double prophétie » (*In Is.*, 7, 185-186.760 ; 19, 42).

2. A plusieurs reprises, et sans doute il s'oppose souvent alors à Théodore de Mopsueste, Théodoret refuse catégoriquement de voir en tel personnage ou en tel événement de l'A.T. un type du Christ ou de l'Église et montre qu'il faut directement appliquer la prophétie à ces derniers. Dans ce cas la démonstration s'appuie encore le plus souvent sur l'histoire (*In Is.*, 4, 478 s. ; 8, 131 s. ; 9, 358 s. ; 12, 64 s. 520 s. 545 s. ; 13, 217-219 ; 14, 241 s. ; etc.).

3. Théodoret a recours à l'interprétation typologique dans une bonne trentaine de cas : typismes concernant le Christ (*In Is.*, 3, 521-528 ; 7, 658-662.763-767 ; 20, 69-76), le salut (*id.*, 3, 123-125 ; 7, 751-759 ; 12, 29-32 ; 13, 424-429 ; 16, 287-289), les apôtres (*id.*, 3, 580-585 ; 6, 711-712 ; 10, 17-20 ; 12, 363-370 ; 13, 101-110 ; 16, 447-454), l'Église (*id.*, 2, 471-475 ; 19, 14-19.42-49.61-73.177-181), les croyants (*id.*, 4, 274-281 ; 8, 448-452 ; 9, 131-139.161-169), l'eschatologie (*id.*, 7, 185-188 ; 16, 60-65 ; 19, 19-21.256-263.274-278).

sagés, la typologie de l'*In Isaiam* offre une certaine unité ; la figure dominante est celle qui présente les diverses libérations du peuple juif comme autant de préfigurations de la délivrance du monde entier, prisonnier du péché, grâce à l'Incarnation.

Ces trois formes d'interprétation amènent Théodoret à distinguer deux types de prophéties : les prophéties relatives à l'A. T. qui relèvent le plus souvent du sens historique et littéral et les prophéties néo-testamentaires, les plus nombreuses dans l'*In Isaiam*[1]. Pour les discerner, l'interprétation selon le sens littéral joue un rôle assez limité tandis que le recours à l'explication figurée est plus habituel ; mais, quelle que soit la nature de l'explication, on a toujours affaire dans ce cas à des prophéties messianiques directes. Au contraire, dans le cas d'une interprétation typologique, il faut parler de prophéties messianiques indirectes, puisque, imparfaitement il est vrai, la prophétie s'est déjà réalisée dans l'A. T. Ainsi, par deux voies différentes, Théodoret donne à son exégèse une orientation nettement néo-testamentaire et s'écarte en cela de celle des anciens antiochiens[2]. Toutefois, la méthode qu'il utilise reste fondamentalement la même : son interprétation, fondée sur une critique précise du texte, est à dominante historique. Ce contrôle exercé par l'histoire est

1. On retrouve donc bien au cours du commentaire *In Isaiam* les deux grands ensembles de prophéties que Théodoret indique dans son « hypothésis », celles qui concernent Israël et le peuple juif dans l'A.T., et celles qui s'appliquent au Christ, à l'Église et au salut des Nations (*In Is.*, Υ, 1 s.).

2. Cf. L. Mariès, *Études préliminaires à l'édition de Diodore de Tarse sur les Psaumes*, Paris, Belles Lettres, 1933, p. 9 ; J. Guillet, « Les exégèses d'Alexandrie et d'Antioche. Conflit ou malentendu », in *Rev. Sc. Rel.*, t. 34 (1947), p. 257-302. L'exégèse de Diodore de Tarse et plus encore celle de Théodore de Mopsueste sont nettement vétéro-testamentaires. Celle de Théodoret s'apparente davantage à celle de Chrysostome.

pour l'exégète une manière de se garder des excès de l'allégorie, mais c'est peut-être aussi une limite. On est en droit de regretter que l'exégèse de Théodoret, malgré ses qualités de rigueur et de sobriété, soit presque fermée à l'interprétation spirituelle et mystique. C'est sans doute le revers de cette exégèse « scientifique ».

CHAPITRE IV

LA POLÉMIQUE

Le commentaire *In Isaiam* fait une large place à la polémique, mais sous forme de remarques éparses et toujours en dépendance étroite du texte prophétique[1]. On peut néanmoins parler de trois ensembles polémiques assez nets qui concernent respectivement le paganisme, les Juifs et les hérétiques. Ce sont en réalité des lieux communs *(topoi)* de l'exégèse, que Théodoret ne semble pas chercher à renouveler : dans l'*In Isaiam*, en effet, comme dans tous ses commentaires, réapparaissent sensiblement les mêmes « topoi ». Au manque d'originalité de cette polémique[2] s'ajoute son absence presque totale d'actualité. Certes, la survivance de pratiques païennes,

1. D'une manière générale, Théodoret répugne aux longs développements et aux ἐκφράσεις ; il sait même à l'occasion renoncer à un développement polémique pour s'en tenir strictement à l'interprétation du texte (v.g. *In Is.*, 3, 384-385 ; 20, 526-527). D'autre part, la dispersion des remarques vient du fait que sa polémique n'est le plus souvent que la paraphrase ou l'amplification du texte d'Isaïe, notamment dans les passages relatifs aux idoles.

2. La polémique de Cyrille contre les idoles dans son *In Isaiam* et celle de Théodoret donnent lieu par exemple à des développements très voisins, d'autant plus que l'un et l'autre se contentent souvent de paraphraser Isaïe. En outre, les divers « topoi » des commentaires de Théodoret pourraient être en partie les échos des traités écrits par notre auteur contre les païens, les Juifs et les hérétiques ; la comparaison entre plusieurs passages de l'*In Isaiam* et de la *Thérapeutique* autorise en tout cas cette supposition.

surtout dans les milieux populaires et campagnards, n'est pas douteuse à l'époque de Théodoret[1], mais le paganisme en tant qu'institution est mort et ne saurait désormais mettre en question l'existence d'une Église dont Théodoret se plaît, du reste, à souligner le triomphe[2]. Que les Juifs soient nombreux en Syrie ne rend pas davantage actuelle la polémique anti-juive de l'*In Isaiam* : son caractère, général et traditionnel à la fois, suffirait à le prouver. Enfin, les hérésies combattues dans le commentaire appartiennent au passé, même si certaines d'entre elles étaient encore vivaces dans le diocèse de Cyr au moment où Théodoret entra en charge[3]. Sans grande actualité, sans véritable originalité, cette triple polémique peut-elle avoir une fonction autre que dialectique? Nous tenterons de le préciser après un rapide examen des formes qu'elle revêt dans le commentaire.

1. Voir, sur ce point, R. Devreesse, *Le Patriarcat d'Antioche depuis la paix de l'Église jusqu'à la conquête arabe*, Paris 1945, p. 43. La distinction opérée dans la *Thérapeutique* (*op. cit.*, livre VIII) entre le culte des martyrs et celui des héros est le signe même qu'une confusion pouvait exister dans les esprits et conduire certains chrétiens à se laisser contaminer par le paganisme. Enfin, dans les milieux intellectuels antiochiens, il était de bon ton d'afficher son scepticisme à l'égard du christianisme (cf. P. Canivet, *Thérap.*, *op. cit.*, p. 31 s. et P. de Labriolle, *op. cit.*, p. 364-368).

2. Théodoret fait souvent état dans ses écrits du triomphe de l'Église et de la ruine du paganisme, mais cette manière de s'exprimer ne donne qu'une image approximative de la réalité à l'époque où il vit (cf. sur ce point, chapitre III, p. 65, n. 1).

3. Dans l'*Histoire Eccl.* (*PG* 82, 1440 D - 1444 B) comme dans sa correspondance (éd. Y. Azéma, *op. cit.*, lettres 81, 82, 113, 116), Théodoret fait état à plusieurs reprises de sa lutte et de sa victoire contre les hérétiques, mais les situations et les événements auxquels il fait allusion sont bien antérieurs à l'*In Isaiam*.

A. Polémique anti-païenne

Organisation de la polémique

Parce que Théodoret s'en tient étroitement au texte d'Isaïe, sa critique du paganisme est pour l'essentiel une mise en cause de l'idolâtrie. Malgré la dispersion des remarques, le retour des formules antithétiques, « l'erreur des idoles (ἡ τῶν εἰδώλων πλάνη) » et « la fin de l'erreur (ἡ τῆς πλάνης παῦλα) », montre clairement que cette polémique s'articule autour de deux thèmes fondamentaux : celui du règne de l'idolâtrie et celui de sa ruine après l'Incarnation.

Le règne des idoles est avant tout celui de l'erreur (πλάνη)[1]. En réalité, le pouvoir d'égarer — tel est le sens habituel de πλάνη dans le commentaire — appartient au diable et aux démons. En détournant l'homme de la vérité, ils le font vivre dans l'ignorance (ἄγνοια) et les ténèbres (ζόφος, σκότος) ; ils font de lui et des Nations des « égarés » (οἱ πλανώμενοι). L'extension du mal s'explique par l'appui que l'erreur reçoit de certains individus[2], mais surtout par la sottise (ἄνοια) humaine, cause de tous les aveuglements[3].

1. Le terme πλάνη, sans autre précision, suffit souvent à désigner l'idolâtrie dans le commentaire, où il est d'un emploi nettement plus fréquent que les termes « erreur polythéiste, polythéisme, idolâtrie » ; le terme plus général d'« impiété » (ἀσέβεια, δυσσέβεια) est encore un moyen de désigner l'idolâtrie.

2. Il s'agit notamment des prêtres des cultes païens (*In Is.*, 6, 269-274), des astrologues et des diseurs d'oracles (*id.*, 6, 235-236. 296-298 ; 14, 314-319.542-545.549-551), des philosophes (*id.*, 6, 276-283) et des poètes (*id.*, 12, 646-649).

3. Ceci explique qu'à la suite d'Isaïe l'arme la plus habituelle à Théodoret soit l'ironie et que toute sa polémique soit en définitive un appel à la raison (*In Is.*, 2, 125-128.196-202 ; 12, 172-174 ; 13, 363.379.403-404).

C'est de là que l'erreur tire son pouvoir tyrannique[1] et parvient à installer les Nations dans un véritable esclavage (δουλεία).

Aussi la ruine des idoles (ὁ τῶν εἰδώλων ὄλεθρος) apparaît-elle comme une libération (ἀπαλλαγή, ἐλευθερία). Du reste, Théodoret semble à dessein souligner le règne de l'erreur pour mieux en marquer la fin (ἡ τῆς πλάνης παῦλα). La recherche de l'antithèse est évidente : la domination (κρατεῖν, δεσπόζειν) exercée par l'idolâtrie est ruinée (παύειν, καταπαύειν — σϐεννύναι, κατασϐεννύναι — καταλύειν) ; l'ignorance (ἄγνοια) fait place à la connaissance (γνῶσις), les ténèbres (σκότος) à la lumière (φῶς, φωτίζειν), le mensonge (ψεῦδος) à la vérité (ἀλήθεια) ; le pouvoir souverain du diable cède devant celui du Christ[2] qui assure le triomphe de l'Église. C'est sans doute l'Égypte qui, dans notre commentaire, illustre le mieux ce passage de l'erreur à la vérité : symbole de l'idolâtrie dans l'A. T., elle devient pour Théodoret le meilleur exemple du salut des Nations.

Contenu de la polémique

Malgré l'abondance des remarques, cette polémique conserve un caractère très général : démons et idoles sont presque toujours désignés par les termes génériques de δαίμονες et d'εἴδωλα[3] ; la présentation des divers lieux de

1. Ce pouvoir (cf. index des mots grecs κρατεῖν, δεσπόζειν, δεσποτεία, δυναστεία, τυραννίς, τύραννος) est en réalité celui du diable et des démons agissant par l'intermédiaire des idoles (*In Is.*, 7, 453-454).

2. L'épiphanie du Seigneur sonne, en effet, le glas du règne des idoles (*In Is.*, 3, 524-526 ; 7, 548-550.692 ; 10, 26-29.82-91 ; 12, 471-482) ; à la δεσποτεία illégitime du diable (*id.*, 7, 481-486) se substitue, au moment de l'Incarnation, la souveraineté du Christ, seul véritable δεσποτής, parce que seul vrai Dieu.

3. On trouve aussi, mais plus rarement, ἴνδαλμα, εἴκων, εἴκασμα ; toutes ces désignations prouvent que Théodoret vise l'idolâtrie dans son ensemble et non tel adversaire précis ; quand il nomme telle idole avec précision, c'est toujours sur l'invitation du texte biblique (*In Is.*, 5, 439 ; 7, 458 ; 8, 263 ; 14, 388-389).

culte reste traditionnelle[1] et ne permet presque jamais d'établir une relation entre telle idole et tel culte. De même, Théodoret se borne le plus souvent à noter la diversité des idoles ou à distinguer les représentations anthropomorphes des représentations zoomorphes ; mais, mis à part le cas de l'Égypte[2], il ne précise pas davantage.

En revanche, Théodoret se montre plus soucieux d'apporter des précisions sur la nature des démons et celle des idoles. S'il note que la nature incorporelle (ἀσώματος) et invisible (ἀόρατος) des démons ne leur interdit pas de prendre les formes les plus diverses (σχήματα) pour se manifester aux vivants, il s'intéresse surtout aux idoles[3]. Sa polémique insiste à plaisir sur leur nature inanimée, incapable de tout sentiment (ἄψυχά τε καὶ ἄλογα[4]) et sur leur caractère d'objets créés — en bois ou en métal —, fabriqués de main d'homme[5]. Par sa nature matérielle et souvent composite, l'idole est à la fois circonscrite dans l'espace et dans le temps : on en connaît la mesure, elle a une origine et une fin[6]. Aussi les idoles ne doivent-elles qu'à la stupidité humaine d'être reconnues pour dieux ; « prétendus dieux » (οἱ καλούμενοι θεοί), en vérité, sans

1. Montagnes et collines où ont lieu les sacrifices (*In Is.*, 2, 12-17 ; 4, 350-354 ; 8, 388-390 ; 12, 52-54) ; antres et cavernes réservés aux oracles et aux évocations des morts (*id.*, 14, 314-318) ; jardins et bois sacrés (*id.*, 2, 16) ; sanctuaires (*id.*, 4, 565 ; 7, 172 ; 10, 85 ; 12, 644).

2. Théodoret donne, en effet, quelques précisions sur les idoles égyptiennes, mais sans jamais indiquer le nom du dieu représenté sous les traits de tel ou tel animal (*In Is.*, 6, 316-318 ; 14, 393-396).

3. La démonologie de Théodoret dans l'*In Isaiam* se réduit à peu de chose (*In Is.*, 5, 182-189 ; 8, 266-268 ; 10, 367-368), mais il en a longuement traité dans *Thérap.* III (Anges, dieux et démons). Comme il suit de près Isaïe, il est naturel que ses attaques les plus nombreuses soient dirigées contre les idoles.

4. *In Is.*, 6, 66 ; 7, 338-339 ; 12, 500-502.

5. *Id.*, 2, 126-128 ; 6, 66-68 ; 12, 191-196 ; 13, 7-10 ; etc.

6. *Id.*, 11, 250-254 ; 13, 355-367 ; 14, 430-435.

autre pouvoir que celui que leur accordent les hommes. L'idole, par nature, n'est qu'impuissance et faiblesse (ἡ τῶν εἰδώλων ἀσθένεια) doublées d'une totale ignorance (ἄγνοια). Que Théodoret parle constamment de « la tromperie des idoles » (ἡ τῶν εἰδώλων ψεῦδος, ἡ τῶν εἰδώλων (ἐξ)απάτη) ne doit pas faire illusion : il ne prend plus alors « idole » au sens étroit de représentation matérielle divinisée, mais voit en elle l'instrument dont se servent les démons pour installer l'erreur dans le monde[1].

En fait, Théodoret ne s'attarde tant à analyser la nature des idoles que pour mieux montrer la nature du vrai Dieu, en tous points opposée à la leur[2]. C'est dans doute là le principal intérêt de cette polémique sans actualité qui reste avant tout un lieu commun de l'exégèse, même s'il est repris par Théodoret à des fins précises.

B. Polémique anti-juive

La polémique anti-juive, autre lieu commun de l'exégèse, présente dans l'*In Isaiam* à peu près les mêmes caractéristiques que la polémique contre les idoles : dispersion des remarques, étroite dépendance à l'égard du texte d'Isaïe, « topoi » sans originalité et sans actualité. Ce qui retient l'intérêt, ce sont donc moins les accusations traditionnelles

1. Cf. *supra*, p. 78, n. 1.

2. La recherche de l'antithèse par Théodoret est évidente : aux idoles et aux faux dieux, il oppose le Dieu unique et vrai ; à ces objets créés, sujets aux changements, périssables, inanimés, limités, il oppose l'Être incréé, inchangé, immortel, sans limites et impossible à circonscrire, sans forme et sans parties, alors que les idoles sont composites et reçoivent une forme. De même encore, la puissance, la vérité, la sagesse de Dieu sont mises en opposition avec l'impuissance, le mensonge et la sottise des idoles. Préciser la nature et les attributs des idoles est en réalité, pour Théodoret, une manière de faire concevoir à son lecteur, par le jeu des oppositions, la nature ineffable de Dieu.

portées contre les Juifs ou l'utilisation à des fins polémiques de leur histoire, que la controverse théologique et exégétique.

Accusations portées contre les juifs

Le portrait du Juif qui se dégage du commentaire reste entièrement conventionnel. Les mêmes accusations, cent fois répétées, gardent toujours un caractère général et abstrait : orgueil (μέγα φρονεῖν, μεγαλαυχεῖν, ὑπερφρονεῖν) et arrogance (ἀλαζόνεια, ἀλαζονικῶς, ἐπιτωθάζειν, κωμῳδοῦν) ; aveuglement volontaire ou maladif (τῦφος, τυφλός, τυφλοῦν) et insensibilité (ἀναλγησία) ; entêtement, esprit d'opposition (ἀντιλέγειν, ἀντιτείνειν), goût de la querelle et de la controverse (ἐριστικῶς, φιλονεικῶς) ; hardiesse (θράσος, τολμᾶν) et impudence (ἀναισχύνειν, ἀναίδεια) ; déraison, sottise (ἄνοια, τὸ ἀσύνετον, ἀλογία) et folie (μανία). Le comportement du Juif est à l'image de son caractère. Théodoret met en évidence son attitude continuelle de refus (οὐ δέχεσθαι, οὐ βούλεσθαι, ἀρνεῖσθαι) — refus d'écouter les prophètes, refus de croire —, de désobéissance (ἀπείθεια) et d'impiété (ἀσέβεια, δυσσέβεια, ἀνόσιος) : idolâtrie, manquements à la Loi. L'ingratitude (ἀχαριστία) est donc sa manière de répondre à l'amour de Dieu. Sa conduite envers Dieu et le prochain peut encore se résumer par les termes d'injustice (ἀδικία), d'iniquité (ἀνομία, παρανομία) et de perversité (πονηρία). A l'égard du Christ, elle devient rage et folie criminelle (μανία τοῦ Χριστοῦ). Telle est, bien sûr, la plus grande accusation portée contre les Juifs, tenus collectivement pour des assassins (φονεῖς).

Théodoret ne fait donc que reprendre des accusations traditionnelles[1], mais avec une relative modération et un souci d'équité qui le pousse à dissocier dans sa polémique

1. Sur les traits fondamentaux de la polémique anti-juive chez les Pères, à la suite des auteurs païens, voir le catalogue dressé par J. Juster des principales accusations portées contre les Juifs (Juster, t. 1, p. 45-48).

les Juifs pieux de l'A. T. et ceux qui, avec les apôtres, ont cru au Christ (οἱ πιστεύοντες) de la grande masse des Juifs incrédules (οἱ ἀπιστοῦντες)[1].

Utilisation polémique de l'histoire juive

Si le commentaire offre fondamentalement le même portrait stéréotypé du Juif, sans distinguer entre Ancien et Nouveau Testament, l'histoire juive est au contraire présentée de façon antithétique, mais cela aussi à des fins polémiques. La situation florissante (ἀνθεῖν) du peuple juif au temps où il jouissait (ἀπολαύειν) de la Promesse (ὑπόσχεσις) et de la Bénédiction (εὐλογία) n'est évoquée par Théodoret que pour mieux insister sur l'état de dénuement (ἀποστερεῖν, γυμνοῦν, ἀναίρεσις) dans lequel il se trouve depuis qu'il a cessé d'être le peuple élu, après la crucifixion du Christ. La recherche d'oppositions terme à terme est évidente : la fertilité[2] et la fécondité (εὐκαρπία) de jadis ont fait place au désert (ἐρημία, ἔρημος) et à la stérilité (ἀκαρπία) ; le succès dans les entreprises (εὐπραξία), à l'échec (κακοπραγία) ; le bonheur et la prospérité (εὐημερία), au malheur (δυσημερία). Enfin, la destruction définitive du Temple, « la ruine finale » (ὁ ἔσχατος ὄλεθρος) et la

1. La distinction entre Juifs croyants et incrédules est constante dans l'*In Isaiam* (croyants : 1, 174-175. 304-309 ; 8, 450-455 ; 9, 492-493 ; 10, 48-52 ; 15, 305-306 ; 17, 147-149 ; 18, 268-270 ; incrédules opposés à croyants : 4, 278-281.496-506 ; 8, 326-329 ; 12, 92-93. 276-280.349-350.374-375 ; 16, 136-137). L'importance de chacun de ces groupes varie selon le point de vue auquel se place Théodoret : considérés absolument, les Juifs croyants sont en grand nombre (v.g. 8, 326 ; 18, 268 ; etc.), mais par rapport à l'ensemble du peuple juif, c'est une minorité (v.g. 12, 374) et les incrédules sont pour cette raison présentés à leur tour comme les plus nombreux (v.g. 4, 279).

2. De cette fertilité témoignent surtout les prophètes, qui jouent auprès du peuple le rôle d'une pluie, d'une humidité, d'une rosée fécondante (*In Is.*, 2, 517-520 ; 14, 154-164), si bien qu'Israël est présenté alors comme un jardin, une vigne de choix.

diaspora ont succédé aux châtiments passagers[1] que subissait Israël au temps de la Promesse.

Au-delà de cette présentation dualiste de l'histoire juive, le thème du transfert des Promesses donne tout son sens à cette polémique[2] : le rejet (ἀποβολή) du peuple juif a pour conséquence l'appel (κλῆσις) et le salut (σωτηρία) des Nations. Pour souligner ce transfert de la Bénédiction, Théodoret reprend le vocabulaire utilisé pour caractériser chacune des deux grandes périodes de l'histoire juive, mais dans un rapport inverse : au temps où s'exerçait l'esclavage de l'erreur, les Nations étaient stériles (ἀκαρπία) à l'image de la forêt (δρυμός) et du désert (ἔρημος), puisqu'elles étaient privées (γυμνοῦν, ἀποστερεῖν) de la sollicitude divine (κηδεμονία, ἐπιμέλεια, προνοία) ; telle sera la situation du peuple juif après la crucifixion, tandis que les Nations jouiront (ἀπολαύειν) à leur tour des avantages dont jouissait le peuple élu. Outre cette utilisation du vocabulaire, le thème du transfert des Promesses est encore illustré par toute une symbolique qui s'organise autour de trois termes principaux — Liban, désert, Carmel —, entre lesquels Théodoret établit deux séries de rapports. Le plus souvent « Liban » et « désert » — associés ou non — sont opposés à Carmel[3]. Dans ce cas, la symbolique se fonde sur la géographie : la montagne du Liban, à l'inverse du Carmel, se trouve hors du territoire juif. Symbole de l'idolâtrie des Nations, le Liban couvert de

1. De tels châtiments relevant essentiellement de la « paidéia » divine marquaient en quelque sorte la sollicitude de Dieu à l'égard de son peuple, pour qui les épreuves étaient une invitation à se convertir.

2. Tout un vocabulaire exprime ce transfert des Promesses dans l'*In Isaiam* : v.g. ἐναλλαγή (8, 393), μεταβολή (9, 457 ; 10, 109), μεταβαίνειν (10, 398), μετατιθέναι (19, 210).

3. Sur l'opposition entre Liban et Carmel, cf. *In Is.*, 8, 388-398 ; 10, 193-195 ; entre Carmel et désert, *id.*, 9, 451-461 ; cf. aussi l'opposition entre Galilée, symbole des Nations, et Carmel (*id.*, 10, 107-112).

forêts est considéré comme stérile (ἀκαρπία), tandis que la fécondité (εὐκαρπία) du Carmel est le signe même de l'élection d'Israël. Plus rarement[1], Théodoret établit une équivalence entre « Liban » et « Carmel » — considérés sous le rapport de l'abondance — et les oppose à « désert ». Dans les deux cas, le transfert des Promesses intervertit le rapport initial, mais « stérilité » et « fécondité » s'entendent seulement alors au sens figuré.

Intérêt théologique et exégétique

A l'exception de deux remarques destinées à prouver aux Juifs que la conception d'un Dieu trine s'exprime déjà avec netteté dans le texte d'Isaïe[2], les questions théologiques interviennent peu dans cette polémique. En revanche, Théodoret réfute fréquemment l'interprétation que donnent les Juifs de la prophétie d'Isaïe.

Dans un premier cas, il apostrophe les Juifs avec vigueur et ironie, les somme de répondre à ses questions, avant de prouver leur aveuglement et leur sottise[3]. Les reproches sont de deux ordres : ou bien les Juifs veulent « tirer à eux toute la prophétie », au mépris de la lettre du texte et de l'histoire, sans reconnaître dans la réalité qu'ils s'approprient une « figure » de ce qui devait se réaliser avec l'Incarnation[4] ; ou bien, leur interprétation est condamnée sans restriction : la prophétie ne les concerne pas et s'applique uniquement au Christ ou à l'Église[5].

1. *In Is.*, 10, 398-408 ; 19, 205-210.

2. *Id.*, 14, 254-255 ; 15, 119-131.

3. Les mêmes formules reviennent à dessein plusieurs fois (δειξάτωσαν : *In Is.*, 14, 241 ; 19, 382 ; 20, 442 ; εἰπάτωσαν : *id.*, 14, 288 ; 19, 52.467 ; 20, 523) ; l'avalanche de questions purement oratoires est une manière de rendre plus sensible l'incapacité des Juifs à défendre leur point de vue : leur mutisme les condamne et les rend ridicules ; enfin Théodoret se plaît parfois à les prendre au piège de ses syllogismes (*id.*, 6, 371-376 ; 14, 241-249.288-291).

4. *In Is.*, 19, 10-13.32-39.

5. Ce sont de loin les cas les plus nombreux : *In Is.*, 4, 478-482 ;

Une seconde série de remarques met en cause, sans attaque directe contre les Juifs, cette exégèse judaïsante : Théodoret se contente de désigner son adversaire par l'indéfini τις. Néanmoins, cette polémique reste très proche de la précédente par le fond et par la forme[1] : il s'agit encore de montrer l'impossibilité totale ou partielle de rapporter la prophétie aux Juifs et d'en voir la réalisation dans l'A. T. L'histoire sert de nouveau ici une polémique qui, en définitive, paraît beaucoup moins s'exercer contre les Juifs que contre l'exégèse de Théodore de Mopsueste.

La polémique anti-juive, ouverte ou voilée, est donc un moyen commode pour Théodoret de refuser une exégèse trop systématiquement vétéro-testamentaire comme l'était celle des anciens antiochiens.

C. Polémique contre les hérétiques

Les hérétiques sont dans l'*In Isaiam* la troisième cible de Théodoret, mais de manière moins constante que les idoles ou que les Juifs. En revanche, les attaques ont ordinairement plus d'ampleur et perdent leur caractère très général. A l'exception d'une mention de Sabellius, pour réfuter sa conception de la Divinité proche de celle des Juifs[2], et d'une attaque dirigée contre les macédoniens qui

6, 371-376 ; 12, 626-630 ; 14, 241-249.288-299.378-382 ; 17, 426-430 ; 19, 76-83.237-244.382-386.467-473.532-533 ; 20, 442-445.522-527.

1. Ce τις ou τινές ou même parfois l'infinitif substantivé, semblent désigner des exégètes chrétiens plutôt que des Juifs (*In Is.*, 2, 46-54 ; 9, 358-366 ; 15, 335-340 ; 19, 233-234). Si l'on excepte l'apostrophe initiale, de tels passages s'apparentent étroitement à ceux où les Juifs sont directement mis en cause (retour des mêmes procédés, questions oratoires, ironie).

2. *In Is.*, 15, 119-131 ; comme Théodoret renvoie ici à son commentaire d'*Isaïe* 45, 14, où seuls les Juifs sont mis en cause, on est en droit de penser que sa première remarque vise aussi, mais implicitement, Sabellius.

refusent la divinité de l'Esprit[1], toute cette polémique se ramène à une réfutation de l'arianisme.

Le plus souvent, Théodoret prend à partie les auteurs de l'hérésie, Arius et Eunomius[2], en soulignant leur impudence (βδελυρία), leur folie (μανία), leur démence (παραπληξία), leur blasphème (βλασφημία) ou tout simplement leur impiété (ἀσέβεια). En l'absence même du nom des hérésiarques[3], le retour de ces invectives, celui de quelques formules identiques et d'un même type d'argumentation signalent la polémique anti-arienne. De toutes les formules utilisées, la plus habituelle est celle d'« unique divinité » (ἡ μία θεοτής) par laquelle Théodoret affirme contre les ariens l'homoousie du Logos et du Père[4]. L'unité de la polémique s'affirme surtout dans le mode d'argumentation : en se fondant toujours sur le texte d'Isaïe, Théodoret apostrophe vigoureusement l'adversaire et l'enferme dans des contradictions dont il ne peut sortir sans reconnaître la consubstantialité des personnes divines. Son raisonnement, rigoureux et contraignant, prend volontiers la forme d'une alternative ou d'un dilemme et, plus souvent encore, celle d'un syllogisme[5]. Comme le faisait sans doute le

1. En réalité, les macédoniens ne sont pas ouvertement nommés, mais le terme utilisé par Théodoret — οἱ πολεμοῦντες — fait naturellement penser aux « pneumatomaques » (*In Is.*, 7, 608-617).

2. A une exception près (*In Is.*, 3, 853), Arius et Eunomius sont toujours nommés conjointement (*id.*, 7, 572 ; 13, 170.314 ; 14, 30. 256.267.360), la première place revenant à Arius en tant que père de l'erreur à laquelle il a laissé son nom.

3. Voir, par exemple, *In Is.*, 12, 566-569 ; 14, 311-312.349-350.

4. Si la formule ἡ μία θεότης est la plus fréquente (*In Is.*, 13, 168 ; 14, 34.261.269.349-350.367, etc.), elle n'exclut pas d'autres expressions où la consubstantialité du Père et du Fils s'exprime par l'emploi du terme ὁμοούσιος ou l'utilisation du tour ὁ αὐτός.

5. L'alternative et le dilemme sont, du reste, employés d'ordinaire à l'intérieur d'un raisonnement par syllogisme (*In Is.*, 13, 168-176 ; 14, 339-350) ; ce dernier mode de raisonnement semble avoir la préférence de Théodoret dans la mesure où il permet d'énoncer avec

polémiste dans les traités que nous avons perdus, l'exégète veut administrer aux ariens, par une démonstration logique, la preuve de leur erreur. Mais, répétons-le, à l'époque de l'*In Isaiam* cette polémique n'a plus grande actualité, même si certains fidèles jadis séduits par l'arianisme ont encore besoin d'être affermis dans l'orthodoxie qu'a définie le concile de Nicée.

Aucune des polémiques dont il vient d'être question ne paraît donc avoir une fin en soi. Sans doute, les intentions pastorales ne sont pas toujours étrangères à ces développements et certains aspects de la polémique anti-juive semblent concerner l'exégèse des anciens antiochiens plus que les Juifs, mais, pour l'essentiel, ces diverses polémiques restent des « topoi ». Leur intérêt vient moins de leur contenu que de la méthode mise en œuvre. Cette triple polémique, dans sa structure comme dans ses conclusions — affirmation d'un Dieu unique, existence de trois hypostases et identité de leur nature —, découle d'un examen rigoureux du texte d'Isaïe : elle relève donc moins de la passion que de la raison. En réalité, Théodoret paraît plus attaché à souligner le fondement scripturaire de la théologie nicéenne qu'à proclamer sur ce point son orthodoxie[1] : c'est qu'il entend prouver la valeur d'une méthode qui sert également à fonder sa christologie.

netteté dans sa conclusion la foi orthodoxe (*id.*, 12, 592-598 ; 13, 313-318 ; 14, 254-268.339-342).

1. Il se pourrait néanmoins que cette intention ne soit pas totalement étrangère à Théodoret ; quand il aura besoin de se justifier, il demandera à ses correspondants (*Correspondance*, ép. 82, 113, 116, 146) de lire ses ouvrages contre les hérétiques, mais aussi ses commentaires exégétiques pour y trouver la preuve de son orthodoxie.

CHAPITRE V

LA CHRISTOLOGIE

Plus d'un siècle sépare le concile de Nicée (325) de l'*In Isaiam* de Théodoret. Dans l'intervalle, la discussion doctrinale a cessé d'être « théologique » pour devenir « économique »[1] : une fois réalisé l'accord sur la nature du Logos, on chercha à préciser le mode d'union des natures divine et humaine dans le Christ. Le conflit arien était à peine terminé qu'Apollinaire proposait déjà sa solution : par une fusion habile des deux natures en une seule (μία φύσις), il sauvegardait parfaitement l'unité du Christ, mais s'interdisait de voir en lui un « homme parfait » (τέλειος ἄνθρωπος)[2]. Dans cette hypothèse, la nature humaine du Christ ne nous était plus consubstantielle et l'œuvre de Rédemption se trouvait mise en cause. La réaction contre

1. Par « théologie », on désigne à cette époque l'étude et la connaissance de Dieu dans son unité et dans sa trinité, alors que l'« économie » concerne tout ce qui a trait à l'incarnation du Verbe et au mystère du salut.

2. Apollinaire distingue bien dans la nature du Christ un corps (σῶμα) et une âme (ψυχή), mais privée de sa faculté de connaissance (νοῦς) ; c'est précisément, selon lui, le Logos divin qui en tient lieu. Mais, de cette façon, Apollinaire refuse au Christ une nature humaine parfaite. Voir à ce sujet H. de Riedmatten, « La christologie d'Apollinaire de Laodicée », *Studia Patristica* II, Berlin 1957, p. 208-234 ; E. Mühlenberg, *Apollinaris von Laodicea*, Göttingen 1969 ; P. Gallay, Grégoire de Nazianze, *Lettres théologiques*, *SC* 208, Paris 1974.

les thèses ingénieuses d'Apollinaire fut particulièrement vive dans les milieux antiochiens : on y affirme la perfection de la nature humaine assumée par le Verbe et l'union dans le Christ, sans confusion ni mélange, des natures divine et humaine. On sait comment, pour faire échec au monophysisme d'Apollinaire, Nestorius présenta si maladroitement le dyophysisme antiochien qu'il parut mettre en cause l'unité de personne du Christ[1] et fut à l'origine du conflit qui devait opposer Antioche à Alexandrie et Théodoret à Cyrille. Dans cette longue querelle s'inscrit notre commentaire : à distance presque égale de l'Acte d'Union (433) et du concile de Chalcédoine (453), entre la paix retrouvée avec Cyrille et les menées d'Eutychès, son apport est donc précieux pour connaître, sous l'une de ses formes les plus accomplies, la christologie de Théodoret.

La référence nicéenne

L'abondance du matériel christologique dans notre commentaire tient autant au caractère de la prophétie d'Isaïe qu'aux préoccupations de Théodoret. Nous avons affaire ici encore à des remarques éparses en dépendance étroite du texte prophétique. Il est aisé toutefois de constater que la doctrine nicéenne reste la référence fondamentale de la christologie de Théodoret. C'est, nous l'avons dit, une des fonctions essentielles de la polémique anti-arienne que de réaffirmer vigoureusement la perfection

1. Nestorius, dans son désir d'affirmer la perfection des deux natures du Christ, ne se contente pas d'employer les termes φύσεις et οὐσίαι des anciens antiochiens, mais utilise inconsidérément le terme πρόσωπα que ni Diodore de Tarse ni Théodore de Mopsueste ne paraissent avoir employé dans ce sens et qui impose l'idée de deux personnes distinctes cohabitant dans le Christ. Nestorius cherche, en effet, à préciser maladroitement le mode d'union des deux natures : il s'agirait, selon lui, d'une union morale ou de complaisance (κατὰ θέλησιν, κατ' εὐδοκίαν, κατὰ γνώμην), d'une espèce de cohabitation d'un homme et de Dieu. Voir l'article d'E. Amann, « Nestorius », in *DTC*, XI, Paris 1931, c. 76-157.

de la nature divine du Verbe, la consubstantialité du Père et du Fils, l'absence de subordination du Fils à l'égard du Père. C'est pourquoi on peut indifféremment, comme le fait Théodoret, parler de l'incarnation de Dieu ou du Dieu-Logos[1]. Vrai Dieu, le Christ est d'autre part pleinement homme. L'insistance de Théodoret à rappeler cet autre point de la définition nicéenne s'explique par sa volonté de réfuter les thèses d'Apollinaire, mais plus encore peut-être par son désir de bien poser les deux termes du problème dont on débat au ve siècle, celui de l'union de deux natures dans le Christ.

La nature humaine assumée n'a rien de commun avec les apparences diverses et passagères (σχήματα, εἴδη) qu'a pu emprunter Dieu dans l'A. T. lors de visions qu'il accordait aux prophètes[2]. Au moment de l'Incarnation, le Logos a pris (λαμβάνειν, ἀναλαμβάνειν) une vraie nature d'homme (φύσις) et non une apparence humaine. De ce fait, le Christ est soumis aux lois de cette nature : ses facultés intellectuelles et morales, son comportement religieux lui-même sont ceux d'un homme. Avec ses trois composantes — σῶμα, ψυχή et νοῦς — la nature humaine assumée par le Verbe est une nature parfaite[3]. Du reste, tout au long du commentaire, Théodoret souligne à dessein « la parenté selon la chair » qui existe entre le Christ et le peuple juif, comme pour mieux montrer la réalité de sa nature

1. Voir par ex. *In Is.*, 1, 88-91 ; 3, 388-392 ; 20, 375 (incarnation de Dieu) et 3, 816-818 ; 10, 87-88 ; 12, 40-41.138 (incarnation du Logos).

2. *In Is.*, 3, 32-37.41-50.

3. Il éprouve la faim (*In Is.*, 3, 393-394), il ressent la fatigue, la souffrance (17, 110) ; de même, il parle un langage bien humain (16, 70 s.), il s'adresse à Dieu comme le ferait un autre homme (15, 347 s.), etc. Il est donc bien clair que sa nature humaine est une nature parfaite, même si Théodoret n'utilise pas dans l'*In Isaiam* l'expression τελεία φύσις.

humaine[1]. Parfois même, il insiste sur l'universalité de cette nature : par ses origines directes le Christ appartient à la race juive, mais par son humanité il s'apparente au genre humain tout entier[2]. Sa nature humaine est donc en tous points identique à la nôtre, à l'exception du péché[3].

Le rappel insistant de la doctrine de Nicée sur l'Incarnation, l'affirmation renouvelée de la perfection de la nature divine du Verbe et de la nature humaine assumée sont d'abord pour Théodoret une manière de prouver l'orthodoxie fondamentale de sa christologie, mais plus encore un moyen d'accréditer les thèses dyophysites. Cela établi, Théodoret peut aborder la délicate question de l'union des deux natures dans le Christ.

L'union des deux natures

On touche là au point central de la controverse entre Antioche et Alexandrie. L'examen du vocabulaire de l'*In Isaiam* devrait donc permettre de préciser le caractère que Théodoret reconnaît à cette union.

Pour la désigner, il se sert surtout des verbes λαμβάνειν et ἀναλαμβάνειν qui traduisent clairement l'idée que Dieu prend la nature humaine[4]. L'emploi, à deux reprises (3, 390-391 ; 4, 363-364), du verbe ἑνοῦν en liaison avec ces

1. Voir σάρξ dans l'index des mots grecs ; l'expression κατὰ σάρκα revient souvent, en effet, dans le commentaire pour souligner l'appartenance du Christ à l'espèce humaine.

2. *In Is.*, 13, 235-238 ; 15, 293-295.

3. *Id.*, 17, 136-139 ; 19, 611-612.

4. Le complément le plus habituel de ces verbes est ἡ ἀνθρωπεία φύσις (*In Is.*, 3, 390 ; 6, 204 ; 13, 235-236 ; 14, 104) ou l'expression « la forme de l'esclave » (ἡ τοῦ δούλου μόρφη : *id.*, 4, 362 ; 15, 236 ; 16, 26.117-118 ; 20, 706-707) ; ces verbes sont du reste d'un usage tellement fréquent pour marquer l'acte d'Incarnation qu'un simple φύσις (*id.*, 15, 276 ; 19, 612) ou une expression neutre (*id.*, 14, 249-250) comme compléments suffisent à désigner la nature humaine assumée par le Verbe.

verbes suffit à prouver qu'ils indiquent une véritable union (ἕνωσις)[1]. On aurait donc tort de s'inquiéter de l'apparition très épisodique dans le commentaire des verbes περικεῖσθαι (3, 817), ἐνδύεσθαι (17, 415) et περιβάλλεσθαι (19, 573-574) : l'image sous-jacente du vêtement[2] que l'on revêt pourrait certes traduire une union extérieure ou assez lâche pour faire croire à l'existence de deux personnes distinctes dans le Christ ; mais rien n'impose cette idée. C'est seulement là un mode d'expression figuré qu'il faut rapprocher de l'emploi des termes «robe» (στολή) et «vêtement» (ἱμάτιον) pour désigner la nature humaine assumée. Or ces termes qui apparaissent dans le même passage que περιβάλλεσθαι (19, 573.588) appartiennent en réalité au texte d'Isaïe : Théodoret ne fait qu'en indiquer la valeur figurée. On ne saurait donc en conclure qu'il veuille par là signifier une union comparable à celle qui existe entre un vêtement et celui qui le porte. Du reste, dans son commentaire d'Isaïe, Cyrille lui-même emploie l'expression « revêtir la chair[3] » : c'est la preuve que le terme n'a rien de nestorien et qu'il exprime une union véritable des deux natures.

De même, les termes de « temple » (ναός, 4, 362) et de « carquois » (φάρετρα, 15, 230) sont de simples désignations figurées de la nature humaine du Christ : Théodoret ne pense aucunement à une union relative comme celle qui existerait entre le temple et la divinité qui l'habite ou entre le carquois et les flèches[4]. Du reste, «temple» (ναός),

1. Le terme d'ἕνωσις est, en effet, avec συνάφεια que l'on peut reconnaître une fois dans l'*In Isaiam* sous le participe συναφθεῖσα (15, 280), l'un des termes les plus utilisés par Théodoret dans les écrits où il fait un exposé dogmatique de sa christologie.

2. Seul le dernier de ces verbes est mis en relation avec στολή ; les deux premiers ont pour complément « la nature humaine ».

3. *PG* 70, 289 D (περιβάλλεσθαι σάρκα).

4. Il ne s'agit pas davantage d'une union morale au sens où il est dit, en *In Is.*, 20, 543-546, que le cœur de l'homme pieux est la maison (οἶκος) de Dieu.

« maison » (οἶκος), « tabernacle » (σκηνή) sont des termes courants du vocabulaire christologique antiochien, dont les alexandrins ont reconnu la légitimité en dépit des interprétations abusives qu'en avait données Nestorius[1]. Tous ces termes ont en effet un fondement scripturaire. Tel est aussi le cas du mot « carquois » (*Isaïe* 49, 2) ; quant à ναός, il est précisé ici par un développement qui ne laisse aucun doute sur la qualité de l'union.

D'autres expressions figurées pourraient être suspectes s'il ne s'agissait pas de Théodoret ; mais comment imaginer que celui qui combat l'ἄψυχον σῶμα des ariens et le corps privé de νοῦς des apollinaristes parle d'une union seulement extérieure, de simple apparence, quand il écrit que le Verbe a pris « la forme de l'esclave » (ἡ τοῦ δούλου μορφή) ? Cette formule et celle qui lui fait pendant — « la forme de Dieu » — sont habituelles aux antiochiens et à Théodoret pour désigner respectivement les deux natures du Christ. Depuis S. Paul[2] une longue tradition les a consacrées : μορφή est donc à entendre comme un synonyme de φύσις et non de σχῆμα. On s'inquiéterait à plus juste titre de l'expression « l'apparence (εἶδος) humaine » employée une seule fois dans le commentaire (19, 581), mais on doit la comprendre par référence aux précédentes. Du reste, le relent apollinariste qu'on pourrait lui trouver la rendrait plus suspecte dans l'*In Isaiam* de Cyrille, où on la rencontre également[3], que dans celui de Théodoret. Les deux exégètes reconnais-

1. Nestorius s'autorisait, en effet, de ces termes pour développer ses théories de « co-habitation », de « co-adoration », et pour refuser le titre de θεοτόκος à la Vierge ; néanmoins leur légitimité a été reconnue lors de l'Acte d'Union (433) par Cyrille (cf. sa lettre à Acace de Mélitène, *PG* 77, 182 s.).

2. Du reste, Théodoret cite *Phil.* 2, 6-8, comme pour bien montrer l'origine et la légitimité de ces formules (*In Is.*, 15, 308-311).

3. Notamment dans l'expression ἐν εἴδει τῷ καθ' ἡμᾶς, qui désigne chez Cyrille la nature humaine assumée par le Verbe (*PG* 70, 1053 D ; 1085 B ; 1180 B ; 1381 C ; etc.).

sent enfin sous l'expression d'Isaïe « léger nuage » (*Is.* 19, 1) une manière figurée de désigner la nature humaine du Christ[1] : il serait abusif d'en conclure qu'il s'agit ici encore d'une union relâchée.

Aucune des expressions relevées ne permet donc de penser que Théodoret envisage l'union des deux natures comme une simple union morale. A côté de quelques formules à première vue surprenantes, l'abondance de celles où il est dit sans ambiguïté que le Verbe prend et unit à lui la nature humaine impose l'idée d'une union véritable et étroite[2].

Sans beaucoup préciser le mode de cette union, Théodoret note toutefois qu'elle s'est opérée dès la conception (4, 363-364) et qu'elle n'a pas cessé au moment de la passion (17, 57-58.112-115). La première affirmation exclut toute idée d'adoptianisme ; en outre, le Christ unissant dans sa personne le Dieu et l'homme a droit aux titres réservés à Dieu (θεοπρεπεῖς 4, 365), sans qu'il soit besoin de supposer, comme le fait Nestorius, la co-adoration de l'homme avec le Dieu[3]. Les remarques concernant la passion du Christ prouvent que l'union des natures est pour Théodoret plus qu'une simple juxtaposition : l'unité est maintenue sans qu'il y ait théopaschisme ni pour autant simple union morale[4]. La conscience de toucher à un mystère ineffable

1. Cyrille, *PG* 70, 452 B ; Théodoret, *In Is.*, 6, 203-206.

2. Cf. index des mots grecs : ἡ ἀνθρωπεία φύσις, ἡ ἀνθρωπότης, τὸ ἀνθρώπειον, etc.

3. De la même manière, Théodoret accepte sans difficulté le titre de θεοτόκος que Nestorius consentait à employer à condition de le faire suivre d'ἀνθρωποτόκος et qu'il préféra finalement remplacer par χριστοτόκος. Néanmoins, le terme de θεοτόκος n'apparaît pas dans l'*In Isaiam*.

4. *In Is.*, 17, 56-58.106-115. Le premier passage surtout est intéressant, d'autant qu'il concerne *Isaïe* 53, 2 : « C'était un homme dans la douleur. » Un nestorien n'aurait pas manqué de prendre prétexte du terme concret « homme » pour justifier une théologie séparatrice ; Théodoret aurait pu en tout cas se contenter de faire

interdit sans doute à Théodoret de préciser davantage le mode de l'union.

L'inconfusion des natures

Ce dernier exemple prouve à l'évidence « l'inconfusion » des natures après l'Incarnation : dans le Christ, nature divine et humaine subsistent sans changement ni modification, chacune avec ses propriétés, toutes deux parfaites. Telle est la raison du dyophysisme (δύο φύσεις) et de l'opposition des antiochiens à la formule de Cyrille « une seule nature incarnée », où ils croient reconnaître le monophysisme (μία φύσις) d'Apollinaire.

Du fait de son union au Verbe, la nature humaine ne devient donc pas une nature supérieure : le Christ éprouve les mêmes besoins que tous les hommes, il est soumis aux mêmes nécessités. De même, l'Incarnation ne modifie en rien la nature divine du Verbe (4, 488-490) qui conserve tous ses attributs (12, 138-139) au sein même des comportements humains du Christ : « Cela ne diminue pas la divinité du fils unique » (15, 360) est un des leitmotive du commentaire. Ce point paraît si important à Théodoret qu'à plusieurs reprises, en présence d'expressions où le Christ est appelé « serviteur » ou « esclave » du Père[1], il distingue longuement entre « la forme de l'esclave » et « l'esclave », entre la nature (φύσις) et la condition (ἄξια). « La forme de l'esclave » assumée ne modifie en rien « la forme du Dieu[2] » : le Christ existe conjointement sous ces deux formes (3, 391-392). Même si l'une est visible et l'autre invisible, même si

état de la nature humaine du Christ. Or il fait mention expresse de la nature divine pour souligner sa permanence dans le Christ au moment de la passion (οὐ χωριζομένη) ; certes, elle ne subit pas la passion (οὐ δεχομένη), mais dans une certaine mesure elle y participe (ᾠκειοῦτο).

1. *In Is.*, 3, 852-855 ; 15, 235-240.276-281 ; 16, 116-119.

2. Cf. sur ce point la réponse de Théodoret aux *Anathématismes* de Cyrille, et notamment son interprétation du verset de Jean : « le Verbe s'est fait chair et il a habité parmi nous » (*PG* 76, 393 A).

le Christ a la possibilité de « cacher » sa puissance divine pour ne laisser paraître que sa faiblesse humaine (17, 64-65), la dualité de nature ne cesse d'être une réalité[1].

L'inconfusion des natures conduit Théodoret à pratiquer une exégèse qui met constamment en évidence le dyophysisme. Après avoir reconnu le caractère messianique d'une prophétie, Théodoret distribue son texte avec soin entre les deux natures, selon que l'une ou l'autre lui paraît concernée[2]. Le plus souvent, c'est à l'humanité du Christ que Théodoret rapporte la prophétie, non pour minimiser l'existence en lui de la nature divine, mais pour en préserver au contraire l'intégrité et la perfection[3]. Même si la nature humaine est seule à être nommée, elle n'apparaît jamais comme l'unique nature du Christ : les tournures prépositionnelles avec κατά dans le sens de « relativement à, sous le rapport de » (κατὰ τὸ ἀνθρώπειον, τὸ ἀνθρώπινον, κατὰ σάρκα) ou avec ὡς au sens de « en tant que » (ὡς ἄνθρωπος) impliquent nécessairement une seconde nature[4]. Certes, les conceptions dyophysites de Théodoret se manifestent plus clairement encore lorsqu'il fait état simultanément des deux natures[5].

1. Cette dualité est particulièrement marquée dans les passages relatifs à la Passion : il importe alors de distinguer la nature humaine passible de la nature divine impassible pour éviter toute espèce de « théopaschisme ».

2. Cf., à titre d'exemple, le commentaire de la prophétie relative à l'Emmanuel (*In Is.*, 3, 393-403).

3. Ceci explique que les désignations de la nature humaine soient plus nombreuses dans le commentaire que celles de la nature divine.

4. C'est par référence à ces tournures qu'il faut comprendre les adjectifs ἀνθρώπειος et ἀνθρώπινος employés d'ordinaire au neutre substantivé, et l'adverbe ἀνθρωπίνως.

5. D'autant plus que Théodoret recherche souvent alors une symétrie dans l'expression : « la forme de l'esclave » et « la forme du Dieu », les réalités humaines (τὰ ἀνθρώπινα) et les réalités divines (τὰ θεῖα), « en tant qu'homme » (ὡς ἄνθρωπος) et « en tant que Dieu » (ὡς θεός). Une fois, enfin, Théodoret parle de « double nature »

La répartition du texte prophétique entre ces deux natures s'opère de la manière suivante : ce qui dans le texte prophétique peut s'appliquer à tout homme (κατὰ ἄνθρωπον) relève de la nature humaine du Christ ; ce qui dépasse l'homme commun (ὑπὲρ ἄνθρωπον) relève de sa nature divine[1]. D'autre part, ce qui diminuerait la nature divine ou nierait l'une de ses propriétés doit nécessairement être rapporté à la nature humaine, notamment tout ce qui appartient au domaine des « humbles réalités » (ταπεινά) de la vie du Christ[2].

Inversement, tout ce qui appartient à Dieu (θεοπρεπεῖς) relève de la nature divine[3]. L'inconfusion des natures et la réalité du dyophysisme sont donc pour Théodoret inscrites dans le texte prophétique : son exégèse s'efforce de le faire percevoir.

L'unicité de la personne

L'affirmation de deux natures distinctes ne signifie aucunement pour Théodoret l'existence de deux personnes dans le Christ — le Dieu et l'homme —, comme le laissaient entendre les déclarations maladroites de Nestorius et son utilisation abusive du vocabulaire concret[4]. Bien que Théodoret se soit efforcé de montrer à Cyrille, dès

(διπλῆ ἡ φύσις, 19, 580) avant de répartir le texte d'Isaïe entre chacune de ces deux natures.

1. Le commentaire d'*Isaïe* 7, 15-16 offre encore à cet égard un bon exemple de la manière dont procède Théodoret (*In Is.*, 3, 393-403).

2. Par exemple, tout ce qui concerne son origine et sa filiation humaine, les divers titres — Israël, serviteur (παῖς), esclave (δοῦλος) — qu'il reçoit, les besoins inhérents à sa nature (*In Is.*, 12, 526-527 ; 13, 151-154 ; 15, 232 s. 276 s. 285 s. ; 16, 116 s., etc.).

3. Mais, de la nature divine, il est le plus souvent question pour montrer l'impossibilité de lui rapporter le texte prophétique (*In Is.*, 12, 526 ; 13, 153-154 ; 19, 316 s.). Néanmoins, il faut lui rapporter tout ce qui relève de la filiation divine du Christ (12, 579-581) et ce qui ne peut convenir qu'à Dieu (4, 364-367).

4. C'est-à-dire des expressions du type : « Le Verbe assumant, l'homme assumé, l'homme visible, le Dieu invisible », etc.

l'époque des *Anathématismes*, la légitimité de ce vocabulaire consacré par une longue tradition[1], il s'abstient dans l'*In Isaiam* de toute formule concrète[2]. Il évite même, semble-t-il, d'employer en fonction de sujet d'un verbe d'action les expressions abstraites par lesquelles il désigne les deux natures du Christ[3] : c'est encore une preuve qu'il ne donne pas à « nature » (φύσις) la valeur de « personne » (πρόσωπον)[4]. Son dyophysisme est donc, dans son expression même, étranger à toute idée nestorienne.

Théodoret, toutefois, fait plus que de s'abstenir d'un vocabulaire litigieux : il affirme nettement l'unicité de la personne du Christ (ἓν πρόσωπον) par des formules qu'on peut aisément opposer à celles que Cyrille condamne chez Nestorius[5]. Tantôt c'est un refus discret de la conception nestorienne de « co-adoration »[6], tantôt une condamnation

1. L'orthodoxie de telles formules est attestée aux yeux de Théodoret par l'emploi qu'en font les Pères. Dans son *Pentalogos* dont nous avons conservé des fragments, Théodoret accumulait également les citations patristiques pour prouver ce qu'il avançait, persuadé du reste que les alexandrins étaient incapables de justifier leurs propres formules par de semblables références. Néanmoins, le texte de l'Acte d'Union, largement élaboré par Théodoret, ne contient aucune de ces formules — Cyrille n'aurait pas consenti à y souscrire —, mais se garde de les condamner.

2. Après l'Acte d'Union (433), Théodoret s'abstient d'utiliser de telles formules, dont il a sans doute compris l'ambiguïté (cf. M. Richard, « Notes sur l'évolution doctrinale... »).

3. Les sujets les plus habituels sont « le Christ, le Maître, le Seigneur », et la distinction dyophysite intervient à l'intérieur de cette personne.

4. On sait que Cyrille accuse Nestorius d'entendre πρόσωπα même lorsqu'il emploie φύσεις (lettre 40, *PG* 77, 193 D).

5. Cf. *In Is.*, 12, 579-581, où le ὁ αὐτός est comme une réponse à l'ἕτερος μέν ... ἕτερος δέ dont Cyrille fait grief à Nestorius (*PG* 77, 189 D) ; ailleurs οὐ μόνον ... ἀλλὰ καί prouve que les deux natures n'ont aucune existence en tant que personne, mais qu'elles sont unies dans l'unique personne du Christ (14, 249-250) ; ailleurs encore un simple καί peut jouer le même rôle (17, 136-139 ; 19, 611-612).

6. *In Is.*, 4, 488-490.

vigoureuse de « l'hérésie des deux fils »[1]. Le passage qui résume peut-être le plus complètement la christologie de Théodoret dans l'*In Isaiam* est le commentaire d'*Isaïe* 7, 14 : on y retrouve affirmées ses vues sur l'Incarnation et l'union des deux natures, la distinction des natures et l'unité de la personne[2].

Le respect de l'Acte d'Union (433)

La renonciation volontaire aux désignations concrètes, l'utilisation très discrète d'expressions figurées comme « temple, demeure, tabernacle », dont Cyrille a pourtant reconnu l'orthodoxie, et surtout le refus délibéré de caractériser le mode d'union des deux natures[3], autant de preuves que Théodoret respecte scrupuleusement les termes de l'Acte d'Union en évitant tout ce qui pourrait choquer ses adversaires alexandrins. Il est, du reste, intéressant de constater que la terminologie orientale dont Cyrille s'efforce de démontrer l'orthodoxie à Acace de Mélitène au lendemain de l'Union est, pour l'essentiel, celle de l'*In Isaiam*[4].

Le respect de l'Union ne saurait toutefois exclure entièrement la polémique. Certes, ni Cyrille ni les alexandrins,

1. *In Is.*, 15, 240-243 ; ici encore l'unité de la personne est marquée par ὁ αὐτός et le οὐκ ἄλλος ... καὶ ἄλλος paraît répondre directement aux formules condamnées par Cyrille chez Nestorius (cf. *supra*, p. 99, n. 5). Théodoret s'exprime ici en des termes très voisins de ceux qu'utilise Grégoire de Nazianze dans ses lettres théologiques.

2. *In Is.*, 3, 392 (ἐν ἑνὶ υἱῷ) montre bien que Théodoret refuse catégoriquement l'hérésie des « deux fils ».

3. Théodoret s'abstient tout autant des précisions fournies par Théodore de Mopsueste et par Nestorius que de celles de Cyrille. Il préfère rester dans une imprécision proche de celle des formules nicéennes en utilisant le seul ἕνωσις. Dans sa lettre à Acace, Cyrille reconnaît implicitement, du reste, que ce terme se suffit à lui-même pour signifier une union véritable (*PG* 77, 192 CD ; 197 B) ; il lui arrive même de convenir que le mode de cette union est indéfinissable (*id.*, 192 D ; 193 BC ; voir aussi lettre 4, *PG* 77, 45 B).

4. Cyrille, lettre à Acace (*PG* 77, 181 D - 201 B).

ni même Apollinaire ne sont directement mis en cause dans l'*In Isaiam*. Mais il y a, sans doute, dans la manière dont Théodoret met en évidence le dyophysisme, la volonté d'en montrer le fondement scripturaire[1]. La polémique se ferait alors indirecte : ce que les Orientaux reprochent à Cyrille, c'est d'user d'un langage nouveau, étranger à la tradition[2]; inversement, leur christologie est tout entière fondée sur l'Écriture. C'est pour les antiochiens la meilleure preuve d'orthodoxie. Théodoret l'administre avec fermeté, mais sans agressivité, dans son *In Isaiam*. A cette époque, les passions se sont apaisées et, de part et d'autre, on s'efforce de sauvegarder la paix[3].

1. On sait que Cyrille a longtemps refusé aux antiochiens le droit de répartir les expressions scripturaires entre les deux natures du Christ, ce dont il fait largement grief à Nestorius (*Contre les blasphèmes de Nestorius*, *PG* 76, 65 A ; 68 D ; *lettre 17*, *PG* 77, 116 AC ; 120 D ; CYRILLE D'ALEX., *Deux dialogues christologiques*, *SC* 97, 758 ab ; 759 e ; etc.). S'il consent, au moment de l'Acte d'Union, à reconnaître qu'une telle répartition est orthodoxe, il n'adoptera jamais cette manière de faire. Quand bien même il justifie auprès de ses partisans (*Lettre à Acace*, *PG* 77, 181 D - 201 B) les distinctions antiochiennes, il ne cesse de les considérer comme des subtilités (*id.*, 197 C : εἰς τοῦτο προῆλθον ἰσχνοφωνίας).

2. Les expressions utilisées par Cyrille — « l'unique nature du Verbe incarnée », « l'union physique » ou « selon l'hypostase », etc. — étaient étrangères aux antiochiens et même à toute tradition véritable, puisque Cyrille, sans le savoir, les empruntait vraisemblablement à des textes patristiques falsifiés par les apollinaristes. C'est pourquoi les antiochiens ont toujours pensé que c'était à Cyrille de s'expliquer et non à eux ; s'il l'a emporté dans les questions de personnes, ce sont les thèses antiochiennes qui se sont imposées.

3. Cyrille, qui meurt en juin 444, à une date assez voisine de celle de notre commentaire, avait fait preuve de conciliation en ne contraignant pas Théodoret à anathématiser Nestorius, ce qu'on exigea des autres et ce que CYRILLE donne à Acace comme une preuve de l'orthodoxie des Orientaux (*PG* 77, 197 C). En retour, Théodoret a donc pu user de modération ; cette attitude à l'égard de Cyrille le servira sans doute quand il cherchera à obtenir sa réhabilitation après le Brigandage d'Éphèse et demandera qu'on juge de son orthodoxie d'après ses écrits passés.

Conclusion

Théodoret, l'exégète et l'homme

On a tour à tour considéré Théodoret comme l'un des plus grands exégètes ou comme un simple compilateur[1]. L'examen de l'*In Isaiam* invite à se garder de jugements aussi catégoriques. En réalité, l'exégèse de Théodoret se trouve au confluent des courants antiochien et alexandrin : cela en fait à la fois l'intérêt et l'originalité. Des antiochiens, Théodoret a hérité en grande partie une méthode. Son caractère scientifique se révèle dans la critique textuelle, dans la structure même du commentaire, dans le souci de clarté et de concision, dans la volonté de fonder en raison l'interprétation, en sollicitant les disciplines profanes et notamment l'histoire. Un style, dépouillé jusqu'à l'aridité, où l'on reconnaît le goût de Théodoret pour les formules et les raisonnements contraignants, ajoute encore à l'impression de rigueur scientifique. De son côté, la fréquentation des exégètes alexandrins a permis à Théodoret de corriger la tendance de ses maîtres antiochiens à un littéralisme et à un historicisme souvent étroits.

Néanmoins, Théodoret reste un esprit plus scientifique qu'imaginatif. Son exégèse, comme son style, demeure toujours « cérébrale » et comme au ras du texte. Il semble que la dimension mystique de l'interprétation lui soit étrangère. En revanche, ce tempérament rationaliste

1. Pour Photius, Théodoret a porté l'exégèse à un degré de perfection telle qu'il est difficile de faire mieux : « En somme, il est parmi les meilleurs exégètes et il n'est pas facile de découvrir quelqu'un pour mieux expliquer que lui » (*Bibliothèque*, cod. 203, t. III, p. 102-103). Inversement, G. Bardy (art. « Théodoret », in *Dictionnaire de la Bible*, Supplément II, Paris 1934, p. 100-102) n'a vu en lui, momentanément au moins, qu'« un commentateur sans originalité ».

contribue largement à faire de Théodoret l'homme de la mesure : il sait se garder des excès dans l'interprétation comme dans sa polémique et même dans sa manière de prouver qu'il a raison. La seule passion qui l'anime est celle de convaincre, qu'il dénonce l'hérésie, qu'il conteste telle ou telle interprétation ou qu'il démontre l'exactitude des thèses antiochiennes en matière de christologie. Son exégèse, toutefois, n'est ni un exercice intellectuel gratuit ni un travail réservé à des spécialistes : on y reconnaît toujours le pasteur soucieux d'« ouvrir » les Écritures au plus grand nombre, de guider ses fidèles[1] et de leur montrer le fondement scripturaire de la foi orthodoxe.

La réputation d'exégète que s'est acquise Théodoret s'explique par la rencontre d'un tempérament, d'une méthode et d'un milieu. Le genre du commentaire convient à la forme de pensée de Théodoret et son œuvre exégétique répond aux besoins de son temps, ceux du diocèse de Cyr et ceux de l'Église du ve siècle. A travers l'*In Isaiam* on reconnaît aisément l'homme de combat, le docteur et le pasteur que d'autres ouvrages ont tour à tour révélé. De ce fait, l'exégèse de Théodoret est peut-être le reflet le plus fidèle de l'homme qu'il a été.

1. De brèves exhortations en fin de chaque section témoignent de ce souci.

CHAPITRE VI

LE TEXTE DE L'*IN ISAIAM*[1] ET LA TRADUCTION

A. Le manuscrit de Constantinople (K)

Le manuscrit de Constantinople *(Mélochion n° 17)*, désigné par la lettre K, a servi de base à l'édition donnée par A. Möhle du commentaire de Théodoret sur Isaïe[2].

Selon Papadopoulos, ce ms. remonte au XIVe siècle. Son format est de 35×27,5 cm. Le *Commentaire sur Isaïe* occupe les folios 96 à 185 du ms. ; on remarque dans les folios 96 à 123 des différences d'écriture qui laissent supposer que plusieurs copistes ont transcrit ce texte, mais il est impossible, selon Möhle, d'identifier avec sûreté les changements de main[3].

Étant donné le mauvais état de K et ses imperfections (cf. *infra*, p. 120), le ms. est contrôlé, et ses parties détruites ou devenues illisibles comblées, par les témoins de la tradition indirecte. Celle-ci comprend des Chaînes (C et N), un Excerptum particulier (E) et un court passage transmis par un ms. de Florence, le *Laurentianus* XI, 4 (F).

1. Nous reprenons ici l'essentiel de la préface d'A. Möhle à son édition du *Commentaire sur Isaïe* de Théodoret (p. VIII à XXII).

2. Sur les circonstances de sa découverte et sur son état de conservation, cf. *supra*, chap. I, p. 14.

3. Un fac-similé (face p. 134) du f° 123b permet de se rendre compte du mauvais état de conservation du manuscrit et donne un échantillon de l'écriture qui sert, à l'exception des trois premières lignes, à la rédaction des trois quarts du commentaire.

B. La tradition indirecte

I. Les Chaînes

Dans la tradition indirecte l'apport des Chaînes est le plus considérable[1]. On dispose pour Isaïe de deux sortes de Chaînes tout à fait différentes, désignées respectivement par C et N.

1. *Les Chaînes C et N*

a) *La Chaîne C.* Elle comprend tout Isaïe, mais ne donne rien du texte biblique de Théodoret. Ses extraits de Théodoret correspondent, en quantité, à un quart du commentaire proprement dit. Selon Faulhaber, elle a pour auteur le prêtre Andréas et remonterait à la deuxième moitié du VIIe s. ou au VIIIe s. Peu de temps après, au VIIIe s. au plus tard, Jean de Drouggaria (ὁ λογιώτατος καὶ πανευγενέστατος κῦρ Ἰωάννης ὁ τῆς Δρουγγαρίας) a élargi cette Chaîne et créé un vaste ensemble de Chaînes qui comprend les quatre grands prophètes.

b) *La Chaîne* N. Elle comprend seulement *Isaïe* 1 à 16, mais contient pour ces chapitres le commentaire presque complet de Théodoret. En revanche, elle n'offre qu'une petite quantité du texte biblique. D'après le titre du *Laurentianus* V, 8 (XIIe s.)[2], cette Chaîne serait l'œuvre

1. Voir : M. Faulhaber, *Les Chaînes des prophètes d'après les manuscrits romains*, Fribourg 1899 ; G. Karo et J. Lietzmann, *Catenarum Graecarum Catalogus*, Göttingen 1902 ; M. Faulhaber, « Les manuscrits des Chaînes de la Bibliothèque espagnole » (*Revue Biblique* I, 1903) ; R. Devreesse, article « Chaînes exégétiques grecques », in *DBS* 1928 (montre que depuis 1903 peu de progrès ont été réalisés dans l'étude des Chaînes d'Isaïe).

2. On lit, en effet, en tête du *Laurentianus* V, 8 : Συναγωγὴ

de l'archevêque de Chypre, Nikolaos Muzalon[1], qui fut patriarche de Constantinople de 1147 à 1151. En tout cas, N est plus récent que C.

2. *Manuscrits des Chaînes utilisés pour cette édition*

A. Rahlfs, dans son *Catalogue des mss grecs de l'Ancien Testament*, Berlin 1914 (= Mitteilungen des Septuaginta-Unternehmens, 2), p. 428-430, donne la liste complète des manuscrits des deux sortes de Chaînes pour Isaïe.

Nous avons retenu pour cette édition les mss suivants :

a) *Manuscrits de la Chaîne C*

Siècle		*Sigle*
X^e^	Paris, Bibl. Nat., Gr. 155 (contient *Is.* 26, 13 à 66 avec quelques lacunes)	564
X^e^	Paris, Bibl. Nat., Gr. 156 (lacunaire)	565
X^e^	Rome, Bibl. Vat., Chig. R. VIII, 54	87
X^e^-XIe	Rome, Bibl. Vat., Vat. gr. 755	309
XIe	Escorial, Real Bibl., Y-II-12 (contient *Is.* 1, 8 à 42, 9)	377
XIe	Florence, Bibl. Laur., V, 9	90
XIe	Rome, Bibl. Vat., Ottob. gr. 452	91
XIIe	Paris, Bibl. Nat., Gr. 157 (contient *Is.* 28, 9 à 32, 19 ; 33, 19 à 41, 24)	566
XIIe-XIIIe	Venise, Bibl. Marc., Gr. 25 (contient *Is.* 1, 1-17 ; 3, 13 à 10, 24 ; 11, 10 à 51, 21 ; 59, 5 à 63, 9)	736

ἐξηγήσεων εἰς τὸν προφήτην Ἡσαΐαν ἐκ διαφόρων ἁγίων πατέρων καὶ διδασκάλων συλλεγεῖσα περὶ (lire παρὰ) τοῦ ἀρχιεπισκόπου Κύπρου κυροῦ Νικολάου τοῦ Μουζάνου.

1. Pour plus de détails sur cette identification et sur les problèmes qu'elle a soulevés, on se reportera à la préface de l'édition de Möhle (p. IX) et surtout à celle de J. Ziegler dans son édition du *Commentaire sur Isaïe* d'Eusèbe de Césarée (*GCS* IX, p. XIII à XV). Le fait que deux manuscrits de la Chaîne de Nikolaos appartiennent, d'après le catalogue, au XIe s., ne saurait constituer, comme le fait remarquer Möhle, une preuve décisive pour refuser à Nikolaos Muzalon la paternité de cette Chaîne, car les indications du catalogue ne sont qu'approximatives.

XIIIe (1235) Vienne, Nationalbibl., Theol. gr. 24 (les 5 derniers folios ont été complétés au XVIe s.)...... 109

XIIIe Venise, Bibl. Marc., Gr. 87 (contient *Is.* 8, 5 à 19)... 737

b) *Manuscrits de la Chaîne N*

XIe Patmos, Ἰωάννου τοῦ Θεολόγου 214 (les quaternions 3, 4 et 5 sont perdus, sauf le premier bifolium du 4e quaternion ; manquent, par conséquent, les passages de Théodoret 1, 120-206.216-250)......... 614

XIIe Florence, Bibl. Laur., V, 8........................ 384

XIIe Milan, Bibl. Ambr., G. 79 sup. (le début ainsi que les passages de Théodoret jusqu'à κώμας 1, 12 manquent).. 451

XVIe Milan, Bibl. Ambr., D. 473 inf. (contient, des folios 20 à 41, un fragment de la Chaîne de Nikolaos)....... 450

XVIe Munich, Staatsbibl., Gr. 14........................ 479

3. *Classification des manuscrits des Chaînes C et N*

a) *Manucrits de la Chaîne C.* On doit à Faulhaber, à Karo et à Lietzmann d'avoir défriché la forêt vierge des manuscrits C.

Selon Faulhaber, les trois mss romains $C^{87.91.309}$ sont les copies d'un même modèle, dans lequel les passages du commentaire sur *Isaïe* 36-37 étaient en de nombreux endroits illisibles ou détruits (en C^{87} les lacunes ont été comblées ultérieurement). Möhle a reconstruit l'archétype de ces trois mss et le désigne par C^{r} [1].

Karo et Lietzmann ont réparti les mss C en quatre groupes selon la qualité des extraits du commentaire offerts par chacun d'eux et selon l'ordre retenu par chacun

1. C'était, selon lui, un ms. d'onciales ; ainsi, en *In Is.*, 19, 240, $C^{87.91}$ ont correctement λίαν ἀναισχυντοῦσι, tandis que C^{309} donne δι' ἀναισχυντοῦσι. En outre, C^{87} ne mérite pas la confiance particulière que lui a accordée Faulhaber : C^{87} s'écarte de son propre chef assez souvent de son modèle ; par ex. *In Is.*, 1, 222 (ἀναίδειαν $C^{91.309}$: ἀναισχυντίαν C^{87}) ; 2, 52 (αἰνίττεται $C^{91.309}$: ἐνδείκνυται C^{87}) ; 2, 106 (ἐπιγαμίας $C^{91.309}$: ἐπιγαμβρείας C^{87}), etc.

pour la présentation de ces extraits. On constate une totale divergence entre les mss C par rapport au texte intégral : les plus complets sont C^{r}, $C^{377.564.566}$; en $C^{90.109.565.736}$ de nombreux passages manquent. Seul un passage de Théodoret (20, 532-535) qui semble avoir appartenu à la Chaîne originelle est absent de C^{r}, alors qu'il existe en $C^{109.564.565.736}$; de même, deux petits passages figurant en C^{90} — l'un dans le texte, l'autre dans la marge — se trouvaient dans la marge de la Chaîne de « Jean », mais ont été perdus en C^{r}. Dans le ms. de Vienne C^{109} et celui de Venise C^{736}, placés sous le sigle C^{v} en raison de leur très étroite parenté, figurent quatre passages (11, 222-225.550-580 ; 12, 71-112 ; 13, 424-429) qui manquent totalement ou en partie dans les autres mss C : ils ne semblent pas provenir de la forme originelle de la Chaîne[1].

b) *Manuscrits de la Chaîne N.* Dans les mss N, les passages de Théodoret se présentent toujours en quantité égale ; seul le ms. N^{614} a un court passage qui manque en $N^{384.451}$ (2, 657-658).

4. *Qualité du texte offert par les manuscrits des Chaînes*

a) *Chaîne C.* Les mss des Chaînes présentent de nombreuses leçons différentes. Cela est vrai surtout pour la Chaîne C. Möhle, par principe, considère que la leçon originale de cette Chaîne est celle qui concorde avec le

1. Deux de ces passages (*In Is.*, 11, 550-580 ; 12, 71-112) se distinguent beaucoup par leur forme des passages connus des autres mss C : les extraits du commentaire de Théodoret y sont plus importants que d'ordinaire et ils sont accompagnés du texte biblique, alors que les mss C le laissent toujours de côté. Ces deux passages ressemblent beaucoup plus à ceux qu'offre N. C'est pourquoi on peut supposer qu'ils ne proviennent pas de la forme originelle de la Chaîne (non plus que les deux autres), mais qu'ils ont été ajoutés ultérieurement à partir d'un ms. du commentaire.

ms. de Constantinople K, et, en général, ne note pas les leçons divergentes[1]. Parmi les mss C mis à sa disposition, Möhle a entièrement comparé C^{r}, C^{v}, C^{377} avec K en faisant appel, en outre, très souvent à $C^{90.564.565.566}$, notamment lorsque C^{r}, C^{v}, C^{377} diffèrent nettement de K ou des autres traditions. Il pense s'être ainsi rapproché assez exactement du texte original de la Chaîne.

De la comparaison avec K, il résulte que C^{r} restitue très fidèlement le texte de Théodoret, mais non sans fautes : ainsi, en plus de 50 endroits, il y a accord de tous les autres mss avec K, alors que C^{r} s'en écarte ; aucun de ces mss ne remonte donc à C^{r}. Il existe une parenté étroite entre C^{r} et C^{377}, mais ce dernier n'a pas, en *Isaïe* 36-37, les lacunes de C^{r}. Les mss $C^{90.377.564.565.566}$ diffèrent plus fortement de K. Les mss qui s'en écartent le plus sont ceux du groupe C^{v} [2].

b) *Chaîne N*. Möhle, qui a comparé tous les mss N mis à sa disposition, est parvenu aux conclusions suivantes :

Les mss N^{384} et N^{451} vont généralement ensemble, y compris dans nombre de *lapsus calami* évidents ; toutefois N^{384} diffère souvent de N^{451} K, alors qu'il concorde très rarement avec K contre N^{451}. N^{384} descend d'un modèle qui était détruit en quelques endroits, alors que N^{451} est intact à ces endroits-là. Ainsi, N^{384} ne peut pas descendre de N^{451}, mais rien n'empêche d'admettre entre eux une proche parenté.

Quand les mss italiens N^{384} et N^{451} concordent, ils sont désignés sous le sigle N^{i}. De la même manière, le ms. de

1. Möhle donne en exemple : *In Is.*, 13, 49 (ἀσεβείας KC^{90} : ἀδικίας $C^{r.564}$) ; 17, 177 (ἀνηρημένων KC^{v} : ἀνημέρων $C^{r.90.565}$) ; 20, 156 (ἄδυτα $KC^{v.90}$: δυνατά $C^{r.564.565}$) ; 2, 15 λόφοις $KN^{p}R$: τόποις N^{i}). A la suite de Möhle, nous ne mentionnons pas dans l'apparat les variantes ἀδικίας, ἀνημέρων, δυνατά, τόποις.

2. Cela va à l'encontre de l'opinion de Faulhaber selon qui C^{109} représenterait la forme originelle de C.

Patmos N[614] est désigné par Np. A 20 reprises environ Ni s'accorde avec K contre Np, tandis que Np s'accorde environ 40 fois avec K contre Ni. Np est donc pour N le représentant en qui on peut avoir le plus confiance, mais le contrôle par Ni — ou tout au moins par N[451] — est nécessaire. Le ms. N[384] est le moins sûr des trois mss N : les noms des commentateurs en sont souvent absents et des extraits différents sont accolés pour former un unique commentaire. N[450] ne remonte pas à N[384] [1]. N[479] est une copie exacte de N[384], mais la solution des abréviations y est très défectueuse.

II. **L'Excerptum** (**E**)

En comparaison de l'apport des Chaînes, celui des fragments d'un *Excerptum* (E) est nettement moins important. Ces fragments se trouvent, d'une part, dans un manuscrit de Rome du XIIIe-XIVe s. (Rome, Bibl. Vat., *Ottob. gr. 437*, folios 188-194 = 1, 1 à 3, 138 de notre édition) et, d'autre part, dans la partie du manuscrit de Constantinople (K) qui précède notre *Commentaire sur Isaïe*. La plus grande partie de cet extrait figure, en effet, dans les folios 89b-95b (= 1, 1 à 3, 887 de notre édition)[2], auxquels il faut ajouter le folio 123 (= 5, 463 λυπηρά à

1. N[450] porte, en Υ, 9, τῆς ἰάσεως comme KCNp, alors que N[384] a τῶν ἰάσεων (N[451] manque ici).

2. Rappelons que le *Commentaire sur Isaïe* occupe les folios 96a-185b. Papadopoulos ne semble pas avoir prêté attention à cet Excerptum qu'aucune mention ne rapporte expressément à Théodoret ; en tout cas, dans l'inventaire du manuscrit (*Bibliothèque de Jérusalem*, t. IV, p. 32), il se contente de signaler pour les folios 23b à 95b une série d'interprétations sur les prophètes, sans préciser beaucoup plus (*ibid.* : Φύλλ. 23b-95b Σειρὰ ἑρμηνειῶν εἰς τοὺς προφήτας 'Ιωήλ, 'Αβδιοῦ, 'Ιωνᾶν κτλ.). Comme le reste du ms. K, ces fragments sont dans un très mauvais état de conservation et bien des parties sont détruites.

6, 11 σπουδήν de notre édition). Ce texte a été curieusement inséré au milieu du *Commentaire sur Isaïe*[1].

Le fragment romain (E^r) concorde pleinement avec les parties correspondantes du fragment de Constantinople (E^k) à l'exception d'infimes variantes[2] ; cependant, dans E^k, la suscription Τοῦ μακαρίου Θεοδωρίτου ἐκ τῆς εἰς τὸν προφήτην Ἡσαΐαν ἑρμηνείας manque, alors qu'elle se trouve en E^r.

III. **Le manuscrit de Florence (F)**

Après l'impression de son édition, Möhle a remarqué qu'un manuscrit de Florence du XIe s., le *Laurentianus XI, 4*, qui transmet presque intégralement dans ses marges le *Commentaire sur Isaïe* d'Eusèbe de Césarée, est complété en un endroit (f. 111^b-112^a) par un fragment du commentaire de Théodoret[3]. Ce court fragment, désigné ici par F, s'étend dans notre édition de 5, 386 διά jusqu'à 5, 470 συμβῆναι.

IV. **Un réviseur (R)**

Au XIIIe s. environ, le ms. N^{451} a été comparé avec un manuscrit du commentaire de Théodoret sur Isaïe. Les

1. Cet extrait occupe, en réalité, le folio 123^a et les trois premières lignes de 123^b. Le reste de 123^b reprend le *Commentaire sur Isaïe* (début de la 6e section) où il avait été laissé en 122^b (fin de la 5e section).

2. Dans son édition (p. XIII-XIV), Möhle, jugeant inutile de surcharger l'apparat par une collation complète de E^k et de E^r donne seulement trois échantillons (début, milieu et fin de l'Excerptum) concernant *Is.* 1, 1-4 ; 6, 8.9 ; 16, 14 à 17, 1. Ils suffisent à montrer la concordance de E^r et de E^k : les parties détruites en E^k sont complétées par E^r.

3. Cf. J. Ziegler, EUSÈBE DE CÉSARÉE, *Commentaire sur Isaïe* (*GCS* IX, p. XIX-XX).

différences provenant du manuscrit de Théodoret sont notées par le texte de N451 en plusieurs endroits, la plupart du temps sans suppression de la leçon antérieure (cf. apparat 1, 63.123.175.193.249 ; 2, 37.95.550). L'auteur de ces notes est désigné par R (= Réviseur). Il semble avoir eu sous les yeux un ms. qui aurait pu être un ancêtre immédiat de K.

V. **Le texte biblique donné par N, E et K**

N n'offre qu'une petite quantité du texte biblique de Théodoret[1] ; en revanche, E le donne presque entièrement pour *Isaïe* 1, 1 à 9, 6 et 15, 8 à 17, 1 (Δαμασκοῦ), à l'exception des parties détruites ou de petites réductions.

N et E concordent avec le texte de la Bible offert par K dans le caractère fondamentalement lucianique et dans un petit nombre de leçons particulières (*Is.* 2, 22 ὡς au lieu de ᾧ E ; 3, 26 θρηνήσουσιν N ; 16, 4 ἀπολεῖται NE, etc.), mais ils diffèrent, par ailleurs, souvent et de manière évidente, de K seulement ou de K et des mss bibliques de Lucien. On peut donc penser que N et E ont trouvé dans les mss de Théodoret dont ils ont tiré leurs extraits un texte semblable à celui offert par K, mais qu'ils l'ont traité avec arbitraire et négligence. En deux endroits (*Is.* 3, 7 ; 7, 1.2), E a même complété un texte biblique que Théodoret avait remplacé par une paraphrase, conformément à son habitude quand il s'agissait d'un récit historique. Pour

1. Cela représente environ une page imprimée de l'édition de Möhle, si l'on considère seulement le texte biblique qui précède les explications et non les répétitions de ce texte ou les citations bibliques à l'intérieur du commentaire proprement dit. Le texte biblique de N ne correspond à aucun type de texte existant, mais il ne représente aucune nouvelle recension : il est éclectique et emprunte le texte biblique offert par différents commentaires dont N a fait des extraits. Le texte de Théodoret n'apparaît qu'occasionnellement, par exemple en *Is.*, 1, 1, où, à part Théodoret, seul N a ἡμέραις au lieu de βασιλείᾳ.

cette raison, Möhle a renoncé à compléter le texte biblique en se servant de N ou de E, lorsqu'il était détruit en K. Il n'a pas davantage utilisé à cette fin les répétitions du texte biblique à l'intérieur du commentaire (par ex. σωρήκ 2, 475), car elles ne concordent pas toujours avec le texte biblique proprement dit (par ex. ἀνομίαν 1, 107 et ἀνομίας 1, 125). Il s'est limité très strictement à combler les lacunes à l'aide de la recension lucianique[1], avec laquelle K concorde mieux qu'avec N et E. Naturellement ces compléments ne peuvent pas avoir la prétention d'être exacts dans chaque cas particulier[2].

Nous n'avons pas jugé utile de surcharger l'apparat critique de notre édition en indiquant les variantes du texte biblique de E. On se reportera donc, si besoin est, à l'introduction de Möhle (p. xv-xvi) où ces variantes sont signalées.

Dans le commentaire proprement dit, les passages de la Bible détruits ont été complétés en premier lieu d'après les Chaînes et, quand elles font défaut, d'après le texte biblique de Théodoret connu par ses commentaires ; ou encore, d'après les mêmes citations aux autres endroits de l'œuvre de Théodoret ; enfin, d'après la recension lucianique dans la mesure où on peut l'atteindre[3]. Mais il est

1. Transmise dans les mss 22, 48, 51, 231, 763 ; 62, 147, etc.

2. De fait, les mss de Lucien, dont le plus âgé appartient au xe s., présentent souvent des leçons différentes et, indépendamment de cela, ne donnent pas la recension lucianique dans toute sa pureté ; du reste, depuis l'origine, il doit bien exister une légère discordance entre le texte biblique de Théodoret et celui de Lucien. Néanmoins, la découverte par Möhle d'un fragment de l'*In Isaiam* de Théodoret dans le manuscrit de Florence (F) du commentaire d'Eusèbe (cf. *supra*, p. 112) donne, après coup, la preuve que les sept endroits du texte biblique détruits en K dans le passage correspondant ont été exactement complétés d'après les mss bibliques de Lucien.

3. A. Rahlfs, *Genesis* ; P. de Lagarde, *Veteris Testamenti pars prior graece* (collation de l'Entreprise des Septante pour les prophètes) ; E. Nestle, *Novum Testamentum graece*, 1927 (sous le sigle 𝔨).

peu probable, particulièrement s'il s'agit de destructions importantes, que les compléments rétablissent le texte exact, car Théodoret ne se donne pas la peine, en général, de citer textuellement[1].

VI. **Versions d'Aquila, de Symmaque et de Théodotion**

Les passages détruits d'Aquila, de Symmaque et de Théodotion ont été complétés non seulement d'après Field (*Origenis Hexaplorum quae supersunt...*) et les *Notes marginales hexaplaires sur Isaïe 1-16* de Lütkemann et Rahlfs (= Mitteil.d.LXX-Untern. I 231 s.), mais encore d'après une collection manuscrite réunie par Möhle à l'invitation de l'« Entreprise des LXX ».

C. Valeur des témoins du texte

C, N et E ont fait indépendamment les uns des autres des extraits du commentaire de Théodoret : chacun de ces témoins a des passages que n'ont pas les deux autres[2] et, dans leurs leçons, ils concordent chacun tour à tour avec K contre les deux autres.

I. **Originalité et valeur des témoins K, C et N**

Möhle a comparé tous les passages pour lesquels la tradition de ces trois témoins diffère, afin d'apprécier l'originalité de chaque témoin et sa valeur pour l'établissement du texte.

1. Théodoret cite, en effet, la plupart du temps de mémoire ; ce n'est qu'occasionnellement — par ex. la longue citation d'*Is.* 37, 10-13 (*In Is.*, 3, 173-181) — qu'il a ouvertement copié son manuscrit d'Isaïe.

2. Ainsi C : Υ, 27-29 ἐγὼ — δύναμιν ; N : 1, 9-14 λέγει — διέμεινεν ; E : 3, 181-182 ἡ — ἐπωρώθησαν.

C et N

Il résulte de cette comparaison que C diffère 83 fois de KN et N 160 fois de KC. Quelques différences seulement semblent être le fait des copistes ; d'autres résultent des divergences qui existaient dans les mss de Théodoret antérieurs à la composition des Chaînes ; mais le plus grand nombre provient, de toute évidence, des modifications opérées à dessein par les auteurs des Chaînes. Un examen plus précis de ces dernières fait apparaître pleinement leur originalité propre.

On peut classer ces différences textuelles en quatre groupes : adjonctions, modifications, omissions, transpositions.

1. *Adjonctions (18 en C; 62 en N)*

a) *N*. Sur les 62 adjonctions de N, 52 dépendent de l'intention de former un commentaire continu à partir de passages épars. Pour y parvenir, le caténiste ajoute au début des passages toutes sortes de mots de liaison[1] ; il introduit également sept fois φησί dans le texte biblique et insère dans le commentaire des adjonctions explicatives[2].

1. Cela se produit 37 fois : 12 fois οὖν, 8 fois τοίνυν, 4 fois δέ, 4 fois γάρ, 3 fois τοιγαροῦν et une fois chacun : γοῦν, μέντοι, ἐνταῦθα καί, γε μὴν καὶ αἰσθητῶς ... τελεώτερον, ἁπλούστερον περὶ τούτων εἰπεῖν, αὐτῶν.

2. On rencontre 5 adjonctions explicatives (*In Is.*, 1, 419 : εὐπρήστῳ οὔσῃ ; 2, 148 : τῆς Ῥωμαϊκῆς στρατίας ἐπελθούσης ; 3, 131 : τῆς ἐπὶ τῷ Ὀζίᾳ ; 4, 513 : ἀρεῖ ... εἰς τὰ ἔθνη ; 5, 417 ὥστε ὀλολύζειν) et trois adjonctions destinées à rendre plus supportable la répétition d'une pensée exprimée dans un passage précédent (καθὰ προείρηται, ὡς εἴρηται, ὡς ἔφην). Mis à part cela, à l'intérieur de chaque extrait, les adjonctions de mots de liaison sont peu nombreuses ; on en relève huit : 3 fois l'article, 2 fois μέν (quand il y a un δέ subséquent) et une fois chacun καί, ἐστίν, δύο.

En deux endroits où N est excédentaire par rapport à KC (4, 25 ἴσην et 1, 209-210 ὁ προφήτης μᾶλλον δὲ ὁ διὰ τούτου λαλήσας θεός), Möhle a considéré que N conservait la leçon originale[1].

b) *C*. L'auteur de C n'adopte pas la forme du commentaire continu, mais se contente de placer en marge, à côté du texte biblique, de courts extraits de commentaires. Il n'a donc pas besoin d'ajouter des mots de liaison au début des extraits. On rencontre cependant trois fois δέ et une fois γάρ. Nous avons relevé en note les adjonctions que l'on trouve à l'intérieur des extraits[2].

En trois endroits (1, 204-205.318 ; 2, 72), Möhle considère que C a conservé l'original contre KN[3].

2. *Modifications (44 en C ; 63 en N)*

a) *N*. Les modifications de mots dans N sont également provoquées la plupart du temps par l'intention d'établir de meilleures liaisons entre les divers extraits. On les

1. De fait, la phrase ὁ προφήτης — θεός se trouve maintes fois chez Théodoret (cf. *In Is.*, 1, 23-24 ; 3, 150 ; 8, 337 ; 11, 214-215). Si, 1, 209-210 manque en KC, cela peut provenir d'une faute ancienne : un copiste, ayant remarqué qu'il était impossible de dire que le prophète avait supprimé le sacrifice, aura simplement omis la phrase, que par la suite K et C ne trouvent plus dans leur modèle.

2. On en relève 11 cas : deux fois δέ (*In Is.*, 2, 290 ; 3, 853) et une fois chacun τὴν (1, 326), ἀπό (5, 547), σύ (3, 667), ἄγαν (5, 400), πάλαι (5, 435), καλεῖ (2, 687), βασιλεύοντος (5, 46), τοῦ σωτῆρος (3, 840), φημὶ δὲ τὸν 'Οζίαν (3, 132).

3. En 1, 204-205 : καὶ τὴν μειρακιώδη γνώμην ψυχαγωγῶν, auquel on trouve un parallèle évident dans la *Quaest. X in Deut.* de Théodoret (*PG* 80, 420 C) ; en 1, 318 : καὶ τὴν σωτηρίαν καρπώσασθαι, parce que la tournure est très aimée de Théodoret (manque en E, mais celui-ci peut avoir abrégé à dessein) et que son absence des autres manuscrits peut être due à un homoiotéleute ; en 2, 72 : τελοῦντα, que l'on trouve toujours dans le *Commentaire sur Isaïe* de Théodoret lorsque la préposition ὑπό, suivie de l'accusatif, désigne le fait d'« être soumis ».

trouve de ce fait presque uniquement au début des extraits ou encore à l'intérieur d'un extrait, lorsque le texte de la Bible — comme cela arrive souvent — a été sauté ou raccourci[1].

A l'intérieur des extraits, on trouve 23 modifications dont neuf concernent la finale des mots[2] et quatre des changements de temps[3].

b) *C*. C présente 44 différences avec KN ; en sept endroits[4], Möhle a considéré que C offrait la bonne leçon contre KN. Sur les 37 modifications restantes, une seule est due au fait qu'on se trouve au début d'un extrait des Chaînes (3, 139), treize autres sont de simples fautes

1. N change à six reprises le verbe à mode personnel en participe (*In Is.*, 1, 141 ; 2, 296.584.700 ; 3, 456 ; 4, 163) ; il change 19 fois les mots de liaison et dit au lieu de δέ : μέν, μέντοι, τοίνυν, γάρ (3 fois), οὖν (2 fois) ; au lieu de γάρ : ἀλλὰ καί, διότι, ὅτι, τοίνυν, δέ (3 fois), οὖν (2 fois) ; au lieu de ἐνταῦθα : διὰ τούτων ; au lieu de οὕτω : γοῦν ; il met à trois reprises le nom à la place du pronom (1, 379 ; 2, 223.267) et, à l'inverse, le pronom au lieu du nom (5, 434). Il remplace ταῦτα, en 2, 285 par διὰ τούτων ἅπερ, en 4, 594 par τὰ ... εἰρημένα, en 5, 286 par τὰ ... ἐνταῦθα λεγόμενα ; εἰρημένα, en 2, 296 et 4, 554 par προειρημένα ; en 3, 139 il met l'aoriste au lieu du présent. En cinq endroits, il transforme la construction de la phrase (1, 46-47 ; 2, 329 ; 3, 404.606 ; 5, 419).

2. En 1, 214 ; 2, 357.485-487 ; 3, 68-69.347 ; 4, 524 ; 5, 402.412. 546 ; cela s'explique du fait que, dans le modèle de N, les finales étaient maintes fois abrégées.

3. En 2, 540.633 ; 3, 661 ; 5, 133. On trouve aussi deux fois γίνομαι au lieu de γίγνομαι. Les autres changements sont les suivants : πολλῆς / παντοδαπῆς (1, 48), ἁγιασμοῦ / ἱλασμοῦ (1, 249), εἴρηται / τέθεικε (2, 681), ἐμπειρίᾳ / προθυμίᾳ (2, 700), ἐξουσίαν / δεσποτείαν (3, 589), κατέβαλε / μετέβαλε (3, 801), τὴν εὐεργησίαν / τὸν εὐεργέτην (4, 585), ἀσεβείας / δυσσεβείας (5, 95).

4. En 1, 202 ; 3, 607.802 ; 4, 147.426.603 ; 5, 137.

d'écriture[1] ; il reste donc 23 modifications plus sérieuses que nous signalons en note[2].

3. *Omissions (15 en C ; 13 en N)*

Le nombre des omissions en C et en N est relativement peu élevé[3] et porte le plus souvent sur des points de détail. De même que N ajoute fréquemment des mots de liaison au début des extraits, il est à l'inverse souvent contraint d'omettre des mots, parce que la liaison logique que les passages concernés avaient dans le commentaire complet ne subsistait plus dans la Chaîne[4].

1. Ἀλλά / ἀλλ' (1, 327), ταῦτ' / ταῦτα (3, 157) ; 2 fois οὔτε / οὐδέ (1, 326), οὐδέ / οὔτε (2, 251), τε / δέ (4, 421), ἀπολαύειν / ἀπολαύσειν (2, 427), ἀπόλαυσιν / ἀπολαύειν (2, 701), παρεγγύων / παρηγγύων (3, 609), ἐγίνετο / ἐγένετο (4, 519), ταὐτὰ Ἰουδαῖοι / τὰ αὐτὰ Ἰουδαίοις (3, 607), τό / ὄντα (5, 323), κυρίας / κ̅ς̅ (3, 67).

2. Ce sont : προηγόρευσαν / ὑπηγ. (Υ, 3) ; εἰς / πρός (1, 277) ; πρός / εἰς (1, 340) ; ἐπί / κατά (4, 24) ; δῆλον / εὔδηλον (2, 51) ; διάνοιαν / ἄνοιαν (2, 125) ; καὶ οὐ / οὐδέ (2, 287) ; δαιμονίων / δαιμόνων (2, 134 ; 5, 527) ; δέ / γάρ (3, 68) ; μόνον / μόνην (4, 523) ; μόνον / μόνος (5, 295) ; ἀπήλαυον ... ἐδέχοντο / ἀπολαύουσιν ... δέχονται (1, 415) ; διεπόρθμευον / -σαν (4, 596) ; ἀπαιτεῖ / ἀπήτει (5, 231) ; νικῶντες / νικῶσι (2, 700) ; ἐπιτηδευμάτων / βουλευμάτων (1, 273) ; ὕδατι / λουτρῷ (1, 287) ; ἰδίᾳ / οἰκείᾳ (2, 114) ; βρυγμῷ / βρυχηθμῷ (2, 710) ; τὸν Ἰούδαν / τὴν (τοῦ) Ἰούδα φυλήν (3, 421) ; ἔτων χρόνος μέσος ἐγένετο / χρόνοι μέσον ἐγένοντο (5, 196) ; τουτέστι / ἀντὶ τοῦ (5, 301).

3. C omet quatre fois l'article (1, 263 ; 3, 351 ; 5, 208.272), deux fois φησί (2, 112 ; 5, 518) et une fois chacun : ἤ (3, 81), ἥ (3, 350), μέν (5, 45), καί (5, 358), πάλιν (5, 456), οὐ μόνον (3, 794), διαλεγόμενος (4, 443), καὶ δυσημερία (3, 420), καὶ χιλιόμβας (5, 559). Les deux dernières omissions peuvent avoir été provoquées par des homoiotéleutes.

4. Six omissions sur treize s'expliquent de cette façon ; δέ est omis quatre fois (2, 347.515.653 ; 5, 434), γάρ et τοίνυν une fois (5, 309 ; 1, 113). On peut expliquer de manière semblable l'omission de φησί (5, 527) et de ὡς οἶμαι (5, 432). L'article est omis trois fois, καί et αὐτός une fois (5, 287 ; 5, 562).

4. *Transpositions (7 en C ; 22 en N)*

Dans N, les transpositions du texte ne sont pas seulement trois fois plus fréquentes que dans C, elles sont aussi plus importantes. Alors que C offre un seul exemple (3, 158-159) d'une transposition de plus de deux mots, N se trouve la plupart du temps dans ce cas et il lui arrive même une fois de transposer des phrases entières (Υ, 1-27).

K

Le manuscrit K présente un grand nombre de *lapsus calami* évidents, provenant notamment des connaissances orthographiques insuffisantes du copiste et de son manque de soin ou d'une résolution aberrante des abréviations (-ας au lieu de -ε, -εται au lieu de -εως, etc.). Abstraction faite de ces fautes qui ne sont pas notées dans l'apparat quand la rectification se fait avec sûreté, il reste 45 endroits où K diverge de CN. Ces divergences se répartissent en 5 additions, 19 modifications, 19 omissions et 2 transpositions. K s'oppose ainsi beaucoup plus rarement à CN que C à KN ou même que N à KC. Il existe, toutefois, une grande différence entre K d'un côté et C et N de l'autre, non seulement dans le nombre des divergences, mais aussi dans leur caractère. Tandis qu'il s'agit le plus souvent dans C et N de divergences significatives, donc conscientes, les divergences de K apparaissent presque toujours comme des altérations non intentionnelles, voire absurdes, du texte offert par CN, ou bien encore il s'agit de divergences insignifiantes[1].

1. Les variantes de K se répartissent en 5 additions (1, 424 ; 2, 69.446 ; 3, 334 ; 4, 583), en 18 modifications (1, 16 ; 2, 107.164. 383.700.708 ; 3, 159 (2 fois). 383.401.607.840.861 ; 4, 289.418.606 ; 5, 271.279), en 19 omissions (1, 265 ; 2, 182.428.630.710 ; 3, 84.97. 193.797.854.860 ; 4, 69.164.299.426 ; 5, 301.310.408.518) et en 2 trans-

De l'examen de ces trois témoins du texte découlent les principes de leur utilisation dans notre édition : le manuscrit K, tout au long, sert de base pour le texte, après correction minutieuse des fautes de copiste et des autres altérations. Toutefois, les Chaînes rendent des services de grande valeur, en raison de leur originalité, pour réparer les omissions, corriger les altérations et compléter les parties du texte détruites en K. N mérite alors au moins autant de confiance que C, abstraction faite du début de ses extraits et de la place des mots.

II. **Valeur de l'Excerptum** (E)

E transcrit maintes fois de façon littérale des phrases entières du commentaire en omettant occasionnellement le superflu, mais il a maintes fois aussi formé des phrases toutes nouvelles, en prenant appui, cependant sur le mot à mot de son modèle[1]. Cet *Excerptum*, ne dépassant pas *Is.* 17, 1, est presque entièrement contrôlé par N et, en partie, par C : il perd ainsi beaucoup de sa portée. Il permet, toutefois, quelques restitutions précises (v.g. 1, 306 ; 2, 638-639.640 ; 3, 834) et, à l'occasion, parallèlement à K, il confirme la bonne leçon. Si cet *Excerptum* s'était prolongé au-delà d'*Is.* 17, notre édition s'en serait trouvé améliorée de beaucoup.

positions (1, 284, 288) sans importance où nous avons suivi K contre CN, notamment en 1, 288 où la leçon de K est confirmée par E.

1. Les vérifications que nous avons faites sur le fragment romain de l'*Excerptum* (E^r) confirment en tous points l'analyse de Möhle. L'apport de cet *Excerptum* paraît, en effet, plus important pour la connaissance du texte biblique que pour celle du commentaire proprement dit.

III. **Intérêt du fragment du manuscrit de Florence (F)**

Le fragment du commentaire de Théodoret donné par le manuscrit de Florence permet en 5, 413 de combler la lacune de K par δηλοῖ δὲ καὶ τὰ ἑξῆς. Il propose aussi en 5, 431 (γάρ), 442 (Μηδαβά), 448 (Ἐλεηλά), 449 (Ἰασά) et en 462 (Ἀρωνιείμ), des leçons qui sont à préférer à celles offertes par K. Mais, dans la plupart des autres passages, K a sans doute conservé plus fidèlement que F l'original. On notera enfin que F et K, en 5, 467, présentent tous deux la leçon Νεμερήξ tout à fait singulière et propre à Théodoret.

D. L'ÉDITION DE SIRMOND

Sirmond a utilisé C et N pour son édition.

a) Pour C, Sirmond a comparé les mss $C^{564.566}$ ainsi qu'il résulte de leur fréquente concordance dans les leçons particulières. Comme ils concordent fréquemment aussi avec C^{87} dans des leçons particulières, mais comme Sirmond ne disposait pas de ce manuscrit, on peut admettre qu'il a utilisé C^{568} (= Paris, Bibl. Nat., Grec 159) qui, d'après Karo et Lietzmann (p. 337, n. 105), dépend de C^{87}. Ces trois manuscrits se trouvaient, en effet, à l'époque de Sirmond, à la Bibliothèque Royale de Paris.

b) Pour N, Sirmond n'a utilisé qu'un extrait[1] du manuscrit des Chaînes N^{384}, probablement d'après le ms.

1. C'est à de tels extraits de Chaînes, et non à des extraits d'un manuscrit du commentaire, que pense Sirmond quand il dit, dans sa préface, que les Grecs ont composé des extraits en remplacement du commentaire perdu (cf. *supra*, ch. I, p. 12, n. 1).

(XIe s.) de Berlin, Bibl. Royale, Phill. 1459 qui se trouvait auparavant à la Bibliothèque des Jésuites du Collège de Clermont à Paris (cf. *supra*, p. 15, n. 2).

Ainsi l'on voit que Sirmond s'est efforcé de construire son édition sur un large fondement manuscrit, mais qu'il ne disposait pas des meilleurs mss de C et ne possédait pour N qu'un extrait des plus mauvais. Comme il admet, en outre, de suivre ordinairement N contre C, son édition présente de grosses imperfections.

E. Présentation du texte et apparats

I. **Présentation du texte**

1) *Le texte du lemme*

Il apparaît en caractère gras. La numérotation des chapitres et des versets correspond à celle que donne la *Biblia Hebraica* de Kittel.

( ) parties détruites dans K.
< > parties omises dans K, du fait du copiste.

Dans les deux cas, les compléments que nous apportons proviennent de la recension lucianique (cf. p. 114). Nous n'avons corrigé le texte biblique que dans des cas extrêmes, abstraction faite des fautes du copiste.

2) *Les citations bibliques à l'intérieur du commentaire*

Les répétitions du texte biblique en cours d'explication ne sont pas mises en caractères gras.

« » citations des LXX et du N. T. ; variantes de la LXX ; passages d'Aquila, de Symmaque et de Théodotion ; version de l'hébreu, du Syrien et passages de l'Ἑρμηνεία τῶν Ἑβραϊκῶν Ὀνομάτων.

3) *Le texte du commentaire*

( ) parties détruites de K restituées grâce à la tradition indirecte.

( ) parties détruites de K restituées grâce à E, seul ou en accord avec d'autres témoins indirects.

[ ] parties détruites de K restituées par conjecture.

.... nombre (conjecturé) de lettres qui n'ont pas pu être restituées.

< > addition conjecturale.

II. **Les apparats**

1) *L'apparat des Chaînes*

Dans cet apparat, les extraits de Théodoret que présentent C et N sont indiqués par leur incipit et leur desinit sans tenir compte de leur ordre de succession, qui varie selon les mss. Les passages mentionnés sous C sont tous dans C^r ; nous n'indiquons pas en général s'ils se trouvent aussi dans les autres mss C.

2) *L'apparat critique*

Cet apparat contient toutes les variantes de K, C, N et R, à l'exception des très nombreuses fautes de copiste de K. K* signifie « première main » ; K^{corr}, le correcteur de K. Les variantes de E ne sont ordinairement indiquées que si KCN divergent entre eux. Pour le court passage où F intervient (*In Is.*, 5, 386-470), nous signalons les variantes ou les compléments qu'il apporte.

Le ν euphonique, dont l'emploi est très variable selon les mss, n'a été placé par nous que devant voyelle ou ponctuation forte. Pour le ς final euphonique, nous avons suivi fidèlement l'usage habituel. Hormis cela, nous n'avons procédé à aucune normalisation : ainsi -σσ- alterne avec -ττ-, γίγνομαι avec γίνομαι, ἀπέλαυσα avec ἀπήλαυσα, etc.[1]. Pour la place des accents dans les noms propres, Möhle a toujours suivi K ; ce n'est qu'occasionnellement qu'il a changé ou normalisé le mode d'accentuation.

Tout en contenant dans sa partie négative les variantes de K, C, N, R, E, F selon les modalités que nous avons dites, l'apparat se veut aussi positif, étant donné l'intermittence du témoignage des Chaînes. Ainsi le lecteur connaîtra du premier coup d'œil les témoins de la leçon adoptée et sera en mesure de consulter au registre supérieur l'apparat des Chaînes pour connaître les limites exactes des passages fournis par celles-ci. Pour les lemmes bibliques ainsi que pour les citations d'Aquila, de Symmaque et de Théodotion, lorsque la leçon de K doit être manifestement rejetée, Möhle a construit son texte d'après le texte admis pour la recension lucianique (Ziegler) et la tradition des Hexaples (Field). On s'expliquera de la sorte l'emploi de l'expression *e textu recepto* (e tx. rec.) dans notre apparat.

Toutes les fois que K est nommé comme témoin en faveur du lemme et que quelques lettres sont détruites en K, l'attention n'a pas été attirée dans l'apparat ; par ex., en 2, 646, on note simplement κατηγόρει...K, bien que κατηγ — comme cela apparaît dans les parenthèses — ne puisse pas être lu en K. Dans les autres cas, comme dans l'apparat 2, 567, les lettres détruites en K sont désignées par un nombre correspondant de points épais.

∾ transposition
> omission.

1. Nous avons toutefois conservé dans le texte la forme attique lorsque la tradition hésitait entre cette forme et la forme du grec populaire ou vulgaire, parce que nous supposons que les formes attiques ont pu plus facilement se perdre que revenir au cours de la tradition.

Les conjectures d'A. Möhle, les corrections et les suggestions qu'il doit à ses relecteurs — Emil Grosse-Brauckmann, Werner Kappler, Max Pohlenz, Alfred Rahlfs, Eduard Schwartz — sont indiquées respectivement par les abréviations suivantes : Mö., Br., Ka., Po., Ra., Sch.

3) *L'apparat scripturaire*

Cet apparat est un apparat des citations et des allusions scripturaires.

F. Traduction et index

I. **La traduction**

Notre traduction s'efforce de suivre avec la plus grande exactitude possible le texte de Théodoret. Le style des commentaires est presque toujours d'une extrême sobriété : l'auteur ne cherche pas à plaire, il veut expliquer un texte avec rigueur et clarté. Il se soucie peu de varier les formules qui introduisent un ensemble prophétique ou un verset ou encore celles qui marquent la fin d'un développement. Les images sont rares, le vocabulaire ne trahit d'ordinaire aucune recherche particulière et aucun souci de variété : Théodoret se veut clair et précis et ne craint pas les répétitions de termes. Nous nous sommes donc appliqué à conserver dans la traduction ces formules presque stéréotypées qui sont caractéristiques de son exégèse et qui permettent au lecteur de ne pas s'égarer dans le commentaire linéaire. Nous n'avons pas davantage cherché à prêter à notre modèle une élégance de style dont il se soucie peu : notre traduction s'efforce seulement de rendre fidèlement une pensée qui s'exprime le plus souvent sur le ton neutre de la critique objective. Nous avons toutefois tenté de rendre sensible pour le lecteur moderne le souffle qui anime parfois certains passages : la passion de convaincre ou la volonté polémique donnent alors au style de Théodoret une vigueur inhabituelle et l'entraînent à une forme d'éloquence qui permet d'entrevoir ses talents d'orateur. Mais, en dehors du fait que le commentaire linéaire se prête peu, dans la forme que lui donne Théodoret, à de telles envolées, notre exégète préfère le plus souvent la démonstration objective où la raison l'emporte sur la passion.

La traduction du texte biblique proprement dit a souvent été source de difficultés. Nous avons pris pour règle de lire, de ponctuer et de comprendre comme le fait Théodoret dans son commentaire. Il n'a pas toujours été possible de conserver dans la traduction l'ambiguïté qu'offre le texte grec : nous avons alors indiqué en note en quoi elle consiste pour rendre intelligible le commentaire de Théodoret. En revanche, lorsque le texte biblique est obscur en grec, nous avons dans la plupart des cas cherché à rendre cette obscurité dans la traduction, dont le caractère plus ou moins insolite ou énigmatique est destiné à s'éclairer dans le commentaire. Nous avons adopté les mêmes principes pour rendre compte des citations bibliques à l'intérieur du commentaire et pour traduire le texte des différentes versions de la Bible utilisées par Théodoret.

Pour la traduction et l'orthographe des noms propres, nous avons suivi les règles de l'usage le plus courant en conservant tour à tour les formes françaises ou latines habituelles (ex. « Vespasien », mais « Titus ») ; pour les noms juifs, assyriens ou mèdes, nous avons d'ordinaire conservé la forme grecque sous laquelle ils apparaissent dans le commentaire : ainsi nous écrivons « Sennachérim » au lieu de « Sennachérib », pourtant d'usage plus courant en français. Il nous arrive aussi d'unifier dans la traduction l'orthographe de ces noms propres : nous écrivons, par exemple, toujours « Sennachérim », alors que la forme grecque comporte tour à tour deux ν ou un seul ; de même, nous disons toujours « Théglatphalasar », alors qu'on trouve en concurrence dans le grec les formes Θεγλαθφαλσάρ et Θεγλαφαλασάρ ; de même encore, les formes concurrentes Ῥασήν, Ῥασίν et Ῥαασίν sont rendues dans notre traduction par « Rasin ».

Les notes veulent surtout faciliter la lecture de la traduction et dispenser le lecteur de diverses recherches prosopographiques, historiques, géographiques, etc., en expliquant les allusions ou en donnant les éclaircissements nécessaires à l'intelligence du texte. Nous renvoyons fréquemment aussi aux autres commentaires de Théodoret[1] pour que l'on puisse apprécier, dans la similitude des interprétations ou leur dissemblance, la méthode exégétique de notre auteur. Dans un but voisin, nous signalons, chaque fois que nous le croyons utile, les interprétations sur Isaïe d'Eusèbe de Césarée, de Basile le Grand, de Chrysostome[2] et de Cyrille d'Alexandrie, qu'elles soient

1. Pour alléger le système de référence dans les notes de la traduction, nous nous contentons, pour les commentaires de Théodoret, d'indiquer le numéro du volume concerné de la Patrologie grecque de Migne et celui de la colonne, suivi des lettres ABCD indiquant les subdivisions, sans porter la mention *PG* (Patrologie grecque).

2. Pour des raisons de commodité, nous continuons à dire le *Commentaire sur Isaïe* de Basile ou de Chrysostome, alors qu'il serait plus exact de dire le commentaire du « Pseudo-Basile » ou du « Pseudo-Chrysostome » (à partir d'*Isaïe* 8, 11) ; cf. Introd., ch. I, p. 19 s. et p. 23 n. 1. Ici encore, nous nous contentons d'indiquer le numéro du volume de Migne sans la mention *PG* : pour Basile (*PG* 30, 117-668), pour Chrysostome (*PG* 56, 11-94) et pour Cyrille (*PG* 70). Pour la partie arménienne du commentaire chrysostomien, nous renvoyons à l'édition (version latine) des Mékitharistes, désignée par la lettre M, en faisant suivre cette initiale du numéro de la page et de l'indication de la ligne ou du verset. Pour le commentaire d'Eusèbe sur Isaïe, nous renvoyons à l'édition de J. Ziegler, désignée seulement par *GCS* suivi du numéro de la page et des lignes.

ou non en accord avec celles de Théodoret. Enfin, quelques éclaircissements touchant à la théologie et surtout, en raison de l'époque, à la christologie de Théodoret nous ont paru nécessaires.

II. **Les Index**

On trouvera à la fin du dernier volume du *Commentaire sur Isaïe*, outre un index des citations scripturaires, un index des noms propres, un index historique sous la forme d'un tableau chronologique où sont mentionnés les passages du commentaire concernant les règnes et les événements dont parle Théodoret. On trouvera, enfin, un index analytique et un index des mots grecs. Nous espérons de la sorte faciliter la lecture du *Commentaire sur Isaïe*, en permettant au lecteur de trouver le renseignement qu'il désire sans trop s'égarer dans le commentaire linéaire.

*
* *

Au terme de ce travail, qu'il me soit permis de remercier tous ceux dont l'aide m'a été précieuse pour rendre cette édition moins imparfaite. Ma reconnaissance va d'abord à tous mes maîtres et notamment à ceux qui m'ont amené aux études patristiques. Elle s'adresse en particulier au R.P. Cl. Mondésert qui non seulement m'a invité à entreprendre ce long travail, mais qui m'a guidé de ses conseils et soutenu de ses encouragements tout au long de sa réalisation. Ma reconnaissance va aussi à M. A. Guillaumont qui, avec une grande amabilité, m'a fait profiter de sa science pour apporter la preuve que Théodoret utilise la Peshitta. Je tiens également à dire combien les remarques du R.P. L. Doutreleau, concernant la tradition manuscrite du texte, m'ont été précieuses ; à lui ainsi qu'à toute l'équipe des « Sources Chrétiennes », je renouvelle ici mes remerciements. Je veux, enfin, exprimer tout spécialement ma gratitude au chanoine P. Gallay qui a bien voulu accepter de relire l'ensemble de ce travail, dont c'est peu dire qu'il doit beaucoup à ses remarques et à ses suggestions.

J.-N. Guinot.

Note bibliographique et sigles

Bardy = G. Bardy, *Recherches sur saint Lucien d'Antioche et son école*, Paris 1936.

Basile 30 = Saint Basile, *Commentaire sur Isaïe* (1-16), *PG* 30, 117-668.

Canivet, *Entr. apol.* = P. Canivet, *Histoire d'une entreprise apologétique au Ve siècle* (thèse), Paris, Bloud et Gay, 1958.

— *Thérap.* = Théodoret de Cyr, *Thérapeutique des maladies helléniques*, éd. P. Canivet, *SC* 57 (2 vol.), Paris 1958.

Chrysostome 56 = Saint Jean Chrysostome, *Commentaire sur Isaïe* (1 - 8, 10), *PG* 56, 11-94.

— M. = *In Isaiam prophetam interpretatio sancti Joannis Chrysostomi ex armenio in latinum sermonem a patribus Mekitharistis translata*, Venise 1887.

Cyrille 70 = Saint Cyrille d'Alexandrie, *Commentaire sur Isaïe*, *PG* 70.

Devreesse, *Com. de Théodore sur les Ps.* = R. Devreesse, *Le commentaire de Théodore de Mopsueste sur les Psaumes (I-LXXX)*, *Studi e Testi* 93, Città del Vaticano 1939.

— *Essai sur Théodore* = R. Devreesse, *Essai sur Théodore de Mopsueste*, *Studi e Testi* 141, Città del Vaticano 1948.

Didyme, *In Zachar.* = Didyme l'Aveugle, *Sur Zacharie*, éd. L. Doutreleau, *SC* 83, 84, 85, Paris 1962.

DTC = A. Vacant, E. Mangenot, E. Amann, *Dictionnaire de Théologie Catholique contenant l'exposé des doctrines catholiques, leurs preuves et leur histoire*, Paris, Letouzey, 1903-1950.

Eusèbe, *H.E.* = Eusèbe de Césarée, *Histoire Ecclésiastique*, éd. G. Bardy, t. 1, *SC* 31, Paris (réimpression) 1965 ; t. 2, *SC* 41 (réimpression 1965) ; t. 3, *SC* 55 (réimpression 1967) ; t. 4, *SC* 73 (réimpression 1971).

— *GCS* = Joseph Ziegler, *Eusebius, Der Jesajakommentar*, *GCS* IX, Akademie-Verlag, Berlin 1975.

Field = F. Field, *Origenis Hexaplorum quae supersunt* (2 vol.) Oxford 1875 (réimpression Hildesheim 1964).

Flavius Josèphe, *Ant. Jud.* = Flavius Josèphe, *Antiquités juives*, éd. B. Niese (4 vol.), Berlin 1955.

FLAVIUS JOSÈPHE, *Bell. Jud.* = FLAVIUS JOSÈPHE, *La guerre des Juifs*, éd. B. Niese, Berlin 1955.

GCS = *Die griechischen christlichen Schriftsteller der ersten Jahrhunderte*, Leipzig-Berlin.

JÉRÔME *(In Isaiam)* = Saint JÉRÔME, *Commentaire sur Isaïe*, *PL* 24.

JÜSSEN = Klaudius JÜSSEN, « Die Christologie des Theodoret von Cyrus nach seinem neuveröffentlichten Isaiaskommentar », *Theologie und Glaube* 27 (1935), p. 438-452.

JUSTER = J. JUSTER, *Les Juifs dans l'Empire Romain* (2 vol.), Paris 1914.

MÖHLE = August MÖHLE, *Theodoret von Kyros Kommentar zu Jesaia*, Mitteilungen des Septuaginta-Unternehmens 5, Berlin 1932.

PG = *Patrologia Graeca* (J.-P. Migne), Paris.

PHOTIUS, *Bibl.* = PHOTIUS, *Bibliothèque*, éd. R. Henry (8 vol.), Paris, Belles Lettres, 1959-1977.

PIROT = L. PIROT, *L'œuvre exégétique de Théodore de Mopsueste*, Rome 1913.

PL = *Patrologia Latina* (J.-P. Migne), Paris.

QUASTEN = Johannes QUASTEN, *Patrology*, t. I, II, III, Utrecht-Anvers 1950, 1953, 1960 (trad. fr., éd. du Cerf, Paris 1955, 1957, 1963).

RAHLFS = Alfred RAHLFS, *Septuaginta, id est Vetus Testamentum graece juxta LXX interpretes*, 2 vol., Stuttgart 1935.

Rev. Sc. Rel. = Revue des Sciences Religieuses, Strasbourg.

RICHARD, « Activité littéraire de Théodoret » = M. RICHARD, « L'activité littéraire de Théodoret avant le concile d'Éphèse », *RSPT* 24 (1935), p. 82-106.

— « Évolution doctrinale de Théodoret » = M. RICHARD, « Notes sur l'évolution doctrinale de Théodoret de Cyr », *RSPT* 25 (1936), p. 459-481.

RSPT = Revue des Sciences Philosophiques et Théologiques, Paris.

SC = Sources Chrétiennes, Paris.

SWETE, *An Introduction* = H. B. SWETE, *An Introduction to the old Testament in greek*, Cambridge 1902.

THÉODORE DE MOPSUESTE, *In XII proph.* = THÉODORE DE MOPSUESTE, *Commentaire sur les douze prophètes mineurs*, *PG* 66.

THÉODORET, *Correspondance* = THÉODORET DE CYR, *Correspondance*, éd. Y. Azéma, *SC* 40, 98, 111, Paris 1955, 1964, 1965.

VACCARI, La « théôria » = A. VACCARI, « La Θεωρία nella scuola esegetica di Antiochia », *Biblica* I (1920), p. 3-36.

ZIEGLER, *Isaias* = *Septuaginta, Vetus Testamentum graecum XIV Isaias*, éd. Joseph Ziegler, Göttingen 1939 (2e édition, 1967).

Sigles des manuscrits

K = Constantinopolitanus, Métochion n° 17............. XIVe s.
K* = Première main.
K^{corr} = Le correcteur de K.

Chaîne C

564	Parisinus graecus 155 (contient *Is.* 26, 13 à 66 avec des lacunes)....................................	Xe s.
565	Parisinus graecus 156 (avec des lacunes)..........	Xe s.
87	Vaticanus, Chig. R. VIII 54..................	Xe s.
309	Vaticanus graecus 755........................	X^e-XIe s.
377	Scorialensis, Υ-II-12 (contient *Is.* 1, 8 à 42, 9)....	XIe s.
90	Laurentianus V, 9...............................	XIe s.
91	Vaticanus, Ottob. gr. 452......................	XIe s.
566	Parisinus graecus 157 (contient *Is.* 28, 9 à 32, 19 ; 33, 19 à 41, 24).................................	XIIe s.
736	Venetus, Marcianus graecus 25 (contient *Is.* 1, 1 - 17 ; 3, 13 - 10, 24 ; 11, 10 - 51, 21 ; 59, 5 - 63, 9).	XIIe-XIIIe s.
109	Vindobonensis, B.N., Theol. gr. 24............... (les 5 derniers folios ont été complétés au XVIe s.)	1235
737	Venetus Marcianus graecus 87 (contient *Is.* 8, 5 à 19)..	XIIIe s.

C^r = Archétype reconstruit des mss romains C$^{87.91.309}$.
C^v = Consensus des mss C^{109} et C^{736}.

Chaîne N

614	Patmiacus, Ἰωάννου τοῦ Θεολόγου 214 (les quaternions 3, 4, 5 sont perdus, sauf le premier bifolium du 4e quaternion)............................	XIe s.
384	Laurentianus, V, 8.............................	XIIe s.
451	Ambrosianus, G. 79 sup. (le début et le commentaire de Théodoret jusqu'à κώμας manquent)..........	XIIe s.
450	Ambrosianus, D. 473 inf.......................	XVIe s.
479	Monacensis graecus 14.........................	XVIe s.

N^i = Consensus des mss italiens N^{384} et N^{451}.
N^p = Patmiacus N^{614}.
R = Réviseur de N^{451} (circa XIIIe s.).

E E^r^ Vaticanus, Ottob. gr. 437................ XIIIe-XIVe s.
E^k^ Constantinopolitanus, Métochion, nº 17......... XIVe s.
F = Laurentianus XI, 4............................ XIe s.

Autres abréviations de l'apparat critique

Tht = Théodoret.
Br. = Brauckmann.
Ka. = Kappler.
Mö. = Möhle.
Po. = Pohlenz.
Ra. = Rahlfs.
Sch. = Schwartz.

Pour le sens à donner aux sigles divers qu'on trouvera dans le texte grec et l'apparat critique, voir *supra*, p. 123 s.

Métochion 17 *(K)*, fº 123 b.

TEXTE ET TRADUCTION

96 a

ΘΕΟ[ΔΩΡΗ]ΤΟΥ ΕΠΙΣΚΟΠΟΥ ΚΥΡΟΥ ΕΡΜΗΝΕΙΑ ΕΙΣ ΤΟΝ ΠΡΟΦΗΤΗΝ ΗΣΑΙΑΝ

ΠΡΟΛΟΓΟΣ

Εἰ μὲν τὴν ἐμαυτοῦ πτωχεί[αν] ἐλογ[ιζό]μην, παρ' ἑτέρων
5 ἠρανιζόμην τροφήν · ἐπειδὴ δὲ καὶ πτωχοὺς οἶδα πολλοὺς ἀφ' ὧν ἔχουσι μεταδιδόντας καὶ τὸν δίκαιον κριτὴν ἐπαινοῦντα τὴν γνώμην καὶ ταύτῃ μετροῦντα τὴν ἀμοιβήν, ἐπιχειρῶ κἀγὼ τῆς πτωχείας ὑπερβῆναι τοὺς ὅρους καὶ ὧν ἔλαβον ψιχίων μεταδοῦναι τοῖς ὁμοπίστοις. Μεμάθηκα
10 γὰρ ὡς οὐ μόνον τῶν πέντε καὶ τῶν δύο ταλάντων τὴν ἐργασίαν ὁ δεσπότης τοὺς οἰκέτας εἰσέπραξεν, ἀλλὰ καὶ τὸν ἓν εἰληφότα μόνον εἰς μέσον ἤγαγε καὶ τὴν ἀργίαν εὑρὼν τιμωρίαν ἐσχ̣άτην ἐπέθηκεν. Τοῦτό με διαφερόντως

10-13 cf. Matth. 25, 14-30

---

1. L'examen des divers commentaires de Théodoret fait apparaître un manque d'unité dans le vocabulaire utilisé pour désigner respectivement la préface générale et l'exposé du sujet (l'argument), L'*In XII proph.* (81, 1545 B s.) présente, comme ici, le couple πρόλογος / ὑπόθεσις, mais l'*In Jer.* (*id.*, 495) celui de πρόλογος / προθεωρία ; προθεωρία est employé seul dans l'*In Dan.* (*id.*, 1256 C) et dans l'*In Psal.* (80, 857 A) et de même ὑπόθεσις dans l'*In Ez.* (81, 808 A). Cette disparité semble moins être le fait de Théodoret que de la tradition manuscrite. A la fin du « prologos » de l'*In Jer.* (81, 496 A), par exemple, Théodoret annonce clairement son intention d'exposer l'argument (ὑπόθεσις) ; la mention subséquente de προθεωρία paraît donc fautive. De même, dans l'*In Dan.* l'indication προθεωρία ne convient manifestement qu'à la première partie de l'ensemble qu'elle précède, puisque Théodoret, en mettant fin à cette préface générale (81, 1264 B), annonce l'exposé

COMMENTAIRE DE THÉODORET
ÉVÊQUE DE CYR
SUR LE PROPHÈTE ISAÏE

PRÉFACE[1]

Une obligation morale redoutable

Si je tenais compte de mon dénuement, c'est auprès d'autrui que j'irais quêter[2] ma nourriture. Mais, puisque en dépit de leur dénuement, bien des gens, je le sais, prélèvent sur leur avoir pour le partager et que le juste Juge approuve l'intention et mesure sur elle la récompense, j'entreprends à mon tour de franchir les limites que m'impose le dénuement et de partager les miettes que j'ai reçues avec mes frères dans la foi. Car, je le sais bien, ce n'est pas seulement le fruit des cinq et des deux talents que le Maître a exigé de ses serviteurs : il fit également comparaître le serviteur qui en avait reçu un seul ; il reconnut sa paresse et lui infligea un châtiment extrême. C'est là ce qui m'effraye par-dessus tout ; cette

de l'argument ; il faut donc, dans ce cas, rétablir la mention ὑπόθεσις. Inversement, enfin, dans la préface de l'*In Ez.*, on doit réserver le titre d'ὑπόθεσις à la deuxième partie de l'avant-propos, si l'on s'en tient à ce que dit Théodoret (81, 812 A) et rétablir un πρόλογος ou un προθεωρία en tête de ce qui représente la préface générale. Ces deux derniers termes paraissent, en effet, synonymes chez Théodoret, mais en tout cas différents d'ὑπόθεσις. Sur προθεωρία, cf. P. Canivet, *Thérap.*, p. 100, note 1.

2. On pourrait être tenté de restituer ἄν devant ἠρανιζόμην — bien qu'au ve s. l'usage classique de cette particule soit assez peu respecté — dans la mesure où la volonté d'atticisme de Théodoret rend cette absence tout à fait exceptionnelle chez lui (cf. à ce sujet, P. Canivet, *Thérap.*, Introd., p. 63, note 5).

δεδίττεται, τοῦτο τὸ δέος ἐξελαύνει τῆς πενίας τὸ δέος
15 καὶ κατατολμᾶν βιάζεται πράγματος τοῖς εὐπόροις ἁρμόττοντος.

Θαρρῶ δὲ καὶ τῇ τοῦ θεοῦ μου δυνάμει καὶ χάριτι· οὕτω μὲν γὰρ αὐτῷ ῥᾷστα πάντα καὶ λίαν ἐστὶν εὐπετῆ, ὡς καὶ ὄνῳ φωνὴν ἀνθρωπείαν πρὸς ὀλίγον χαρίσασθαι
20 καὶ πέτραν ἄγονον πηγὴν ἡδίστων τε καὶ πλείστων ἀποφῆναι ναμάτων· οὕτω <δὲ> φιλότιμός ἐστι τῶν ἀγαθῶν χορηγός, ὡς μὴ μόνον τοῖς ἁγίοις παρασχεῖν τῆς προφητείας τὴν χάριν, ἀλλὰ καὶ γλώττῃ μαντικὴν ψευδολογίαν δεδιδαγμένῃ ἀληθῆ δοῦναι χρησμολογίαν καὶ πρόρρησιν τῶν μετὰ χρόνους
25 ἐσομένων μακρούς. Τοῦτο [τῆ]ς φιλανθρωπίας τὸ πέλαγος ἐπιστάμενος ἀνοίγω τὸ στόμα καὶ τοὺς κρουνοὺς ἀναμένω. Μι[μήσομαι δὲ] καὶ τὴν χήραν ἐκείνην ἣ τὴν προφητικὴν εὐλογίαν τῷ ἐλαίῳ κομίσασα ἐκ τῆς βραχείας λιβάδος ὅσα συνήθροισεν ἀγγεῖα πεπλήρωκε καὶ τὸ χρέος ἐξέτισεν.
30 Ἐμβαλῶ γὰρ κἀγὼ τῷ τῆς ψυχῆς ἀγγείῳ τὴν προφητικὴν

21 δὲ add. Po.

19 cf. Nombr. 22, 28   20-21 cf. Nombr. 20, 7-11   23-25 cf. Nombr. 22-24   27-29 cf. IV Rois 4, 1-7.

---

1. Comme dans les préfaces de l'*In Daniel.* (81, 1257 A et C) et de l'*In XII proph.* (81, 1545 BC), Théodoret invoque ici la loi morale qui fait au chrétien une obligation de partager avec les autres hommes les biens qu'il possède. C'est une des manières, mais non la plus fréquente, dont Théodoret justifie son entreprise (cf. Introd., chap. II, p. 37, n. 1). L'humble aveu d'indignité, de dénuement, est lui aussi un lieu commun des préfaces de Théodoret (*In Cant.*, 81, 28 B ; *In XII proph.*, 81, 1548 B) en dépendance étroite du précédent. Dans la manière dont est filée la métaphore du πτωχός, dans le mouvement de la pensée — de la crainte provenant du dénuement à celle qu'inspire la loi divine et, enfin, à l'acte de foi en la bonté de Dieu — tout ce

crainte bannit la crainte venant de ma pauvreté et me contraint à entreprendre hardiment une tâche qui convient à des gens aisés.

Confiance en Dieu Cependant je mets ma confiance dans la puissance et la grâce de mon Dieu[1] : tout est pour lui d'une absolue facilité et d'une parfaite aisance, au point que c'est pour lui peu de chose de gratifier une ânesse de la voix humaine et de faire qu'un rocher stérile donne des eaux du plus grand agrément et de la plus grande abondance. Du reste, il dispense les biens avec une telle générosité qu'il ne réserve pas aux saints la grâce de la prophétie, mais qu'il donne, même à la langue instruite dans l'art mensonger des oracles[2], la faculté de prophétiser et de prédire avec vérité les événements qui se produiront dans des temps éloignés. Parce que je connais cet océan de bonté, j'ouvre la bouche et j'attends les flots (de la grâce). Je veux imiter aussi cette veuve qui emporta pour son huile la bénédiction du prophète : en puisant à sa modeste jarre, elle remplit tous les récipients qu'elle put rassembler, et acquitta sa dette. Eh bien, je vais à mon tour verser, dans le récipient qu'est mon âme, la parole prophétique avec la certitude que le

début trahit la recherche stylistique et prouve que Théodoret n'ignore rien des règles de la sophistique.

2. Que la prophétie soit un don gratuit de Dieu, une grâce accordée à qui bon lui semble, le vocabulaire employé par Théodoret le souligne constamment : « la grâce de l'Esprit (ἡ χάρις τοῦ Πνεύματος), la grâce prophétique (ἡ προφητικὴ χ., ἡ τῆς προφητείας χ.), la grâce spirituelle (ἡ πνευματικὴ χ.), divine (ἡ θεία χ.), le charisme prophétique (τὸ προφητικὸν χάρισμα) ». C'est une grâce dont on jouit (ἀπολαύειν), que l'on reçoit (δέχεσθαι), dont on est rempli (ἀναπιμπλάναι) et dont Dieu reste toujours l'unique dispensateur (χαρίζειν, διδόναι, δωρεῖν, παρέχειν, μεταλαγχάνειν) ; cf. index de ces mots.

εὐλογίαν καὶ ἀναβλύσειν πιστεύω τὴν ἑρμηνείαν · τὰ <αὐτὰ> γὰρ Ἐλισσαίῳ τῷ θεσπεσίῳ καὶ ὁ θειότατος Ἡσαΐας δρᾶσαι δυνήσεται.

Τούτου γὰρ ἐπὶ τοῦ παρόντος ἑρμηνεῦσαι τὴν προφητείαν
35 πειράσομαι · τῶν γὰρ ἄλλων προφητῶν σὺν θεῷ φάναι πλὴν Ἱερεμίου τοῦ θαυμασίου τὸν νοῦν ὡς ἐνῆν ἀνεπτύξαμεν, συντομίας ὅτι μάλιστα καὶ σαφηνείας πεφροντικότες. Μεταδώσει δὲ πάντως καὶ νῦν ἡμῖν ὁ φιλάνθρωπος φωτιζού[σης] ἀκτῖνος καὶ τὰ κεκρυμμένα γυμνούσης. Οὕτως
40 γὰρ τοῦ παναγίου πνεύματος εὑρόντες τὸν θησαυρὸν τοῖς φιλομαθέσι προθήσομεν. Πρὸ δὲ πάντων ἐροῦμεν τὴν τῆς

1. Cette nouvelle métaphore — empruntée à l'élément liquide — montre comme la précédente (cf. *supra*, p. 139, n. 1) le soin et la recherche qu'apporte Théodoret à la rédaction de ses préfaces. Ces variations sur le thème de l'eau — depuis le rocher que frappe Moïse, en passant par les flots de « l'océan de bonté » qu'est Dieu et l'huile inépuisable de la veuve, jusqu'à la méditation de la parole prophétique devenant pour l'exégète « source » du commentaire — ne montrent pas seulement l'aisance de Théodoret à utiliser les ressources de la sophistique. On y trouve déjà l'amorce d'une symbolique, développée dans l'*In Is.* comme dans tous les autres commentaires de Théodoret, qui fait de l'eau (nuages, rosée, humidité) le symbole de la grâce, de l'élection divine à titre individuel ou collectif, source de fécondité et de prospérité, comme la sécheresse et l'aridité le sont de la stérilité pour signifier que Dieu se détourne d'un homme ou rejette son peuple.

2. Les termes de θεῖος et de θειότατος sont d'un emploi fréquent chez Théodoret pour qualifier l'homme de Dieu en général. Signe de l'élection divine et de l'appartenance à Dieu, cette épithète n'est donc pas réservée au prophète — Théodoret semble même l'appliquer davantage aux apôtres, notamment à S. Paul — à l'inverse de θεσπέσιος qui lui appartient en propre et souligne sa fonction d'homme inspiré (θεσπίζειν). Sur le sens de θεσπέσιος, cf. Cl. Mondésert, CLÉMENT D'ALEXANDRIE, *Protreptique*, *SC* 2, p. 50, n. 5. — D'autre part, la réflexion de Théodoret impose l'idée d'une certaine communication de l'inspiration de Dieu au prophète et du prophète à l'exégète qui n'est pas sans faire penser à la théorie développée par PLATON dans *Ion* 533 d - 536 d (L. Méridier, Belles Lettres, Paris 1949).

commentaire jaillira[1] : le très divin Isaïe pourra bien à son tour accomplir les mêmes prodiges qu'Élisée l'inspiré[2].

Le dessein de Théodoret

C'est en effet d'Isaïe que je vais dans l'immédiat tenter de commenter la prophétie ; car, des autres prophètes, à l'exception de l'admirable Jérémie[3], nous avons, grâce à Dieu[4], dévoilé la pensée autant qu'il était en notre pouvoir, avec pour préoccupations essentielles la concision et la clarté. Maintenant encore, à n'en pas douter, le Dieu d'amour nous donnera d'avoir part au rayon qui illumine et met à nu ce qui est caché. Ainsi, après avoir découvert le trésor du très saint Esprit, nous le présenterons aux hommes désireux de s'instruire[5]. Mais, avant toute chose, nous allons indiquer le sujet de la

3. Sur la date et la place du commentaire *In Isaiam* dans l'œuvre exégétique de Théodoret, cf. Introd., ch. I, p. 16 s.

4. La formule σὺν θεῷ φάναι est fréquente dans les préfaces de Théodoret (80, 76 B ; 865 B ; 81, 1548 B ; 1709 C ; 1633 σὺν θεῷ εἰρῆσθαι) qui, du reste, demande presque toujours et dans des termes très voisins l'aide et la grâce de Dieu pour mener à bien son entreprise (80, 76 B ; 865 A ; 81, 29 A ; 496 A ; 812 A ; 1268 A ; 1648 D ; 82, 36 A).

5. L'obscurité des prophéties (τὰ κεκρυμμένα) dont traite à plusieurs reprises Théodoret trouve fréquemment sa justification dans la fonction pédagogique qu'il lui reconnaît : un sens caché ou difficile (ἀσάφεια, αἰνιγματωδῶς), en piquant la curiosité, conduit à une recherche empressée (σπουδαῖος) du véritable sens (*In Ez.*, 81, 957 C et 1052 A) et, partant, à une recherche plus profitable (*In Is.*, 8, 84-90), car l'homme estime au plus haut point ce qu'il acquiert avec difficulté (*In Ez.*, 81, 809 B). C'est la raison de l'assimilation de ce sens caché, ici à un « trésor », là à une « perle » (*In Dan.*, 81, 1256 C - 1257 A) et celle des diverses comparaisons — perle cachée au fond de la mer, filons d'or et d'argent enfouis au creux de la terre, objets précieux serrés au fond des maisons, décisions de grande importance que l'on garde dans les profondeurs de sa pensée — proposées dans l'*In Ez.* (81, 809 A-B) pour faire sentir à la fois la difficulté d'atteindre ce sens et l'intérêt de sa découverte.

προφητείας ὑπόθεσιν · οὕτω γὰρ εὐσύνοπτος ἡ κατὰ μέρος ἑρμηνεία γενήσεται.

ΥΠΟΘΕΣΙΣ ΤΗΣ ΗΣΑΙΟΥ ΠΡΟΦΗΤΕΙΑΣ

Ἅπαντες (οἱ) θεσπέσιοι προφῆται οὐ μόνον τὰ τῷ Ἰσραὴλ συμβησόμενα ὑπηγόρευσαν, ἀλλὰ καὶ τῶν ἐθνῶν τὴν (σωτηρίαν ἐθέ)σπισαν καὶ τὴν δεσποτικὴν προεμήνυσαν 5 ἐπιφάνειαν · πάντων δὲ μάλιστα ὁ θειότατος Ἡσαΐας ταύ(την ἐ)πιστεύθη τὴν πρόρρησιν. Σαφῶς (γὰρ) ἅπαντα προλέγει · καὶ τὴν ἐξ Ἀβραὰμ καὶ Δαυὶδ βλαστήσασαν εὐλογ(ίαν καὶ τὴν ἐκ) παρθένου γένν(ησιν) τοῦ σωτῆρος καὶ τὰς παντοδαπὰς θαυματουργίας καὶ τῆς ἰάσεως τὰς 10 πηγὰς (καὶ τὴν) Ἰουδαίων βασκα(νίαν) καὶ λύτταν καὶ τὸ πάθος καὶ τὸν θάνατον καὶ τὴν ἐκ νεκρῶν ἀναβίωσιν καὶ

C : 2-29 ἅπαντες — δύναμιν
N : 2-27 ἅπαντες — δεόμενα

2-24 ἅπαντες — δίκας / 25-27 τῆς — δεόμενα KC : ∾ N ‖ 2 ἅπαντες KC : +μὲν οὖν N ‖ 3 ὑπηγόρευσαν KN : προηγόρευσαν C

---

1. Théodoret indique nettement ici une des fonctions essentielles de l'ὑπόθεσις : elle doit compenser l'inévitable morcellement de la pensée qu'impose le commentaire linéaire et permettre au lecteur de rattacher aisément l'explication du détail aux principaux thèmes de la prophétie. L'expression κατὰ μέρος est habituelle pour désigner le commentaire linéaire (cf. *In Dan.*, 81, 1264 B et 1268 A ; *In XII proph.*, 81, 1548 D ; *In Os.*, 81, 1553 B ; *In Joel.*, 81, 1633 B ; *In Amos*, 81, 1664 C ; *In Agg.*, 81, 1861 C ; *In Psal.*, 80, 864 B ; 865 B), mais on trouve aussi ἡ τῶν ῥητῶν ἑρμήνεια (διάνοια, σαφήνεια) : cf. *In Abdiam*, 81, 1709 C ; *In Nahum*, 81, 1789 A ; *In Zach.*, 81, 1876 A.

2. L'espèce de primauté que Théodoret — avec l'ensemble de la tradition — reconnaît à Isaïe à l'intérieur du prophétisme juif tient essentiellement au caractère messianique de sa prophétie ; de façon très générale encore, on perçoit donc ici l'orientation néo-testamentaire que Théodoret veut donner à son exégèse. Si tous les prophètes méritent la même considération dans la mesure où ils sont tous les instruments d'un même Esprit (*In Dan.*, 81, 1257 D), leur importance

prophétie : de la sorte, on embrassera aisément d'un coup d'œil le commentaire du détail[1].

SUJET DE LA PROPHÉTIE D'ISAÏE

Tous les prophètes inspirés, non contents de révéler les événements qui devaient survenir à Israël, ont encore prophétisé le salut des Nations et indiqué par avance la Manifestation du Seigneur ; mais de tous les prophètes, c'est surtout le très divin Isaïe qui s'est vu confier cette prédiction[2]. Il prédit, en effet, absolument tout avec clarté[3] : la Bénédiction qui prit naissance avec Abraham et David, la naissance du Sauveur du sein d'une vierge, l'accomplissement d'une foule de miracles divers et les sources de la guérison ; la jalousie des Juifs et leur fureur ; la Passion, la mort, la Résurrection des morts et l'Ascension dans les

semble néanmoins fonction, pour Théodoret, de la portée de leur prophétie, selon qu'elle concerne un ensemble restreint — comme celles d'Abdias, de Jonas ou de Nahum — ou beaucoup plus large comme dans le cas de Daniel (81, 1261 CD). Isaïe entre évidemment dans la catégorie des « grands » prophètes (*In Amos*, 81, 1665 B : Ἡσαΐας ὁ μέγας).

3. Cette affirmation ne saurait contredire ce qui vient d'être dit (Π, 39) des passages obscurs de la prophétie (cf. *supra*, p. 141, n. 5) ou ce qui est repris plus bas (Υ, 27). La clarté dont parle ici Théodoret est celle des grands thèmes dont l'énumération suit aussitôt ; or, il est bien évident qu'on peut clairement percevoir les thèmes et pénétrer avec plus de difficulté le détail du texte. C'est ce type de clarté dont parle encore Théodoret dans sa préface de l'*In Dan.* (81, 1260 A-B) : selon lui, Daniel serait de tous les prophètes celui qui a prédit le plus clairement (πόλλῳ σαφέστερον) la venue du Christ et le sort des Juifs, puisqu'il a même indiqué l'époque à laquelle se réaliseraient ses prophéties. Mais cette clarté n'est si grande que lorsqu'on détient la clef d'un texte qu'il faut lire le plus souvent de façon figurée. Il en va de même de la prophétie d'Isaïe. On rapprochera ce que dit ici Théodoret de la clarté des prophéties d'Isaïe, de ce qu'écrit S. Jérôme dans la préface à sa traduction de ce prophète (*PL* 28, 826).

(τὴν εἰς οὐρανοὺς) ἄνοδον τῶν (τε) ἀποστόλων τὴν ἐκλογὴν καὶ τῶν ἐθνῶν ἁπάντων τὴν σωτηρίαν· προλέγει (δὲ πρὸς τούτοις καὶ τὴν δευ)τέραν τοῦ θεοῦ (καὶ) σωτῆρος 15 ἡμῶν ἐπιφάνειαν, προαγορεύει καὶ τὴν Ἰουδαίων διασπο(ρὰν καὶ τὴν παντελῆ) τοῦ ναοῦ ἐρημίαν καὶ Ἀσσυρίων καὶ Ῥωμαίων τὰς κατ' αὐτῶν στρατείας, προλέγει καὶ τὴν ἀπὸ (Βα)βυλῶνος (ἐ)πάν(οδον καὶ) τὴν Βαβυλωνίων πανωλεθρίαν, προαγορεύει καὶ τῇ Αἰγύπτῳ τινὰ καὶ τῇ 20 Τύρῳ καὶ τῇ (Δαμασκῷ) καὶ μέντοι καὶ Μωαβίταις καὶ Ἀμμανίταις καὶ Ἰδουμαίοις καὶ ἕτερα πρὸς τούτοις πολλά· (πρὸ πάν)των μέντοι τὴν ἐσχάτην Ἰουδαίων πανω(λεθρίαν) ὀδύρεται ἣν ὑπέμ(ει)ναν τῆς (κατὰ τοῦ δεσπότου μανίας) εἰσπραττό(μενοι) δίκας.

25 Τῆς δὲ προφητικῆς συνθήκης τὰ μέν ἐστι σαφῆ (καὶ γυμν)ὴν ἔχο(ντα τὴν διάνοιαν), τὰ δὲ τρο(πικῶς εἰρημ)ένα καὶ ἑρμηνείας δεόμενα. Ἐγὼ τοίνυν πειράσομαι τὰ (μὲν συντόμως εἰπεῖν τὰ δὲ) διὰ πλειόνων (διεξελθ)εῖν· πλὴν κἀν τούτοις φροντιῶ τῆς συντ(ομίας εἰς δύναμιν).

20-21 Μωαβίταις ... Ἀμμανίταις KC : ∾ N ‖ 25 δὲ C : μὲν K μέντοι N

1. Théodoret annonce ici d'une part les thèmes généraux autour desquels s'ordonnent la prophétie et son commentaire (mystère du salut, transfert des Promesses, salut des Nations, etc.) et signale d'autre part quelques-uns des grands « chapitres » de la prophétie d'Isaïe (p. ex. les oracles contre les Nations, *Is.* 13 s. ; l'invasion assyrienne, *Is.* 36-37, etc.). Mais, à côté de ces chapitres bien délimités dans la prophétie, Théodoret laisse entendre qu'il existe un autre ensemble tout aussi cohérent, celui qui concerne la guerre menée par Rome contre les Juifs, la ruine de Jérusalem et la diaspora. En réalité, évidemment, il s'agit plus d'un « chapitre » de son commentaire (sections 1 et 2) que d'un ensemble prophétique comparable aux oracles contre les Nations. Quoi qu'il en soit, ce passage de l'« hypo-

cieux ; le choix des apôtres et le salut de toutes les Nations. Il prédit en outre la seconde manifestation de notre Dieu et Sauveur, il annonce la dispersion des Juifs, la complète désolation du Temple, les expéditions militaires des Assyriens et des Romains contre les Juifs. Il prédit leur retour de Babylone et la destruction totale de Babylone. Il annonce des événements qui concernent l'Égypte, Tyr, Damas, et aussi les Moabites, les Ammonites et les Iduméens ; il fait en outre bien d'autres prédictions. Cependant, il déplore avant tout la ruine finale que les Juifs ont subie pour acquitter le prix de leur folie à l'égard du Maître[1].

La méthode exégétique de Théodoret

A considérer l'ensemble des écrits du prophète, les uns sont clairs et ont un sens évident[2], les autres sont présentés de façon figurée et réclament un commentaire. Je vais donc tenter de parler avec concision des premiers et d'expliquer les seconds plus longuement, mais dans ce cas encore, je me préoccuperai de la concision dans la mesure du possible[3].

thésis » joue le rôle d'une espèce de sommaire analytique qui doit faciliter la lecture du commentaire.

2. Par opposition à ce qui est caché (τὰ κεκρυμμένα), notamment sous un mode d'expression figuré, le terme γυμνός (γυμνὴν ἔχοντα τὴν διάνοιαν) désigne le sens littéral propre ou le sens historique immédiatement accessibles. Le travail de l'exégète consiste précisément à « mettre à nu » (*In Is.*, Π, 39) ce qui est dit de manière voilée.

3. Théodoret indique ici à grands traits sa méthode exégétique (cf. Introd., ch. III, D). Il se fait une règle de la concision : le terme est prononcé trois fois en ce début (Π, 37 ; Υ, 28-29 ; cf. aussi *In Cant.*, 81, 48 CD ; *In Jer.*, 81, 496 A ; *In Psal.*, 80, 861 A). Nous avons dit (Introd., ch. I, p. 11 s.) l'importance de ce facteur dans la diffusion et la survivance de l'œuvre exégétique de Théodoret.

ΤΟΜΟΣ Α'

1[1] Ὅρ(ασις ἣν) εἶδεν Ἡσαΐας υἱὸς Ἀμώς, ἣν εἶδε (κα)τὰ (τῆς Ἰουδαίας καὶ κατὰ) Ἱερουσαλὴμ ἐν ἡμέραις Ὀζίου καὶ Ἰωαθὰμ καὶ (Ἄχ)α(ζ) καὶ (Ἐζεκίου οἳ ἐβασίλευσαν
5 τῆς Ἰουδαίας). |96 b| ("Ο)ρασιν καλεῖ τῶν μελλόντων τὴν πρόγνωσιν. Ὥσπερ γὰρ οἱ τοῦ σώματος ὀφθαλμοὶ ὑγιῶς διακεί(μενοι τὰ πρ)οκείμενα ὁρῶσιν, οὕτω τὸ ὀπτικὸν τῆς διανοίας ὑπὸ τοῦ θείου φωτιζόμενον πνεύματος ὡς παρόντα βλέπει τὰ μὴ παρ(όντα). (Λέγει τοί)νυν (ἑ)ωρακέναι
10 τινὰ σκυθρωπὰ κατὰ τῆς Ἰουδαίας καὶ κατὰ Ἱερουσαλήμ. Καλεῖ δὲ Ἱερουσαλὴμ μὲν τὴν μητρόπολ(ιν, Ἰου)δαίαν δὲ τὰς ὑπ' αὐτὴν τελούσας πόλεις καὶ κώμας. Δηλοῖ καὶ τῆς προφητείας τὸν χρόνον τῇ μνήμῃ τῶν βασιλέων · ἤρξατο μὲν γὰρ ταύτης ἐπὶ Ὀζίου, μέχρι δὲ Ἐζεκίου διέμεινεν.

C : 5-9 ὅρασιν — παρόντα²

N : 5-9 ὅρασιν — παρόντα² || 9-12 λέγει — κώμας || 12-14 δηλοῖ — διέμεινεν

5 ὅρασιν KCE : +τοίνυν N || 9 τοίνυν K : +ὁ προφήτης N

---

1. Théodoret précise ici la nature de la vision prophétique : il s'agit d'une « contemplation spirituelle » (ἡ πνευματικὴ θεωρία), d'une vision tout intérieure (τὸ ὀπτικὸν τῆς διανοίας) et non d'une espèce d'apparition ou de manifestation que pourraient percevoir les yeux du corps (par πνευματικὴ θεωρία, Théodoret désigne le plus souvent la vision concrète ou abstraite dont est gratifié le prophète et non la θεωρία comme élément spécifique de l'exégèse antiochienne ; sur ce sujet, cf. A. VACCARI, « La Θεωρία nella scuola... »). Cette distinction entre les yeux de l'âme et ceux du corps est chez lui constante (v.g. *In Ez.*, 81, 820 CD, 821 B, 836 CD, 881 C, 1189 A, 1220 CD), comme pour souligner que la vision prophétique est d'un autre ordre que celle des réalités charnelles. Mais elle possède la même intensité (cf. *In Is.*, 17, 51-54), même si le prophète ne voit en fait que l'image

PREMIÈRE SECTION

Vision initiale. Date de la prophétie d'Isaïe

1, 1. *Vision qu'Isaïe, fils d'Amos, eut au sujet de Juda et de Jérusalem, au temps où Ozias, Joatham, Achaz et Ézéchias régnaient sur Juda.* Il appelle « vision » la prescience des événements futurs. Tout comme les yeux du corps, pouvu qu'ils soient en bon état, voient les objets placés devant eux, la faculté visuelle que possède l'intelligence, dans la mesure où l'Esprit divin l'illumine, contemple comme s'ils étaient présents les événements qui ne le sont pas[1]. Il déclare donc qu'il a eu de sombres visions au sujet de Juda et de Jérusalem. Il appelle « Jérusalem » la capitale et « Juda » les villes et les bourgs soumis à son autorité[2]. Il indique aussi l'époque de la prophétie en faisant mention des rois : il l'a commencée sous le règne d'Ozias et l'a poursuivie jusque sous celui d'Ézéchias[3].

(εἰκών) des réalités futures (*id.*, 7, 537-540). C'est encore la nature spirituelle de la vision prophétique qui commande de lire les Écritures avec les yeux de l'âme (τὸ τῆς ψυχῆς ὀπτικόν), sujets, du reste, aux mêmes affections que ceux du corps (*In Ez.*, 81, 808, A-B).

2. Cf. pour le procédé, la distinction entre Jérusalem et Sion (*In Is.*, 16, 411-412).

3. Cette mention des règnes offre non seulement l'avantage de situer Isaïe dans son temps, mais permet aussi à Théodoret de déterminer dans la prophétie les grands ensembles qui servent la clarté de son commentaire (cf. Introd., ch. II, p. 40). En outre, Théodoret voit dans cette manière de prologue une caractéristique de style prophétique (τὸν προφητικὸν χαρακτῆρα) dont il tire argument — il cite ce verset d'Isaïe — dans son *In Dan.* (81, 1268 B-C - 1269 A) pour convaincre d'erreur ceux qui refusent à Daniel la dignité de prophète.

15 [2] **Ἄκουε οὐρανὲ καὶ ἐνωτίζου γῆ, ὅτι κύριος ἐλάλησεν.**
Τούτο(υς) τοὺς μάρτυρας καὶ Μωυσῆς ὁ μέγας ἐκάλεσε
προσταχθείς. Ἀκούσας γάρ · « Καταβὰς διαμάρτυραί μοι
τὸν οὐρανὸν καὶ τὴν γῆν », οὕτω τῆς διαμαρτυρίας ἤρξατο ·
« Πρόσεχε οὐρανὲ καὶ λαλήσω, καὶ ἀκουέτω γῆ ῥήματα
20 ἐκ στόματός μου. » Προστεθεικὼς δὲ καὶ ἕτερα τούτοις
ἐπήγαγεν · « ὅτι ὄνομα κυρίου ἐκάλεσα ». Διαμαρτύρεται
δὲ τῷ λαῷ καὶ τὰς παντοδαπὰς ἀπειλεῖ τιμωρίας τὸν
δεδομένον παραβαίνοντι νόμον. Καὶ μέντοι καὶ ὁ προφήτης
Ἱερεμίας, μᾶλλον δὲ ὁ θεὸς διὰ τούτου, τῆς τοῦ λαοῦ πάλιν
25 δυσσεβείας κατηγορήσας καὶ ταῦτα ἐπήγαγεν · « Ἐξέστη
ὁ οὐρανὸς ἐπὶ τούτῳ καὶ ἔφριξεν ἐπὶ πλεῖον ἡ γῆ, λέγει
κύριος. » Τούτων ἀναμιμνήσκει τῶν λόγων μετὰ τὸ τέλος
τῶν πραγμάτων διὰ τῆς τοῦ προφήτου γλώττης ὁ τῶν
ὅλων θεός · Ἄκουε οὐρανὲ καὶ ἐνωτίζου γῆ, ὅτι κύριος
30 ἐλάλησεν. Οὐ γὰρ ἄνθρωπός φησιν ὁ φθεγγόμενος ἀλλὰ
δι' ἀνθρώπου θεός. Οὐρανὸν δὲ καὶ γῆν εἰς μαρτυρίαν οὐχ
ὡς ἐμψύχους καλεῖ ἀλλ' ὡς πᾶσαν τὴν ὁρωμένην περι-
έχοντας κτίσιν καὶ ἐπὶ πλεῖστον διαρκοῦντας. Εὑρίσκομεν
δὲ καὶ τὸν Ἰακὼβ καὶ τὸν Λάβαν σωρὸν λίθων πεποιηκότας
35 καὶ μάρτυρα τοῦτον καλέσαντας · ἀλλὰ τοὺς μὲν λίθους
μνήμης χάριν συνήγαγον, οὐ γὰρ ἔμψυχοι οἱ λίθοι, τὴν δὲ
ἀληθῆ μαρτυρίαν ἐνεπίστευσαν τῷ τῶν ὅλων ἐφόρῳ. Οὕτω
καὶ αὐτὸς τὰ μεγάλα ταῦτα στοιχεῖα εἰς μαρτυρίαν ἐκάλεσεν.

C : 16-17 τούτους — προσταχθείς ‖ 30-33 οὐ — κτίσιν

N : 16-45 τούτους — ἐπήγαγεν (27-31 τούτων — θεός>) ‖ 30-31 οὐ — θεός

16 τούτους CN : τοῦτο (?) καὶ K ‖ 37-38 οὕτω καὶ N : οὕτως K

17 Ex. 19, 10.21 ; Deut. 31, 28 19 Deut. 32, 1 21 Deut. 32, 3 25 Jér. 2, 12 34-37 cf. Gen. 31, 44-53

1. Par trois fois en quelques lignes (1, 24.28.30-31), Théodoret souligne que le prophète n'est que l'instrument de Dieu, l'organe de sa parole. Ce rappel est constant dans tous les commentaires de Théodoret (pour l'*In Is.*, v.g. 5, 552 ; 6, 464-465 ; 11, 261-262 ;

2. *Cieux, écoutez, et terre, prête l'oreille, car le Seigneur a parlé.* Voilà les témoins qu'a également invoqués le grand Moïse selon l'ordre qu'il en avait reçu. De fait, lorsqu'il eut entendu les mots : « Descends et prends à témoin pour moi le ciel et la terre », il commença son adjuration en ces termes : « Ciel, prête l'oreille et je parlerai ; terre, écoute les paroles de ma bouche. » A ces mots il en ajouta d'autres encore, avant de poursuivre : « parce que j'ai invoqué le nom du Seigneur ». Puis il les prend à témoin contre le peuple qu'il menace de châtiments variés, s'il viole la loi qui lui a été donnée. Du reste, le prophète Jérémie — ou plutôt Dieu par son intermédiaire — dénonça de nouveau l'impiété du peuple avant d'ajouter ces mots : « Le ciel fut frappé de stupeur à ce spectacle et la terre frissonna plus encore, dit le Seigneur. » Par la bouche du prophète, le Dieu de l'univers rappelle, une fois les faits accomplis, le souvenir des présentes paroles : « Cieux, écoutez, et terre, prête l'oreille, car le Seigneur a parlé. » Celui qui parle, dit-il, n'est pas un homme : à travers l'homme, c'est Dieu qui parle[1]. Il appelle le ciel et la terre à témoigner, non parce qu'il s'agit d'êtres animés, mais parce qu'ils embrassent toute la création visible et qu'ils subsistent très longtemps[2]. Nous relevons, du reste, que Jacob et Laban ont fait un tas de pierres et qu'ils l'ont pris à témoin : eh bien, c'est en vue de perpétuer un souvenir qu'ils ont rassemblé les pierres, puisque les pierres sont inanimées, mais le vrai témoignage, ils l'ont confié au gardien de l'univers. De la même façon, il a lui aussi appelé ces grands éléments à témoigner. Et ses actes

18, 563-564). L'emploi de διά + génitif dans des incises du type de celle que nous avons ici (1, 24) et plus encore celui du verbe χρῆσθαι insistent sur ce rôle d'intermédiaire entre Dieu et les hommes, sur cette fonction d'instrument et de serviteur.

2. C'est une raison semblable qui est donnée dans l'*In Jer.* (81, 508 A) : οὐκ ἐπειδὴ λογικὰ τὰ στοιχεῖα · ἀλλ' ὅτι ταῦτα, ὡς περιεκτικὰ τῆς κτίσεως, εἰς μαρτυρίαν μακάριος ἐκάλεσε Μωσῆς.

Καὶ ἐβεβαίωσε τοῖς ἔργοις τοὺς λόγους · ἡνίκα γὰρ Ἰουδαῖοι
40 προσήλωσαν τῷ σταυρῷ τὸν σωτῆρα, ἐκλονήθη μὲν ἡ γῆ
τῆς μαρτυρίας ἀναμιμνήσκουσα, ὁ δὲ οὐρανός, ἐπειδὴ ταύτην
τοῖς ἀνθρώποις παρέχειν τὴν αἴσθησιν οὐκ ἠδύνατο ἄνωθεν
ὤν, τὸν ἐν αὐτῷ βαδίζοντα ἥλιον ἔδειξε τῶν ἀκτίνων ἐστερημένον καὶ τὸ σκότος εἰς τὴν κατὰ τῆς ἀσεβείας μαρτυρίαν
45 ἐπήγαγεν.

Υἱοὺς ἐγέννησα καὶ ὕψωσα, αὐτοὶ δέ με ἠθέτησαν. Οὐ
γὰρ μόνον αὐτοὺς εἰς τὸ εἶναι παρήγαγον, ἀλλὰ καὶ πάσης
ἐπιμελείας ἠξίωσα καὶ περιβλέπτους διὰ τῆς παντοδαπῆς
προμηθείας ἀπέφηνα · αὐτοὶ δὲ ἀχάριστοι περὶ τὸν εὐεργέτην
50 ἐγένοντο. Εἰκότως δὲ τῆς ἀχαριστίας κατηγορῶν οὐρανὸν
καὶ γῆν εἰς μέσον καλεῖ · διὰ τούτων γὰρ τὰς παντοδαπὰς
εὐεργεσίας ἐτρύγησαν. Οὐρανὸς μὲν γὰρ αὐτοῖς ἄνωθεν
ἐχορήγησε τὴν τοῦ μάννα τροφήν · « Ἐνετείλατο » γάρ
φησι « νεφέλαις ὑπεράνωθεν καὶ θύρας οὐρανοῦ ἀνέῳξε
55 καὶ ἔβρεξεν ἐπ' αὐτοὺς μάννα φαγεῖν καὶ ἄρτον οὐρανοῦ
ἔδωκεν αὐτοῖς. » Ἡ δὲ γῆ ἤνεγκε μὲν αὐτοῖς ἐν τῇ ἐρήμῳ
τῶν ὑδάτων τὴν (χρείαν), προσήνεγκε δὲ ἐν Παλαιστίνῃ
τῶν παντοδαπῶν καρπῶν τὴν ἀφθονίαν. Μετέλαβον δὲ καὶ
τοῦ τῆς υἱ{οθεσ}ίας ἀξιώματος πρῶτοι · οὗ δὴ χάριν καὶ
60 πρωτότοκον υἱὸν αὐτὸν προσηγόρευσεν · « Υἱὸς » γάρ
φησι « πρωτό{τοκός μου Ἰσραήλ}. » Ἀλλ' ὅμως οὐδὲν
αὐτοὺς ἔπεισε λαβεῖν εὐγνώμονα γνώμην.

Διὸ δὴ καὶ τοῖς (ἀλόγοις) συγκρίν(ων αὐτοὺς ἀπο)φα(ίνει)
τούτων ἀλογωτέρους · [3] **Ἔγνω** γάρ φησι **βοῦς τὸν κτησά-**

C : 46-49 οὐ — ἀπέφηνα

N : 46-62 οὐ — γνώμην || 63-76 διὸ — κυρίου (64-66 ἔγνω — συνῆκεν>)

46-47 οὐ γὰρ KC : εἰ γὰρ καὶ οὐ N || 48 παντοδαπῆς KC : πολλῆς N || 49 αὐτοὶ δὲ K : ἀλλ' αὐτοὶ N || 55 ἐπ' αὐτοὺς K : αὐτοῖς N || 58 τῶν K : > N || τὴν ἀφθονίαν K : τὰς ἀφθονίας N || 63 διὸ δὴ καὶ K : διὰ τὴν ἀγνωμοσύνην αὐτῶν καὶ ἀχαριστίαν N || αὐτοὺς KN : > R

39-45 cf. Matth. 27, 45-51 ; Mc 15, 33 ; Lc 23, 44 53 Ps. 77, 23-24. 60 Ex. 4, 22

ont confirmé ses paroles : lorsque les Juifs clouèrent sur la croix le Sauveur, la terre fut ébranlée pour rappeler son rôle de témoin, et le ciel, incapable de donner aux hommes cette sensation en raison de sa position élevée, montra le soleil qui le parcourt privé de ses rayons et produisit les ténèbres pour témoigner contre leur impiété.

Ingratitude et stupidité du peuple

J'ai engendré et fait grandir des fils, mais eux se sont révoltés contre moi. Je ne les ai pas seulement amenés à l'existence, je les ai encore jugés dignes de toutes espèces de soins et rendus illustres grâce à toutes sortes d'égards ; mais eux, ils sont devenus ingrats envers leur bienfaiteur[1]. Or, il est naturel qu'en les accusant d'ingratitude il mette en avant le ciel et la terre, puisqu'ils leur doivent d'avoir récolté toutes sortes de bienfaits. Le ciel leur a procuré d'en haut la nourriture de la manne : « Il a donné ordre, dit-il, aux nuées d'en haut, il a ouvert à deux battants les portes du ciel, il a fait pleuvoir sur eux la manne pour leur nourriture et il leur a donné le pain du ciel. » La terre leur a fourni, dans le désert, l'eau à suffisance ; en Palestine, elle leur a offert toutes sortes de fruits en abondance. Ils ont même eu part les premiers à la dignité de fils adoptifs ; c'est pourquoi il a également donné au peuple le nom de fils premier-né : « Mon fils premier-né, dit-il, c'est Israël. » Néanmoins, il n'est pas parvenu à les persuader d'adopter un esprit de reconnaissance.

Voilà pourquoi il va jusqu'à les comparer à des êtres privés de sens pour montrer qu'ils sont encore plus insensés que ces derniers : 3. *Le bœuf*, dit-il, *connaît son possesseur*

1. Le thème de l'ingratitude (ἀχαριστία) et plus loin (*In Is.*, 1, 63-64) celui de la stupidité (ἀλογία) sont deux lieux communs de la polémique anti-juive (cf. Introd., ch. IV, p. 81).

65 **μενον καὶ ὄνος τὴν φάτνην τοῦ κυρίου αὐτοῦ· Ἰσραὴλ δέ με οὐκ ἔγνω, καὶ ὁ λαός με οὐ συνῆκεν.** Λόγου γὰρ ἐστερημένα ταῦτα καὶ νοῦ τὸν (τρο)φέα γινώσκει καὶ τῆς ἐπιμελείας μεταλαγχάνοντα εὐγνωμόνως περὶ τὸν ταύτης διάκειται χορηγόν, καὶ οἶδε μὲν τὸν βοηλάτην ὁ βοῦς, εἴκει δὲ τῇ
70 τούτου φωνῇ, τρέχει δὲ εἰς τὴν συνήθη φάτνην ὁ ὄνος· οὗτοι δὲ πηγὴν ἀγαθῶν ἐξαντλοῦντες {οὐκ ἠ}θέλησαν ἐπιγνῶναι τῶνδε τῶν ναμάτων τὸν χορηγόν. Οὕτω καὶ διὰ Ἱερεμίου πτηνοῖς αὐτοὺς συ(γκρί)νει καὶ τούτων ἀλογωτέρους ἀποφαίνει· « Τρυγὼν » γάρ φησι « καὶ τέττιξ
75 καὶ χελιδὼν ἔ(γνωσ)αν καιροὺς εἰσόδου αὐτῶν, ὁ δὲ λαός μου οὐκ ἔγνω τὰ κρίματα κυρίου. » Ἐγὼ δὲ θαυμάζω τοῦ φιλανθρώπου δεσπότου [τὴν ἀγαθότητα]· οὐ γὰρ ἁπλῶς λαὸν ἀλλὰ μετὰ τῆς ἀντωνυμίας καλεῖ. Καὶ ὁ μὲν ἀχάριστος λαὸς οὐ λέγει· ὁ θεός μου, [ὁ δὲ φιλ]άνθρωπος θεὸς λέγει·
80 ὁ λαός μου.

Καὶ τὰ ἐπαγόμενα δὲ τὸν ἄρρη(τον) αὐτοῦ δείκνυσιν ἔλεον· θρήνους γὰρ ὑφαίνει {τοῖς σωθῆναι} μὴ βουληθεῖσιν· τῶν δὲ φιλούντων ἀλλ' οὐ τῶν μισούντων οἱ θρῆνοι. 4 **Οὐαὶ (ἔθνος ἁμαρτωλόν), λαὸς πλήρης ἀνομίας ὤν, σπέρμα**
85 **πονηρόν, υἱοὶ ἄνομοι· ἐγκατ(ελίπετ)ε τὸν κύριον καὶ (παρωργίσατε) τὸν ἅγιον τοῦ Ἰσραήλ.** Τοῦτο δὲ σαφέστερον ὁ Σύμμαχος (ἡρμήνευσεν)· « Κατέλιπον τὸν κύριον, {διέσυρον

C : 66-69 λόγου — χορηγόν

N . 81-100 τὰ — εὐγένειαν (84-86 οὐαὶ — Ἰσραήλ >)

68 εὐγνωμόνως N : δὲ (?) K > C || 81 τὰ — δὲ K : ταῦτα N || ἄρρητον K : ἄφατον N

74 Jér. 8, 7

1. Sur l'utilisation de cette métaphore et sa signification, cf. *supra*, p. 141, n. 1.

2. La remarque de Théodoret concerne, en réalité, le texte de Jérémie cité à l'appui du commentaire et non celui d'Isaïe qui porte ὁ λαός et non ὁ λαός μου. Sur le rôle de la grammaire dans l'exégèse de Théodoret, cf. Introd., ch. III, p. 58 s.

et l'âne la crèche de son maître; mais Israël ne me connaît pas et ce peuple ne me comprend pas. Ces animaux, privés de sens et de raison, connaissent l'homme qui les nourrit et, parce qu'ils bénéficient de ses soins, ils ont à l'égard de celui qui les dispense une attitude de reconnaissance : le bœuf connaît son bouvier, il accourt au son de sa voix, et l'âne se hâte vers sa crèche habituelle ; mais les Juifs, qui épuisaient la source des biens, n'ont pas voulu reconnaître le dispensateur de ces ruisseaux[1]. De même, par l'intermédiaire encore de Jérémie, il les compare à des volatiles pour montrer qu'ils sont encore plus insensés que ces derniers : « La tourterelle, dit-il, la cigale et l'hirondelle connaissent le temps de leur migration, mais mon peuple ne connaît pas la loi du Seigneur. » Pour ma part, je m'étonne de la bonté du Maître d'amour : il ne l'appelle pas simplement « peuple », mais il utilise le pronom possessif. Et, tandis que le peuple ingrat ne dit pas « mon Dieu », le Dieu d'amour dit « mon peuple[2] ».

Du reste, la suite du passage prouve aussi son inexprimable pitié : il compose, en effet, des lamentations pour ceux qui refusent le salut ; or, les lamentations sont le fait de ceux qui aiment, non de ceux qui haïssent[3]. 4. *Ah! nation pécheresse, peuple rempli d'iniquité, race perverse, fils iniques! Vous avez abandonné le Seigneur et vous avez irrité le Saint d'Israël.* Symmaque a traduit plus clairement ce passage[4] : « Ils ont abandonné le Seigneur, ils décriaient

3. Cf. *In Jer.*, 81, 780 D : ὁ μὲν θρῆνος συμπαθείας καὶ φιλοστοργίας σημεῖον.

4. Symmaque est, avec Aquila et Théodotion, un des trois traducteurs de la Bible en langue grecque ; Théodoret confronte fréquemment leurs versions à la version lucianique qu'il commente (cf. Introd., ch. II, p. 45 s.) ; sa préférence semble aller à Symmaque (*id.*, p. 53) dont il souligne volontiers, comme ici, la clarté (σαφέστερον). Le recours à la version de Symmaque est ici particulièrement intéressant, puisqu'il permet à Théodoret de donner à la prophétie une portée messianique que n'imposait pas le texte lucianique.

τὸν ἅγι⟩ον. » Οὐ γὰρ μόνον καταλιπόντες τὸν ποιητὴν τοῖς εἰδώ(λοις τὴν τοῦ θεοῦ) θεραπείαν προσήνεγκαν,
90 ⟨ἀλλὰ καὶ ἐνανθρωπήσ⟩αντα καὶ τὴν πάντων ἀνθρώπων πραγματευόμενον σωτηρίαν ⟨διέσυρον⟩ ἐπιτωθάζοντες καὶ ⟨ποτὲ μὲν πλάνον καὶ δαιμονῶν⟩τα ποτὲ δὲ Σαμαρίτην καλοῦντες, ποτὲ δὲ κωμῳδοῦντες ἔλεγον · « Οὐὰ |97 a| (ὁ καταλύ)ων τὸν ναὸν καὶ ἐν τρισὶν ἡμέραις ἐγείρων αὐτόν,
95 κατάβηθι ἀπὸ τοῦ σταυροῦ. » Σπέρμα δὲ αὐτοὺς πονηρὸν ⟨ὀνομάζ⟩ει οὐ τοὺς προγόνους ὑβρίζων, ἀλλὰ τὴν τούτων πονηρίαν ἐλέγχων. Οὕτω καὶ ὁ βαπτι(στὴς Ἰωάνν)ης γεννήματα ἐχιδνῶν αὐτοὺς ἀπεκάλει, ὁ δὲ κύριος γενεὰν πονηρὰν καὶ μοιχαλίδα. Οὐδὲ γὰρ ἐφύλα(ξαν⟩ τὴν τῶν
100 προγόνων εὐγένειαν.

Εἶτα μιμεῖταί τινα κατά τινος χαλεπαίνοντα καὶ ποτὲ μὲν πρὸς ἐκεῖνον ποτὲ δὲ πρὸς ἑαυτὸν διαλεγόμενον καὶ ἐπάγει · **Ἀπηλλοτριώθησαν εἰς τὰ ὀπίσω.** Τουτέστιν · ἐμὲ καταλιπόντες πρὸς τοὺς ἐναντίους ἐχώρησαν. Τοῦτο γὰρ
105 καὶ ἀλλαχοῦ φησιν · « Ἔδωκαν ἐπ' ἐμὲ νῶτα καὶ οὐ πρόσωπα αὐτῶν. »

5 **Τί ἔτι πληγῆτε προστιθέντες ἀνομίαν ; Πᾶσα κεφαλὴ εἰς πόνον καὶ πᾶσα καρδία εἰς λύπην · 6 ἀπὸ ποδῶν ἕως κεφαλῆς οὐκ ἔστιν ἐν αὐτῷ ὁλοκληρία.** Κεφαλὴν καλεῖ τοὺς
110 βασιλέας καὶ ἄρχοντας, καρδίαν δὲ τοὺς ἱερέας καὶ διδασκάλους. Ὅπερ γάρ ἐστι σώματι καρδία, τοῦτο ἱερεῖς καὶ διδάσκαλοι τῷ λαῷ · καὶ ὅπερ ἐστὶ κεφαλὴ σώματι, τοῦτο βασιλεῖς καὶ ἄρχοντες τοῖς ὑπηκόοις. Ὀλοφύρεται τοίνυν

C : C[90] mg. : 103-106 τουτέστιν — αὐτῶν || 109-114 κεφαλὴν — ἀναλγησίαν

N : 101-106 μιμεῖται — αὐτῶν || 109-113 κεφαλὴν — ὑπηκόοις || 113-118 ὀλοφύρεται — σωτηρίαν

110 βασιλέας ... ἱερέας C : βασιλεῖς ... ἱερεῖς KN || 113 τοίνυν KC : > N

92 cf. Matth. 27, 63 ; Jn 8, 48 93 Mc 15, 29-30 ; Matth. 27, 40 ; Jn 2, 19 97-98 cf. Matth. 3, 7 ; Lc 3, 7 98-99 cf. Matth. 12, 39 ; 16, 4 105 Jér. 2, 27

son Saint. » De fait, non contents d'avoir abandonné le Créateur pour adresser à des idoles le culte réservé à Dieu[1], ils décriaient et tournaient en dérision celui qui s'est incarné pour accomplir le salut de toute l'humanité ; tantôt ils l'appelaient charlatan et possédé du démon, tantôt Samaritain ; tantôt encore ils le raillaient en disant : « Hé ! toi qui détruis le Temple et le reconstruis en trois jours, descends de la croix. » Quand il les nomme « race perverse », ce n'est pas pour injurier leurs ancêtres, mais pour dénoncer leur propre perversité. De même, Jean-Baptiste les traite d'engeance de vipères, et le Seigneur, de génération malfaisante et adultère. Car ils n'ont pas conservé les vertueuses dispositions de leurs ancêtres.

Puis il imite le comportement d'un homme irrité contre autrui qui s'adresse tour à tour à ce dernier et à lui-même ; il ajoute : *Ils se sont détachés de moi pour aller en arrière.* C'est-à-dire : ils m'ont abandonné pour courir vers mes ennemis[2]. Il reprend, en effet, cette idée en un autre passage : « Ils m'ont présenté leur dos et non leur visage. »

Le châtiment de Juda

5. *Où vous frapper encore, vous qui accumulez l'iniquité? C'est toute la tête qui est malade et tout le coeur qui est languissant ;* 6. *depuis les pieds jusqu'à la tête il n'y a pas en lui de partie saine.* Il appelle « tête » les rois et les chefs et « cœur » les prêtres et les docteurs. Car, ce que le cœur est pour le corps, les prêtres et les docteurs le sont pour le peuple ; et, ce que la tête est pour le corps, les rois et les chefs le sont pour leurs sujets[3]. Il déplore donc leur insensi-

1. Le reproche d'idolâtrie adressé aux Juifs est encore un lieu commun de la polémique anti-juive présent dans tous les commentaires de Théodoret.

2. C'est-à-dire « vers les idoles » comme cela ressort plus nettement du commentaire de *Jérémie* 2, 27 (*In Jer.*, 81, 513 A).

3. Cf. l'interprétation de CYRILLE (70, 21 D - 24 A) selon qui « tête » désigne le roi, « cœur » la tribu sainte et choisie de Lévi et « pieds » ceux qui occupent les derniers degrés dans l'échelle sociale.

αὐτῶν τὴν ἀναλγησίαν· ποίαν γὰρ ἔτι φησὶν ἐπαγάγω
115 τιμωρίαν ; Πολλὰς ἐπήγαγον καὶ παντοδαπάς, καὶ μεμενή-
κατε νοσοῦντες ἀνίατα· τὴν γὰρ νόσον ὅλα τὰ μέλη περί-
κειται, καὶ κεφαλὴ καὶ καρδία καὶ πόδες· οὗ δὴ χάριν
ἀπαγορεύω τὴν σωτηρίαν. **Οὔτε γὰρ τραῦμα οὔτε μώλωψ
οὔτε πληγὴ φλεγμαίν(ουσα), οὐκ ἔστι μάλαγμα ἐπιθεῖναι
120 οὔτε ἔλαιον οὔτε καταδέσμους.** Σαφέστερον δὲ ταῦτα ὁ
(Σύμμ)αχος τέθεικεν· « Οὐκ ἔστιν ἐν αὐτῷ ὑγιές, ἀλλὰ
τραῦμα καὶ μώλωψ καὶ πληγὴ κρούματος οὔτε σφι(γγομέν)η
οὔτε ἁπαλυνομένη ἐλαίῳ. » Νικᾷ φησι τὴν τῶν φαρμάκων
ἰσχὺν ἡ τῶν τραυμάτων ὑπερβολή.
125 Καὶ ἐπειδὴ ἤρετο· Τί ἔτι πληγῆτε προστιθέντες ἀνομίας ;
εἰκότως καταλέγει τὰ εἴδη τῆς τιμωρίας· 7 **Ἡ γῆ ὑμῶν
ἔρημος, αἱ πόλεις ὑμῶν πυρίκαυστοι· τὴν χώραν ὑμῶν
ἐνώπιον ὑμῶν ἀλλότριοι κατεσθίουσιν αὐτήν, καὶ ἠρήμωται
κατεστραμμένη ὑπὸ λαῶν ἀλλοτρίων.** Τούτων ὑμῖν τῶν
130 κακῶν ἐπήγαγον τὸν κατάλογον, καὶ καταμαθεῖν τὴν τούτων
αἰτίαν οὐ βούλεσθε. Ταῦτα δὲ συνέβη μὲν αὐτοῖς καὶ ἡνίκα
Ναβουχοδονόσορ αὐτοῖς ὁ τῶν Βαβυλωνίων ἐπεστράτευσε
βασιλεύς· τὸν ἔσχατον δὲ αὐτοῖς ὄλεθρον μετὰ τὸν σωτήριον
σταυρὸν οἱ Ῥωμαίων ἐπήνεγκαν βασιλεῖς. Καὶ ὁρῶμεν
135 μέχρι καὶ τήμερον ἀλλόφυλα ἔθνη καὶ τὰς πόλεις αὐτῶν
οἰκοῦντα καὶ τὴν γῆν νεμόμενα.

N : 120-124 σαφέστερον — ὑπερβολή || 125-136 ἐπειδὴ — νεμόμενα (127-129 αἱ — ἀλλοτρίων : καὶ τὰ ἑξῆς)

114 αὐτῶν / τὴν ἀναλγησίαν KC : ∾ N || 122 κρούματος K : κρούσματος N || 123 φησι KR : γὰρ N || 126 τιμωρίας K : +καί φησι N || 129 ὑμῖν K : +φησι N || 135 καὶ² KE : > N

1. L'expédition de Nabuchodonosor contre Jérusalem, la déportation et la ruine du Temple (période de 598 à 587) sont présentées par Théodoret comme une préfiguration de ce qui devait s'accomplir de façon définitive avec Titus, puis avec Hadrien à l'époque romaine. La prise de Jérusalem par Titus (70) ouvre pour les Juifs l'ère de

bilité à la douleur : quel châtiment infliger encore, dit-il ? J'ai infligé foule de châtiments divers et vous avez continué à souffrir de maux incurables ; la maladie s'est emparée de tous vos membres : tête, cœur et pieds ; c'est pourquoi, je renonce à vous sauver. Car *blessures, contusions, plaies enflammées ne supportent pas l'application de pansement, d'huile ou de bandages*. Symmaque a rendu plus clairement ce passage : « Aucun point du corps n'est sain ; tout y est blessures, contusions et plaies résultant des coups : elles ne se ferment pas et l'huile ne les adoucit pas. » L'ampleur démesurée des blessures, dit-il, triomphe de l'efficacité des remèdes.

Et, puisqu'il a posé la question : « Où vous frapper encore, vous qui accumulez les iniquités ? », il énumère à juste titre les formes qu'a revêtues le châtiment : 7. *Votre terre est déserte, vos villes incendiées ; votre pays, sous vos yeux, des étrangers le dévorent : il est transformé en désert depuis que des peuples étrangers l'ont bouleversé*. Telle est la somme de malheurs que je vous ai infligée et vous ne voulez pas en comprendre la cause. Or, ces malheurs leur sont déjà arrivés à l'époque où le roi de Babylone, Nabuchodonosor, a fait campagne contre eux ; mais la ruine finale, ce sont les empereurs de Rome qui, après la crucifixion du Sauveur, la leur ont apportée. Et nous voyons aujourd'hui encore des nations étrangères habiter leurs cités et occuper leur terre[1].

la « diaspora », tandis que dans la Judée devenue province impériale sont installées des colonies romaines (Césarée). Après la victoire d'Hadrien en 134 et la transformation de la Judée en province de Syro-Palestine, les Juifs se verront même interdire Jérusalem transformée à son tour en colonie romaine. C'est à des faits de cette nature que fait allusion Théodoret en parlant des « nations étrangères » qui habitent les cités juives.

Ταῦτα περὶ τῆς Ἰουδαίας εἰπὼν προλέγει καὶ τὴν τῆς πόλεως ἐρημίαν · [8] **Ἐγκαταλειφθήσεται ἡ θυγάτηρ Σιὼν ὡς σ(κη)νὴ ἐν ἀμπελῶνι καὶ ὡς ὀπωροφυλάκιον ἐν σικυ-**
140 **ηλάτῳ, ὡς πόλις πολιορκουμένη.** Θυγατέρα Σιὼν τὴν Ἱερουσαλὴμ ὀνομάζει. Ὥσπερ γὰρ υἱοὺς ἀνθρώπων τοὺς ἀνθρώπους καλεῖ καὶ υἱοὺς προφητῶν τοὺς προφ(ήτας), οὕτω καὶ θυγατέρα Ἱερουσαλὴμ καὶ θυγατέρα Σιὼν τὴν αὐτὴν προσαγο(ρεύ)ει. Αὕτη ἤνθει μὲν πάλαι, (ἡνίκα) ὁ
145 ἀμπελὼν τὸν ὥριμον εἶχε καρπόν · ἐκείνου δὲ τρυγηθέντος μεμένη(κεν ἔρη)μος ὡς ἀμπελῶνος σκηνή. Καὶ γὰρ οἱ φυτουργοὶ περιφράττουσι μὲν αἱμασιαῖς (καὶ) φραγμοῖς τὰς ἀμ(πέλους, ὅταν) βρίθωσι τῷ καρπῷ, καὶ σκηνὰς ὑψηλὰς πηγνύντες ἐν ἐκείναις κάθηνται φυλάττοντες τὸ(ν
150 καρπόν) · ὅταν δὲ τοῦτον συλλέξωσι, καταλύουσι μὲν τὴν σκηνήν, ἀφύλακτον δὲ τὴν ἄμπελον καταλείπουσιν. Οὕτω καὶ τοῦ Ἰσραὴλ ὁ ἀμπελών, ἕως μὲν εἶχε τὴν ἐπηγγελμένην τοῖς ἔθνεσιν εὐλογίαν, πάσης ἐπιμελεί(ας ἐτύγ)χανεν · ἐκείνης δὲ τρυγηθείσης καὶ τῶν εἰς ἐκείνην πεπιστευκότων
155 ὑπ' αὐτῆς ἐκλεγέντων ἀπε(στερήθη μὲν) τοῦ φραγμοῦ, ἀπεστερήθη δὲ τοῦ ναοῦ, μεμένηκε δὲ ὁ περίβλεπτος οἶκος οἷον ὁρῶσιν οἱ αὐτ(όσε παραγινόμενοι).

C : 140-144 θυγατέρα — προσαγορεύει

N : 137-157 ταῦτα — παραγινόμενοι (138-140 ἐγκαταλειφθήσεται — πολιορκουμένη >)

137 ταῦτα K : τὰ λεχθέντα N || 141 ὀνομάζει KCE : ὀνομάζων N || 146 ὡς NE : καὶ K || 155 ὑπ' KN : ἀπ' Po. || 157 παραγινόμενοι N : παραγενόμενοι E

---

1. L'introduction de ces subdivisions dans le texte prophétique découle naturellement de la distinction initiale entre le territoire de Juda et la capitale, Jérusalem (1, 11-12).

2. Il s'agit de faits de langue propre à l'hébreu, d'« idiomes », que signale déjà Théodoret dans l'*In Dan.* (81, 1509 BC) et qui dénotent sa connaissance de l'hébreu. Cf. aussi *Quaest. in IV Reg.*, interr. VI, 80, 748 BC, où Théodoret déclare que l'expression « fils des prophètes » pour dire « prophètes » est un « idiome » commun à l'hébreu et au syriaque. Comparer avec Chrysostome dont l'explication est seulement

Le châtiment de Jérusalem

Voilà ce qu'il a dit au sujet de Juda, avant de prédire également la désolation de sa cité[1] : 8. *La fille de Sion sera abandonnée comme une hutte dans un vignoble et comme une cabane dans une melonnière, comme une ville assiégée.* C'est Jérusalem qu'il nomme « fille de Sion ». Car, tout comme il appelle « fils des hommes » les hommes et « fils des prophètes » les prophètes, il donne à la même cité le nom de « fille de Jérusalem » et de « fille de Sion »[2]. Elle était autrefois florissante, lorsque le vignoble portait du fruit en sa saison ; mais, après la vendange, elle est restée déserte comme une hutte dans un vignoble. De fait, les cultivateurs entourent les vignes d'une enceinte de pierres sèches et de pieux, au moment où elles sont chargées de fruits ; ils dressent des huttes élevées où ils s'installent pour veiller sur la récolte ; mais, lorsqu'ils l'ont recueillie, ils détruisent la hutte et laissent en partant la vigne sans surveillance[3]. C'est ainsi que le vignoble d'Israël, tant qu'il possédait la Bénédiction promise aux Nations, bénéficiait de toutes sortes de soins ; mais, lorsque la Bénédiction eut été vendangée et que ceux qui avaient cru en elle eurent été prélevés par ses soins, il fut privé de son enceinte, privé de son Temple et l'illustre Maison est restée telle que la voient les visiteurs[4].

géographique : c'est parce que Jérusalem est située au pied du mont Sion (διὰ τὸ ὑποκεῖσθαι τῷ ὄρει) qu'elle est appelée « fille de Sion » (56, 17-18, l. 1).

3. L'emploi du présent dans ce passage atteste la permanence à l'époque de Théodoret d'une coutume qui a survécu, du reste, jusqu'à nos jours.

4. Sur le thème du transfert des Promesses et son rôle dans la polémique anti-juive, cf. Introd., ch. IV, p. 83. Par « ceux qui avaient cru en elle », Théodoret désigne les Juifs croyants qui doivent leur salut à la foi accordée aux paroles du Christ (cf. *infra*, 1, 163.174-175). Ce passage, comme le suivant, est naturellement à entendre de la prise de Jérusalem par Titus en 70 (prise des enceintes successives et incendie du Temple). Enfin, la contemplation des ruines du Temple

[9]**Καὶ εἰ μὴ κύριος Σαβαὼθ ἐγκατέλιπεν ἡμῖν σπέρμα, ὡς Σόδομα ἂν ἐγενήθημεν καὶ ὡς Γόμ(ορρα ἂν ὡ)μοιώθημεν.**
160 Ὅτε τὰ Σόδομα καὶ τὰ (Γόμορ)ρα πυρὶ παρέδωκεν ὁ θεός, οὐδεὶς διεσώθη τῶν (οἰκητόρων · μόνος) δὲ Λὼτ οὐκ ἐκοινώνησε τῆς φθορᾶς, οὐδεμίαν ἔχων πρὸς ἐκείνους συγγένειαν. Ἐκ δὲ τοῦ Ἰσραὴλ πολλαὶ (διεσώθησαν μυριάδες), ἡνίκα οἱ Ῥωμαίων στρατηγοί τε καὶ βασιλεῖς ἐπιστρα-
165 τεύσαντες καὶ τὰς πόλεις ἐνέπρη(σαν καὶ τῶν ἐνοικούντων) τοὺς μὲν πλείστους (κατηκ)όντισαν, τοὺς δὲ ὑπολειφθέντας ἐξηνδραπόδισαν. Προείρη(κε γὰρ τοῖς ἱεροῖς ἀποστόλοις) ὁ κύριος καὶ τοῖς δι' (ἐκείνων) πεπιστευκόσι τὰ συμβησόμενα καὶ παρ(ηγγύησε φειδοῖ τὴν σωτηρίαν καρπώσασθαι) ·
170 « Ὅταν » γάρ φ(ησιν « ἴδητε κυ)κλουμένην ὑπὸ στρατοπέδων τὴν Ἱερουσαλήμ, (γινώσκετε ὅτι ἤγγικεν ἡ ἐρήμωσις αὐτῆς) », καὶ πάλιν · « Τότε οἱ ἐν τῇ Ἰουδαίᾳ φευγέτωσαν εἰς τὰ (ὄρη, καὶ) ὁ ἐπὶ το(ῦ δώματος μὴ καταβήτω) |97 b| ἆραι τὰ ἐκ τῆς οἰκίας αὐτοῦ. » Οἱ τοίνυν εἰς τὸν κύριον
175 πεπιστευκότες διὰ τῆς πίστεως τῆς σωτηρίας ἀπέλαυσαν · (καὶ) (τὸ σπ)έρμα ἐκεῖνο, δι' οὗ τοῖς ἔθνεσι τὴν εὐλογίαν ὁ θεὸς ἐπηγγείλατο, οὐκ εἴασε Σοδόμοις καὶ Γο(μόρροι)ς παραπλησίως τῶν Ἰουδαίων ἐξαλειφθῆναι τὴν μνήμην.

[10]**Ἀκούσατε λόγον κυρίου ἄρχοντες Σο(δόμ)ων, προσέχετε**
180 **νόμον θεοῦ λαὸς Γομόρρας.** Τὴν μὲν τιμωρίαν Σοδομίταις

C : 174-178 οἱ — μνήμην

N : 160-178 ὅτε — μνήμην || 180-196 τὴν — δέξασθαι

160-178 ὅτε — αὐτοῦ (174) / οἱ — μνήμην K : ∾ N || 160 ὅτε K : +μὲν γὰρ N || 170 ὑπὸ K : +τῶν N || 174 τὰ K : τι N || 175 ἀπέλαυσαν KN[451] : ἀπήλαυσαν CN[384]R || 180 μὲν K : +οὖν N

170 Lc 21, 20 172 Matth. 24, 16-17

---

par Théodoret, l'un de ces « visiteurs » de Jérusalem, n'a pu que renforcer en lui l'idée que Dieu s'était détourné de son peuple (cf. *Thérap.* XI, 71). Eusèbe (*GCS* 7, 11-12) assimile plus nettement encore que Théodoret la cabane (σκηνή) au Temple de Jérusalem.

1. Le passage est assez imprécis pour que l'on puisse penser aussi

9. *Si le Seigneur Sabaoth ne nous avait pas laissé une descendance, nous serions devenus comme Sodome et nous aurions ressemblé à Gomorrhe.* Lorsque Dieu livra au feu Sodome et Gomorrhe, aucun de leurs habitants ne fut sauvé ; Loth seul échappa à la ruine commune, parce qu'il n'avait aucun lien de parenté avec eux. En revanche, plusieurs milliers d'habitants d'Israël trouvèrent le salut, lorsque les généraux et les empereurs de Rome, au terme de la campagne menée contre eux, incendièrent les villes, tuèrent à coups de javelots la plupart de leurs habitants et réduisirent en esclavage les survivants[1]. Car le Seigneur a prédit aux saints apôtres et à ceux qui leur doivent d'avoir eu la foi ce qui devait arriver et, dans sa bienveillance, il leur a recommandé de se procurer le salut : « Lorsque vous verrez, dit-il, Jérusalem investie par des armées, sachez que sa désolation est proche » ; et encore : « Alors, que ceux qui seront en Judée s'enfuient sur les montagnes et que celui qui sera sur la terrasse ne descende pas pour prendre ce qui est dans sa maison. » Ceux donc qui ont cru dans le Seigneur doivent à leur foi d'avoir joui du salut ; et cette descendance dont s'est servi Dieu pour annoncer la Bénédiction aux Nations a empêché que les Juifs, de manière presque identique à Sodome et à Gomorrhe, ne fussent effacés du souvenir.

10. *Écoutez la parole du Seigneur, chefs de Sodome, prêtez l'oreille à la loi de Dieu, peuple de Gomorrhe.* Ils n'ont pas subi un châtiment aussi lourd que celui de Sodome,

bien aux campagnes de Vespasien et de Titus qu'à celle d'Hadrien. Il faut sans doute entendre en un sens assez large l'expression « les généraux et les empereurs de Rome ». Vespasien n'était que général quand il mena la campagne de Judée et Titus n'était pas encore empereur quand il prit Jérusalem ; mais tous deux devinrent empereurs. Quant à la révolte juive de 132, elle a d'abord été réprimée par les légats Tinéius Rufus, Publicius Marcellus et Julius Sévérus avant l'intervention personnelle d'Hadrien. Incendies, massacres, réduction en servitude et déportation appartiennent en fait autant à l'époque de Titus qu'à celle d'Hadrien.

ἀντίρροπον οὐκ ἐδέξαντο, οὐ γὰρ εἴασε τὸ σπέρμα ἐκεῖνο, τὰς δὲ Σοδομιτῶν καὶ Γομορρηνῶν εἰκότως προσηγορίας λαμβάνουσιν. Ἐπειδὴ γὰρ μέγα ἐφρόνουν ἐπὶ τῇ ῥίζῃ τοῦ Ἀβραάμ, τὴν δὲ τοῦ Ἀβραὰμ οὐκ ἐζήλωσαν πίστιν, τῆς
185 τοῦ Ἀβραὰμ συγγενείας ἐνδίκως ἐκβάλλονται. Οὕτω καὶ ὁ θεσπέσιος Ἰωάννης ὁ βαπτιστὴς βοᾷ · « Γεννήματα ἐχιδνῶν, τίς ὑπέδειξεν ὑμῖν φυγεῖν ἀπὸ τῆς μελλούσης ὀργῆς ; Ποιήσατε οὖν καρποὺς ἀξίους τῆς μετανοίας καὶ μὴ δόξητε λέγειν ἐν ἑαυτοῖς ὅτι πατέρα ἔχομεν τὸν Ἀβραάμ · ἀμὴν
190 γὰρ λέγω ὑμῖν ὅτι δύναται ὁ θεὸς ἐκ τῶν λίθων τούτων ἐγεῖραι τέκνα τῷ Ἀβραάμ. » Καὶ τῷ προφήτῃ Ἰεζεκιὴλ ὁ θεὸς παρεγγυᾷ εἰπεῖν « τῇ Ἱερουσαλὴμ · Τὸ σπέρμα σου καὶ ἡ γένεσίς σου ἐκ γῆς Χαναάν · ὁ πατήρ σου Ἀμορραῖος καὶ ἡ μήτηρ σου Χετταία » · καὶ τὰ Σόδομα δὲ πάλιν
195 ἀδελφὴν αὐτῆς ὀνομάζει. Ὧν γὰρ τὴν παρανομίαν ἐζήλωσαν, τούτων τὴν προσηγορίαν εἰσὶ δίκαιοι δέξασθαι.

11 **Τί μοι πλῆθος τῶν θυσιῶν ὑμῶν ; λέγει κύριος.** Ἐντεῦθεν μανθάνομεν ἐναργῶς ὡς οὐ θυσίαις ἀρεσκόμενος ὁ θεὸς

C : 197-205 ἐντεῦθεν — ψυχαγωγῶν

N : 197-206 ἐντεῦθεν — λατρείαν

182 εἰκότως προσηγορίας K : ∾ N || 185 οὕτω N : οὕτως K || 187 ὑπέδειξεν ὑμῖν K : ∾ N || 193 γῆς KR : τῆς N || 197 ἐντεῦθεν KC : +τοίνυν N

186 Matth. 3, 7-9 191-195 cf. Éz. 16, 3.46

1. Ce rappel partiel du texte d'Ézéchiel (16, 46 : « Ta sœur cadette, celle qui habite à ta gauche, c'est Sodome avec ses filles ») permet à Théodoret de mettre un terme à sa démonstration en apportant la preuve que le texte d'Isaïe, « chefs de Sodome, peuple de Gomorrhe », est à entendre en un sens figuré comme celui d'Ézéchiel qui vise une parenté spirituelle (*In Ez.*, 81, 949 B : τὴν γὰρ τῆς ἀσεβείας κοινωνίαν συγγένειαν προσηγόρευσε) ; sur ce dernier point, voir la note suivante.

2. Tout ce développement est encore un « topos » de la polémique anti-juive. On le trouve dès la préface de l'*In Cant.*, 81, 37 A-C (avec citations d'*Éz.* 16, 3, de *Lc* 3, 7 ou *Matth.* 3, 7-9 et de *Jn* 8, 44) et dans l'*In Ez.*, 81, 929 D, 932 AB (avec citations de *Jn* 8, 33, *Lc* 3, 7-8

puisque cette descendance l'a empêché, mais ils reçoivent à juste raison le titre d'habitants de Sodome et de Gomorrhe. Puisqu'en effet ils tiraient grande vanité de leur appartenance à la souche d'Abraham, sans vouloir toutefois imiter la foi d'Abraham, il est juste qu'ils soient rejetés de la parenté d'Abraham. De la même manière, Jean-Baptiste l'inspiré clame à son tour : « Engeance de vipères, qui vous a suggéré de vous soustraire à la colère prochaine? Produisez donc des fruits qui soient dignes du repentir et ne vous avisez pas de dire en vous-mêmes : ' Nous avons pour père Abraham '. Car en vérité, je vous le dis, Dieu peut, des pierres que voici, faire surgir des enfants à Abraham. » Dieu prescrit également au prophète Ézéchiel de dire « à Jérusalem : Par ton origine et par ta naissance tu es du pays de Canaan ; ton père était amorite et ta mère hittite » ; puis, à son tour, il nomme Sodome « sa sœur[1] ». Il est juste en effet qu'ils aient reçu le titre de ceux dont ils imitaient l'iniquité[2].

Le rejet des sacrifices [3]

11. *Que m'importe la multitude de vos sacrifices? dit le Seigneur.* Ce passage nous apprend de façon évidente que, si Dieu leur a prescrit par la Loi d'offrir des

ou *Matth.* 3, 7-9). Dans l'*In Cant.*, Théodoret fait ce développement à des fins démonstratives pour apporter la preuve à ceux qui condamnent le *Cantique* comme un écrit profane que l'Écriture s'exprime souvent de façon figurée (τροπικῶς) et que l'interprétation littérale est dans ce cas impossible. Aussi chacun des passages cités doit-il s'entendre d'une parenté non charnelle, mais spirituelle. Le « topos » se reconnaît enfin dans la similitude des expressions employées dans les trois commentaires pour exprimer cette idée ; comparer *In Is.*, 1, 195-196 avec *In Cant.*, 81, 37 B (Ὧν γὰρ τὴν πονηρίαν ἐμιμήσαντο, τούτων ἔλαχον τὴν συγγένειαν) et *In Ez.*, 81, 932 A (Ὧν γὰρ ἐζήλωσαν τὴν ἀσέβειαν, τούτων εἰκότως ἐδέξαντο τὴν συγγένειαν).

3. Le commentaire des versets d'Isaïe 11 à 14 et 16 reprend très étroitement et presque terme à terme parfois les développements du livre VII de la *Thérapeutique*, qui traitent des sacrifices prescrits

ταύτας αὐτοῖς προσφέρειν ἐνομοθέτησεν, ἀλλὰ τὴν ἀσθένειαν
200 αὐτῶν ἐπιστάμενος. Ἐν Αἰγύπτῳ γὰρ τραφέντες καὶ θύειν
εἰδώλοις μεμαθηκότες τῆς παιδείας ἐκείνης ἀπολαύειν
ἐβούλοντο. Ἐκείνης τοίνυν αὐτοὺς ἀπαλλάξαι τῆς πλάνης
βουληθεὶς ὁ θεὸς καὶ θυσιῶν καὶ μουσικῶν ὀργάνων ἠνείχετο,
τὴν ἐκείνων ὑπερείδων ἀσθένειαν καὶ τὴν μειρακιώδη
205 γνώμην ψυχαγωγῶν. Ἐνταῦθα μέντοι μετὰ πολὺν ἐτῶν
ἀριθμὸν ἅπασαν τὴν νομικὴν ἀπαγορεύει λατρείαν.

Πλήρης γάρ **εἰμί** φησιν· **Ὁλοκαυτώματα τῶν κριῶν καὶ
στέαρ ἀρνῶν καὶ αἷμα τράγων οὐ βούλομαι,** [12] **οὐδ' ἂν
ἔρχησθε ὀφθῆναί μοι.** Διὰ δὲ τούτων ὁ προφήτης, μᾶλλον
210 δὲ ὁ διὰ τούτου λαλήσας θεός, καὶ τὰς περὶ πλημμελείας
καὶ τὰς περὶ ἁμαρτίας καὶ τὰς τῆς τελειώσεως θυσίας καὶ
τὰς ὁλοκαρπώσεις ἐξέβαλεν. Τῶν μὲν γὰρ τὸ αἷμα καὶ τὸ

C : 209-214 διὰ — κατεκαίετο

N : 209-214 διὰ — κατεκαίετο

202 ἐβούλοντο C : ἠβούλοντο KN || αὐτοὺς ἀπαλλάξαι (∾ C) / τῆς πλάνης KC : ∾ N || 204-205 καὶ — ψυχαγωγῶν C : > KN, cf. ἐκείνης τὸν Ἰσραὴλ ἀπαλλάττων τῆς πλάνης ὁ εὐμήχανος κύριος καὶ τὰ περὶ τῶν ἑορτῶν ἐνομοθέτησε καὶ τὰς θυσίας συνεχώρησε καὶ τῶν μουσικῶν ὀργάνων ἠνέσχετο καὶ εὐωχεῖσθαι προσέταξε καὶ ταῖς τοιαύταις ψυχαγωγίαις τὴν τῶν εἰδώλων ἐκκόπτων ἀσέβειαν Tht *Interr. 10 in Deut.* || 207 ὁλοκαυτώματα K* : ὁλοκαυτωμάτων K^corr || 209 δὲ τούτων KC : τούτων μέντοι N || 209-210 ὁ — θεός N : > KC

---

par la loi mosaïque. A cela rien d'étonnant, puisque Théodoret fonde presque toute l'argumentation de son traité sur le texte d'Isaïe. Enfin, dans la *Thérapeutique* comme dans l'*In Isaiam* on retrouve les mêmes emprunts aux psaumes de David, notamment au psaume 49, 9-23 ; le commentaire de ce psaume (80, 1233-1237) reprend naturellement les mêmes thèmes, mais avec moins d'insistance.

1. Les sacrifices de la Loi mosaïque ne sont pour Théodoret qu'une concession faite à la faiblesse des Juifs et relèvent de la pédagogie

sacrifices, ce n'est pas qu'il y prenne plaisir, mais c'est qu'il connaît leur faiblesse. Élevés en Égypte, ils avaient appris à sacrifier aux idoles et voulaient tirer profit de cette éducation[1]. Dans sa volonté de les éloigner de cette erreur, Dieu supportait donc les sacrifices et les instruments de musique[2] pour servir de soutien à leur faiblesse et pour attirer à lui leurs âmes encore jeunes. Ici, toutefois, après un grand nombre d'années, il interdit l'ensemble du culte prescrit par la Loi[3].

Je suis, dit-il, *rassasié! les holocaustes de béliers, la graisse des brebis, le sang des boucs, je n'en veux pas,* 12. *même si vous venez vous présenter devant moi.* Par ces mots le prophète — ou plutôt Dieu qui a parlé par sa bouche — a rejeté les sacrifices pour la faute et pour le péché, les sacrifices d'investiture et les offrandes en holo-

divine : Dieu veut faire passer progressivement son peuple d'un culte idolâtre à un culte spirituel. Cf. *Thérap.* VII, 16-17 (Égypte), 27 et 34 (concession à la faiblesse des Juifs) ; voir aussi *Quaest. in Lev.*, 80, 297 C - 308 C (interr. I : « Pour quelle raison Dieu a-t-il prescrit les sacrifices ? ») : Théodoret y rappelle qu'il a traité la question des sacrifices juifs dans ses écrits contre les Grecs — i.e. la *Thérapeutique* —, contre les hérésies, contre les mages, dans ses commentaires des prophètes et des épîtres de S. Paul (*id.*, 297 C - 300 A) ; l'argumentation est identique : les sacrifices sont une concession faite par Dieu aux Juifs qui ont contracté l'idolâtrie en Égypte ; le développement sur les idoles égyptiennes, devenues dans la Loi mosaïque objet des sacrifices, et la distinction entre animaux purs et impurs (*id.*, 300 BC) est du reste très proche de celui qu'offre *Thérap.* VII, 16-20 ; voir encore *Quaest. in Deut.*, interr. X, 80, 420 A. Chrysostome (56, 19, l. 16 s.) souligne également la valeur pédagogique des sacrifices, tout comme Cyrille (70, 36 AB) pour qui ils ne sont qu'une étape sur la route qui mène à la vérité (διὰ τύπου καὶ τῆς κατὰ τὸ γράμμα σκιᾶς εἰς ἀλήθειαν).

2. Sacrifices et instruments de musique sont déjà évoqués conjointement in *Thérap.* VII, 16 et 22.

3. Dans *Thérap.* VII, 34, Théodoret cite en outre *Jér.* 6, 20 et *Amos* 5, 6 (dans l'*In Amos*, 81, 1692 BC, il cite *Is.* 1, 11) pour attester la réprobation des sacrifices par Dieu.

στέαρ προσεφέρετο καὶ οἱ νεφροὶ καὶ τοῦ ἥπατος ὁ λοβός, τὰ δὲ τέλεια κατεκαίετο. Εἶτα σαφέστερον δείκνυσι τὸ τῶν
215 θυσιῶν περιττόν· **Τίς γὰρ ἐξεζήτησε ταῦτα ἐκ τῶν χειρῶν ὑμῶν ;** Δι' ὑμᾶς τούτων ἠνειχόμην, οὐκ αὐτὸς τούτων ἐδεόμην. **Πατεῖν τὴν αὐλήν μου [13] οὐ προσθήσεσθε.** Καταλύσαντες γὰρ Ῥωμαῖοι τὸν θεῖον ναὸν νόμῳ τοῦτον αὐτοῖς ἀπέφηναν ἄβατον.
220 **Ἐὰν προσφέρητε σεμίδαλιν, μάταιον· θυμίαμα βδέλυγμά μοί ἐστιν.** (Εἴδη) καὶ ταῦτα (θυσιῶν). Καὶ ἀναγκαίως αὐτῶν ἐποιήσατο μνήμην διὰ τὴν τῶν Ἰουδαίων ἀναίδειαν, (ὡς ἂν) μὴ λέγοιεν· Τόδε μὲν οὐ βούλεται προσφέρειν ἡμᾶς,

C . 216-217 δι' — ἐδεόμην || 217-219 καταλύσαντες — ἄβατον || 221-224 εἴδη — θεραπεύεται

N : 216-217 δι' — ἐδεόμην || 217-219 καταλύσαντες — ἄβατον || 221-224 εἴδη — θεραπεύεται

213 λοβός KC : +καθὰ προείρηται N || 214 τέλεια KC : τελείως N || 216 δι' K : τοῦτο οὖν φησι νῦν ὅτι δι' N

---

1. Théodoret évoque ici les principaux sacrifices prévus par la Loi et exposés au livre du *Lévitique*. Le « sacrifice pour la faute », communément appelé « sacrifice de réparation » (περὶ πλημμελείας), est offert chaque fois qu'il y a, même par inadvertance — c'est bien le sens de πλημμέλεια (cf. *Quaest. in Lev.*, 80, 301 CD) — atteinte aux droits de Dieu ou du prochain (*Lév.* 5, 14-26 ; 6, 10 ; 7, 1.5). Il s'accompagne de la réparation de la faute commise et se distingue par là, à l'époque du Second Temple, du « sacrifice pour le péché » (περὶ ἁμαρτίας) qui lui est, par ailleurs, très étroitement apparenté (*Lév.* 4, 1 s. ; 5, 1-13 ; 6, 10.18). Le « sacrifice d'investiture » (ἡ τῆς τελειώσεως θυσία), appelé encore « sacrifice d'installation ou de consécration », concerne l'investiture des prêtres (*Lév.* 8, 22-35) ; son rituel se présente dans le *Lévitique* sous la forme d'un récit, celui de l'investiture d'Aaron et de ses fils (cf. *Ex.* 29, 19-37) ; voir OSTY, note sur *Ex.* 29, 24. Quant à l'holocauste, c'était au moins à l'origine un sacrifice d'action de grâces ; dans *Lév.* 1, il apparaît plutôt comme un rite d'expiation. Théodoret emprunte également au *Lévitique* les indications sommaires qu'il donne ici sur le rituel des sacrifices de réparation (*Lév.* 6, 17-25 et surtout 7, 1-6) et sur celui des holocaustes (*Lév.* 1) ; il est beaucoup plus précis dans ses *Quaest. in Lev.* (80, 301 s.),

causte. Dans le premier cas, on présentait le sang, la graisse, les reins et le lobe du foie ; dans le second, on brûlait entièrement les offrandes[1]. Puis il montre plus clairement la vanité de leurs sacrifices : *Qui, en effet, a réclamé cela de vos mains?* C'est à cause de vous que je les tolérais, mais, personnellement, je n'en avais pas besoin[2]. 13. *Vous ne continuerez pas à fouler mon parvis.* Du reste, les Romains, après la destruction du Temple divin, leur en ont, par une loi, rendu impossible l'accès[3].

Que vous présentiez la fleur de farine, c'est en vain; le parfum, je l'ai en horreur. Ce sont encore des variétés de sacrifices[4]. L'impudence des Juifs l'a mis dans l'obligation de les mentionner, pour qu'ils ne puissent pas dire : Il ne veut pas que nous lui présentions ceci, mais il agrée cela.

dans la mesure même où il paraphrase de façon plus continue le texte biblique. Sur les sacrifices, cf. *TOB* (Introd. au *Lévitique*) et H. LESÊTRE, art. « Sacrifice », *Dictionnaire de la Bible* 35, Paris 1910, c. 1318-1326 : « Sacrifices mosaïques ».

2. Dieu est par nature « sans besoins » (οὐκ ἐδεόμην) ; il ne fait donc que supporter et tolérer (ἠνειχόμην) dans un but pédagogique les sacrifices juifs. Cf. *Thérap.* VII, 21 (οὐ δεόμενος ... ἠνέσχετο), 34 (οὐ τῆς αὐτοῦ χρείας), 35 (οὐ δεόμενος θυσιῶν ὁ Θεός) et *In Lev.*, 80, 300 A (ἀνενδεὴς ὁ Θεός).

3. L'expression de Théodoret (« après la destruction du Temple ») laisserait croire que cette mesure a été prise par les Flaviens au lendemain de 70. Or, après la prise de Jérusalem par Titus, l'accès des Juifs à la ville et aux ruines du Temple n'a pas été interdit ; Vespasien autorise même les Juifs à accomplir les pèlerinages prévus par la Loi (cf. F.-M. ABEL, *Histoire de la Palestine*, t. 2, Paris 1952, p. 48). L'expression de Théodoret est-elle seulement vague ou une confusion s'opère-t-elle dans son esprit avec les mesures prises par Hadrien, dont le décret interdisait à tout Juif, sous peine de mort, l'accès à Jérusalem et prohibait même le domicile en Judée ? Cf. EUSÈBE, *H.E.* IV, 6, 3 ; JUSTIN, *Apolog.* I, 47 ; *Dialog.* XVI, XCII ; TERTULLIEN, *Adv. Jud.*, 13 ; *Apolog.*, 21 ; voir aussi J. JUSTER, *Les Juifs dans l'Empire Romain*, Paris 1914, t. 1, p. 44 et t. 2, p. 171-175 ; M. SIMON, *Verus Israël*, Paris 1964, p. 51.

4. Sur ces sacrifices d'oblation, cf. *Lév.* 2, 1 s. ; voir aussi *Thérap.* VII, 28.

τῷδε δὲ θεραπεύεται. Οὕτως ἐν τοῖς μετὰ ταῦτα [διὰ] τοῦ
225 προφήτου φησίν · « Οὐκ ἐμοὶ πρόβατα τῆς ὁλοκαρπώσεώς
σου, οὐδὲ ἐν ταῖς θυσίαις σου ἐδόξασάς με, οὐκ ἐδούλευσάς
μοι ἐν δώροις, οὐδὲ ἔγκοπόν σε ἐποίησα ἐν λιβάνῳ, οὐδὲ
ἐκτήσω μοι ἀργυρίου θυμίαμα, (οὐδὲ στ)έαρ τῶν θυσιῶν
σου ἐπεθύμησα, ἀλλ' ἐν ταῖς ἀνομίαις σου καὶ ἐν ταῖς
230 ἀδικίαις σου προέ(στην) σου. » Καὶ διὰ τοῦ θεσπεσίου
Δαυίδ · « Οὐ δέξομαί » φησιν « ἐκ τοῦ οἴκου σου μόσχους
οὐδὲ ἐκ τῶν ποιμνίων σου (χιμά)ρους · ἐμὰ γάρ ἐστι πάντα
τὰ θηρία τοῦ ἀγροῦ, κτήνη ἐν τοῖς ὄρεσι καὶ βόες. Ἔγνωκα
(πάντα τὰ πετ)εινὰ τοῦ οὐρανοῦ, καὶ ὡραιότης ἀγροῦ
235 μετ' ἐμοῦ ἐστιν. Ἐὰν πεινά(σω), οὐ μή σοι (εἴπω · ἐμὴ
γάρ) ἐστιν ἡ οἰκουμένη καὶ τὸ πλήρω(μα αὐτῆ)ς. Μὴ
φάγομαι κρέα ταύρων ἢ (αἷμα τράγων πίο)μαι ; » Καὶ
διδάσκων, τίσιν ἀρέσκεται · « Θῦσον τῷ θεῷ » φησι
« θυσίαν αἰνέσεως », [καί] · (« Θυσία αἰ)νέσεως δοξάσει
240 με. » Καὶ αὐτὸς δὲ ὁ μακάριος Δαυίδ φησι πρὸς αὐτόν ·
« (Θυσίαν καὶ προσφορὰν οὐ)κ ἠθέλησας, ὁλοκαυτώματα
καὶ περὶ ἁμαρτί(ας οὐκ) ἐζήτησας. »

**(Τὰς νεομηνίας ὑμῶν) καὶ τὰ σάββατα καὶ ἡμέραν μεγάλ(ην
οὐκ) ἀνέχομαι, (νηστείαν καὶ ἀργίαν)** [14]**καὶ τὰς ἑορτὰς
245 ὑμῶν μισεῖ ἡ ψυχή μου.** Ἰδοὺ καὶ τὰς πολυθρυλήτους |98 a|
(ἐξέβαλεν) ἑορτάς · τὴν τοῦ πάσχα, τὴν τῶν ἑβδομάδων,
τὴν τῶν σκηνῶν καὶ πρὸς τούτοις (τὴν τῶν) σα(λπίγ)γων,
τὴν τοῦ ἱλασμοῦ. Ἡμέραν γὰρ μεγάλην τὰς μεγάλας ἑορτὰς
ὀνομάζει, νηστείαν δὲ τὴν τ(οῦ ἱ)λα(σμοῦ) ἡμέραν. Καὶ
250 καθολικῶς πᾶσαν ἑορτὴν καὶ πᾶν σάββατον μεμισηκέναι

C : 245-251 ἰδοὺ — φησίν

N : 245-251 ἰδοὺ — φησίν

249 ἱλασμοῦ KCR : ἁγιασμοῦ N

225 Is. 43, 23-24 231 s. Ps. 49, 9-13.14.23 241 Ps. 39, 7

---

1. *Thérap.* VII, 31 ; au lieu de οὐκ ἐμοὶ πρόβατα, le texte de la *Thérap.* porte οὐκ ἤνεγκάς μοι πρόβατα.

De même, dans un passage suivant, il dit par la bouche du prophète : « Tu ne m'as pas offert les brebis de ton holocauste[1], tu ne m'as pas honoré par tes sacrifices. Tu ne m'as pas servi avec des offrandes. Je ne t'ai pas fatigué par un tribut d'encens. Tu ne m'as pas acheté à prix d'argent du parfum et je n'ai pas désiré la graisse de tes sacrifices ; mais dans tes iniquités et tes injustices, je me suis tenu devant toi. » Par la bouche de David l'inspiré, il dit encore[2] : « Je n'accepterai pas de taureaux de ta maison, ni de jeunes chevreaux de tes bergeries : car m'appartiennent tous les animaux des champs, les troupeaux des montagnes et les bœufs. Je connais tous les oiseaux du ciel, et la beauté des champs est à ma disposition. Si j'ai faim, je n'irai pas te le dire : car le monde m'appartient avec son contenu. Vais-je manger de la viande de taureau ou boire du sang de bouc ? » Puis il enseigne les sacrifices qui lui plaisent : « Offre à Dieu, dit-il, un sacrifice de louange », et « C'est un sacrifice de louange qui me glorifiera. » Pour sa part le bienheureux David lui dit à son tour[3] : « Tu n'as voulu ni sacrifice ni oblation ; les holocaustes et les sacrifices pour le péché, tu ne les as pas réclamés. »

Vos nouvelles lunes, vos sabbats et votre Grand Jour, je ne peux pas les supporter ; 14. *votre jeûne, votre repos et vos fêtes, mon âme les a en horreur.* Voici également les fêtes très fameuses qu'il a rejetées : la fête de la Pâque, celle du Sabbat, celle des Tabernacles, sans compter la fête des Trompettes, la fête de l'Expiation. En effet, il donne le nom de « Grand Jour » aux grandes fêtes et celui de « jeûne » au jour de l'Expiation. Et d'une manière générale, il déclare avoir en horreur toute fête et tout

2. *Thérap.* VII, 22 ; on notera ici encore une légère variante : au lieu de τὰ θηρία τοῦ ἀγροῦ, la *Thérap.* donne τὰ θηρία τοῦ δρυμοῦ. C'est la preuve que Théodoret cite le plus souvent de mémoire.
3. *Thérap.* VII, 25-26.

φησίν. Καὶ τὴν αἰτίαν διδάσκει · **Ἐγενήθητέ μοι εἰς πλησμονήν, οὐκέτι ἀνήσω τὰς ἁμαρτίας ὑμῶν.** Κόρον φησὶν ὑμ(ῶν) ἔλαβον καὶ παντελῶς ὑμᾶς ἀποστρέφομαι διὰ τὴν τῶν ἁμαρτημάτων ὑπερβολήν.

255 [15] **Ὅταν τὰς χεῖρας ὑμῶν ἐκτείνητε πρός με, ἀποστρέψω τοὺς ὀφθαλμούς μου ἀφ' ὑμῶν · καὶ ἐὰν πληθύνητε δέησιν, οὐκ εἰσακούσομαι ὑμῶν. Αἱ γὰρ χεῖρες ὑμῶν αἵματος πλήρεις.** Ταῦτα πάντα διεξελθών, καὶ τὴν τοῦ νόμου λύσιν καὶ τοῦ ναοῦ τὴν κατάλυσιν, ἐδίδαξε τὸ εἶδος τῆς ἁμαρτίας δι' ὃ 260 ὑπέστησαν τὰς παντοδαπὰς τιμωρίας καὶ κατηγορεῖ αὐτῶν οὐκ εἰδώλων θεραπείαν οὐδὲ μοιχείαν καὶ πλεονεξίαν ἀλλὰ μιαιφονίαν · πάσης γὰρ δυσσεβείας καὶ παρανομίας χαλεπωτέρα ἡ κατὰ τοῦ κυρίου μανία. Αὐτῶν γάρ ἐστιν ἡ φωνή · « Τὸ αἷμα αὐτοῦ ἐφ' ἡμᾶς καὶ ἐπὶ τὰ τέκνα ἡμῶν. » Τοῦτο 265 τὸ αἷμα τῆς παλαιᾶς αὐτ(οὺς) ἐστέρησεν εὐκληρίας, τοῦτο τὸ αἷμα μετοίκους τῆς οἰκουμένης ἀπέφηνεν.

Ἀλλ' ὅμως φιλάνθρωπος ὢν ὑποδείκνυσιν αὐτοῖς σωτηρίας ὁδόν · [16] **Λούσασθε, καθαροὶ γένεσθε.** Ἵνα μὴ νομίσωσιν αὐτὸν τὰ κατὰ νόμον ὑπαγορεύειν περιρραντήρια, προστέ-

C : 252-254 κόρον — ὑπερβολήν || 260-266 καὶ — ἀπέφηνεν

N : 252-254 κόρον — ὑπερβολήν || 258-266 ταῦτα — ἀπέφηνεν || 267-268 ὅμως — ὁδόν || 268-276 ἵνα — ἐργασίαν

252 κόρον KNE : +γὰρ C || 258 ταῦτα πάντα K : πάντα γοῦν N || 259-260 ἐδίδαξε — τιμωρίας K : καὶ τὰς παντοδαπὰς τιμωρίας τὸ εἶδος τῆς ἁμαρτίας ἐδίδαξεν οὗ χάριν ταῦτα πεπόνθασι N || 259 ὃ Mö. : ὧν K || 263 ἡ² KN : > C || 265 τὸ CN : > K || 267 ὅμως K : εἰ καὶ τοιαῦτα ἥμαρτον ὅμως N || 269 περιρραντήρια K : +διὰ τοῦ εἰπεῖν λούσασθε καθαροὶ γένεσθε N

264 Matth. 27, 25

1. *Id.*, VII, 28-29.
2. Alors que dans la *Thérapeutique* le refus des sacrifices et des pratiques prévues par la Loi est uniquement présenté comme l'aboutissement de la pédagogie divine, comme le passage d'un culte matériel à un culte spirituel (*Thérap.* VII, 25), le commentaire d'Isaïe fait

sabbat[1]. Il en indique la raison : *Vous êtes devenus pour moi un objet d'écœurement, je ne supporterai plus vos péchés.* J'ai, dit-il, conçu du dégoût à votre égard et je me détournerai entièrement de vous à cause de la grandeur démesurée de vos fautes[2].

15. *Lorsque vous étendrez vos mains vers moi, je détournerai mes yeux de vous ; même si vous multipliez les prières, je ne vous écouterai pas : car vos mains sont pleines de sang.* Après cet exposé détaillé qui concerne notamment l'abrogation de la Loi et la destruction du Temple, il a enseigné la nature du péché qui leur a valu de subir toutes sortes de châtiments. Il ne les accuse ni de rendre un culte aux idoles, ni de commettre l'adultère, ni de céder à la cupidité, mais de se souiller d'un meurtre : plus difficile à supporter que toute impiété et que toute iniquité fut leur acte de folie contre le Seigneur. Elle leur appartient en effet la parole : « Son sang sur nous et sur nos enfants. » Ce sang les a privés de l'heureux sort d'autrefois, ce sang a fait d'eux les métèques du monde[3].

La conversion du cœur et le pardon de Dieu

Néanmoins dans sa bonté, il leur fait entrevoir le chemin du salut : 16. *Lavez-vous, devenez purs.* Pour qu'ils n'aillent pas penser qu'il prescrit les ablutions prévues par la Loi, il a été obligé d'ajou-

apparaître plus nettement cette abrogation de la Loi comme une sanction, dont la raison dernière est la mise à mort du Christ par les Juifs (cf. *infra*, 1, 258-266). L'idée de pédagogie divine est donc progressivement abandonnée au profit de la polémique anti-juive.

3. Toute la polémique anti-juive s'organise en définitive autour de l'accusation de déicide : cette dernière explique notamment le transfert des Promesses dont le thème est seulement esquissé ici (ἐστέρησεν εὐκληρίας) ; elle justifie en outre la diaspora dont la formule μετοίκους τῆς οἰκουμένης traduit vigoureusement l'idée ; en *Thérap.* XI, 71, on rencontre déjà cette formule en dépendance de l'accusation de déicide (*id.* 70).

270 θεικεν ἀναγκαίως · **Ἀφ(έλετε τὰς πον)ηρίας ὑμῶν ἀπὸ τῶν
ψυχῶν ὑμῶν ἀπέναντι τῶν ὀφθαλμῶν μου.** Καὶ τοὺς κεκρυμ-
μένους ὑμῶν ἐπίσταμαι λογισμούς, οὐδέν με λέληθε τῶν
πονηρῶν ὑμῶν βουλευμάτων · τῷ λουτρῷ τοίνυν τῆς
παλιγγενεσίας ἐκκαθάρατε τὰς ψυχάς. **Παύσασθε ἀπὸ τῶν**
275 **πονηριῶν ὑμῶν.** Πρὸς γὰρ τῷ τὰ πρότερα ἀπορρῖψαι δεῖ
φυγεῖν τῶν ὁμοίων τὴν ἐργασίαν. **17 Μάθετε καλὸν ποιεῖν.**
Οὐκ ἀρκεῖ γὰρ πρὸς τελείωσιν ἡ ἀποχὴ τοῦ κακοῦ, ἀλλὰ
δεῖ προσθεῖναι τὴν κτῆσιν τῶν ἀγαθῶν · **Ἐκζητήσατε κρίσιν,
ῥύσασθε ἀδικούμενον, κρίνατε ὀρφανῷ καὶ δικαιώσατε χήραν.**
280 **18 Καὶ δεῦτε καὶ διελεγχθῶμεν, λέγει κύριος.**

Ὡς ἂν δὲ ⟨μὴ⟩ δείσαιεν τοὺς ἐλέγχους ἀκούσαντες, τῶν
ἀγαθῶν ἐπαγγέλλεται χορηγίαν · **Καὶ ἐὰν ὦσιν αἱ ἁμαρτίαι
ὑμῶν ὡς φοινικοῦν, ὡς χιόνα λευκανῶ, ἐὰν δὲ ὦσιν ὡς
κόκκινον, ὡσεὶ (ἔριον) λευκανῶ.** Εἰσάγων φησὶν ὑμᾶς εἰς
285 δικαστήριον οὐ δίκας εἰσπράξομαι τῶν τετολμημένων, ἀλλὰ
τὴν μεταμέλειαν ὁρῶν μιμήσομαι τοὺς δευσοποιοὺς καὶ τῷ
τοῦ παναγίου βαπτίσματος λ⟨ουτρῷ⟩ ἀμείψω τοῦ αἵματος
τὴν χροιὰν καὶ οὐκ ἐάσω ὑμᾶς φέρειν ἔλεγχον τῆς μιαιφονίας
δι(ηνεκῆ). Παράδοξος γὰρ ἡ ἐμὴ ἐπιστήμη · τῶν γὰρ

C : 271-274 καὶ — ψυχάς || 277-278 οὐκ — ἀγαθῶν || 284-289 εἰσάγων — διηνεκῆ

N : 277-278 οὐκ — ἀγαθῶν || 281-291 ὡς — ἀπεργάζομαι (282-284 καὶ — λευκανῶ >)

271 μου K : +μονονουχὶ λέγων N || 273 βουλευμάτων KN : ἐπιτηδευμάτων C || 274 ψυχάς K : +καὶ N || 275 ὑμῶν K : > N || 281 δὲ KE : οὖν N || 284 φησὶν ὑμᾶς K : ∾ CN || 287 λουτρῷ KNE : ὕδατι C || 288 ὑμᾶς φέρειν KE : ∾ CN

1. Théodoret, comme Cyrille (70, 40 CD), voit donc dans la prophétie une annonce du baptême, clairement désigné ici par « bain de la régénération » (παλιγγενεσίας) ; cf. *infra*, 1, 287, « bain du très saint baptême » et 1, 341-342 où Théodoret renvoie précisément à ce verset 16. La même interprétation apparaît déjà, presque

ter : *Ôtez la perversité de vos âmes de devant mes yeux.* Je connais même vos pensées secrètes, rien ne m'échappe de vos desseins pervers : purifiez donc vos âmes par le bain de la régénération[1]. *Cessez d'accomplir des actes de perversité.* Il ne suffit pas de rejeter les actions antérieures, il faut encore éviter d'accomplir des actions identiques. 17. *Apprenez à faire le bien.* Car il n'est pas suffisant pour atteindre la perfection de s'abstenir du mal, mais il faut de surcroît faire l'acquisition des bonnes actions : *Recherchez le droit, secourez l'opprimé, soyez justes pour l'orphelin et défendez la veuve.* 18. *Et alors venez et discutons, dit le Seigneur.*

Toutefois, pour qu'ils ne soient pas effrayés des reproches qu'ils viennent d'entendre, il promet de dispenser ses bienfaits : *Même si vos péchés sont comme la pourpre, je les rendrai blancs comme la neige ; s'ils sont comme l'écarlate, je les rendrai blancs comme la laine.* Lorsque je vous assignerai devant le tribunal, dit-il, je n'exigerai pas de peines pour vos audaces, mais à la vue de votre repentir j'imiterai les teinturiers : par le bain du très saint baptême, je changerai la couleur du sang et je ne permettrai pas que vous portiez éternellement la marque de la souillure due au meurtre. Car ma science sort du commun : tandis que les teinturiers teignent les étoffes en rose, en jaune, en

mot pour mot, dans *Thérap.* VII, 29-30 ; nous comprenons de ce fait assez mal la remarque de P. Canivet (*op. cit.*, p. 303-304, note 4) qui reprend en fait la démonstration développée dans sa thèse (*Histoire d'une entreprise...*, p. 59) afin de prouver que Théodoret commenterait les textes selon les circonstances. On ne saurait en tout cas, à notre avis, s'autoriser de ce verset pour en faire la preuve : nous ne voyons pas entre le texte de la *Thérap.* et celui de l'*In Is.* de différence fondamentale et notamment une relégation de la signification baptismale au second plan dans le commentaire, où Théodoret insisterait « d'abord et surtout sur la purification morale ». En revanche, Chrysostome insiste seulement sur la purification morale (56, 21, l. 27-33).

290 δευσοποιῶν ῥοδοειδῆ καὶ κροκοειδῆ καὶ ἰοει(δῆ) καὶ ἁλουργὰ βαπτόντων ἐγὼ τὸ ἐρυθρὸν χιονοειδὲς ἀπεργάζομαι.
{Εἶτα} καὶ τῶν παρόν{των} ἀγαθῶν τὴν ἀπόλαυσιν ὡς περὶ ταῦτα κεχηνόσιν ἐπαγγέλλεται δώσειν · [19] **Καὶ ἐὰν (θέλητε) καὶ εἰσακούσητέ μου, τὰ ἀγαθὰ τῆς γῆς φάγεσθε.**
295 Μὴ πειθομένοις δὲ ἀπειλεῖ · [20] **Ἐὰν δὲ μὴ θέλητε μηδὲ εἰσακούσητέ μου, μάχαιρα ὑμᾶς κατέδεται.** Καὶ διδάσκων ὁ προ(φήτης) ὡς οὐκ αὐτοῦ ταῦτα τὰ ῥήματα ἀλλὰ τοῦ τῶν ὅλων θεοῦ, ἐπήγαγεν · **Τὸ γὰρ στόμα κυρίου (ἐλάλησε ταῦτα).** Ταύτῃ τῇ φιλανθρωπίᾳ καὶ τῷ σταυρῷ προση-
300 λούμενος ὁ δεσπότης ἐχρήσατο · « Πάτερ » (γὰρ ἔφη « ἄφες αὐτοῖς) · οὐ γὰρ οἴδασι τί ποιοῦσιν. » Μετὰ μέντοι τὸν σταυρὸν καὶ τὸν θάνατον καὶ τὴν ἀνάστασιν καὶ (τὴν εἰς οὐρανοὺς) ἀνάβασιν καὶ τὴν τοῦ θείου πνεύματος ἐπιφοίτησιν καὶ τὰ παράδοξα τῶν ἀποστόλων θαύματα τοὺς μὲν (πεπι)-
305 στευκότας τῆς σωτηρίας ἠξίωσεν · ἐκ τούτων γάρ εἰσιν οἱ τρισχίλιοι καὶ οἱ πεντακισχίλιοι οὓς τῶν πρώτων ἀποστό(λων ἡ ξυνωρὶς) ἐσαγήνευσεν, ἐκ (τούτω)ν αἱ πολλαὶ μυριάδες ἃς ὁ θεῖος Ἰάκωβος τῷ (θεσπεσίῳ) {ὑπέδειξε Παύλῳ}, ἐκ τούτων αὐτ(ὸς ὁ μα)κάριος Παῦλος · θηρὸς γὰρ δίκην
310 ἀγρίου δι(έσπα τοῦ κυρίου τὴν ποίμνην), ἀλλὰ τῆς θείας

N : 292-314 τῶν — παρέδωκεν (293-294 καὶ — φάγεσθε ; 295-296 ἐὰν — καὶ et 297-299 ἀλλὰ — ταῦτα>)

292 ἀγαθῶν KE : οὖν ἀγαθῶν κἀνταῦθα N ‖ ἀπόλαυσιν K : +ἐκείνοις N ‖ 297 ταῦτα / τὰ ῥήματα K : ∾ N ‖ 299 τῇ K : τοι N ‖ καὶ K : μὲν N ‖ 301 αὐτοῖς e tx. rec. : +τὴν ἁμαρτίαν ταύτην N ‖ 306 καὶ οἱ πεντακισχίλιοι E : > KN ‖ 308 ὑπέδειξε Παύλῳ N : ∾ E

300 Lc 23, 34 305-309 cf. Act. 2, 41 ; 4, 4 ; 21, 20

---

1. Sur le symbolisme du vêtement blanc dans le rite baptismal, cf. J. Daniélou, *L'entrée dans l'histoire du salut*, Paris 1967, p. 48-53.

2. Chrysostome justifie de la même manière cette promesse des biens de la terre (56, 22, l. 27-31).

3. Dans sa thèse (*op. cit.*, p. 60), P. Canivet oppose dans ce cas encore l'interprétation de *Thérap.* V, 5 à celle de l'*In Is.* Certes,

violet ou en pourpre, moi, je rends ce qui est rouge blanc comme neige[1].

Puis il promet même de leur donner la jouissance des biens de ce monde à la pensée qu'ils sont bouche bée devant eux[2] : 19. *Si vous voulez m'obéir*[3], *vous mangerez les biens de la terre.* Il menace, en revanche, les désobéissants : 20. *Mais si vous ne voulez pas m'obéir, c'est l'épée qui vous mangera.* Et le prophète, pour indiquer que ces paroles ne sont pas les siennes, mais celles du Dieu de l'univers, a ajouté : *C'est la bouche du Seigneur qui a parlé ainsi.* Bien que cloué sur la croix, c'est de cette bonté qu'a usé le Maître : « Père, dit-il, pardonne-leur : car ils ne savent pas ce qu'ils font. » Du reste, après la croix, la mort, la résurrection, l'ascension dans les cieux, la venue du Saint Esprit et les miracles extraordinaires qu'ont opérés les apôtres, il a jugé dignes du salut ceux qui ont cru : parmi eux, figurent les trois mille et les cinq mille hommes que le couple des premiers apôtres a pris au filet[4] ; parmi eux, figurent les nombreuses myriades d'hommes que le divin Jacques a signalées à Paul l'inspiré ; parmi eux, figure en personne le bienheureux Paul : à la manière d'une bête sauvage, il dispersait le troupeau du Seigneur ; mais il fut jugé digne de l'appel divin et il a

Théodoret n'insiste pas dans son commentaire, comme il le fait dans son traité, sur le libre arbitre de l'homme qui peut toujours refuser les conseils et les avertissements divins ; mais l'idée est-elle différente ? Tout ce passage est, en réalité, une invitation à un changement de vie, mais l'homme conserve bien la possibilité de s'y refuser comme le montre le verset suivant (*Is.* 1, 20). Il est, du reste, significatif que le schéma du texte d'Isaïe souligné par le commentaire de Théodoret — invitation, puis menace — soit précisément celui de l'argumentation développée dans la *Thérapeutique* (*id.* V, 6 : ἀναγκαίως καὶ ταῖς ἀπειλαῖς). Théodoret n'insiste donc pas sur un point qu'il a davantage mis en évidence dans la *Thérapeutique*, mais son interprétation reste fondamentalement identique.

4. L'image s'apparente à celle de *Lc* 5, 10 (ζωγρῶν).

ἀξιωθεὶς κλήσεως πέπονθε μεθ' ἡδονῆς (ἅπερ ἔδρα μεθ' ἡδονῆς). |98 b| Τούτους μὲν οὖν ὁ δεσπότης κατὰ τὴν ἰδίαν ὑπόσχεσιν τῆς σωτηρίας ἠξίωσε, τοὺς δὲ ἄλλους μαχ(αίρᾳ) (κατ)ὰ τὴν προφητείαν παρέδωκεν.

315 **21 Πῶς ἐγένετο πόρνη πόλις πιστὴ Σιών, πλήρης κρίσεως ; (Ἐν ᾗ) δικαιοσύνη ἐκοιμήθη ἐν αὐτῇ, νῦν δὲ φονευταί.** Ἐπειδὴ εἶδεν ἀντιλέγοντας καὶ μὴ πειθομένους μηδὲ ἀνεχομένους λούσασθαι καὶ τὴν σωτηρίαν καρπώσασθαι, ὀλοφύρεται καὶ θρηνεῖ τὴν ἐπὶ τὸ χεῖρον μεταβολήν. Πιστὴ μὲν γὰρ ἦν,
320 ἡνίκα Δαυὶδ μὲν αὐτὴν ὁ βασιλεὺς καὶ Ἰωσαφὰτ καὶ Ἐζεκίας καὶ Ἰωσίας εὐσεβῶς ᾠκονόμουν, πόρνη δὲ ἐγένετο καὶ ἀντὶ δικαίων φονευτὰς ἔσχεν οἰκήτορας, ἡνίκα τὸν νυμφίον παραγενόμενον οὐκ ἐδέξατο ἀλλὰ θηριωδῶς αὐτὸν ἀνελοῦσα ἐφοινίχθη τῷ αἵματι.

325 **22 Τὸ ἀργύριον ὑμῶν ἀδόκιμον · οἱ κάπηλοί σου μίσγουσι τὸν οἶνον ὕδατι.** Οὐδὲ καπήλων οὐδὲ ἀργυραμοιβῶν ποιεῖται κατηγορίαν ἀλλ' ἱερέων καὶ διδασκάλων τὸν θεῖον νοθευόντων νόμον καὶ τὰ οἰκεῖα παραμιγνύντων δόγματα. Ταύτην γὰρ καὶ ἐν τοῖς ἱεροῖς εὐαγγελίοις ὁ κύριος αὐτοῖς τὴν κατηγορίαν

C : 316-319 ἐπειδὴ — μεταβολήν || 321-324 πόρνη — αἵματι || 326-328 οὐδὲ[1] — δόγματα

N : 316-324 ἐπειδὴ — αἵματι || 326-336 οὐδὲ[1] — συνάψαντες

313 τῆς K : > N || 318 καὶ[1] — καρπώσασθαι C : > KNE || 318-319 καὶ θρηνεῖ / τὴν — μεταβολήν KC : ∾ N || 320 μὲν K : > N || 326 οὐδὲ[1.2] KN : οὔτε C || καπήλων KC : +οὖν N || ποιεῖται KN : +τὴν C || 327 ἀλλ' KN : ἀλλὰ C

---

1. Cette énumération, d'où la rhétorique n'est pas absente (anaphore de ἐκ τούτων), est encore un développement presque tout fait qui réapparaît ailleurs dans le commentaire en des termes voisins (10, 48-52 ; 17, 146-149). La forme même de l'énumération tend à donner une grande importance numérique au groupe des Juifs croyants, alors que d'autres passages de l'*In Is.* laissent entendre que seul un petit nombre de Juifs a eu la foi. Cf. sur ce point Introd., ch. IV, p. 82, note 1.

2. Théodoret, pour les besoins de sa démonstration, oppose de façon volontairement schématique l'impiété des Juifs déicides à la

enduré avec joie ce qu'il accomplissait du reste avec joie[1]. Ceux-là donc, le Maître les a jugés dignes du salut selon sa propre promesse, mais tous les autres il les a livrés à l'épée selon la prophétie.

Lamentations sur Jérusalem et sur ses habitants

21. *Comment est-elle devenue une prostituée, la cité fidèle de Sion, pleine de droiture? En elle se reposa la justice, et maintenant des assassins.* Puisqu'il les a vus répliquer et désobéir, ne pas consentir à se purifier et à se procurer le salut, il se lamente et déplore leur changement en pire. Car elle était fidèle, au temps où les rois David, Josaphat, Ézéchias et Josias l'administraient avec piété[2] ; mais elle est devenue une prostituée et, au lieu d'hommes justes, elle eut des assassins pour habitants, quand, loin d'accueillir l'époux lors de sa venue, elle l'a au contraire sauvagement tué et s'est rougie de son sang.

22. *Votre argent est de mauvais aloi; tes cabaretiers coupent ton vin avec de l'eau.* Il n'accuse ni les cabaretiers ni les changeurs d'argent, mais les prêtres et les docteurs qui corrompent la loi divine en y mêlant leurs doctrines personnelles[3]. Dans les saints Évangiles également, le

conduite pieuse de leurs ancêtres. Le titre de piété de Josaphat et d'Ézéchias, souvent mis en avant par Théodoret, c'est d'avoir détourné le peuple juif de l'idolâtrie pour l'amener progressivement au culte du seul vrai Dieu (cf. 11, 57-82). Sur le caractère polémique de cette opposition à l'intérieur de l'histoire juive que la passion du Christ sépare en deux histoires antithétiques, cf. Introd., ch. IV, p. 82 s. On retrouve, du reste, fondamentalement la même opposition dans la comparaison qu'établit Théodoret entre les rois pieux — David, Josaphat, Ézéchias — et les rois impies — Ozias, Achaz, Manassé *(In Is., ibid.)* ; le sort du peuple juif sous le règne de ces derniers est comme une image — un type — de ce que sera son existence après sa « suprême folie », la crucifixion du Seigneur.

3. Bon exemple de refus d'une interprétation littérale sans grand intérêt au profit d'une interprétation figurée, que retiennent également Eusèbe (*GCS* 11, 10-13) et Cyrille (70, 53 A). A l'inverse, Chrysostome préfère l'explication littérale et rejette vigoureusement l'interprétation anagogique (56, 23, l. 34 s.).

330 ἐπήγαγεν· « Ἵνα τί παραβαίνετε τὴν ἐντολὴν τοῦ θεοῦ διὰ τὴν παράδοσιν ὑμῶν ; » Ὥσπερ γὰρ ὁ τῷ χρυσῷ ἢ τῷ ἀργύρῳ ἑτέραν ὕλην παραμιγνὺς κίβδηλον τοῦτον ἐργάζεται καὶ ἀδόκιμον καὶ ὁ τὸν οἶνον ὕδατι κεραννὺς λυμαίνεται τῇ τοῦ οἴνου ποιότητι, οὕτως οἱ τῶν Ἰουδαίων διδάσκαλοι
335 {τὸν} (θεῖ)ον νόμον διέφθειραν τοὺς οἰκείους αὐτῷ συντάξαντες λογισμοὺς καὶ τὰς μυθώδεις δευτερώσεις συνάψαντες.
[23] **Οἱ ἄρχοντές σου ἀπειθοῦσι, κοινωνοὶ κλεπτῶν, ἀγαπῶντες δῶρα, διώκοντες ἀνταπόδομα, ὀρφανοῖς οὐ κρίνοντες καὶ κρίσει χηρῶν οὐ προσέχοντες.** Ἀναγκαία καὶ ἡ τούτων
340 κατηγορία· οὐκ ἀρκεῖ γὰρ ἡ πίστις εἰς σωτηρίαν, ἀλλὰ χρεία καὶ τῆς πρακτικῆς ἀρετῆς. Τούτου δὴ χάριν ἐν τοῖς ἔμπροσθεν τῷ σωτηρίῳ κελεύσας βαπτίσματι προσελθεῖν καὶ τἄλλα τῆς ἀρετῆς αὐτοῖς ὑπηγόρευσεν εἴδη.

Μετὰ μέντοι τὴν κατηγορίαν ἐπιφέρει τῆς τιμωρίας τὰς
345 ἀπειλάς· [24] **Διὰ τοῦτο τάδε λέγει κύριος ὁ δεσπότης Σαβαώθ, ὁ δυνάστης τοῦ Ἰσραήλ· Οὐαὶ τοῖς ἰσχύουσιν ἐν Ἰσραήλ, οὐ παύσεται γὰρ ὁ θυμός μου ἐν τοῖς ὑπεναντίοις μου, κρίσιν ποιήσω ἐκ τῶν ἐχθρῶν μου.** Τὸ κύριος Σαβαὼθ ὁ μὲν Σύμμαχος καὶ ὁ Θεοδοτίων « κύριος τῶν
350 δυνάμεων » ἡρμήνευσαν, ὁ δὲ Ἀκύλας « κύριος στρατιῶν ». Συνᾴδει δὲ ἡ διάνοια· καὶ γὰρ τοὺς στρατιωτικοὺς καταλόγους δύναμιν ὀνομάζειν εἰώθαμεν. Ὁ δὲ τῶν οὐρανῶν βασιλεὺς στρατιὰν ἀκαταγώνιστον ἔχει τὰς ἀοράτους δυνάμεις. Τὸν δὲ αὐτὸν καὶ δυνάστην τοῦ Ἰσραὴλ ὀνομάζει
355 ὡς διὰ τῶν παραδόξων θαυμάτων, ἃ ὑπὲρ τοῦ Ἰσραὴλ

C : 339-341 ἀναγκαία — ἀρετῆς

N : 339-343 ἀναγκαία — εἴδη ‖ 344-356 μετὰ — δύναμιν (345-348 διὰ — μου² >)

336 καὶ — συνάψαντες NE : > K ‖ 340 εἰς KN : πρὸς C ‖ 344 μέντοι K : > N ‖ 348 τὸ K : +δὲ N ‖ 354 δὲ αὐτὸν K : ∾ N

330 Matth. 15, 3

1. Sur la vertu pratique, cf. *Thérap.* dont le livre XII est consacré tout entier à ce sujet.

Seigneur a lancé contre eux cette accusation : « Pourquoi transgressez-vous le commandement de Dieu au nom de votre tradition ? » L'homme qui mêle à l'or ou à l'argent une autre matière les falsifie et les rend de mauvais aloi ; celui qui coupe d'eau le vin gâte la qualité du vin. Ainsi les docteurs des Juifs ont corrompu la loi divine par l'adjonction de leurs propres raisonnements et par l'addition de leurs traditions inventées. 23. *Tes princes sont des rebelles, des compagnons de voleurs ; ils sont avides de présents, ils courent aux pots-de-vin ; ils ne font pas droit aux orphelins et ne prêtent pas attention à la cause des veuves.* La mise en accusation de ces derniers est également nécessaire : la foi ne suffit pas pour obtenir le salut, il faut aussi la vertu pratique[1]. Voilà pourquoi, précédemment, après les avoir invités à s'approcher du baptême sauveur, il leur a prescrit également les autres formes de la vertu[2].

Puis il fait suivre l'accusation de la menace du châtiment : 24. *C'est pourquoi, voici ce que dit le Seigneur Maître Sabaoth, le Puissant d'Israël : Malheur à ceux qui détiennent le pouvoir en Israël, car ma colère n'aura pas de repos contre mes adversaires ; je ferai justice de mes ennemis.* Symmaque et Théodotion ont traduit le titre « Seigneur Sabaoth » par « Seigneur des Puissances », et Aquila par « Seigneur des armées ». Mais il y a concordance de sens : de fait, nous avons l'habitude de nommer « puissance » les corps de troupe militaire[3]. Or, le roi des cieux possède en guise d'armée invincible les Puissances invisibles. C'est la même personne qu'il nomme encore « Puissant d'Israël », parce qu'au moyen des prodiges étonnants qu'il a réalisés en faveur d'Israël, il a montré

2. *Isaïe* 1, 16.

3. Le plus possible, Théodoret s'efforce de marquer la concordance (συμφωνία) des différentes versions, dans un but sans doute voisin de celui qu'il poursuit lorsqu'il s'applique, au moyen des citations, à montrer la cohésion et l'unité de toute la Bible.

πεποίηκε, τὴν οἰκείαν δείξαντα δύναμιν. Ὑπεναντίους δὲ αὐτοὺς καλεῖ ὡς ἀντιτείνοντας ἀεί, ἐχθροὺς δὲ ὡς δυσμενεῖς ὄντας.

[25] **Καὶ ἐπάξω τὴν χεῖρά μου ἐπὶ σὲ καὶ πυρώσω σε εἰς**
360 **καθαρόν, τοὺς δὲ ἀπειθοῦντας ἀπολέσω καὶ ἀφ(ελ)ῶ πάντας ἀνόμους ἀπὸ σοῦ καὶ πάντας ὑπερηφάνους ταπεινώσω** [26] **καὶ ἐπιστή(σω τοὺς) κριτάς σου ὡς τὸ πρότερον καὶ τοὺς συμβούλους σου ὡς τὸ ἀπ' ἀρχῆς.** Πάλιν τῆς κρίσεως ἐμνημό[νευσε] καὶ ὑπέσχετο τοὺς μὲν ἀξίους πυρώσειν μέν,
365 ἀλλ' οὐκ εἰς κατάκαυσιν, ἀρίστους δὲ καὶ δοκίμους ποιήσειν. (Τοι)αύτη γὰρ ἡ τοῦ βαπτίσματος χάρις · οὗ δὴ ἕνεκα καὶ ὁ θειότατος Ἰωάννης ὁ βαπτιστὴς ἐβόα λέγων · « Ἐγὼ μὲν ὑμᾶς ἐβάπτισα ὕδατι εἰς μετάνοιαν · ὁ δὲ ὀπίσω μου ἐρχόμενος ἰσχυρότερός μού ἐστιν, (οὗ οὐκ) εἰμι ἱκανὸς τὸν
370 ἱμάντα τῶν ὑποδημάτων λῦσαι · αὐτὸς ὑμᾶς βαπτίσει ἐν πνεύματι ἁγίῳ καὶ (πυρί). » Καὶ τοῦ παναγίου πνεύματος κατὰ τὴν ἡμέραν τῆς πεντηκοστῆς ἐπιφοιτήσαντος ἐγένοντο ἐν (τοῖς) ἀποστόλοις « διαμεριζόμεναι γλῶσσαι ὡσεὶ πυρός ». Τούτου δὴ χάριν διὰ τοῦ πυρὸς τοῖς (πιστεύ)ουσιν ὑπισ-
375 χνεῖται τὴν κάθαρσιν, τοῖς δὲ δι' ἀλαζονείαν ἀντιλέγουσι ταπείνωσιν ἀπειλεῖ. .... [τ]οὺς ἐκδεξαμένους τὸ κήρυγμα, οὓς τοῖς ἱεροῖς ἀπεικάζει προφήταις.

Καὶ (μετὰ ταῦτα κληθήσῃ πό)λις δικαιοσύνης, μητρόπολις πι(στὴ) [27]**Σιών.** Οὐ μέγεθος αὐτῇ καὶ οἰκοδο(μημάτων

C : 379-386 οὐ — φάτνην

N : 356-358 ὑπεναντίους — ὄντας || 364-376 ὑπέσχετο — ἀπειλεῖ || 379-386 οὐ — φάτνην

356 ὑπεναντίους δὲ K : καὶ ὑπεναντίους μὲν N || 361 ἀνόμους e tx. rec. : ἀνόσους K || 364 ὑπέσχετο K : ὑπισχνεῖται τοιγαροῦν N || 367 θειότατος — βαπτιστὴς K : βαπτιστὴς Ἰωάννης N || 379-380 αὐτῇ — πλῆθος KC : καὶ κάλλος οἰκοδομημάτων καὶ οἰκητόρων πλῆθος ἐπαγγέλλεται τῇ Σιών N

367 Matth. 3, 11 ; Mc 1, 7-8   373 Act. 2, 3

1. Le baptême par le feu ne signifie pas autre chose pour Théodoret que la venue de l'Esprit-Saint dans l'homme, au moment du baptême,

sa propre puissance. Enfin, il les appelle « adversaires » à cause de leur continuelle opposition et « ennemis » à cause de leur malveillance.

Purification et renouveau de Jérusalem

25. *Je tendrai ma main contre toi et je te consumerai par le feu pour te purifier ; je ferai périr les désobéissants et j'enlèverai de ton sein tous les criminels ; j'humilierai tous les orgueilleux,* 26. *je rétablirai tes juges tels qu'ils étaient auparavant et tes conseillers tels qu'ils étaient à l'origine.* S'il a fait de nouveau mention du jugement et promis de passer au feu ceux qui le méritent, ce n'est pas pour les réduire en cendre, mais pour les rendre excellents et dignes de prix. Telle est la grâce du baptême. Voilà pourquoi le très divin Jean-Baptiste à son tour clamait ces paroles : « Pour moi, je vous ai baptisés avec l'eau en vue du repentir ; mais celui qui vient derrière moi est plus puissant que moi, et je ne suis pas digne de délier la courroie de ses sandales ; lui vous baptisera dans l'Esprit-Saint et dans le feu. » Et, lorsque le très saint Esprit au jour de la Pentecôte vint visiter les apôtres, « des langues qu'on eût dites de feu » se trouvèrent « réparties » sur eux[1]. Voilà donc pourquoi il promet la purification par le feu à ceux qui ont la foi, tandis qu'il menace d'humiliation ceux dont la suffisance entraîne le refus. *(lacune)* ceux qui ont recueilli le message, qu'il compare aux saints prophètes.

Après cela, on t'appellera Ville de Justice, métropole fidèle, 27. *Sion.* Ce ne sont ni la grandeur ni la beauté des

pour le purifier de ses fautes et pour le sanctifier. Cf. l'interprétation voisine de CYRILLE (70, 60 AB) qui cite également *Matth.* 3, 11. D'autres Pères, à la suite d'Origène, ont donné de ce baptême par le feu une interprétation différente et parfois peu cohérente : cette purification par le feu se situerait après la résurrection et serait appliquée tantôt à tous les hommes, tantôt aux seuls pécheurs. Certains, à partir de là, ont assimilé ce feu à celui du purgatoire ; d'autres (S. Basile) l'entendent du feu de l'enfer. Sur cette question, voir E. MANGENOT, art. « Baptême par le feu », *DTC* 2, 1re partie, c. 357-360, Paris 1910.

380 κάλλος καὶ οἰκη)τόρων ἐπαγγέλλεται πλῆθος ἀλλὰ δικαιοσύν(ην καὶ πίστιν) · μήτηρ γάρ ἐστι (τῶν πεπιστευκότων). (Οὗ δὴ) χάριν καὶ πρὸς αὐτὴν συντρέχουσιν ἅπαντες ἰ(δεῖν ποθ)οῦντες οὐ περιβόλων (μέγεθος οὐδὲ πύργων ὕψος) οὐδὲ κιόνων καὶ λίθων μαρμαρυγὰς ἀλλὰ τάφον δεσποτικὸν
385 |99 a| καὶ σταυροῦ τύπον δεσποτικοῦ καὶ τὴν σμικρὰν ἐκείνην καὶ πολυθρύλητον φάτνην. **Μετὰ γὰρ κρίματος σωθήσεται ἡ αἰχμαλωσία αὐτῆς καὶ μετὰ ἐλεημοσύνης · 28 καὶ συντριβήσονται οἱ ἄνομοι καὶ οἱ ἁμαρτωλοί, καὶ οἱ ἐγκαταλιπόντες τὸν κύριον συντελεσθήσονται.** Ἐλέῳ γὰρ
390 κεράσας τὸ δίκαιον τοῖς μὲν τὸν σταυρὸν τετολμηκόσιν εἶτα μεταμεληθεῖσι συνέγνω καὶ τὴν μεταμέλειαν δεξάμενος παρέσχε τὴν σωτηρίαν καὶ τοῖς τὰ δεινὰ ἐκεῖνα πεπονθόσι καὶ αἰχμαλώτοις γεγενημένοις οὐ συναπώλεσεν, ἐκείνους δὲ πανωλεθρίᾳ παρέδωκεν.

395 **29 Διότι νῦν αἰσχυνθήσο(νται) ἐπὶ τοῖς γλυπτοῖς αὐτῶν ἐφ' οἷς αὐτοὶ ἐποίησαν καὶ αἰσχυνθήσονται ἐπὶ τοῖς εἰδώλοις αὐτῶν ἐφ' οἷς αὐτοὶ ἐβουλεύσαντο καὶ αἰσχυνθήσονται ἐπὶ τοῖς κήποις αὐτῶν ἐφ' οἷς ἐπεθύμησαν.** Εἰκότως καὶ ἐπὶ τοῦ παρόντος καὶ τούτων ἐποιήσατο μνήμην. Ἐπειδὴ γὰρ
400 ὡς ὑπὲρ τοῦ νόμου ζηλοῦντες οὐκ ἐδέξαντο παραγενόμενον τὸν σωτῆρα Χριστόν, τῆς πολλῆς δυσσεβείας ἀναμιμνήσκει

C : 389-394 ἐλέῳ — παρέδωκεν

N : 389-394 ἐλέῳ — παρέδωκεν || 399-407 ἐπειδὴ — ὑπέλαβον

389 ἐλέῳ γὰρ KCE : ἀλλὰ καὶ ἐλέῳ N || 399 γὰρ K : τοίνυν N

381 cf. Gal. 4, 26

---

1. Témoignage sur les pèlerinages à Jérusalem et sur la visite des lieux saints qu'a personnellement effectuée Théodoret (cf. *infra*, p. 193, n. 1) ; son énumération — tombeau, croix, crèche — retrace l'histoire du salut en remontant vers son origine, l'Incarnation, dont la structure de la phrase met en évidence l'importance fondamentale. L'expression σταυροῦ τύπον δεσποτικοῦ peut paraître surprenante ; on attendrait plutôt σταυροῦ τόπον (« l'emplacement de la croix »), mais Théodoret fait sans doute allusion à la croix commémorative

édifices ni un grand nombre d'habitants qui lui sont promis, mais justice et fidélité : car elle est la mère des croyants. Voilà pourquoi aussi affluent vers elle tous ceux qui sont désireux de voir, non pas la grandeur de ses remparts ni la hauteur de ses tours ni l'éclat de ses colonnes et de ses pierres, mais le tombeau du Seigneur, la forme de la croix du Seigneur et cette petite, mais si fameuse crèche[1]. *Car, par un jugement empreint de miséricorde, il la délivrera de sa condition de captive;* 28. *ensemble seront brisés les criminels et les pécheurs; ceux qui ont abandonné le Seigneur seront achevés avec eux.* Il a en effet tempéré de pitié sa justice : il a pardonné à ceux qui ont eu l'audace de la croix, puis manifesté du repentir ; il a accueilli leur repentir et leur a procuré le salut ; il ne les a pas fait périr avec ceux qui ont subi ces châtiments affreux et furent réduits en servitude ; en revanche, il a livré les autres à une ruine totale.

Le culte des idoles

29. *C'est pourquoi maintenant ils auront honte de leurs images gravées, celles qu'ils ont eux-mêmes fabriquées; ils auront honte de leurs idoles, celles qu'ils ont eux-mêmes conçues; ils auront honte de leurs jardins, ceux qu'ils ont désirés.* C'est avec raison, même en ce qui concerne l'époque actuelle, qu'il a rappelé également le souvenir de ces pratiques. De fait, puisque c'est en vertu de leur zèle pour la défense de la Loi qu'ils n'ont pas accueilli le Christ Sauveur lors de sa venue, il leur remet en mémoire l'ampleur de leur impiété : ils ont rempli leur cité d'idoles, ils ont

qui surmontait depuis Constantin le rocher du Calvaire (cf. ÉTHÉRIE, *Journal de voyage*, éd. H. Pétré, *SC* 21, Paris 1948, Introd., p. 58 s.). Signalons enfin que Chrysostome tire ici argument de l'appellation « Ville de Justice », donnée par le prophète à Jérusalem, pour réfuter par avance l'opinion des Juifs qui refusent d'appliquer la prophétie d'*Isaïe* 7, 14 au Christ, sous prétexte qu'il n'a jamais porté le nom d'Emmanuel (56, 25, l. 43 s.) ; cf. *infra*, p. 291, n. 2.

ὅτι καὶ εἰδώλων τὴν πόλιν ἐνέπλησαν καὶ ἄλση τοῖς εἰδώλοις
ἐφύτευσαν καὶ ἐν ἀγοραῖς καὶ ἐν οἰκίαις καὶ ἐπὶ τῶν δωμάτων
τοῖς δαίμοσι θυσίας προσέφερον καὶ ταῦτα δρῶντες οὐκ
405 ἐλογίζοντο τὴν τοῦ νόμου παράβασιν · ὅτε δὲ αὐτὸς ὁ
νομοθέτης ἀφίκετο, τὴν εἰς αὐτὸν πίστιν παρανομίαν ⌊ὑπέ-
λα⌋βον.

Εἶτα πάλιν ἐπιφέρει τῆς ἐρημίας τὴν πρόρρησιν · 30 **Ἔσονται γὰρ ὡς τερέβινθος ἀποβεβληκυῖα τὰ φύλλα αὐτῆς καὶ
410 ὡς παράδεισος ὕδωρ μὴ ἔχων.** Πάντα τὰ καρποφόρα δένδρα
καταλιπὼν τερεβίνθῳ ἀπείκασε τὴν τῆς πόλεως ἐρημίαν
καὶ τερεβίνθῳ τῶν φύλλων γεγυμνωμένῃ · φυτὸν δέ ἐστιν
ἐν ξηροῖς τόποις φυόμενον, κλάδους ἔχον κατεσκληκότας.
Ἀπείκασε δὲ αὐτοὺς καὶ παραδείσῳ ἀνύδρῳ · οὐκέτι γὰρ
415 τῶν προφητικῶν ναμάτων ἀπολαύουσιν οὐδὲ τὴν ἄνωθεν
φερομένην δέχονται δρόσον. 31 **Καὶ ἔσται ἡ ἰσχὺς αὐτῶν
ὡς καλάμη στυππείου, καὶ αἱ ἐργασίαι αὐτῶν ὡς σπινθῆρες
πυρός.** Εὔπρηστος ἡ τοῦ στυππείου καλάμη. Εἰκότως τοίνυν
τῇ μὲν καλάμῃ ταύτῃ παρέβαλεν αὐτῶν τὴν ἰσχύν, πυρὶ δὲ
420 τὰ πονηρὰ αὐτῶν ἔργα · ἡ πονηρία γὰρ ἡμᾶς τῆς θείας
προμηθείας γυμνοῖ καὶ καταναλίσκει τὴν δεδομένην ἡμῖν
ἰσχύν. **Καὶ κατακαυθήσονται οἱ ἄνομοι καὶ οἱ ἁμαρτωλοὶ**

C : 410-416 πάντα — δρόσον || 418-420 εὔπρηστος — ἔργα

N : 408-416 πάλιν — δρόσον (408-410 ἔσονται — ἔχων>) || 418-422 εἰκότως — ἰσχύν

410 πάντα KC : +δὲ N || 415-416 ἀπολαύουσιν ... δέχονται KNE : ἀπήλαυον ... ἐδέχοντο C || 419 ταύτῃ KC : +εὐπρήστῳ οὔσῃ N || 420 αὐτῶν ἔργα KCE : ∾ N

1. L'accusation relève de la polémique anti-juive traditionnelle : Théodoret se plaît à souligner l'inconséquence des Juifs qui refusent de reconnaître le Christ au nom d'une Loi qu'ils n'ont cessé de violer. Leur zèle pour la Loi est un zèle mal dirigé pour reprendre l'expression de S. Paul (*In Is.*, 2, 329-331 ; 7, 561-564) ou, comme il est dit ici, un « prétendu » zèle (*id.*, 2, 99-102 ; 18, 172-175). La violation ne se limite pas, du reste, à l'idolâtrie (*id.*, 2, 104-107 ; 18, 341-343), même

planté des bois sacrés en l'honneur des idoles ; sur les places publiques, dans les demeures et sur les terrasses ils offraient des sacrifices aux démons. En agissant de la sorte, ils n'avaient pas le sentiment de violer la Loi ; mais lorsque le Législateur en personne fut venu, croire en lui fut, à leurs yeux, une infraction à la Loi[1] !

La désolation future

Puis, de nouveau, il présente la prédiction de la désolation : 30. *Car ils seront comme un térébinthe dépouillé de ses feuilles et comme un jardin qui n'a point d'eau.* Il a laissé de côté tous les arbres fruitiers pour assimiler à un térébinthe la désolation de la cité et, qui plus est, à un térébinthe dénudé de ses feuilles : or c'est un arbre planté dans des lieux arides, un arbre aux rameaux desséchés. Il les a assimilés aussi à un jardin sans eau, car ils ne jouissent plus des ruisseaux prophétiques et ne reçoivent plus la rosée qui descend d'en haut[2]. 31. *Leur force sera comme une tige d'étoupe, et leurs actions comme les étincelles du feu.* La tige d'étoupe a vite fait de brûler. Il est donc naturel qu'il ait comparé leur force à cette tige et leurs actes pervers au feu : car la perversité nous dépouille de la providence divine et consume la force qui nous a été donnée. *Ensemble seront brûlés les criminels et les pécheurs,*

si Théodoret insiste le plus souvent sur ce point ; sur le culte rendu aux idoles et aux démons, cf. *id.*, 1, 88-89.200-202 ; 2, 125-128 ; 4, 303-304 ; 15, 49-50 ; 18, 166-175 ; sur le culte rendu aux démons, *id.*, 2, 672-673 ; 18, 153-156 ; 20, 277-278 ; l'accusation reste toujours très générale : Théodoret ne donne aucun renseignement précis sur la nature de ces idoles ou de ces démons.

2. Sur cette utilisation du symbolisme de l'eau pour signifier l'élection et la bénédiction divines, cf. *supra*, p. 141, n. 1. Les enseignements des prophètes, comme ceux des apôtres, sont chez ceux qui les acceptent une manière d'« irrigation » spirituelle bienfaisante pour l'âme ; voir *In Ez.*, 81, 1164 A-B où Théodoret s'autorise d'*Is.* 5, 6 pour affirmer que, dans l'Écriture, les termes de « nuages » ou de « pluie » désignent souvent de manière figurée les enseignements divins (πολλάκις ἡ θεία Γραφὴ ὑετὸν τὴν διδασκαλίαν καλεῖ).

ἅμα, καὶ οὐκ ἔσται ὁ σβ(έσ)ων. Θεοῦ γὰρ κολάζοντος τίς ὁ ῥυόμενος ; Οὕτω καὶ διὰ τοῦ μεγάλου Μωυσέως ἔφη ·
425 « Ἐγὼ ἀποκτενῶ καὶ ζῆν ποιήσω, πατάξω κἀγὼ ἰάσομαι · καὶ οὐκ ἔστιν ὃς ἐξελεῖται ἐκ τῶν χειρῶν μου. »

Ταῦτα τοίνυν εἰδότας δεδιέναι προσήκει καὶ φρίττειν · « φοβερὸν » γὰρ « τὸ ἐμπεσεῖν εἰς χεῖρας θεοῦ ζῶντος ». Ὁ μέντοι προφήτης ἐνταῦθα τὴν πρώτην συνεπέρανεν
430 ὅρασιν · ἡμεῖς δὲ τοὺς ἐντευξ[ομέν]ους τῇδε τῇ βίβ[λῳ] μικρὸν διαναπαύσωμεν, δόξαν ἀναπέμποντες τῷ πατρὶ καὶ τῷ υἱῷ καὶ τῷ ἁγίῳ πνεύματι νῦν καὶ ἀεὶ καὶ εἰς τοὺς αἰῶνας τῶν αἰώνων. Ἀμήν.

C : 423-426 θεοῦ — μου
N : 423-426 θεοῦ — μου
424 Μωυσέως CN : +οὕτως K
425 Deut. 32, 39 428 Hébr. 10, 31

1. Théodoret cite volontiers, dans l'*In Is.* (cf. index), ce verset du *Deut.* qui met en évidence le pouvoir absolu de Dieu. Remarque voisine chez Chrysostome sur la puissance de Dieu (56, 27, l. 10-13).

2. Sur la manière dont Théodoret divise son texte pour le commenter, cf. Introd., ch. II, p. 39 ; rappeler que c'est ici la fin de la « première vision » d'Isaïe est une manière de souligner l'unité de cette section. C'est, avec le commentaire de l'épître aux Romains

et il n'y aura personne pour éteindre le feu. De fait, lorsque c'est Dieu qui punit, qui peut protéger ? Il s'est exprimé aussi de la même façon par la bouche du grand Moïse[1] : « C'est moi qui ferai mourir et qui ferai vivre, moi qui frapperai et qui guérirai ; et il n'y a personne pour délivrer de mes mains. »

Parénèse

Puisque nous savons cela, il nous convient donc de craindre et de trembler, car : « C'est chose effroyable que de tomber aux mains du Dieu vivant. » Le prophète, du reste, a achevé ici sa première vision. Quant à nous, nous allons laisser se reposer un instant les lecteurs de cet ouvrage[2], en rendant gloire au Père, au Fils et au Saint-Esprit, maintenant et toujours et pour les siècles des siècles. Amen.

(*In Ep. S. Pauli*, 82, 80 B : τὸν νοῦν διαναπαύσαντες), le seul cas, à notre connaissance, où Théodoret fait entrer en ligne de compte la fatigue de son lecteur ; mais, ce n'est pas cette raison qui lui fait interrompre momentanément son commentaire : ses divisions sont toujours logiques et n'obéissent pas à des contingences externes (unité de lecture ou de dictée par exemple) comme celles d'autres exégètes, qui paraissent moins bien dominer leur texte ou en suspendre le commentaire sans se soucier beaucoup de son unité interne ; cf. les remarques de L. DOUTRELEAU à propos de Didyme l'Aveugle (DIDYME L'AVEUGLE, *Sur Zacharie*, *SC* 83, Introd. p. 27 s.).

ΤΟΜΟΣ Β′

2[1] **Ὁ λόγος ὁ γενόμενος πρὸς Ἡσαΐαν υἱὸν Ἀμὼς περὶ τῆς Ἰουδαίας καὶ περὶ Ἱερουσαλήμ.** Ἐν τῇ Ὀζίου (βασι)λείᾳ — ἐν ἐκείνῃ γὰρ τῆς προφητείας ἤρξατο — καὶ τούτους
5 προσετάχθη διαπορθμεῦσαι τ(οὺς λόγους), οὐ κατὰ τὸν αὐτὸν μέντοι καιρόν · οὗ δὴ χάριν ἑτέρῳ πάλιν ἐχρήσατο προοιμίῳ.

[2] **(Ὅτι) ἔσται ἐν ταῖς ἐσχάταις ἡμέραις ἐμφανὲς τὸ ὄρος κυρίου, καὶ ὁ οἶκος τοῦ θεοῦ ἐπ' ἄκρων (τῶν ὀρέων) καὶ ὑψωθήσεται ὑπεράνω τῶν βουνῶν.** Τὸ περιφανὲς καὶ περί-
10 βλεπτον τῆς (εὐσεβείας) προλέγει καὶ ὅτι σβεσθήσεται μὲν ἡ τῶν εἰδώλων θεραπεία, ὁ δὲ τοῦ θεοῦ οἶκος π(αρὰ πάντων) τὸ προσῆκον δέξεται σέβας. Διὰ γὰρ τῶν ὀρέων

N : 3-6 ἐν — προοιμίῳ || 9-27 τὸ — υἱῷ

3 ἐν K : +μὲν N || 4 ἐν ἐκείνῃ γὰρ K : > N || 5 προσετάχθη — λόγους K : προσετάγη τοὺς λόγους διαπορθμεῦσαι N || 9 περιφανὲς K : +τοίνυν N || περίβλεπτον KE : περίοπτον N || 11-12 παρὰ πάντων / τὸ προσῆκον KE : ∾ N

1. Dans le soin que met Théodoret à « dater » la prophétie on reconnaît l'antiochien soucieux de mettre en évidence le caractère historique du texte et l'exégète attentif à montrer la cohérence de l'Écriture à ceux-là mêmes qui la nient (cf. *In Gen.*, 80, 76 B) ; cf. de même, la justification de la place de la prophétie relative à l'Emmanuel (*In Is.*, 3, 352-356), celle de la présence des prophéties sur les peuples étrangers (*id.*, 6, 2-11), celle des chapitres d'Isaïe 36-39 qu'on ne saurait considérer, selon Théodoret, comme une redite inutile (*id.*, 11, 6 s.) ou encore sa remarque sur la composition du livre d'Isaïe (*id.*, 16, 248-251). Cf. les remarques de CHRYSOSTOME à ce sujet (56, 27, l. 16 s.).

2. Le texte d'*Isaïe* 2, 1-4 se retrouve en *Michée* 4, 1-4, et le commentaire de Théodoret à cet endroit-là (81, 1760-1761) est proche de celui qu'il fait ici sur Isaïe.

3. Le thème du triomphe de l'Église sur l'idolâtrie est fréquemment

DEUXIÈME SECTION

Époque de la prophétie

2, 1. *Parole adressée à Isaïe, fils d'Amos, au sujet de Juda et de Jérusalem :* C'est sous le règne d'Ozias, sous lequel il a commencé à prophétiser, qu'il lui a été enjoint de transmettre aussi ces paroles. Toutefois, ce n'est pas au même moment ; voilà pourquoi il a usé d'un second préambule[1].

Règne de la piété et de la vérité

2. *Dans les derniers jours, la montagne du Seigneur apparaîtra à tous les regards ; la Maison de Dieu (sera) au sommet des montagnes et s'élèvera au-dessus des collines*[2]. Il prédit la position éclatante et bien en vue qu'occupera la piété : le culte des idoles s'éteindra, tandis que la Maison de Dieu recevra universellement les marques de respect qui lui sont dues[3]. Car, par « montagnes » et par « collines »,

développé par Théodoret dans ses commentaires (cf. Introd., ch. III, p. 65). L'interprétation d'*Ézéchiel* 17, 22 : « Et je le planterai moi-même sur une montagne élevée » est identique ; Théodoret y souligne dans les mêmes termes l'éclat de l'Église (*In Ez.*, 81, 969 A : τὸ περιφανὲς τῆς Ἐκκλησίας ; cf. aussi *In Is.*, 2, 40-41) et cite *Isaïe* 2, 2 pour autoriser son interprétation. C'est déjà à *Isaïe* 2, 2-4 qu'il avait recours en *Thérap.* X, 50 s., pour montrer à ses lecteurs la différence entre les faux et les vrais oracles ; en soulignant « la sublimité de l'Église (τῆς Ἐκκλησίας τὸ ὕψος) », il détaille plus qu'il ne le fait ici les « marques de respect » dont elle est l'objet et note, en outre, l'occupation par les ascètes des sommets jadis consacrés aux idoles. Notons que les exégètes, dans leur ensemble, retiennent pour ce verset l'explication figurée et voient dans la « montagne » une image de l'Église : cf. Eusèbe, *GCS* 16, 3 s. ; Cyrille 70, 68 D ; Chrysostome 56, 29, l. 16 s. ; ce dernier engage même la polémique contre les Juifs en rejetant toute interprétation qui entendrait la prophétie du temple de Jérusalem (*id.*, 30, l. 10 s.).

καὶ τῶν βουνῶν οὐ (τὸ ὕψος μόνον δηλοῖ) ἀλλὰ καὶ τὴν (ἐν τούτοι)ς πάλαι κρατήσασαν πλάνην · ἐν γὰρ ταῖς ἀκρω-
15 ρείαις καὶ (τοῖς ὑψηλοῖς) λόφοις τεμέν(η τοῖς) εἰδώλοις ἀνέστησαν καὶ ἄλση κατεφύτευσα(ν καὶ τὴν διὰ θυσιῶν αὐτοῖς) προσέφερον θεραπείαν. Μετὰ δὲ τὴν τοῦ σωτῆρος ἡμῶν ἐπιφάνειαν τὸ μὲν ἐκ(είνων διελήλεγκται ψεῦδος), |99 b| δέδεικται δὲ τῆς ἀληθείας τὸ κάλλος, καὶ ὁρῶμεν
20 τῆς προφητείας τὸ τέλος. Ἐσχάτας (δὲ) (ἡμέρας τὰς) μετὰ τὴν δεσποτικὴν ἐπιφάνειαν λέγει. Οὕτω καὶ διὰ Ἰωὴλ τοῦ προφήτου φησίν · « Ἐν ταῖς ἐσχάταις ἡμέραις ἐκχεῶ ἀπὸ τοῦ πνεύματός μου ἐπὶ πᾶσαν σάρκα » — τοῦτο δὲ κατὰ τὴν ἡμέραν τῆς πεντηκοστῆς ἔλαβε πέρας —, καὶ ὁ
25 θεῖος ἀπόστολος · « Πολυμερῶς καὶ πολυτρόπως » ἔφη « πάλαι ὁ θεὸς λαλήσας τοῖς πατράσιν ἐν τοῖς προφήταις, ἐπ' ἐσχάτων τῶν ἡμερῶν τούτων ἐλάλησεν ἡμῖν ἐν υἱῷ. »

**Καὶ ἥξουσιν ἐπ' αὐτὸν πάντα τὰ ἔθνη, [3] καὶ πορεύσονται λαοὶ πολλοὶ καὶ ἐροῦσιν · δεῦτε ἀναβῶμεν εἰς τὸ ὄρος κυρίου
30 καὶ εἰς τὸν οἶκον τοῦ θεοῦ Ἰακώβ, καὶ ἀναγγελεῖ ἡμῖν τὴν ὁδὸν αὐτοῦ, καὶ πορευσόμεθα ἐν αὐτῇ.** Ταῦτα διπλῆν ἔχει τὴν ἑρμηνείαν, ἑκατέρας δὲ τὸ τέλος ὁρῶμεν · κἄντε γὰρ τὴν Ἱερουσαλὴμ νοήσωμεν ὄρος εἶναι τοῦ θεοῦ, ὁρῶμεν ἐκεῖσε τοὺς πεπιστευκότας ἐκτρέχοντας καὶ ἐξ ἁπάσης τῆς
35 οἰκουμένης ἐκτρέχοντας καὶ ἀφικνουμένους τοὺς τὸ κήρυγμα

N : 32-43 κἄντε — φωτίζεται

13 καὶ² N : > K ‖ 22 φησίν K : λέγει N ‖ 25 καὶ πολυτρόπως / ἔφη K : ∾ N ‖ 27 ἐσχάτων K : ἐσχάτου N ‖ 29 δεῦτε K* : +καὶ Kcorr ‖ 32 γὰρ K : δὲ N ‖ 33 νοήσωμεν K : +ἐνταῦθα N ‖ 34-35 καὶ — ἐκτρέχοντας KE : > N

22 Joël 3, 1 ; Act. 2, 17 25 Hébr. 1, 1-2

1. Voir aussi *In Is.*, 4, 350-352 ; 12, 52-54 ; cette interprétation de « collines » et de « montagnes » est du reste constante chez Théodoret (*In Cant.*, 81, 100 AB ; *In Ez.*, 81, 1024 B ; *In Mich.*, 81, 1760 CD ; *In Jer.*, 81, 740 C) ; elle explique en outre qu'il fasse fréquemment de « Liban » l'un des symboles de l'idolâtrie (cf. Introd., ch. IV, p. 83 s.).

2. Le commentaire de *Joël* 2, 28 est identique : « Or cela reçut

il ne désigne pas seulement la hauteur, mais aussi l'erreur qui régnait autrefois souverainement en ces lieux. C'est en effet sur les cimes et sur les crêtes élevées qu'ils ont dressé des temples et planté des bois sacrés en l'honneur des idoles et qu'ils leur rendaient un culte par des sacrifices[1]. Mais, après la Manifestation de Notre-Seigneur, la tromperie des idoles a été démontrée, tandis que s'est révélée la beauté de la vérité ; et nous voyons l'accomplissement de la prophétie. De plus, par « derniers jours », il veut dire les jours qui ont suivi la Manifestation du Seigneur. C'est ainsi qu'il dit encore par l'intermédiaire du prophète Joël : « Dans les derniers jours, je répandrai de mon Esprit sur toute chair » — or cela se trouva réalisé au jour de la Pentecôte[2] —, et que le divin Apôtre a déclaré : « Après avoir à maintes reprises et sous maintes formes parlé jadis aux Pères par les prophètes, Dieu, en ces jours qui sont les derniers, nous a parlé par le Fils[3]. »

Vers elle arriveront toutes les nations, 3. *des peuples nombreux viendront et diront: Venez, montons à la montagne du Seigneur et vers la Maison du Dieu de Jacob; il nous fera connaître sa route et nous avancerons sur elle.* Ce passage est susceptible de deux interprétations, et de chacune d'elles nous voyons l'accomplissement. Si nous comprenons que Jérusalem est la montagne de Dieu, nous voyons que c'est là qu'accourent ceux qui ont cru — ils le font de tous les points du monde — et qu'arrivent ceux qui ont accueilli le message et se sont emparés de la

ouvertement et de façon précise sa réalisation (τὸ πέρας) au jour de la Pentecôte » (*In Joel.*, 81, 1653 A) ; notons toutefois que Théodoret cite ici le texte de Joël reproduit par *Act.* 2, 17 avec la variante « dans les derniers jours », tandis que le texte exact — celui qu'il commente dans Joël — est le suivant : « Et il arrivera après cela... (καὶ ἔσται μετὰ ταῦτα) ».

3. Dans son commentaire de l'*Épître aux Hébreux* (82, 677 CD), Théodoret ne commente pas les mots « en ces jours qui sont les derniers ».

δεξαμένους καὶ τὴν ἐκεῖθεν βλαστήσασαν εὐλογίαν ἀρπάσαντας· κἄντε τὰς πανταχοῦ γῆς καὶ θαλάττης ἐκκλησίας φῶμεν οἶκον θεοῦ — τῷ θείῳ Παύλῳ πειθόμενοι· « Οἶκος γὰρ αὐτοῦ » φησίν « ἐσμεν ἡμεῖς » —, καὶ οὕτως ἔστιν
40 (ἰδεῖν) τὴν τῆς προφητείας ἀλήθειαν· περιφανὴς γὰρ ἡ τοῦ θεοῦ ἐκκλησία, καὶ τὴν πάλαι κρατήσασαν ἀσέβ(ειαν) τὰ ἔθνη καταλιμπάνοντα ταύτῃ πρόσεισι καὶ παρὰ ταύτης φωτίζεται.

Ἐκ γὰρ Σιὼν ἐξελεύσεται νόμος καὶ λόγος κυρίου ἐξ
45 **Ἱερουσαλήμ. [4] Καὶ κρινεῖ ἀνὰ μέσον τῶν ἐθνῶν καὶ ἐλέγξει λαὸν πολύν.** Θαυμάζω τοὺς ἑτέρως νοεῖν τόδε τὸ χωρίον ἀνεχομένους καὶ τὴν ἀπὸ Βαβυλῶνος ἐπάνοδον οἰομένους

C : 40-43 περιφανὴς — φωτίζεται || 46-54 θαυμάζω — ἔθνεσιν

N : 46-61 θαυμάζω — ἐξεπαίδευσεν

37 κἄντε N[384]R : κἂν KN[p.451] || 38 θείῳ N : > K || 42 παρὰ ταύτης KC : παρ' αὐτῆς NE || 46 θαυμάζω KC : +τοίνυν N

38 Hébr. 3, 6

---

1. A plusieurs reprises dans l'*In Is.* (1, 382-386 ; 15, 468-471. 482-486 ; 19, 69-73.82-83) et dans d'autres commentaires (*In Zach.*, 81, 1916 D - 1917 A ; *In Jer.*, *id.*, 524 A), Théodoret mentionne ces pèlerinages à Jérusalem en soulignant leur universalité et l'empressement (συντρέχειν) des fidèles. Dans la *Thérap.* X, 52, Théodoret n'assimile pas ouvertement, comme il le fait ici, « la montagne du Seigneur » à Jérusalem, mais se contente de l'interprétation donnée plus haut (*In Is.*, 2, 9-10) relative à la position éclatante de l'Église. Néanmoins, les termes dont il se sert pour montrer l'afflux des fidèles sur les sommets des montagnes (πάντας πανταχόθεν ξυρρέοντας) ne sont pas sans parenté avec ceux qu'il utilise pour évoquer ces pèlerinages à Jérusalem. Chrysostome, sans abandonner la polémique anti-juive, entend également le verset de la conversion des Nations et de leur venue en pèlerinage à Jérusalem (56, 31, l. 26 s.).

2. Comme le note P. Canivet (*Histoire d'une entreprise...*, p. 60), l'interprétation donnée dans l'*In Is.*, par le biais de la référence à S. Paul, s'enrichit sensiblement par rapport à celle de *Thérap.* X, 52. P. Canivet pense que cette différence d'interprétation « reflète les préoccupations du moine » — les ascètes sur les cimes — « puis de l'évêque » soucieux de présenter aux fidèles un enseignement théolo-

Bénédiction qui a pris là son germe[1]. Si, par ailleurs, nous affirmons que les Églises répandues partout sur terre et sur mer sont la Maison de Dieu — sur la foi des paroles du divin Paul : « Sa Maison, c'est nous » —, dans ce cas aussi il est possible de constater la vérité de la prophétie : car l'Église de Dieu occupe une position éclatante et les nations abandonnent l'impiété qui régnait jadis en souveraine pour s'approcher d'elle et recevoir d'elle la lumière[2].

Annonce du Nouveau Testament. Loi nouvelle

Car de Sion sortira la loi, et la parole du Seigneur de Jérusalem. 4. Il sera l'arbitre des nations et il confondra un peuple nombreux. Ils m'étonnent ceux qui persistent à comprendre ce passage d'une autre manière et qui croient que ces mots prédisent le retour de Babylone[3].

gique (« Sa maison, c'est nous »). Il reste que l'idée fondamentale — le triomphe du christianisme — est la même dans la *Thérap.* et dans l'*In Is.* et s'y exprime en des termes voisins : dans les deux cas, « Église » est entendue dans son sens le plus large et désigne une réalité qu'il nous paraît difficile, même dans la *Thérap.*, de restreindre aux « refuges des ascètes sur les cimes ». La différence d'interprétation vient essentiellement, selon nous, de la nature du public auquel s'adresse Théodoret : il suffisait de montrer à des païens la ruine des idoles et le triomphe de l'Église pour leur prouver la vérité des prophéties et leur supériorité sur les oracles mensongers ; pour des lecteurs chrétiens, il était naturel que Théodoret dépassât le sens littéral et « matériel » de la prophétie pour atteindre le sens spirituel du terme « Église ».

3. En refusant l'interprétation vétéro-testamentaire, Théodoret paraît moins s'opposer à l'exégèse juive proprement dite qu'à celle des anciens antiochiens — de Théodore de Mopsueste en particulier— représentés ici par l'indéfini τινές (cf. Introd., ch. IV, p. 85 et n. 1). Déjà dans la préface de l'*In Psal.* (80, 860 CD), Théodoret déplore et rejette ce type d'exégèse judaïsante pratiquée par certains de ses prédécesseurs qu'on dirait plus soucieux de donner des armes aux Juifs qu'aux enfants de la foi (τοὺς δέ τισιν ἱστορίαις τὴν προφητείαν ἁρμόσαντας, ὡς Ἰουδαίοις μᾶλλον τὴν ἑρμηνείαν συνηγορεῖν, ἢ τοῖς τροφίμοις τῆς πίστεως). Que Théodoret vise plus des exégètes chrétiens que les Juifs, une autre preuve en est donnée par le commentaire de *Michée* 4, 1-4 : l'exégète n'est pas surpris de l'inter-

διὰ τούτων προλέγεσθαι. Ποῖα γὰρ ἔθνη μετὰ τὴν δευτέραν τοῦ ναοῦ οἰκοδομίαν ἐκεῖσε ἔδραμεν ; Ποῖος δὲ νόμος
50 ἐκεῖσε ἐδόθη ; Τὸν γὰρ παλαιὸν νόμον οὐκ ἐν τῇ Σιὼν ἀλλ' ἐν τῷ Σινὰ ὄρει δέδωκεν ὁ θεός. Εὔδηλον τοίνυν ὡς τὴν καινὴν αἰνίττεται διαθήκην, ἐκεῖ μὲν πρώτοις δοθεῖσαν τοῖς ἀποστόλοις, δι' ἐκείνων δὲ πᾶσι παρασχεθεῖσαν τοῖς ἔθνεσιν. Οὐ μόνον νόμον ἀλλὰ καὶ λόγον ἐκεῖθεν ἐξελεύσε-
55 σθαι προθεσπίζει · οὕτω δὲ τὸ (εὐ)αγγελικὸν ὠνόμαζε κήρυγμα. Τοῦτο γὰρ καὶ ὁ μακάριος ἡμᾶς διδάσκει Λουκᾶς · « ὡς παρέδοσαν ἡμῖν οἱ ἐξ ἀρχῆς αὐτόπται καὶ ὑπηρέται τοῦ λόγου γενόμενοι ». Λόγον γὰρ (ἐν)ταῦθα οὐ τὸν θεὸν λόγον καλεῖ ἀλλὰ τὴν τοῦ θείου λόγου διδασκαλίαν · οὐ γὰρ
60 ὁ θεὸς λόγος (ἐκ) Σιὼν ἐξελήλυθεν, ἀλλ' ἐν τῇ Σιὼν τὴν ἀλήθειαν ἐξεπαίδευσεν.

Καὶ συγκόψουσι (τὰς) μαχαίρας αὐτῶν εἰς ἄροτρ(α) καὶ τὰς ζιβύνας αὐτῶν εἰς δρέπανα, καὶ οὐ λήψεται ἔθνος

49 ἔδραμεν CN¹ : ἔδραμον KNᵖ || 51 εὔδηλον KN : δῆλον C || 54 οὐ K : διά τοι τοῦτο οὐ N || 55 ὠνόμαζε K : ὀνομάζεται N

57 Lc 1, 2

prétation des Juifs qui rapportent la prophétie au retour d'exil de Babylone, car de leur part on doit s'attendre à tout, mais s'indigne (οὐκ ἀνεκτόν, οὐδὲ συγγνώμης ἄξιον εἶναι μοι δοκεῖ) du « fait que certains des maîtres de la piété » insèrent dans leurs propres ouvrages la même interprétation (81, 1760 D - 1761 A). On notera enfin que, dans des cas semblables, l'argumentation de Théodoret est presque toujours « historique » : c'est, selon nous, une preuve supplémentaire qu'il réfute alors l'interprétation de Théodore en utilisant la méthode historique préconisée par ce dernier ; cf. l'*In Is.* de Basile (30, 210 CD) : même refus de l'interprétation typologique doublé d'une polémique anti-juive.

1. Le commentaire *In Mich.* (81, 1761 AB) présente déjà sous la même forme interrogative cette argumentation : « Quelles nations, en effet, des régions voisines ou venues de lointains établissements, ont après le retour d'exil accouru vers le Temple des Juifs pour

Quelles nations ont accouru là-bas après la seconde construction du Temple[1] ? Quelle loi a été donnée là-bas ? L'ancienne Loi, ce n'est pas dans Sion, mais sur le mont Sinaï que Dieu l'a donnée[2]. Il est donc bien clair qu'il fait allusion au Nouveau Testament : c'est là qu'il a été donné aux apôtres d'abord et, grâce à eux, transmis à toutes les nations. Il prophétise que sortiront de là non seulement la Loi, mais aussi la Parole : or, tel est le nom qu'il a donné au message évangélique. C'est ce que nous enseigne aussi le bienheureux Luc : « comme nous l'ont transmis ceux qui furent dès le début témoins oculaires et serviteurs de la Parole ». Il appelle ici « Parole » non pas le Dieu-Verbe, mais l'enseignement du Verbe divin[3] ; de fait, le Dieu-Verbe n'est pas sorti de Sion, mais c'est dans Sion qu'il a enseigné la vérité.

Ils briseront leurs épées pour en faire des socs et leurs lances pour en faire des serpes ; une nation ne prendra plus

embrasser leur Loi et chérir la parole qui prend là son essor ? Entre quelles nations ou quels peuples très nombreux cette parole a-t-elle été l'arbitre, en dénonçant leurs mauvaises actions ? »

2. Jean Chrysostome dans son commentaire (56, 32, l. 11 s.) souligne également ce point : καὶ πρῶτον ἀπὸ τοῦ τόπου, τοῦ Σίων ὄρους. Ὁ γὰρ διὰ Μωσέως νόμος ἐν τῷ Σιναίῳ ὄρει τοῖς προγόνοις αὐτῶν ἐδόθη.

3. La distinction est nécessaire pour que la prophétie soit absolument vraie ; Chrysostome entend également « parole » des enseignements du Christ, mais sans opérer la même distinction : Μετὰ ἀκριβείας ἡμῖν τὸ παράσημον τῆς καινῆς Διαθήκης ἐνταῦθα τίθησι. Καὶ γὰρ νῦν μὲν ἐν τῷ ὄρει καθήμενος, τὰ ὑψηλὰ καὶ τῶν οὐρανῶν ἄξια προστάγματα ἐνομοθέτει, νῦν δὲ ἐν Ἱερουσαλὴμ διατρίβων (56, 32, l. 23 s.). Du reste, en *Thérap.* X, 52, parce que ses préoccupations sont différentes, Théodoret n'est pas aussi soucieux de supprimer l'ambiguïté du terme « Logos » : « Ne voyez-vous pas... la foule, qui afflue de partout, proclamant la divinité du Logos qui s'est manifesté (ἐπιφανέντα) à Sion et embrassant la Loi qui a retenti de Sion » (*SC* 57, t. 2, p. 376) ; ici, toutefois, on ne doit pas faire d' ἐπιφάνεια un synonyme d'ἐνανθρώπησις comme cela est fréquent dans notre commentaire.

ἐπ' ἔθνος (μά)χαιραν, καὶ οὐ μὴ μάθωσιν ἔτι πολεμεῖν.
65 Οὐδὲ ταῦτα μετὰ τὴν ἀπὸ Βαβυλῶνος ἐπάνοδον γεγενημένα εὑρίσκομεν· πόλεμοι γὰρ ἐπάλληλοι ἦσαν κατὰ πᾶσαν τὴν οἰκουμένην, (εἰς) πολλὰ τῆς βασιλείας μεμερισμένης καὶ τῶν κατ' ἔθνος βασιλευόντων ἐπανισταμένων (ἀλλήλ)οις. Τῇ δὲ τοῦ θεοῦ καὶ σωτῆρος ἡμῶν ἐπιφανείᾳ συνήκμασεν
70 ἡ τῶν Ῥωμαίων (ἀρχή), αὕτη δὲ τὰς πολλὰς καταλύσασα βασιλείας τὸ κατὰ πάντων ἀνεδήσατο κράτος, ὑπ' ἐ(κείνην δὲ) τὰ ἔθνη τελοῦντα οὐκέτι τοῖς πολεμικοῖς ὀργάνοις κέχρηνται κατ' ἀλλήλων, τῶν δὲ (ἀπὸ γεωρ)γίας ἅπαντες ἀπολαύουσιν ἀγαθῶν. Τοσαύτη δὲ πάλαι διάστασις ἦν, ὅτι
75 καὶ (ὁ Ἰσραὴλ δι)χῇ διῃρημένος ἦν καὶ ἑαυτὸν κατανήλισκεν καὶ ἐν μιᾷ γωνίᾳ τῆς (οἰκουμένης, μᾶλλον δὲ ἐ)ν ἐπαρχίᾳ μιᾷ — τῇ Παλαιστίνῃ φημί — Ἀλλόφυ(λοι καὶ) Μωαβῖται καὶ (Ἀμμανῖται καὶ Ἰδουμαῖ)οι καὶ Ἀμαληκῖται κατ' ἀλλήλων ἐστράτευον. Ἀλλὰ ταῦτα |100 a| (πάντα) ἡ τοῦ
80 σωτῆρος ἡμῶν ἔσβεσεν ἐνανθρώπησις. Κατ' αὐτὴν γὰρ τὴν

C : 69-74 τῇ — ἀγαθῶν

N : 65-87 οὐδὲ — δόγματα

65 ταῦτα K : +δὲ N || 69 καὶ CN : +τοῦ K || 72 τελοῦντα C : > KN^p ὄντα N^1 || 74 πάλαι K : +τοῖς Ἰουδαίοις N || 76 ἐν^1 N : > K

---

1. L'ἀκολουθία étant une des règles fondamentales de son interprétation, Théodoret continue de refuser d'appliquer ce passage, même à titre de « figure », à la période qui suivit le retour de Babylone. L'argumentation développée dans l'*In Mich.* est identique, mais présentée dans l'ordre inverse : Théodoret y fait état des nombreux conflits qui ont opposé les Juifs à leurs proches voisins (81, 1761 AB) avant de noter la suprématie de Rome sur les autres nations et les bienfaits de la « Pax Romana » (*id.*, 1761 CD). C'est déjà le schéma suivi en *Thérap.* X, 53-54, d'où la polémique contre les tenants d'une interprétation vétéro-testamentaire est toutefois absente.

2. Cf. *In Mich.*, 81, 1761 CD : « Avant l'établissement de l'empire romain, les nations se dressaient (ἐπαναστάσεις) fréquemment les unes contre les autres, car le pouvoir royal était morcelé entre chaque nation (τῆς βασιλείας μεμερισμένης). Mais lorsque la souveraineté eut échu tout entière à Rome et que le pouvoir royal détenu par chaque nation eut été supprimé, lors de la venue de notre Sauveur, une profonde paix s'étendit sur le monde entier de telle sorte que les

contre une autre l'épée et l'on n'apprendra plus à guerroyer. Nous ne découvrons pas non plus que ces faits se soient produits après le retour de Babylone[1] : des guerres mutuelles avaient lieu dans le monde entier, car le pouvoir royal était très morcelé et les rois de chaque nation se soulevaient les uns contre les autres. Mais, au temps de la Manifestation de notre Dieu et Sauveur, l'empire de Rome atteignit son apogée ; cet empire mit fin aux nombreuses royautés avant de s'adjuger le pouvoir universel. Les nations soumises à cet empire n'ont donc plus utilisé les unes contre les autres les machines de guerre et tous (les peuples) jouissent (désormais) des biens que procure l'agriculture[2]. Mais la dissension était jadis si grande qu'Israël se trouvait divisé en deux, qu'il se dévorait lui-même[3] et que dans un seul coin du monde, ou plutôt dans une seule province — je parle de la Palestine —, Allophyles[4], Moabites, Ammonites, Iduméens et Amalécites faisaient campagne les uns contre les autres[5]. Mais, l'incarnation de notre Sauveur a mis fin à tout cela. Au temps même où la Vierge allait enfanter

nations ne marchaient plus l'une contre l'autre, mais qu'en raison de la paix dispensée par Dieu, les peuples convertissaient en outils agricoles les instruments de guerre, s'adonnaient à l'agriculture et jouissaient en toute sécurité des biens qu'elle procure. » Cf. aussi *Thérap.* X, 53-54. Sur l'hégémonie de Rome au moment de la naissance du Christ, cf. *In Dan.*, 81, 1308 D et son pouvoir universel (81, 1304 C). Dans son commentaire, CHRYSOSTOME s'attache également à montrer que l'hégémonie romaine a mis fin aux querelles entre nations et à rendre sensibles pour son lecteur les effets de la *Pax Romana* (56, 32-34). Cf. aussi CYRILLE (70, 72 CD - 73 AC).

3. Allusion à la scission du royaume vers 931 a.C. et à la lutte qui opposa le royaume de Samarie — les dix tribus — à celui de Juda.

4. Le terme, dans la langue des Septante, désigne les Philistins, qui ont donné leur nom à la Palestine ; voir *infra, In Is.*, 4, 36-38 ; 5, 379-384.

5. Cf. *Thérap.* X, 53 et *In Mich.* (81, 1761 AB), où l'on a une énumération de peuples comparable ; toutefois, dans l'*In Mich.*, Théodoret ne parle pas comme ici de leurs guerres mutuelles, mais de leurs attaques contre les Juifs. Cf. encore *In Ez.*, 81, 1201 BC ; *In Jer.*, 81, 584 B.

σ(ωτήριον τῆς) παρθένου γέννησιν ἔπεμψέ φησιν Αὔγουστος « ἀπογράψασθαι πᾶσαν τὴν οἰκουμένην ». Ἐντεῦθεν ἀρχὴν ἔλαβεν ἡ εἰς εἰρήνην τῶν πολέμων μεταβολή, καὶ τὸ κήρυγμα ἔτρεχεν ἀκωλύτως τῶν κατ' ἔθνος ἐσβεσμένων πολέμων,
85 καὶ τῶν ἐθνῶν ἁπάντων ὑπὸ μίαν ἐξουσίαν τελούντων ἀδεῶς οἱ κήρυκες τῆς ἀληθείας διέβαινον τὰ σωτήρια διαπορθμεύοντες δόγματα.

Οὕτω ταῦτα προθεσπίσαι κελευσθεὶς ὁ προφήτης τῷ λαῷ παραινεῖ τῷ καλουμένῳ Ἰακὼβ τὸ φῶς τῆς ἀληθείας
90 εἰσδέξασθαι, λέγει δὲ οὕτω · [5] **Καὶ νῦν, σὺ οἶκος τοῦ Ἰακώβ, δεῦτε καὶ πορευθῶμεν τῷ φωτὶ κυρίου** · [6] **ἀνῆκε γὰρ τὸν λαὸν αὐτοῦ, τὸν οἶκον τοῦ Ἰσραήλ.** Οἶκον Ἰακὼβ τοὺς ἐξ Ἰακὼβ ὀνομάζει. Τούτων δὲ οἱ μὲν πιστεῦσαι θελήσαντες προσελήφθησαν, οἱ δὲ ἀπιστήσαντες ἀπερρίφησαν. Προτρέ-
95 πει τοίνυν ὁ προφητικὸς λόγος μηκέτι προσεδρεύειν τῷ λυχνιαίῳ φωτὶ τοῦ νόμου, ἀλλὰ τῷ ἀληθινῷ τὰς ψυχὰς καταυγάζειν · οὐκέτι γὰρ τῆς προτέρας ἐπιμελείας οἱ ἀντιλέγοντες ἀπολαύσονται.

Εἶτα δείκνυσιν, ὡς οὐκ ἐννόμως ἀλλὰ καὶ λίαν παρανόμως
100 πολιτευόμενοι τὴν ὑπὲρ τοῦ νόμου δῆθεν σπουδὴν ἐπεδεί(κνυντο κ)αὶ τὴν καινὴν οὐκ ἐδέχοντο διαθήκην, καὶ διδάσκει

N : 88-98 οὕτω — ἀπολαύσονται (90-92 λέγει — Ἰσραήλ>) ‖ 99-107 δείκνυσιν — παρέδησαν

88 ταῦτα K : τὰ εἰρημένα N ‖ 92 οἶκον² K : +δὲ N ‖ 95 προφητικὸς λόγος KR : προφήτης N ‖ 96 λυχνιαίῳ N : λυχναίῳ K

82 Lc 2, 1

1. Ce raccourci historique, qui répond à un besoin de simplification à des fins démonstratives plus qu'à un souci d'exactitude, présente naturellement une vision fort idéalisée de la réalité ; mais il reste vrai que l'unification du monde connu sous l'autorité de Rome a facilité la diffusion du christianisme.

2. La lumière véritable, i.e. le Christ et ses enseignements dans le N.T. Théodoret aime, par ces oppositions, montrer que la Loi ne possède que l'ombre des réalités futures : cf. *supra*, *In Is.*, 1, 399 s., l'opposition entre Loi et législateur ; *In Jer.*, 81, 681 A, l'imperfection

le Sauveur, Auguste envoya, dit (l'Écriture), l'ordre de « recenser le monde entier ». A partir de ce moment-là, les guerres commencèrent à se changer en paix ; le message (évangélique) prit sa course sans rencontrer d'obstacle, puisque les guerres entre nations s'étaient éteintes ; et, comme toutes les nations étaient soumises à une autorité unique, c'est en toute sécurité que les hérauts de la vérité franchissaient les mers et transmettaient les enseignements du Sauveur[1].

Exhortation adressée au peuple juif

Après avoir reçu l'ordre de faire en ces termes cette prophétie, le prophète exhorte le peuple qu'il appelle « Jacob » à accueillir la lumière de la vérité ; il le fait de la façon suivante : 5. *Et maintenant, Maison de Jacob, venez ! et marchons à la lumière du Seigneur :* 6. *car il a abandonné son peuple, la Maison d'Israël.* Il nomme « Maison de Jacob » les descendants de Jacob. Ceux d'entre eux qui ont voulu croire, (Dieu) les a emmenés avec lui, tandis qu'il a jeté au rebut ceux qui ont été incrédules. Le texte prophétique (les) pousse donc à ne plus s'arrêter à la lumière que dispense la lampe de la Loi, mais à illuminer leurs âmes à la lumière véritable[2] : car ceux qui s'y refusent ne jouiront plus de la sollicitude d'autrefois.

Le peuple juif et la loi de Moïse

Il montre ensuite que, tout en ne se conduisant pas selon la Loi, mais en opposition ouverte à la Loi, ils affichaient, à les en croire, leur zèle pour la défense de la Loi et refusaient d'accueillir le Nouveau Testament[3] ; il

de la Loi mosaïque par rapport à la Loi de l'Évangile ; *In Dan.*, 81, 1484 BC, le sacrifice de la Loi n'est que l'ombre du sacrifice véritable, le Christ. CYRILLE (70, 76 BC) voit aussi dans le verset une invitation à passer de la lettre à la vérité, du type à sa réalisation, de l'ombre à la lumière.

3. Sur ce lieu commun de la polémique anti-juive, cf. *supra*, p. 185, n. 1.

τὰ ὑπ' αὐτῶν τολμώ(μενα) · **Ὅτι ἐνεπλήσθη ὡς τὸ ἀπ' ἀρχῆς ἡ χώρα αὐτῶν κληδονισμῶν ὡς ἡ τῶν Ἀλ(λο)φύλων, καὶ τέκνα πολλὰ ἀλλόφυλα ἐγενήθη αὐτοῖς.** Ἀμφότερα ὁ νόμος
105 ἐναργῶς ἀπηγόρευσε, καὶ τὸ ἀλλοφύλοις ἐπιμίγνυσθαι καὶ τὰς πρὸς ἐκείνους ἐπιγαμίας ποιεῖσθαι καὶ τὸ κληδόσι κεχρῆσθαι · ἀμφότερα δὲ οὗτοι παρέβησαν.

7 **Ἐνεπλήσθη ἡ χώρα αὐτῶν ἀργυρίου καὶ χρυσίου, καὶ οὐκ ἦν ἀριθμὸς τῶν θησαυρῶν αὐτῶν · καὶ ἐνεπλήσθη ἡ**
110 **γῆ αὐτῶν ἵππων, καὶ οὐκ ἦν ἀριθμὸς τῶν ἁρμάτων αὐτῶν.** Καὶ ἵπποις θαρρεῖν καὶ τῇ τοῦ πλούτου δυνάμει ὁ θεῖος ἀπηγόρευσε νόμος · « οὐ ποιήσεις » γάρ φησι « σεαυτῷ ἅρματα οὐδὲ πληθυνεῖς ἵππους. » Ταῦτα δὲ ἀπηγόρευσεν, ἵνα μὴ τῇ οἰκείᾳ δυνάμει θαρρῶσιν ἀλλὰ τὴν θείαν ῥοπὴν ἀναμέ-
115 νωσιν. Οὕτω καὶ ὁ μακάριος Δαυὶδ βοᾷ · « Οὐκ ἐν τῇ δυναστείᾳ τοῦ ἵππου θελήσει οὐδὲ ἐν ταῖς κνήμαις τοῦ ἀνδρὸς εὐδοκεῖ », καὶ πάλιν · « Οὐ γὰρ ἐν τῇ ῥομφαίᾳ αὐτῶν ἐκληρονόμησαν γῆν, καὶ ὁ βραχίων αὐτῶν οὐκ ἔσωσεν αὐτούς, ἀλλ' ἡ δεξιά σου καὶ ὁ βραχίων σου καὶ ὁ
120 φωτισμὸς τοῦ προσώ(π)ου σου, ὅτι εὐδόκησας ἐν αὐτοῖς », καὶ αὖθις · « Οὐ γὰρ ἐπὶ τῷ τόξ(ῳ μου) ἐλπιῶ, καὶ ἡ ῥομφαία μου οὐ σώσει (με). »

8 **Καὶ ἐνεπλήσθη ἡ γῆ βδελυγμάτων τῶν ἔργων τῶν χειρῶν αὐτῶν, καὶ προσεκύνησαν οἷς ἐποίησαν οἱ δάκτυλοι αὐτῶν.**
125 Ἀποχρώντως αὐτῶν τὴν ἄνοιαν ἐκωμῴδησε τῆς ἀσεβείας

C : 104-107 ἀμφότερα — παρέβησαν || 111-115 καὶ — ἀναμένωσιν || 125-128 ἀποχρώντως — σέβας

N : 111-122 καὶ[1] — με || 125-128 ἀποχρώντως — σέβας

104 πολλὰ K : > N || αὐτοῖς K : ἐν αὐτοῖς ἃ καὶ N || 107 δὲ CN : γὰρ K || 111 καὶ[1] K : καὶ γὰρ καὶ N || 112 φησι KN : > C || 114 οἰκείᾳ KN : ἰδίᾳ C || 117 εὐδοκεῖ K : εὐδοκήσει N[1] εὐδοκίει N[p] || 125 ἀποχρώντως KC : +τοιγαροῦν N || ἄνοιαν KN : διάνοιαν C

112-113 cf. Deut. 17, 16 115 Ps. 146, 10 117 Ps. 43, 4 121 Ps. 43, 7

1. Le mariage avec les étrangers est interdit par *Deut.* 7, 1-4 :

enseigne ce qu'ils osaient faire : *Parce que leur pays, comme à l'origine, s'est rempli de pratiques divinatoires, au même titre que le pays des Allophyles, et qu'en grand nombre des enfants étrangers à leur race leur sont nés.* La Loi interdit clairement l'un et l'autre : de se mêler à des étrangers et de conclure avec eux des alliances, comme d'avoir recours aux présages[1]. Pourtant, ils ont transgressé l'un et l'autre précepte.

7. *Leur pays s'est rempli d'argent et d'or et leurs trésors étaient sans nombre; leur terre s'est remplie de chevaux et leurs chars étaient sans nombre.* La Loi divine interdit de mettre sa confiance dans les chevaux et dans la puissance que donne la richesse : « Tu ne construiras pas, dit-elle, des chars et tu ne multiplieras pas tes chevaux. » Or, elle fait cette interdiction pour qu'ils ne mettent pas leur confiance dans leur propre puissance, mais pour qu'ils attendent patiemment l'assistance de Dieu. De la même façon, le bienheureux David s'écrie à son tour : « Il ne se complaira pas à la vigueur du cheval et il ne trouve pas son plaisir aux jarrets de l'homme » ; et encore : « Car ce n'est pas à la force de leur épée qu'ils ont conquis le pays, ce n'est pas leur bras qui les a sauvés, mais ta droite, ton bras et l'éclat de ta face, parce que tu as mis en eux ta complaisance » ; et, à une autre reprise : « Car je ne mettrai pas mon espérance dans mon arc, et mon épée ne me sauvera pas. »

8. *Leur pays s'est rempli d'idoles, œuvres de leurs mains ; ils se sont prosternés devant l'ouvrage de leurs doigts.* Il s'est largement moqué de leur déraison tout en les accusant

la crainte de voir l'idolâtrie s'introduire de cette manière dans la religion juive et sans doute aussi le désir de préserver la pureté du sang en sont la cause (cf. *Esd.* 9, 1 s.). Quant aux pratiques divinatoires, elles sont fréquemment condamnées, ce qui prouve leur persistance : *Ex.* 22, 17 ; *Lév.* 19, 31 ; 20-27 ; *Deut.* 18, 10-11. Cyrille (70, 77-80) insiste longuement lui aussi sur les manquements des Juifs à la Loi.

κατηγορῶν · ἃ γὰρ ταῖς χερσὶ καὶ τοῖς δακτύλοις εἰργάζοντο, ταῦτα θεοὺς ἐπωνόμαζον καὶ τὸ θεῖον αὐτοῖς προσέφερον σέβας. Εἶτα πάλιν αὐτῶν ὀλοφύρ(εται) τὴν τῆς ἀξίας μεταβολήν · [9] **Καὶ ἔκυψεν ἄνθρωπος καὶ ἐταπεινώθη**
130 **ἀνήρ, καὶ οὐ μὴ ἀνή(σω) αὐτούς.** Ὁ γὰρ κατ' εἰκόνα θείαν γεγενημένος καὶ τῶν ἐν τῇ γῇ πάντων τὴν ἐξου{σίαν λαχὼν} ἐξ ἀβουλίας τῆς βασιλείας ἐξέπεσεν · καὶ δέον αὐτὸν ἔχειν τὸ {γέρας}, αὐτὸς τοῖς χειροποιήτοις ἀπονέμει τὸ σέβας κύπτων καὶ π{ροσκυνῶν} καὶ τῇ τῶ(ν δα)ιμόνων
135 δεσποτείᾳ προστρέχων. Ἐγὼ δέ (φησι ταῦτα οὐ παρό)ψομαι, ἀλλὰ δίκας αὐτοὺς τῆς ἀσεβείας εἰσπράξομ{αι}.

(Τίνες δὲ αὗται), |100 b| διὰ τῶν ἐπαγομένων διδάσκει · [10] **Καὶ νῦν εἰσέλθετε εἰς τὰς πέτρας (καὶ κ)ρύπτεσθε εἰς τὴν γῆν ἀπὸ προσώπου τοῦ φόβου κυρίου καὶ ἀπὸ τῆς δόξης**
140 **τῆς ἰσχύος αὐτοῦ, ὅταν ἀναστῇ θραῦσαι τὴν γῆν.** Διὰ δὲ τούτων τὸν Ῥωμαϊκὸν πόλεμον προθεσπίζει · ἐκείνης γὰρ τῆς στρατιᾶς ἐπελθούσης, εἰς τὰ ὄρη καὶ τὰς ἐν τούτοις οἱ πλεῖστοι κατεκρύπτοντο καταδύσεις. [11] **Οἱ γὰρ ὀφθαλμοὶ κυρίου ὑψηλοί, ὁ δὲ ἄνθρωπος ταπεινός · καὶ ταπεινωθήσεται**
145 **τὸ ὕψος τῶν ἀνθρώπων, καὶ ὑψωθήσεται κύριος μόνος ἐν τῇ**

C : 130-135 ὁ — προστρέχων || 140-143 διὰ — καταδύσεις

N : 128-135 πάλιν — προστρέχων (129-130 καὶ¹ — αὐτούς>) || 135-137 φησι — διδάσκει || 140-143 διὰ — καταδύσεις

134 δαιμόνων KN : δαιμονίων C || 135 φησι ταῦτα / οὐ παρόψομαι K : ∾ N || 137 διδάσκει K : διδάξει N || 140-141 διὰ — προθεσπίζει KC : ἢ τὸν Ῥωμαϊκὸν πόλεμον προθεσπίζει διὰ τούτων N || 142-143 οἱ πλεῖστοι κατεκρύπτοντο / καταδύσεις KCE : ∾ N

---

1. Autre accusation traditionnelle de la polémique anti-juive : l'idolâtrie. C'est, en réalité, un des « topoi » de l'exégèse de Théodoret qui se contente le plus souvent, dans ce cas, de paraphraser le texte biblique (cf. *infra*, 2, 125 s., 196 s.), comme le font, du reste, la plupart des autres exégètes (Chrysostome, Cyrille).

d'impiété : les œuvres de leurs mains et de leurs doigts, voilà ce à quoi ils donnaient le nom de « dieux » et rendaient le culte divin[1] ! Puis, de nouveau, il déplore le changement qu'a subi leur dignité : 9. *Le mortel s'est abaissé et l'homme humilié : non, je ne leur pardonnerai pas.* De fait, celui qui a été formé à l'image de Dieu et qui a obtenu en partage l'autorité sur tous les êtres de la terre, sa stupidité l'a fait déchoir de sa royauté ; alors qu'il devait posséder les honneurs, c'est lui qui accorde son respect aux créatures de ses mains en s'inclinant, en se prosternant et en courant se placer sous le pouvoir despotique des démons[2]. Eh bien, dit-il, loin de détourner mes regards de ces agissements, j'en châtierai les auteurs pour leur impiété.

Les châtiments divins. La guerre menée par Rome

Il indique donc dans le passage suivant la nature des châtiments : 10. *Et maintenant entrez dans les rochers, cachez-vous dans la terre loin de la face de l'épouvante du Seigneur et loin de la gloire de sa force, lorsqu'il se lèvera pour faire trembler la terre.* Par là il prophétise la guerre menée par Rome : à l'approche de cette armée, ils allèrent pour la plupart se cacher dans les montagnes et dans les grottes qu'elles renferment[3]. 11. *Car les yeux du Seigneur sont dans les hauteurs, tandis que l'homme vit à terre ; la hauteur des hommes sera abaissée,*

2. Ce passage montre bien que l'idole n'est que l'élément matériel et visible par lequel s'exerce le pouvoir des démons invisibles.

3. Théodoret, comme EUSÈBE (*GCS* 19, 1 s.), rapporte le verset à la guerre menée par Rome contre les Juifs et l'entend au sens littéral propre ; il est possible, du reste, qu'il se souvienne de FLAVIUS JOSÈPHE qui mentionne à plusieurs reprises ces grottes où les Juifs — et Josèphe lui-même — allaient parfois chercher refuge (*Bell. Jud.* III, 7, 336 s. - 8, 340 s.). CHRYSOSTOME, en revanche, recourt à l'explication figurée : l'invitation à se cacher dans la terre n'est qu'une manière de dire que la colère de Dieu s'abattra sur eux de façon insupportable (56, 37, l. 33 s.).

ἡμέρᾳ ἐκείνῃ. Οἱ γὰρ ἐπιτωθάζοντές φησι τῷ σωτῆρι παραγενομένῳ καὶ ἀλαζονικῶς αὐτῷ προσδιαλεγόμενοι τῇ πείρᾳ μαθήσονται τῆς φύσεως τὸ διάφορον καὶ ὅτι ὁ μέν ἐστιν ὕψιστος ὡς θεός, αὐτοὶ δὲ « γῆ καὶ σποδὸς » κατὰ
150 τὴν θείαν γραφήν.

[12] **Ἡμέρα γάρ φησι κυρίου Σαβαὼθ παραγίνεται ἐπὶ πάντα ὑβριστὴν καὶ ὑπερήφανον καὶ ἐπὶ πάντα ὑψηλὸν καὶ μετέωρον, καὶ ταπεινωθήσονται, [13] καὶ ἐπὶ πᾶσαν κέδρον τοῦ Λιβάνου τῶν ὑψηλῶν καὶ μετεώρων καὶ ἐπὶ πᾶν δένδρον β(αλά)νου**
155 **Βασὰν [14] καὶ ἐπὶ πᾶν ὄρος ὑψηλὸν καὶ ἐπὶ πάντα βουνὸν ὑψηλὸν [15] καὶ ἐπὶ πᾶν τ(εῖχος ὑψη)λὸν καὶ ἐπὶ πάντα πύργον ὑψηλὸν [16] καὶ ἐπὶ πᾶν πλοῖον θαλάσσης καὶ ἐπὶ πᾶσαν θέαν κάλλους πλοίων· [17] καὶ ταπεινωθήσεται πᾶς ἄνθρωπος, καὶ πεσεῖται τὸ ὕψος τῶν ἀνθρώπων. Καὶ ὑψω-**
160 **θήσεται κύριος μόνος ἐν τῇ ἡμέρᾳ ἐκείνῃ.** Ὅταν ἐπελθόντες πολέμιοι περιγένωνται, οὐ μόνον τοὺς ἄνδρας ἀναιροῦσιν ἀλλὰ καὶ τὴν γῆν δῃοῦσι καὶ τὰ δένδρα ἐκτέμνουσι καὶ τοῖς περιβόλοις προσφέρουσι μηχανήματα καὶ θαλαττοκράτορες γινόμενοι τὰς ἐμπορίας κωλύουσιν. Ταῦτα δὲ πάντα
165 κατὰ ταὐτὸν Ἰουδαίοις συνέβη τῆς Ῥωμαϊκῆς αὐτοῖς στρατιᾶς ἐπελθούσης. Εἰ δὲ καὶ τροπικῶς τις νοεῖν βούλεται δρῦς μὲν τοὺς ἐπὶ ῥώμῃ σώματος μέγα φρονοῦντας, κέδρους δὲ τοὺς ἐπὶ δυναστείᾳ εὐθηνουμένους, πλοῖα δὲ τοὺς ὀξεῖς τὴν διάνοιαν καὶ τἆλλα τούτοις παραπλησίως, εὑρήσει καὶ

C : 146-150 οἱ — γραφήν ‖ 160-166 ὅταν — ἐπελθούσης

N : 146-150 οἱ — γραφήν ‖ 160-177 ὅταν — ἐγένοντο

148 διάφορον KC : + τῆς Ῥωμαϊκῆς στρατίας ἐπελθούσης N ‖ 151 κυρίου Σαβαὼθ K^corr : παρὰ κυρίῳ K* ‖ 164 κωλύουσιν CN : ποιούμενοι K

149 Gen. 18, 27

1. Cf. *supra*, 1, 90-95.

2. Évocation traditionnelle de la guerre de siège à l'époque romaine, en référence à la campagne de Vespasien et de Titus contre Jérusalem. Souvenir possible de Flavius Josèphe, qui relate le blocus de Jérusalem décidé par Titus après sa tentative infructueuse contre l'Antonia (*Bell. Jud.* V, 12, 491 s.) et qui mentionne à plusieurs

et le Seigneur sera seul exalté en ce jour-là. Ceux qui, dit-il, tournaient en dérision le Sauveur lors de son séjour sur la terre et qui s'adressaient à lui avec arrogance[1] apprendront par expérience la différence de nature qu'il y a entre eux : Lui est très haut, puisqu'il est Dieu, tandis qu'ils sont « terre et cendre » selon l'expression de la divine Écriture.

12. *Car*, dit-il, *le jour du Seigneur Sabaoth arrive contre tout homme orgueilleux et arrogant, contre tout homme hautain et fier: ils seront abaissés.* 13. *(Il arrive) contre tous les cèdres du Liban qui sont hauts et superbes et contre tout chêne de Basan;* 14. *(il arrive) contre toute montagne élevée et toute colline élevée,* 15. *contre tout rempart élevé et toute tour élevée,* 16. *contre tout vaisseau de la mer et tout spectacle de beauté qu'offrent les vaisseaux.* 17. *Tout homme sera abaissé et la hauteur des hommes tombera. Le Seigneur sera seul exalté en ce jour-là.* Lorsqu'à la suite d'une attaque les ennemis sont devenus les maîtres, ils ne se contentent pas de faire périr les hommes, ils ravagent encore la terre, coupent les arbres, appliquent contre les murailles des machines de guerre et, devenus souverains sur la mer, ils empêchent le commerce maritime. Or, tout cela arriva en même temps aux Juifs, lorsque l'armée romaine eut lancé contre eux son attaque[2]. Pourtant, si l'on veut comprendre de manière figurée[3] — par « chêne » ceux qui tirent orgueil de leur force physique, par « cèdres » ceux dont l'empire est florissant, par « vaisseaux » ceux dont l'intelligence est vive —, et procéder de manière identique pour les autres termes, on découvrira que de cette façon aussi la

reprises l'état de désolation de la campagne juive autour de Jérusalem, dû notamment au déboisement pour les travaux du siège (*id.* V, 12, 523 ; VI, 1, 5-8 ; 8, 375).

3. L'interprétation figurée est rarement présentée par Théodoret comme une nécessité ou un impératif ; elle n'est souvent qu'un autre moyen d'atteindre la vérité de la prophétie après l'établissement du sens littéral historique. Eusèbe (*GCS* 20, 6 s.) et Chrysostome (56, 38, l. 30 s.) se contentent ici de l'explication figurée.

170 οὕτως τὴν τῆς προφητείας ἀλήθειαν. Οὐδὲν γὰρ ὤνησεν Ἰουδαίους ἐν τῷ τοῦ πολέμου καιρῷ οὔτε στρατηγὸς ἄριστος οὔτε σοφὸς σύμβουλος, οὐχ οἱ τῷ (π)λ(ού)τῳ κομῶντες, οὐχ οἱ γαυριῶντες ἐπὶ τῇ δυνάμει · ἀλλὰ πάντα κατὰ ταὐτὸν ἐξηλέγχθη, καὶ μόνου τοῦ θεοῦ τῶν ὅλων ἐδείχθη τὸ κράτος.
175 Ἡνίκα μὲν γὰρ αὐτῶν ἐκήδετο, πάντων ῥᾳδίως περιεγίνοντο · ὅτε δὲ αὐτοὺς τῆς οἰκείας προμηθείας ἐγύμνωσεν, εὐχείρωτοι πᾶσιν ἐγένοντο.

[18] Καὶ τὰ χειροποίητα πάντα κατακρύψουσιν [19] εἰσενέγκαντες (εἰς) τὰ σπήλαια καὶ εἰς τὰς σχισμὰς τῶν πετρῶν
180 **καὶ εἰς τὰς τρώγλας (τῆς) γῆς ἀπὸ προσώπου τοῦ φόβου κυρίου καὶ ἀπὸ τῆς δόξης τῆς (ἰσχύος) αὐτοῦ, ὅταν ἀναστῇ θραῦσαι τὴν γῆν.** Καὶ τῆσδε τῆς προφητείας ἐθεασάμεθα τὴν ἀλήθειαν · πλεῖστοι γὰρ τῇ πλάνῃ δουλεύοντες τῆς εὐσεβείας τὸ κράτος θεώμενοι κατέκρυψαν μὲν ἐν σπηλαίοις
185 τισὶ καὶ ἄντροις τοὺς ὑπ' αὐτῶν προσκυνουμένους θεούς, ἐφωράθησαν δὲ καὶ τὴν αἰσχύνην ἐδρέψαντο, καὶ τὰ τούτων εἴδωλα τῆς εὐσεβείας οἱ τρόφιμοι παρέδοσαν τῷ πυρί.

⟨[20] Τῇ γὰρ ἡμέρᾳ ἐκείνῃ ἐκβαλεῖ ἄνθρωπος τὰ βδελύγματα αὐτοῦ τὰ ἀργυρᾶ καὶ τὰ χρυσᾶ, ἃ ἐποίησαν ἑαυτοῖς εἰς τὸ
190 **προσκυνεῖν τοῖς ματαίοις καὶ ταῖς νυκτερίσι, [21] τοῦ εἰσελθεῖν εἰς τὰς τρώγλας τῆς στερεᾶς πέτρας καὶ εἰς τὰ σχίσματα τῶν πετρῶν ἀπὸ προσώπου τοῦ φόβου κυρίου καὶ ἀπὸ τῆς δόξης τῆς ἰσχύος αὐτοῦ, ὅταν ἀναστῇ θραῦσαι τὴν γῆν.⟩**

C : 182-187 καὶ — πυρί

N : 182-187 καὶ — πυρί

182-187 καὶ — πυρί CN : > K || 182 τῆσδε C : ταύτης γε μὴν N

---

1. Il faut, semble-t-il, rapprocher ce passage du commentaire d'*Isaïe* 3, 1 (2, 232 s.), où Théodoret en s'appuyant sur Flavius Josèphe évoque l'état d'abandon dans lequel se trouvaient les Juifs au moment du siège de Jérusalem par les Romains, en dépit du fait qu'il ne nie pas ici, comme il le fait là, la présence d'un bon général ou d'un bon conseiller, mais note seulement leur inutilité pour les Juifs.

prophétie est vraie. Car rien n'a eu d'utilité pour les Juifs au moment de la guerre[1] : ni un excellent général, ni un conseiller avisé ; aucune utilité ceux qui tiraient fierté de leur richesse, aucune ceux que la puissance rendait fanfarons ; mais tout a été semblablement confondu et c'est seulement du Dieu de l'univers que s'est montré le pouvoir. Du temps, en effet, où il prenait soin d'eux, ils l'emportaient avec facilité sur tous ; mais, du jour où il les a dépouillés de sa sollicitude, ils sont devenus pour tous une proie facile.

Fin du règne des idoles

18. *Et toutes les créations de leurs mains, ils les cacheront* 19. *après les avoir transportées dans les grottes, dans les anfractuosités des rochers et dans les trous de la terre loin de la face de l'épouvante du Seigneur et loin de la gloire de sa force, lorsqu'il se lèvera pour faire trembler la terre.* De cette prophétie également nous avons contemplé la vérité. De fait, la plupart de ceux qui étaient esclaves de l'erreur, à la vue du pouvoir que prit la piété, cachèrent dans des grottes et dans des antres les dieux qu'ils adoraient ; mais on les prit sur le fait : ils en retirèrent la honte ; quant à leurs idoles, les enfants de la piété les livrèrent au feu[2].

20. *Car, en ce jour-là, l'homme jettera ses idoles d'argent et d'or — ils les ont fabriquées pour eux-mêmes en vue d'adorer de vains objets et des chauves-souris —,* 21. *pour entrer dans les trous de la pierre dure et dans les anfractuosités des rochers, loin de la face de l'épouvante du Seigneur et loin de la gloire de sa force, lorsqu'il se lèvera pour faire trembler la terre.* Il a dit la même chose de façon différente.

2. Au ve s., on assiste aux dernières destructions des sanctuaires et des idoles du paganisme. Théodoret a été témoin d'actes de cette nature, comme le prouve ici l'emploi du « nous » (ἐθεασάμεθα) et plus bas (2, 196) l'expression de « témoins oculaires » ; cf. même développement in *Thérap.* X, 58, mais Théodoret n'y laisse pas entendre comme ici qu'il a été témoin de semblables faits.

Ταὐτὰ διαφόρως εἴ(ρηκ)εν. Πέρατος μὲν ταῦτα τετύχηκε
195 μετὰ τὴν τοῦ θεοῦ καὶ σωτῆρος ἡμῶν (ἐπιφάνειαν), μάρτυρες
δὲ τούτων ἡμεῖς αὐτόπται γενό(μενο)ι. Θρηνῆσαι (δὲ ἄξιον)
τὴν τῆς πλάνης ὑπερβολήν, ὅτι καὶ τ(ῶν) εὐτελῶν |101 a|
ν(υκτερί)δων εἰκόνας ἄνθρωποι τεκτηνάμενοι θεοὺς τὰς
εἰκόνας (ὠνό)μαζ(ον). Π(ρόσ)φορος δὲ τοῖς τυφλώττουσιν
200 ἡ τούτων θεοποιία · καὶ γὰρ ἐκεῖναι τὸ φῶς δραπ(ετε)ύουσαι
καταφεύγουσιν εἰς τὸ σκότος, καὶ οὗτοι ὁμοίως τὸ νοερὸν
ἰδεῖν οὐ βουλόμενοι φῶς ἠσπάζοντο τῆς ἀγνοίας τὸν ζόφον.

[22] Παύσασθε ὑμῖν ἀπὸ τοῦ ἀνθρώπου, ὡς ἔστιν ἀναπνοὴ ἐν μυκτῆρι αὐτοῦ · ὅτι ἐν τίνι ἐλογίσθη αὐτοῖς οὕτως ;
205 Ταῦτα μετὰ ἀστερίσκων προσκείμενα εὕρομεν. Παρακε-
λεύεται δὲ ὁ προφητικὸς λόγος μὴ μόνον τῶν εἰδώλων
φυγεῖν τὴν προσκύνησιν ἀλλὰ καὶ αὐτὴν τῶν ἀνθρώπων
γνωρίζειν τὴν φύσιν καὶ τῇ τούτων μὴ θαρρεῖν προστασίᾳ.
Τὴν γὰρ ζωήν φησιν ἐν ταῖς ἀναπνοαῖς ἔχουσιν · κἂν ταύτας
210 ἀποφράξῃς, ἀποστερήσεις αὐτοὺς τῆς ζωῆς. Τούτοις ἔοικε
τὰ ὑπὸ τοῦ Δαυὶδ εἰρημένα · « Μὴ πεποίθατε ἐπ' ἄνθρωπον,
ἐπὶ υἱοὺς ἀνθρώπων, οἷς οὐκ ἔστι σωτηρία · ἐξελεύσεται
τὸ πνεῦμα αὐτοῦ, καὶ ἐπιστρέψει εἰς τὸν χοῦν αὐτοῦ. Ἐν
ἐκείνῃ τῇ ἡμέρᾳ ἀπολοῦνται πάντες οἱ διαλογισμοὶ αὐτοῦ. »

215 **3 [1] Ἰδοὺ δὴ ὁ δεσπότης κύριος Σαβαὼθ ἀφελεῖ ἀπὸ τῆς Ἰούδα καὶ ἀπὸ τῆς Ἱερουσαλὴμ ἰσχύοντα καὶ ἰσχύουσαν, ἰσχὺν ἄρτου καὶ ἰσχὺν ὕδατος, [2] γίγαντα κα(ὶ ἰσ)χύοντα**

C : 196-202 θρηνῆσαι — ζόφον

N : 194-196 ταὐτὰ — γενόμενοι || 197-202 ὅτι — ζόφον || 205-214 ταῦτα — αὐτοῦ

194 ταὐτὰ K : πάλιν τὰ αὐτὰ N || μὲν K : δὲ N || 197 ὅτι KC : ἢ ὅτι N || 205 ταῦτα — προσ(σ > K)κείμενα K : διὸ καὶ μετὰ ἀστερίσκων προσ(προσ > N^{p} σ > N^{384})κείμενα ταῦτα N || ἀστερίσκων KN : +παρ' ἐνίοις γὰρ οὐχ εὑρίσκεται γεγραμμένον K mg. || 211 πεποίθατε N^{1}E : πεποίθετε KN^{p} || ἄνθρωπον KE : ἄρχοντας N || 213 τὸν χοῦν K : τὴν γῆν N

211 Ps. 145, 3-4

1. Cf. *Thérap.* X, 58 : outre la chauve-souris, Théodoret parle de

Ces prédictions ont trouvé leur accomplissement après la Manifestation de notre Dieu et Sauveur, et nous en avons été pour notre part témoins oculaires. Il vaut la peine, toutefois, de déplorer l'ampleur excessive revêtue par l'erreur, puisque des hommes qui avaient fabriqué des images de vulgaires chauves-souris donnaient le nom de « dieux » à ces images[1]. C'était à des aveugles qu'il convenait de déifier ces animaux! car les chauves-souris fuient la lumière pour chercher refuge dans les ténèbres ; de la même manière, ils refusaient de voir la lumière de l'intelligence pour chérir l'obscurité de l'ignorance.

22. *Retirez votre confiance à l'homme, parce qu'il n'a qu'un souffle en ses narines : à combien l'estimer dans ce cas?* Nous avons trouvé ce passage ajouté avec des astérisques[2]. Le texte prophétique invite donc non seulement à fuir l'adoration des idoles, mais à apprécier aussi la nature même de l'homme et à ne pas mettre sa confiance dans sa protection. C'est que, dit-il, son existence tient à sa respiration : qu'on l'interrompe, on lui enlèvera l'existence. Les propos tenus par David ressemblent à ceux-là : « Ne mettez pas votre foi dans l'homme, dans les fils des hommes : en eux point de salut. Son souffle sortira de lui et il retournera à sa poussière. En ce jour-là périront toutes ses pensées. »

Le siège de Jérusalem par les Romains

3, 1. *Oui, voici que le Maître Seigneur Sabaoth retirera de Juda et de Jérusalem l'homme fort et la femme forte; les ressources en pain et les ressources en eau;* 2. *le géant, le fort et le chef; l'homme*

mouches, de reptiles, de scorpions, de quadrupèdes (cf. *ibid.*, note 2). Dans leur commentaire d'Isaïe, CHRYSOSTOME (56, 39, l. 27 s.) et BASILE (30, 277 AB) établissent tous deux un parallèle entre la nature et le comportement des chauves-souris et les agissements des démons ennemis de la « lumière ».

2. Sur la présence d'astérisques dans le texte biblique utilisé par Théodoret, cf. Introd., ch. II, p. 43.

καὶ ἄρχοντα πολεμιστὴν καὶ δικαστὴν καὶ προφήτην καὶ στοχαστὴν καὶ πρεσβύτερον [3]καὶ πεντηκόνταρχον καὶ
220 θαυμαστὸν σύμβουλον καὶ σοφὸν ἀρχιτέκτονα καὶ συνετὸν ἀκροατήν· [4]καὶ ἐπιστήσω νεανίσκους ἄρχοντας αὐτῶν, καὶ ἐμπαῖκται κυριεύσουσιν αὐτῶν. Καὶ ταῦτα κατὰ τὴν Ῥωμαϊκὴν αὐτοῖς συνέβη πολιορκίαν. Ὅτε μὲν γὰρ ὁ Σεναχηρὶμ αὐτοῖς ἐπεστράτευσεν, εἶχον τὸν Ἐζεκίαν εὐσεβῆ βασιλέα
225 καὶ τὸν Ἡσαΐαν ἐπισημότατον προφήτην καὶ τοὺς ἄρχοντας εὐσεβείᾳ κοσμουμένους· οὐδὲ γὰρ τὰ ῥήματα τῆς βλασφημίας ἤνεγκαν ἀπαθῶς, ἀλλὰ τὴν ἐσθῆτα διέρρηξαν. Καὶ ἡνίκα δὲ Ναβουχοδονόσορ αὐτοὺς πολιορκήσας ἐξηνδραπόδισεν, εἶχον μὲν τὸν θαυμασιώτατον Ἱερεμίαν τὸν προφήτην,
230 εἶχον δὲ τὸν μακάριον Ἰεζεκιὴλ καὶ πρὸς τούτοις τὸν θειότατον Δανιήλ, καὶ Οὐρίας δὲ ὁ Σαμαίου κατὰ τὸν αὐτὸν ἦν χρόνον. Ἡνίκα δὲ αὐτοὺς οἱ Ῥωμαίων κατεπολέμ(ησαν) βασιλεῖς, οὔτε βασιλεῖς εἶχον οὔτε στρατηγοὺς εὖ καὶ καλῶς τὴν στ(ρα)τιὰν διατάττοντας οὔτε συμβούλους
235 ἀγχινοίᾳ κοσμουμένους, ἀλλὰ τοὺς τῆς στάσεως ἀρχηγούς, δυσσεβεῖς ἄνδρ(ας) καὶ μιαιφόνους· καὶ ταῦτα σαφῶς Ἰώσηπος ἱστορεῖ. Τούτους νεανίσκους καλεῖ καὶ ἐμπαίκτας ἐπονομάζει ὡς νεωτεροποιίαις μὲν χαίροντας, καταπαίζοντας δὲ τῶν ὑπηκόων. Τὸ δὲ ἐπιστήσω κατὰ τὸ τῆς γραφῆς
240 ἰδίωμα πρόκειται· ἔθος γὰρ τῇ θείᾳ γραφῇ τὴν τοῦ θεοῦ

C : 222-223 καὶ — πολιορκίαν

N : 222-237 καὶ — ἱστορεῖ || 237-243 τούτους — συνεχώρησεν

222-223 καὶ — πολιορκίαν KC : ταῦτά γε μὴν καὶ (> N[1]) αἰσθητῶς κατὰ τὴν Ῥωμαϊκὴν πολιορκίαν συνέβη τοῖς Ἰουδαίοις τελεώτερον N || 231 Οὐρίας K : Ὀτρίας N || 237 τούτους K : τοὺς κατὰ τὴν Ῥωμαϊκὴν ὡς εἴρηται πολιορκίαν τῆς στάσεως ἀρχηγούς N

226-227 cf. Is. 36, 22

1. Théodoret continue — il se fait une règle de l'ἀκολουθία — à rapporter la prophétie à la conquête romaine et justifie son interprétation en recourant à l'examen historique des faits, pour bien montrer qu'aucune autre interprétation ne rend compte de la prophétie.

d'arme, le juge, le prophète, le magicien et le vieillard; 3. le chef de cinquante et le conseiller admirable, l'architecte avisé et l'auditeur intelligent: 4. j'établirai sur eux des jouvenceaux pour être leurs chefs, et des plaisantins régneront sur eux. Ces faits aussi leur sont arrivés à l'époque du siège que firent les Romains[1]. Car, lorsque Sennachérim fit campagne contre eux, ils avaient pour roi le pieux Ézéchias, pour prophète le très remarquable Isaïe et des chefs dont la piété était la parure : de fait, loin de supporter sans en être affectés les paroles blasphématoires du roi, ils ont déchiré leurs vêtements[2]. Lorsque Nabuchodonosor à son tour les a assiégés et réduits en esclavage, ils avaient pour prophète le très admirable Jérémie, ils avaient le bienheureux Ézéchiel et, en outre, le très divin Daniel ; Ourias, fils de Samaios vivait aussi à la même époque. En revanche, lorsque les empereurs romains firent la guerre contre eux, ils n'avaient ni rois ni généraux capables d'organiser convenablement l'armée, ni conseillers parés d'une vive intelligence ; ils n'avaient que les organisateurs de la révolte, des hommes impies et souillés de crimes ; l'historien Josèphe le rapporte clairement[3]. Ce sont eux que le prophète appelle « jouvenceaux » et surnomme « plaisantins » parce qu'ils prennent plaisir aux révolutions et se jouent de leurs sujets. D'autre part, le terme « j'établirai sur eux » est employé en vertu d'un tour de langue propre à l'Écriture ; la divine Écriture a coutume, en effet, de nommer le consentement de Dieu d'un nom qui fait croire

2. Cf. *Isaïe* 36, 13 s. et 37, 1 s.

3. La référence à Flavius Josèphe est vague, mais Théodoret fait sans aucun doute allusion à Jean de Gischala, chef des Zélotes et à Simon Bar Gioras dont Josèphe note avec insistance l'impiété et les crimes (*Bell. Jud.* IV, 9, 558-563 ; V, 10, 432-438 ; VII, 2, 32 ; 8, 263, 266) autant que les luttes intestines — διαστασιάζειν, 2, 243 — (*id.*, IV, 9, 503-513 ; 566-583 ; V, 1, 1-38 ; 3, 98-105 ; 6, 248-257). Voir aussi *infra*, 2, 251-254 et rapprocher de Fl. Josèphe (*id.* IV, 3, 133-134 ; 139-142 ; V, 5, 439-441 ; 13, 527-533).

συγχώρησιν ὡς ἐνέργειαν ὀνομάζειν· δῆλον (δὲ) ὡς οὐκ αὐτὸς τούτους κεχειροτόνηκεν, ἀλλὰ κωλῦσαι δυνάμενος δι(α)στασιάζειν αὐτοὺς συνεχώρησεν. Τὸν μέντοι γίγαντα ὁ Σύμμαχος μὲν καὶ ὁ Ἀκ(ύλας) « ἀνδρεῖον », ὁ δὲ Θεοδοτίων
245 « ἰσχύοντα » ἡρμήνευσαν· τὸν δὲ στοχαστὴν « (μ)άν(τιν) » οἱ Τρεῖς συμ[φών]ως.

Εἶτα σαφέστερον ἐξηγεῖται τὴν στάσιν· [5]**Καὶ (συ)μπ(εσεῖται) ὁ λαός, ἄνθρωπος πρὸς ἄνθρωπον καὶ ἄνθρωπος πρὸς τὸν πλησίον αὐτοῦ· προσκόψει (τὸ παιδάριον**
250 |101 b| **π(ρὸς τὸν) πρεσβύτερον καὶ ὁ ἄτιμος πρὸς τὸν ἔντιμον.** Οὔτε γὰρ πολι(ὰ ἦν ἐκ)είνοις αἰδέσιμος, οὔτε γένους ἢ πλούτου περιφάνεια ἐδόκει τινὸς εἶ(ναι ἀξ)ία τιμῆς, ἀλλὰ καὶ οἱ εὐτελεῖς ἐπανίσταντο τοῖς δυνατοῖς, καὶ οἱ νέοι τοὺς πρεσβυτέρους ἐγέλων. [6]**Ὅτι ἐπιλήψεται ἄνθρωπος τοῦ**
255 **ἀδελφοῦ αὐτοῦ ἢ τοῦ οἰκείου τοῦ πατρὸς αὐτοῦ λέγων· Ἱμάτιον ἔχεις, ἀρχηγὸς ἡμῶν γενοῦ, καὶ τὸ βρῶμα τὸ ἐμὸν ὑπὸ σὲ ἔστω.** Τοσαύτη φησὶν ἔσται σπάνις ἀρχόντων καὶ τοσαύτη αὐτῶν ἀταξία κρατήσει, ὡς καὶ τοῖς τυχοῦσι τὴν ἀρχὴν ἐπιτρέπειν. Οὕτω δὲ φευκτὴν ἅπαντες τὴν ἀρχὴν
260 νομίσουσιν, ὡς τὸν ἄρχειν παρακαλούμενον εἰπεῖν· [7]**Οὐκ ἔσομαι ἀρχηγὸς τοῦ λαοῦ τούτου· οὐ γὰρ ἔστιν ἐν τῷ οἴκῳ μου ἄρτος οὐδὲ ἱμάτιον· οὐκ ἔσομαι ἀρχηγός.** Καὶ τὴν αἰτίαν τούτων δεικνὺς ἐπήγαγεν· [8]**Ὅτι ἀνεῖται Ἱερουσαλήμ.** Ἀντὶ τοῦ· ἐγκαταλέλειπται καὶ τῆς ἄνωθεν προνοίας
265 οὐκ ἀπο(λα)ύει. **Καὶ ἡ Ἰουδαία συμπέπτωκε,** πρὸς ἑαυτὴν

C : 251-254 οὔτε¹ — ἐγέλων ‖ 257-259 τοσαύτη — ἐπιτρέπειν

N : 243-245 τὸν — ἡρμήνευσαν ‖ 245-246 τὸν — συμφώνως ‖ 247-254 εἶτα — ἐγέλων (247-251 καὶ — ἔντιμον>) ‖ 257-262 τοσαύτη — ἱμάτιον ‖ 263-265 τὴν — ἀπολαύει

243 αὐτοὺς N : αὐτοῖς K ‖ μέντοι K : > N ‖ 245 ἡρμήνευσαν K : ἡρμήνευσεν N ‖ 245-246 τὸν — συμφώνως K : Ἀκύλας μέντοι καὶ Σύμμαχος καὶ Θεοδοτίων μάντιν τὸν στοχαστὴν ἡρμήνευσαν N ‖ 247 εἶτα σαφέστερον K : σαφέστερον τοίνυν N ‖ 251 οὔτε¹ KN : οὐδὲ C ‖ 260 τὸν ... παρακαλούμενον N : τοὺς ... παρακαλουμένους K

à son action directe ; or, il est évident qu'il ne les a pas élus personnellement (dans leur charge), mais qu'il a consenti, alors qu'il pouvait l'empêcher, à ce qu'ils soient en désaccord[1]. D'autre part, Symmaque et Aquila ont traduit « géant » par « courageux », Théodotion par « fort » ; quant à « magicien », les trois interprètes l'ont d'un commun accord traduit par « devin ».

Puis, de manière plus claire, il expose en détail la révolte : 5. *Le peuple en viendra aux mains, homme contre homme, et chacun contre son voisin ; le jeune garçon frappera le vieillard ; et l'homme sans honneur, l'homme couvert d'honneurs.* De fait, ces gens-là ne tenaient pas la vieillesse pour respectable et une haute condition, due à la naissance ou à la richesse, ne leur semblait mériter aucun égard ; mais les gens de rien se révoltaient contre les puissants et les jeunes gens se moquaient des vieillards. 6. *Parce que l'homme saisira son frère ou le parent de son père en disant : Tu as un manteau, sois notre chef et que ma nourriture dépende de toi.* Il y aura, dit-il, une si grande pénurie de chefs et un si grand désordre s'emparera d'eux, qu'ils confieront le pouvoir même aux premiers venus. Tous penseront, pourtant, qu'il faut fuir le pouvoir, au point que celui qui est appelé à l'exercer dira : 7. *Je ne serai pas le chef de ce peuple : il n'y a dans ma maison ni pain ni manteau ; je ne serai pas chef.* Et, pour montrer la raison de cette attitude, il a ajouté : 8. *Parce que Jérusalem a été abandonnée.* C'est-à-dire : elle a été délaissée et ne jouit pas de la Providence d'en haut. *Et que Juda s'est effondrée,*

|| 261 τοῦ λαοῦ τούτου K : > N || 263 τούτων Mö. : τουτ' sic K τῆς παραιτήσεως τῆς ἀρχῆς N || 264 καὶ K : > N

1. L'explication par le tour hébreu (ἰδίωμα) s'impose si l'on veut préserver la notion d'un Dieu à la fois juste et tout-puissant ; cf. *In Ez.*, 91, 824 A (Dieu ne met pas dans l'erreur, mais permet l'erreur). Du reste, Théodoret note souvent que Dieu respecte le libre arbitre de l'homme (cf. *infra*, p. 273, n. 3).

στασιάζουσα. **Καὶ αἱ γ(λῶ)σσαι αὐτῶν μετὰ ἀνομίας, τὰ πρὸς τὸν κύριον ἀπειθοῦντες.** Ταῦτα δὲ αὐτοῖς συνέβη διὰ τὰς βλασφήμους αὐτῶν φωνάς, αἷς κατὰ τοῦ σωτῆρος ἐχρήσαντο ταῖς θείαις αὐτοῦ διδασκαλίαις προφανῶς ἀντι-
270 λέγοντες.

Διότι νῦν ἐταπεινώθη ἡ δόξα αὐτῶν, [9] καὶ ἡ αἰσχύνη τοῦ προσώπου αὐτῶν ἀντέστη αὐτοῖς· τὴν δὲ ἁμαρτίαν αὐτῶν ὡς Σοδόμων ἀνήγγειλαν καὶ ἐνεφάνισαν. Πάλιν αὐτοὺς τῆς συγγενείας ἀναμιμνήσκει τῶν τρόπων. Καὶ γὰρ ἐν τοῖς
275 προοιμίοις ἄρχοντας αὐτοὺς Σοδόμων καὶ λαὸν Γομόρρας ὠνόμασεν· ἐνταῦθα δὲ τῇ ἐκείνων ἀνομίᾳ τὴν παρανομίαν αὐτῶν παρατίθησιν, οὐκ ἐπειδὴ τὰ αὐτὰ ἐκείνοις δεδράκασιν ἀλλ' ὅτι, καθάπερ ἐκείνων κεκήρυκται πανταχοῦ γῆς καὶ θαλάττης καὶ τῆς ἀκολασίας καὶ τῆς τιμωρίας τὸ δρᾶμα,
280 οὕτως καὶ ἡ τούτων ἀσέβεια (πᾶ)σιν ἀνθρώποις ἐγένετο φανερά.

Τίς δὲ αὕτη, σαφέστερον δι(δάσ)κει· **Οὐαὶ τῇ (ψυ)χῇ αὐτῶν, διότι βεβούλευνται βουλὴν πονηρὰν καθ' ἑαυτῶν, [10] εἰπόντες· Δήσωμεν τὸν δίκαιον, ὅτι δύσχρηστος ἡμῖν ἐστιν.**
285 Ταῦτα ἐν τοῖς ἱεροῖς εὐαγγελίοις ἔστιν εὑρεῖν ὑπὸ Ἰουδαίων εἰρημένα. Ὁ μὲν γὰρ Καϊάφας ἔφη τοῖς ὁμοτρόποις· « Ὑμεῖς οὐκ οἴδατε οὐδέν, οὐδὲ λογίζεσθε ὅτι συμφέρει ἵνα εἷς ἄνθρωπος ἀποθάνῃ καὶ μὴ ὅλον τὸ ἔθνος ἀπόληται. » « Οἱ δὲ Φαρισαῖοι πάλιν συμβούλιον ἔλαβον, ὅπως αὐτὸν

C : 267-270 ταῦτα — ἀντιλέγοντες ‖ 285-291 ταῦτα — ἱστορίαν

N : 267-270 ταῦτα — ἀντιλέγοντες ‖ 273-281 πάλιν — φανερά ‖ 282-291 τίς — ἱστορίαν (282-284 οὐαὶ — ἐστιν>)

267 δὲ αὐτοῖς συνέβη KC : τοίνυν τοῖς Ἰουδαίοις συνέβη φησὶ N ‖ 273-281 πάλιν — φανερά K : 278-281 ἀλλ' — φανερά 277 οὐκ — δεδράκασιν 276-277 τῇ — παρατίθησιν 273-276 πάλιν — ὠνόμασεν sic habet N ‖ 273 πάλιν K : +δὲ N ‖ 274 τῶν τρόπων Mö. : τὸν τρόπον KN ‖ 276 ἐνταῦθα δὲ K : > N ‖ 276-277 παρανομίαν αὐτῶν K : ∾ N ‖ 277 οὐκ K : οὐ γὰρ N ‖ 278 ἀλλ' Mö. : καὶ K ἢ καὶ N ‖ ἐκείνων KE : τῶν Σοδομιτῶν N ‖ 282 δὲ αὕτη K : ἔστι τοιγαροῦν ἡ ὡς Σοδόμων ἁμαρτία τῶν Ἰουδαίων N ‖ σαφέστερον διδάσκει K : διδάσκει σαφέστερον ὁ προφήτης N ‖ 285 ταῦτα KC :

puisqu'elle était en révolte contre elle-même. *Parce que leurs langues (parlent) avec iniquité et qu'à l'égard des enseignements du Seigneur ils sont incrédules.* Voilà ce qui leur est arrivé en raison des paroles blasphématoires dont ils ont usé contre le Sauveur, lorsqu'ils contredisaient ouvertement ses enseignements divins.

C'est pourquoi maintenant leur gloire a été abaissée 9. *et la honte qui couvre leur visage a témoigné contre eux : leur péché, ils l'ont publié et mis en lumière, comme Sodome.* De nouveau[1], il leur rappelle cette parenté de mœurs. Et, de fait, au début de sa prophétie, il les a nommés « chefs de Sodome » et « peuple de Gomorrhe ». Ici, c'est à l'iniquité de ces peuples qu'il compare leur prévarication, non point parce qu'ils ont accompli les mêmes actes qu'eux, mais parce que, tout comme on a proclamé en tout lieu, sur terre et sur mer, l'histoire dramatique de la licence et du châtiment de ces peuples, leur impiété est devenue à son tour une évidence pour tous les hommes.

Il indique, du reste, plus clairement la nature de cette impiété : *Malheur à leur âme, parce que c'est contre eux-mêmes qu'ils ont pris une décision perverse,* 10. *lorsqu'ils ont dit : Enchaînons le Juste, parce qu'il est un embarras pour nous.* Il est possible dans les saints Évangiles de trouver ces paroles dans la bouche des Juifs. Caïphe a dit, en effet, à ses semblables : « Vous n'y entendez rien et vous ne comprenez pas qu'il est de (votre) intérêt qu'un seul homme meure, pour éviter que le peuple tout entier ne périsse. » « Quant aux pharisiens, ils prirent à nouveau conseil, pour décider comment ils le mettraient à mort. »

διὰ τούτων ἅπερ N ‖ ἔστιν εὑρεῖν KC : ∾ N ‖ 287 οὐδὲ KN : καὶ οὐ C ‖ 289 πάλιν συμβούλιον KN : ∾ C

274-276 cf. Is. 1, 10   287 Jn 11, 49-50   289 Matth. 12, 14

1. *Isaïe* 1, 10. Explication comparable en *In Ez.*, 81, 949 AB.

290 ἀπολέσωσιν. » Καὶ ἄλλα πολλὰ τοιαῦτα εὕροι τις ἂν τῶν θείων εὐαγγελίων ἀναγινώσκων τὴν ἱστορίαν.

Τοίνυν τὰ γενήματα τῶν ἔργων αὐτῶν φάγονται. Ἐοίκασι γὰρ τοῖς σπέρμασιν οἱ καρποί · καὶ ὁ μὲν πυροὺς σπείρων θερίζει (πυρούς), ὁ δὲ ἀκάνθας ταύτας ἕξει καρπόν. [11] **Οὐαὶ** 295 **τῷ ἀνόμῳ · πονηρὰ συμβήσεται (αὐτῷ κατὰ) τὰ ἔργα αὐτοῦ.** Τὰ εἰρημένα σαφέστερον εἴρηκε καὶ καθόλου (τὴν ψῆφον) ἐξήνεγκεν · πᾶς γάρ φησι πονηρίᾳ χρώμενος κατάλληλα τὰ ἐπίχει(ρα δρέψεται).

Τοσαῦτα αὐτοῖς ἀπειλήσας δεινὰ τὴν οἰκείαν πάλιν |102 a| 300 ἀγ(αθό)τητα δείκνυσι καὶ τῷ τῆς οἰκειότητος ὀνόματι δείκνυ[σιν] · [12] **Λα(ός μ)ου, οἱ πράκτορες ὑμῶν καλαμῶνται ὑμᾶς, καὶ οἱ ἀπαιτοῦντες κυριεύσουσιν ὑμῶν.** Ἐνταῦθα δοκεῖ μοι κατηγορεῖν μὲν τῶν ἱερέων καὶ διδασκάλων, τὸν δὲ λαὸν διδάσκειν, ὡς οὐ διὰ τὴν τῶν ψυχῶν ἐπιμέλειαν 305 ἀποτρέπουσιν αὐτοὺς προσέχειν τῷ θείῳ κηρύγματι ἀλλὰ διὰ τὰς προσφερομένας αὐτοῖς ἀπαρχὰς καὶ δεκάτας ἃς ἀνάγκην ἐπιτιθέντες εἰσέπραττον. **Λαός μου, οἱ μακαρίζοντες ὑμᾶς πλανῶσιν ὑμᾶς καὶ τὴν τρίβον τῶν ποδῶν ὑμῶν ταράττουσιν.** Τῇ γὰρ τοῦ νόμου φυλακῇ παραινοῦντες 310 προσμένειν καὶ τοὺς τοῦτο ποιοῦντας μακαρίους καλοῦντες οὐκ εἴων προστρέχειν τῷ σωτηρίῳ κηρύγματι. Καὶ καθόλου

C : 292-294 ἐοίκασι — καρπόν || 296-298 τὰ — δρέψεται || 309-311 τῇ — κηρύγματι

N : 292-294 ἐοίκασι — καρπόν || 296-298 τὰ — δρέψεται || 299-301 τοσαῦτα — μου || 302-307 ἐνταῦθα — εἰσέπραττον || 309-315 τῇ — στάδιον

290 ἄλλα KN : +δὲ C || 296 τὰ εἰρημένα KC : ἢ τὰ προειρημένα N || εἴρηκε καὶ KC : πάλιν λέγων N || 299 τοσαῦτα αὐτοῖς ἀπειλήσας K : καὶ ὅρα πῶς τοσαῦτα τοῖς Ἰουδαίοις ἀπειλήσας ὁ θεός N || 300 δείκνυσι καὶ K : δεικνὺς N || 300-301 ὀνόματι δείκνυ[σιν] K : αὐτοὺς ὀνόματι καλεῖ N || 301 μου K : +εἰπών N || 302 ἐνταῦθα K : ἢ ἐνταῦθα N

---

1. A la différence d'autres exégètes, Théodoret ne multiplie pas les citations, par goût de la concision, mais aussi pour inviter son lecteur à une recherche personnelle ; cf. *In Ez.*, 81, 936 B.

On pourrait trouver encore bien d'autres paroles identiques à la lecture du récit que font les divins Évangiles[1].

Ils mangeront donc les fruits de leurs actions. Car les fruits sont semblables aux semences : celui qui sème du blé moissonne du blé, mais celui qui sème des épines aura des épines pour récolte[2]. 11. *Malheur au criminel: la perversité sera son lot conformément à ses actes.* Il a redit de façon plus claire ce qu'il vient de dire et rendu un jugement général : tout homme, dit-il, qui use de perversité recueillera le salaire qui y correspond.

Contre les prêtres et les chefs

Après les avoir menacés de tant de châtiments affreux, il montre de nouveau sa bonté ; il le fait par l'emploi du terme qui souligne la parenté[3] : 12. *Ô mon peuple, vos percepteurs glanent sur votre dos et les exacteurs régneront sur vous.* Il me semble qu'ici il accuse les prêtres et les docteurs pour enseigner ceci au peuple : ce n'était pas le soin que ces derniers ont des âmes qui les poussait à détourner le peuple de prêter attention au message divin, mais c'étaient les prémices qu'on leur présentait et les dîmes qu'ils exigeaient en vertu d'une obligation qu'ils avaient imposée[4]. *Ô mon peuple, ceux qui vous disent heureux vous égarent et brouillent le chemin que suivent vos pas.* De fait, en les exhortant à persévérer dans l'observance de la Loi et en appelant heureux ceux qui agissaient de la sorte, ils ne leur permettaient pas de courir vers le message du salut.

2. Expression proverbiale à rapprocher de *Gal.* 6, 7 ; *Matth.* 7, 18-20 ; 12, 33 ; *Lc* 6, 43-45.

3. Cf. *supra, In Is.*, 1, 76-80.

4. L'interprétation de Théodoret et de Cyrille (70, 109 D-112 A) est beaucoup plus proche de celle d'Eusèbe (*GCS* 23, 15 s.) que de celle de Chrysostome (56, 47, l. 22 s.) qui s'en tient davantage au sens littéral : selon lui, ceux qui sont mis en cause sont les voleurs, les avares ou du moins les collecteurs des impôts. Sur cette accusation de cupidité portée contre les chefs et les prêtres, cf. *infra*, 2, 332-335.

δὲ ὁ ἔπαινος οὐκ εἰς καιρὸν γινόμενος βλάβην ἐπιφέρει τοῖς δεχομένοις · ταῖς γὰρ εὐφημίαις θαρροῦντες καὶ τὸ πᾶν κατωρθωκέναι νομίζοντες οὐχ ὁμοίως εἰς τὸ τῆς ἀρετῆς
315 τρέχουσι στάδιον.

Εἶτα δείκνυσι, τίνες οἱ πράκτορες καὶ τίνες οἱ μακαρίζοντες · [13] **Ἀλλὰ νῦν καταστήσεται εἰς κρίσιν κύριος καὶ στήσει εἰς κρίσιν τὸν λαὸν αὐτοῦ · [14] αὐ(τὸς) κύριος εἰς κρίσιν ἥξει μετὰ τῶν πρεσβυτέρων τοῦ λαοῦ καὶ μετὰ τῶν**
320 **ἀρχόντων αὐτοῦ.** Κριτής ἐστι τῶν ὅλων ὁ κύριος καὶ δίκας εἰσπράξεται τοὺς ἄρχειν πεπιστευμένους καὶ τῆς διδασκαλίας τὴν διακονίαν ἐγκεχειρισμένους τῆς εἰς τὸν λαὸν παρανομίας. Καὶ διὰ τοῦ θεσπεσίου Ἰεζεκιὴλ τοῦτο ἐδίδαξεν · « Κρινῶ » γάρ φησιν « ἀνὰ μέσον ποιμένος καὶ προβάτου ».
325 Οὕτω κἀνταῦθα τοῖς ἄρχουσι λέγει · **Ὑμεῖς δὲ τί ἐνεπυρίσατε τὸν ἀμπελῶνά μου, καὶ ἡ ἀπαρχὴ τοῦ πτωχοῦ ἐν τοῖς οἴκοις ὑμῶν ; [15] Τί ὑμεῖς ἀδικεῖτε τὸν λαόν μου καὶ τὰ πρόσωπα τῶν ταπεινῶν καταισχύνετε ; φησὶ κύριος κύριος στρατιῶν.** Ἐμπυρισμὸν δὲ καλεῖ τὸν οὐ κατ' ἐπίγνωσιν ζῆλον. « Μαρ-
330 τυρῶ γὰρ αὐτοῖς » φησιν ὁ θεῖος ἀπόστολος « ὅτι ζῆλον θεοῦ ἔχουσιν ἀλλ' οὐ κατ' ἐπίγνωσιν. » Τούτῳ πυρπολούμενοι ἐβόων · « Αἶρε αἶρε, σταύρωσον αὐτόν. » Ταῦτα δὲ αὐτοὺς οἱ δυσσεβεῖς ἐδίδαξαν ἄρχοντες, ἀρχιερεῖς καὶ Φαρισαῖοι καὶ γραμματεῖς, οὐ κατὰ ἀλήθειαν τῆς νομικῆς ἀντεχόμενοι
335 πολιτείας, ἀλλὰ πρόφασιν ταύτην ἀδίκου πλούτου ποιούμενοι.

Ἐπειδὴ δὲ τὴν αὐτὴν τοῖς ἀνδράσι καὶ αἱ γυναῖκες ἐνόσουν ἀλαζονείαν τε καὶ ἀπείθειαν, ἀπειλεῖ καὶ ταύταις

C : 329-332 ἐμπυρισμὸν — αὐτόν

N : 316-324 εἶτα — προβάτου (317-320 ἀλλὰ — αὐτοῦ>) || 325 οὕτω — λέγει || 329-335 ἐμπυρισμὸν — ποιούμενοι || 336-339 ἐπειδὴ — στέρησιν

312 γινόμενος K : γενόμενος N || 316 εἶτα δείκνυσι K : δείκνυσι δὲ διὰ τούτων N || 320 κριτής K : καί φησιν ὅτι κριτής N || κριτής ... ὁ κύριος N : ὁ κριτής ... κύριος K || 323 καὶ — Ἰεζεκιὴλ / τοῦτο K : ∾ N || 325 οὕτω κἀνταῦθα K : ταῦτα N || 329 ἐμπυρισμὸν δὲ καλεῖ KCE : ἔστι δὲ ἐμπυρισμὸν εἰπεῖν ἐνταῦθα καὶ N || 336 δὲ K : γὰρ N

En outre, la louange décernée sans opportunité est généralement dommageable pour ceux qui en sont l'objet : enhardis par les éloges et à la pensée qu'ils ont conduit l'ensemble de leur vie avec droiture, ils ne courent pas avec la même ardeur vers le stade de la vertu.

Il indique ensuite qui sont les percepteurs et ceux qui disent le peuple heureux : 13. *Mais, maintenant, le Seigneur va s'installer pour juger et il fera lever son peuple pour le juger;* 14. *le Seigneur en personne entrera en jugement avec les anciens de son peuple et ses chefs.* Le juge, c'est le Seigneur de l'univers et il exigera de ceux qui se sont vu confier le commandement et remettre le ministère de l'enseignement le châtiment de leur prévarication à l'égard du peuple. C'est ce qu'il a enseigné aussi par l'intermédiaire d'Ézéchiel l'inspiré : « Je vais juger, dit-il, entre le pasteur et le troupeau. » Ici également il s'adresse aux chefs en ces termes : *Dites-moi, pourquoi avez-vous incendié mon vignoble et pourquoi les prémices offerts par le pauvre sont-ils dans vos maisons?* 15. *Pourquoi commettez-vous l'injustice à l'égard de mon peuple et déshonorez-vous le visage des humbles? déclare le Seigneur, le Seigneur des armées.* Il appelle « incendie » le zèle mal éclairé. « Je leur rends en effet témoignage », dit le divin Apôtre, « qu'ils ont du zèle pour Dieu, mais c'est un zèle mal éclairé ». Enflammés par lui, ils criaient : « A mort! à mort! Crucifie-le! » Voilà donc les enseignements que leur ont donnés leurs chefs impies, chefs des prêtres, pharisiens et scribes, qui n'avaient pas d'attachement sincère pour le mode de vie conforme à la Loi, mais qui en faisaient un prétexte pour s'enrichir injustement.

Contre les femmes

Mais, puisque les femmes aussi étaient atteintes de la même jactance et du même refus d'obéir que les hommes, il leur fait à

324 Éz. 34, 17 329 Rom. 10, 2 332 Jn 19, 15

ἀνδρῶν ἐρημίαν τε καὶ πενίαν ἐσχάτην καὶ τ(ῆς) προτέρας εὐπραξίας τὴν στέρησιν · [16] **Τάδε λέγει κύριος · ἀνθ' ὧν**
340 **ὑψώθησαν αἱ θυγατ(έρες) Σιὼν καὶ ἐπορεύθησαν ὑψηλῷ τραχήλῳ καὶ νεύμασιν ὀφθαλμῶν καὶ τῇ πορείᾳ (τῶν πο)δῶν ἅμα σύρουσαι τοὺς χιτῶνας καὶ τοῖς ποσὶν ἅμα παίζουσαι,** [17] **καὶ ταπεινώσει ὁ θεὸς ἀρχούσας θυγατέρας Σιών, καὶ κύριος ἀνακαλύψει τὸ σχῆμα αὐτῶν** [18] **ἐν τῇ ἡμέρᾳ (ἐκείνῃ).** Ἔδειξεν
345 αὐτῶν διὰ μὲν τοῦ τραχήλου τὸν τῦφον, διὰ δὲ τῶν ὀφ(θα)λ{μῶν καὶ} τῶν ποδῶν τὴν ἀκόλα{στον} γνώμην. Μάλιστα δὲ τῶν εὐπόρων κατηγ(ορεῖ, αὐτὰς γὰρ ἀρχούσας) |102 b| κ(αλεῖ), καὶ ἀπειλεῖ αὐταῖς τοῦ πολυτελοῦς σχήματο(ς τὴν) ἀφαίρεσιν. Εἶτα τούτου τὰ [κατὰ μέρος] διέξεισιν,
350 ἱματισμὸν ποικίλον λέγων καὶ χρυσία παντοδαπὰ καὶ β.......ν διαπλοκήν · ἐνδιατρίβειν γὰρ τοῖς οὐ δεομένοις ἑρμηνείας περιττὸν εἶναι νομίζω. Ὁ μέντοι Σύμμαχος τοὺς μηνίσκους « μανιάκας » καλεῖ · τοὺς δὲ κοσύμβους ὁ Ἀκύλας « τελαμῶνας », αἰνίττεται δὲ τὰ κρήδεμνα.
355 Εἶτα τὴν εἰς τοὐναντίον προλέγει μεταβολήν · [24] **Καὶ ἔσται ἀντὶ ὀσμῆς ἡδείας κονιορτός, ἀντὶ δὲ ζώνης σχοινίον ζώσῃ.** Οὐκέτι τῶν παντοδαπῶν ἀπολαύσῃ μύρων, ἀλλὰ τὸν ἀπὸ τοῦ πολεμικοῦ πλήθους ἐσόμενον δέξῃ κονιορτόν · σχοινίον δέ σοι πληρώσει τῆς ζώνης τὴν χρείαν. Τοιαῦτα
360 γὰρ τῶν αἰχμαλώτων τὰ πάθη. **Καὶ ἀντὶ τοῦ κόσμου τῆς**

C : 344-349 ἔδειξεν — ἀφαίρεσιν || 357-360 οὐκέτι — πάθη

N : 344-346 ἔδειξεν — γνώμην || 346-349 μάλιστα — ἀφαίρεσιν || 352-354 ὁ — κρήδεμνα || 355-360 εἶτα — πάθη (355-357 καὶ — ζώσῃ >)

338 τε K : > N || 344 ἔδειξεν KC : +τοιγαροῦν N || 347 δὲ KC : > N || 351 β.......ν K (forte βα......ν) : coni. βασιλικὴν Br. βαμμάτων (cf. *Iud.* 5, 30) Ra. sed βοστρύχων Po. || 352-354 Σύμμαχος — κρήδεμνα K : ὅτι τοὺς μὲν μονίσκους ὁ Σύμμαχος μανιάκας — κρήδεμνα E Ἀκύλας τελαμῶνας τοὺς κοσύμβους καλεῖ, αἰνίττεται δὲ τὰ κρήδεμνα, τοὺς δὲ μηνίσκους ὁ Σύμμαχος μανιάκας N || 355 εἶτα προλέγει K : προλέγων τοίνυν τὴν εἰς τὸ ἐναντίον N || 357 οὐκέτι KC : +φησὶ N || ἀπολαύσῃ (-σει) KC : ἀπολαύσεις N

1. Théodoret se contente ici d'un résumé paraphrase d'*Isaïe* 3,

elles aussi des menaces : manque d'hommes et dénuement extrême ; privation de leur bonheur passé : 16. *Ainsi parle le Seigneur: puisqu'elles se sont élevées, les filles de Sion, qu'elles se sont avancées la tête haute, avec des regards impudents, qu'elles se déplacent en faisant traîner leurs tuniques et sonner en même temps les anneaux de leurs pieds,* 17. *Dieu abaissera les filles de Sion qui détiennent le commandement et le Seigneur enlèvera leur parure* 18. *en ce jour-là.* Par leur port de tête il a montré leur orgueil ; par leurs yeux et leurs pieds, leur tempérament licencieux. Mais il met surtout en accusation les femmes qui vivent dans l'opulence — car ce sont elles qu'il appelle « les femmes qui détiennent le commandement » —, et il les menace de leur retirer leur somptueuse parure. Il en détaille ensuite les diverses composantes et parle de la variété de leur garde-robe, de la diversité de leurs bijoux en or et des entrelacements de leurs [- - -] ; je pense en effet qu'il est superflu de s'attarder à ce qui ne nécessite pas d'explication. Toutefois, Symmaque appelle les parures du cou « colliers d'or » ; quant à Aquila, (il appelle) les bandelettes « des bandeaux pour cheveux » et laisse entendre qu'il s'agit de voiles[1].

Il prédit ensuite le changement qui les placera dans la situation opposée. 24. *Au lieu de parfum agréable il y aura la poussière, au lieu de ceinture tu te ceindras d'une corde.* Tu ne jouiras plus de parfums de toutes sortes, mais tu recevras la poussière que soulèvera la foule des ennemis ; une corde fera pour toi office de ceinture. Telles sont, de fait, les infortunes qu'ont à subir les prisonniers de guerre.

18-23 ; on reconnaît là sa volonté de concision annoncée dans l'ὑπόθεσις (Υ, 27-28), lorsque le texte ne nécessite pas ou ne mérite pas un long commentaire. Pour faciliter la compréhension du texte, il présente seulement la traduction que Symmaque et Aquila ont donnée de certains termes techniques ; c'était déjà la manière de procéder d'Eusèbe (*GCS* 25, 11 s.) tandis que Chrysostome (56, 50-52), dont on connaît la sévérité pour le luxe, commente beaucoup plus longuement ce passage.

κεφαλῆς σου φαλάκρωμα ἕξεις διὰ τὰ ἔργα σου καὶ ἀντὶ τοῦ χιτῶνός σου τοῦ μεσοπορφύρου περιζώσῃ σάκκον. Αἱ κακουχίαι τὰς νόσους ἐπάγουσιν, αἱ δὲ νόσοι πολλάκις ἀφαιροῦνται τὰς τρίχας· οὐκέτι γὰρ τὴν ἀπὸ τῆς τροφῆς
365 ἀρδείαν δεχόμεναι διαρρέουσιν. Καὶ ὁ σάκκος δὲ σημαίνει τὸ πένθος. **Ταῦτά σοι ἀντὶ καλλ(ωπ)ισμοῦ.** Ἐπειδὴ τοσούτων ἀγαθῶν ἀπολαύουσαι τὸν εὐεργέτην οὐκ ἔγνωτε, δέξασθε κακοπραγίαν ἀντὶ τῆς προτέρας εὐημερίας. Τούτοις προστέθεικε καὶ τῶν ἀγαπητῶν υἱῶν τὴν ἀναίρεσιν καὶ τὴν τῶν
370 ἀνδρῶν ἀπώλειαν καὶ τὴν ἐσχάτην πενίαν. [26] **Θρηνήσουσι** γάρ φησιν **αἱ θῆκαι τοῦ κόσμου ὑμῶν.** Τουτέστιν· ἔρημοι μενοῦσι τῶν πολεμίων σφετεριζομένων τὰ ἐν αὐταῖς.

Εἶτα πρὸς αὐτὴν τὴν πόλιν τρέπει τὸν λόγον· **Καὶ καταλειφθήσῃ μόνη καὶ εἰς τὴν γῆν ἐδαφισθήσῃ.** Τούτων γὰρ
375 συμβαινόντων καὶ τῶν μὲν ἀνδρῶν ἀναιρουμένων, ἐξανδραποδιζομένων δὲ τῶν γυναικῶν ἔρημος τῶν οἰκητόρων μενεῖς οὔτε ταῖς λαμπραῖς οἰκίαις κοσμουμένη οὔτε τὴν ἀπὸ τῶν περιβόλων ἀσφάλειαν ἔχουσα· ταῦτα γὰρ πάντα καταλύσουσιν οἱ πολέμιοι. **4[1] Καὶ ἐπιλήψονται ἑπτὰ γυναῖκες ἐν**
380 **τῇ ἡμέρᾳ ἐκείνῃ ἀνθρώπου ἑνὸς λέγουσαι· Τὸν ἄρτον ἡμῶν φαγόμεθα καὶ τὰ ἱμάτια ἡμῶν περιβαλούμεθα, πλὴν τὸ ὄνομά σου κεκλήσθω ἐφ' ἡμᾶς, ἄφελε τὸν ὀνειδισμὸν ἡμῶν.** Τοσαύτη δὲ ἔσται ἀνδρῶν ἐρημία, ὡς γυναικῶν πλῆθος ἑνὸς ἀνδρὸς ἑλέσθαι τὴν προ(στ)ασί(αν) καὶ ὑπὸ τὴν τούτου
385 κηδεμονίαν βιοτεύειν παρακαλέσαι.

C : 371-372 τουτέστιν — αὐταῖς || 383-385 τοσαύτη — παρακαλέσαι

N : 362-365 αἱ — διαρρέουσιν || 365-366 ὁ — πένθος || 366-368 ἐπειδὴ — εὐημερίας || 368-370 τούτοις — ἀπώλειαν || 370-372 τὴν — αὐταῖς || 373-379 πρὸς — πολέμιοι (373-374 καὶ — ἐδαφισθήσῃ >) || 383-385 τοσαύτη — παρακαλέσαι

362 αἱ K : ἀλλὰ καὶ ἐπειδὴ αἱ N || 366 ἐπειδὴ K : +φησι N ||

Au lieu de ta parure de tête, tu auras la tête chauve : ce sera le prix de tes actes ; au lieu de ta tunique à fond de pourpre tu te revêtiras d'un sac. Les épreuves provoquent les maladies et les maladies font souvent tomber les cheveux : quand ils ne sont plus irrigués, faute de nourriture, ils tombent peu à peu. Quant au sac, il est le signe du deuil. *Voilà ce qui te tiendra lieu d'ornement.* Puisqu'au temps où vous jouissiez de si grands biens, vous n'avez pas reconnu votre bienfaiteur, recevez l'adversité au lieu de la prospérité d'autrefois. A ces malheurs il a ajouté la mort de leurs fils chéris, la perte de leurs époux et l'extrême dénuement[1]. 26. *Les coffres qui enferment vos atours*, dit-il, *se lamenteront.* C'est-à-dire : ils resteront vides, car les ennemis s'approprieront leur contenu.

Contre Jérusalem

Puis il se tourne vers la cité elle-même et lui dit : *Tu seras abandonnée solitaire et tu seras nivelée au ras de terre.* De fait, lorsque ces événements surviendront, que les hommes seront mis à mort et les femmes emmenées en esclavage, tu resteras vide d'habitants, sans la parure de tes demeures splendides, sans la sécurité que procurent les remparts : tout cela les ennemis le détruiront. **4,** 1. *Et sept femmes s'arracheront en ce jour-là un seul homme en disant : Nous mangerons notre pain et nous nous vêtirons de nos vêtements, laisse-nous seulement porter ton nom, ôte-nous notre opprobre.* Si grand sera le manque d'hommes que des femmes en foule choisiront la protection d'un seul homme et le supplieront de les laisser vivre sous sa tutelle.

368 τούτοις K : τοῖς εἰρημένοις κακοῖς N || 370 πενίαν K : +αἰνίττεται N || 370-371 γάρ φησιν K : λέγων N || 373 πρὸς K : ἢ πρὸς N || 376 ἔρημος K : +φησι N || 381 περιβαλούμεθα e tx. rec. : περιβαλλόμεθα K || 382 ἡμᾶς K* : +καὶ K^corr || 383 τοσαύτη δὲ KC : ἁπλούστερον δὲ περὶ τούτων εἰπεῖν τοσαύτη φησὶν N || ἔσται CN : ἐστι K

1. Paraphrase d'*Is.* 3, 25.

[2] **Τῇ δὲ ἡμέρᾳ ἐκείνῃ ἐπιλάμψει ὁ θεὸς ἐν βουλῇ μετὰ δόξης ἐπὶ τῆς γῆς τοῦ ὑψῶσαι καὶ δοξάσαι τὸ καταλειφθὲν τοῦ Ἰσραήλ · [3] καὶ ἔσται τὸ καταλειφθὲν ἐκ τοῦ Ἰσραὴλ ἐν Σιὼν 〈καὶ〉 τὸ καταλειφθὲν 〈ἐν〉 Ἱερουσαλὴμ ἅγιοι κληθή-**
390 **σονται, πάντες οἱ γραφέντες εἰς ζωὴν ἐν Ἱερουσαλήμ.** Τοῦτο καὶ ἀλλαχοῦ φησιν · « Ἐὰν ᾖ ὁ ἀριθμὸς τῶν υἱῶν Ἰσραὴλ ὡς ἡ ἄμμος τῆς θαλάσσης, τὸ κατάλειμμα σωθήσεται. » Κατάλει(μμα δὲ) τοὺς εὐσεβείᾳ κοσμουμένους προσαγορεύει. Τούτοις ὑπισχνεῖται τὴν περιφάνειαν (ὁ πρ)οφητικὸς λόγος
395 καὶ τὴν τῶν ἁγίων προσηγορίαν. Γνόντες γὰρ ἅπαντες, τίνος ἕνεκεν τὴν πολι(ορκί)αν ἐκείνην καὶ τὸν ἀνδραποδισμὸν ὑπέμειναν Ἰουδαῖοι, τοὺς τοῦ σωτηρίου κηρύγματος {ὑπηρέτα}(ς πά)σης τιμῆς καὶ θεραπείας ἠξίωσαν. Τούτων καὶ μετὰ θάνατον τὸ κλέος ἀείμνηστον, {καὶ παρὰ} (πάντων
400 ἀνθρώπ)ων ἡ τούτων γεραίρεται μνήμη, οὗτοι καὶ εἰς τὴν ἄνω ἀ(πεγρ)άφησαν Ἱερουσαλήμ, (περὶ ἧς ὁ μακάριος λέγει) Παῦλος · « Προσεληλύθατε Σιὼν ὄρει (καὶ πό)λει θεοῦ ζῶντος, Ἱερουσαλὴμ |103 a| (ἐπουραν)ίῳ καὶ ἐκκλησίᾳ πρωτοτόκων ἀπογεγραμμένων ἐν οὐρανοῖς. »

405 [4] **Ὅτι ἐκπλυνεῖ κύριος τὸν ῥύπον τῶν υἱ(ῶν καὶ) τῶν θυγατέρων Σιὼν καὶ τὸ αἷμα Ἱερουσαλὴμ ἐκκαθαριεῖ ἐκ μέσου αὐτῶν ἐν πνεύματι κρίσεως καὶ πνεύματι καύσεως.** Πάλιν αἵματος καὶ καθάρσεως μνημονεύει, αἷμα μὲν ἐκεῖνο λέγων ὃ καθ' ἑαυτῶν καὶ τῶν τέκνων ἐξέχεαν βοήσαντες ·
410 « Τὸ αἷμα αὐτοῦ ἐφ' ἡμᾶς καὶ ἐπὶ τὰ τέκνα ἡμῶν », κάθαρσιν δὲ τὴν διὰ λουτροῦ παλιγγενεσίας προλέγων. Πνεύματι δὲ κρίσεως καὶ πνεύματι καύσεως ἐπιτελεῖσθαι τοῦτό φησιν, ἐπειδή, ὥσπερ ἐν πυρὶ χρυσὸς χωνευόμενος ἀποφαίνεται δόκιμος, οὕτως οἱ βαπτιζόμενοι τὸν τῶν ἁμαρτημάτων ἰὸν

N : 390-404 τοῦτο — οὐρανοῖς || 408-417 αἷμα — πυρί

390-391 τοῦτο καὶ ἀλλαχοῦ K : καὶ ἀλλαχοῦ τοίνυν N || 395 τὴν NE : > K || 397 Ἰουδαῖοι N : οἱ Ἰουδαῖοι K || 408 μὲν K : τοίνυν N || 409-411 λέγων ... προλέγων K : λέγει ... προλέγει NE

391 Is. 10, 22 ; Os. 2, 1 402 Hébr. 12, 22-23 410 Matth. 27, 25

Le reste d'Israël

2. *En ce jour-là, Dieu brillera dans son Conseil avec gloire sur la terre pour exalter et glorifier le reste d'Israël; 3. le reste d'Israël qui demeure dans Sion et le reste qui demeure dans Jérusalem seront appelés saints, tous ceux qui ont été inscrits pour la vie à Jérusalem.* C'est ce qu'il déclare aussi dans un autre passage : « Le nombre des fils d'Israël fût-il comme le sable de la mer, un reste (seulement) sera sauvé. » Or, il appelle du nom de « reste » ceux qui ont la piété pour parure. C'est à eux que le texte prophétique promet la célébrité et le titre de « saints ». De fait, la connaissance universelle des raisons qui ont valu aux Juifs de subir le siège que l'on sait et la réduction en esclavage, a fait juger dignes de toute espèce d'honneur et de vénération les serviteurs du message du salut. Leur gloire, même après leur mort, est impérissable et tous les hommes honorent leur mémoire ; ce sont eux encore qui ont été inscrits dans la Jérusalem d'en haut dont parle le bienheureux Paul : « Vous vous êtes approchés de la montagne de Sion et de la cité du Dieu vivant, de la Jérusalem céleste et de l'assemblée des premiers-nés qui sont inscrits dans les cieux. »

Purification et renouveau

4. *Parce que le Seigneur lavera la souillure des fils et des filles de Sion et purifiera Jérusalem du sang jailli du milieu d'eux au souffle du jugement et au souffle de la brûlure.* Il fait, de nouveau, mention de sang et de purification ; par « sang », il entend celui qu'ils ont fait couler sur eux-mêmes et sur leurs enfants pour avoir crié : « Son sang sur nous et sur nos enfants », par « purification », il prédit celle que produit le bain de régénération. Or, cela s'accomplira, dit-il, « au souffle du jugement et au souffle de la brûlure » ; car, tout comme on rend l'or de bon aloi en le fondant au feu, ceux qui reçoivent le baptême

415 ἀποτίθενται. Τοῦτο δὲ καὶ ὁ μακάριος Ἰωάννης ὁ βαπτιστὴς εἴρηκεν· « Αὐτὸς ὑμᾶς βαπτίσει ἐν πνεύματι ἁγίῳ καὶ πυρί. »

[5] **Καὶ ἥξει κύριος, καὶ ἔσται πᾶς τόπος ὄρους Σιὼν καὶ πάντα τὰ περικύκλῳ αὐτῆς σκιάσει νεφέλη ἡμέρας καὶ ὡς**
420 **καπνοῦ καὶ ὡς φωτὸς πυρὸς καιομένου νυκτός· καὶ πάσῃ τῇ δόξῃ σκεπασθήσεται,** [6] **καὶ ἔσται εἰς σκιὰν ἡμέρας ἀπὸ καύματος καὶ ἐν σκέπῃ καὶ ἐν ἀποκρύφῳ ἀπὸ σκληρότητος καὶ ὑετοῦ.** Ἡνίκα τὸν Ἰσραὴλ ὁ θεὸς ἠλευθέρωσε τῆς Αἰγυπτίων δουλείας, ἦγεν αὐτὸν (νεφέλη)ς ἐπικειμένης καὶ νύκτωρ μὲν
425 δᾳδουχούσης καὶ τοῦ φωτὸς χορηγούσης τὴν χρείαν, μεθ' ἡμέραν (δὲ) σκηνὴν καὶ ὄροφον μιμουμένης καὶ τῆς ἡλιακῆς ἀκτῖνος τὸ λυποῦν ἀπειργούσης. Τούτων ἀπολαύσειν νοητῶς μετὰ τὴν τοῦ σωτῆρος ἡμῶν ἐπιφάνειαν τοὺς εἰς αὐτὸν πεπιστευκότας ἡ προφητεία προλέγει καὶ διὰ τῆς νεφέλης
430 ταύτης ἀπαλλαγήσεσθαι καὶ ὑετοῦ σκληρότητος καὶ καύματος καταφλέγοντος, σκεπασθήσεσθαι δὲ ἐν ἀποκρύφῳ, τουτέστιν ἀοράτῳ. Οἱ γὰρ τῆς πνευματικῆς ἀπολαύοντες χάριτος καὶ ἐν εἰρήνῃ τιμῶσι τὴν τάξιν καὶ τὰς τῶν δυσσεβῶν ἀποκρούονται προσβολὰς κατὰ τὴν δεσποτικὴν παραίνεσιν
435 τὴν φάσκουσαν· « Μὴ φοβεῖσθε ἀπὸ τῶν ἀποκτενόντων τὸ σῶμα, τὴν δὲ ψυχὴν μὴ δυναμένων ἀποκτεῖναι », καί· « Μὴ μεριμνήσητε πῶς ἢ τί λαλήσητε· οὐ γὰρ ὑμεῖς ἐστε οἱ λαλοῦντες ἀλλὰ τὸ πνεῦμα τοῦ πατρὸς ὑμῶν τὸ λαλοῦν ἐν ὑμῖν », καί· « Ἐπὶ ταύτῃ τῇ πέτρᾳ οἰκοδομήσω μου
440 τὴν ἐκκλησίαν, καὶ πύλαι ᾅδου οὐ κατισχύσουσιν αὐτῆς. »

C : 423-429 ἡνίκα — προλέγει

N : 423-440 ἡνίκα — αὐτῆς

416 βαπτίσει N : βαπτίζει K ‖ 427 ἀπολαύσειν KNE : ἀπολαύειν C ‖ 428 τὴν CNE : > K ‖ 431 ἀποκρύφῳ τουτέστιν NE : > K ‖ 432 ἀοράτῳ KE : ἀοράτως N ‖ 433 τάξιν NE : σύνταξιν K ‖ 437 λαλήσητε K : λαλήσετε N

416 Matth. 3, 11 ; Lc 3, 16 423-427 cf. Ex. 13, 21-22 435 Matth. 10, 28 437 Matth. 10, 19-20 439 Matth. 16, 18

déposent le venin de leurs péchés. Le bienheureux Jean-Baptiste à son tour l'a dit : « Lui vous baptisera dans l'Esprit-Saint et dans le feu. »

5. *Le Seigneur viendra et il arrivera que tout point de la montagne de Sion et que toutes les régions qui l'entourent se couvriront de l'ombre d'une nuée pendant le jour et comme d'une fumée et de la lumière d'un feu ardent pendant la nuit. Il sera à l'abri de toute sa gloire* 6. *et il servira d'ombre pendant le jour contre la chaleur, de refuge et d'abri contre la sécheresse et la pluie.* Lorsque Dieu a délivré Israël de l'esclavage des Égyptiens, il l'a conduit sous le couvert d'une nuée : pendant la nuit, elle éclairait et subvenait au besoin de lumière ; pendant le jour, elle jouait le rôle de tente et de toiture et empêchait d'avoir à subir le désagrément des rayons du soleil. La prophétie prédit qu'après la Manifestation de notre Sauveur, ceux qui auront cru en lui jouiront de ces avantages de manière spirituelle[1], qu'ils seront, grâce à cette nuée, délivrés des rigueurs de la pluie et de la chaleur brûlante et à l'abri en un lieu caché, c'est-à-dire invisible. De fait, ceux qui jouissent de la grâce de l'Esprit font honneur à leur rang en temps de paix et repoussent violemment les attaques des gens impies ; ils suivent en cela la recommandation du Maître faite en ces termes : « Ne concevez pas de crainte de ceux qui tuent le corps, mais ne peuvent pas tuer l'âme », et : « Ne cherchez pas avec inquiétude comment parler ou que dire : car ce n'est pas vous qui parlerez, c'est l'Esprit de votre Père qui parlera en vous », et encore : « Sur cette pierre je bâtirai mon Église, et les portes de l'Hadès ne tiendront pas contre elle. »

1. L'interprétation de Théodoret, tout en étant proche de celle d'Eusèbe (*GCS* 28, 15 s.), est cependant beaucoup plus nettement « typologique » : la réalité concrète de la nuée du désert n'est que la figure d'une réalité spirituelle (νοητῶς) qui dépasse la première. Cyrille recourt lui aussi à l'interprétation typologique (70, 133 BD).

Οὕτω ταῦτα τοῖς εἰς αὐτὸν πεπιστευκόσι προαγορεύσας πάλιν τοῦ ἀμπελῶνος τὴν ἀκαρπίαν θρηνεῖ · 5[1] **Ἄσω δὴ τῷ ἠγαπημένῳ ᾆσμα τοῦ ἀγαπητοῦ μου τῷ ἀμπελῶνί μου.** Ἔστιν ᾆσμα πανηγυρικὸν καὶ γαμήλιον καὶ ἔστι θρηνητικόν
445 τε καὶ πενθικόν · ᾄδουσι γὰρ οὐ μόνον ὑμεναίους ἀλλὰ καὶ θρήνους οἱ ἄνθρωποι. Οὕτω καὶ ὁ μακάριος Μωυσῆς τὰ δεινὰ ἐκεῖνα προειπὼν Ἰουδαίοις ᾠδὴν τὴν διαμαρτυρίαν ἐκάλεσεν. Ὁ μέντοι Σύμμαχος οὕτω ταῦτα ἡρμήνευσεν · « Ἄσω δὴ τῷ ἠγαπημένῳ μου ᾆσμα τοῦ ἀγαπητοῦ μου
450 εἰς τὸν ἀμπελῶνα αὐτοῦ. » Ἀγαπητὸς {δὲ} ὁ μονογενὴς τοῦ θεοῦ προσαγορεύεται λόγος · « Οὕτω γάρ » φησιν « ἠγάπησεν ὁ θεὸς τὸν κόσμον, ὅτι τὸν υἱὸν αὐτοῦ τὸν μονογενῆ ἔδωκεν, ἵνα πᾶς ὁ πιστεύων εἰς αὐτὸν μὴ ἀπόληται ἀλλ' ἔχῃ ζωὴν αἰώνιον. » Καὶ αὐτὸς δὲ ὁ πατὴρ οὐρανόθεν ἐμαρ-
455 τύρησε λέγων · « Οὗτός {ἐστιν} ὁ υἱός μου ὁ ἀγαπητός, ἐν ᾧ ηὐδόκησα. » Οὗτος ἐξ ἀρχῆς τὸν τοῦ Ἰσραὴλ ἀμπελῶνα ἐφύτευ{σεν}.

Ἀμπελὼν γάρ φησιν **ἐγενήθη τῷ ἠγαπημένῳ ἐν κέρατι ἐν τόπῳ πίονι.** 2 **(Καὶ φραγμὸν περι)έθηκα καὶ ἐχαράκωσα**
460 **καὶ ἐφύτευσα ἄμπελον ἐκλεκτὴν σωρ(ὴχ καὶ ᾠκοδόμησα) πύργον ἐν μέσῳ αὐτοῦ καὶ προλήνιον ὤρυξα ἐν αὐτῷ καὶ ἔ(μεινα τοῦ ποιῆσαι σταφυλήν),** |103 b| **ἐποί(ησε δὲ) ἀκάνθας.** Ἀμπελῶνα τὸν λαὸν ὀνομάζει — οὕτω γὰρ καὶ ὁ μακάριος [ἔφη Δα]υίδ · « Ἄμπελον ἐξ Αἰγύπτου μετῆρας, ἐξέβαλες

C : 444-448 ἔστιν — ἐκάλεσεν || 450-454 ἀγαπητὸς — αἰώνιον

N : 444-448 ἔστιν — ἐκάλεσεν || 448-456 ὁ — ηὐδόκησα || 456-457 οὗτος — ἐφύτευσεν

442 τοῦ ἀγαπητοῦ e tx. rec. : τῷ ἀγαπητῷ K || 444 ἔστιν K : ἢ καὶ ὅτι ἐστὶν N || 446 Μωυσῆς CN : +καὶ K || 450 αὐτοῦ K : μου N || 456 ηὐδόκησα K : εὐδόκησα N || οὗτος K : +ὁ (> N[1]) ἀμπελὼν ἐγενήθη τῷ ἠγαπημένῳ αὐτὸς γὰρ ὁ ἀγαπητὸς δηλονότι υἱὸς τοῦ πατρὸς ἐν ᾧ εὐδόκησεν N αὐτὸς γὰρ E

446-448 cf. Deut. 31, 30 451 Jn 3, 16 455 Matth. 3, 17
464 Ps. 79, 9

La stérilité d'Israël. Le vignoble choisi

Après de telles annonces faites à ceux qui auront cru en lui, il déplore de nouveau la stérilité de son vignoble : **5,** 1. *Je vais maintenant chanter à mon bien-aimé le chant de mon amour pour mon vignoble.* Il existe des chants de fête et des chants de noces, il existe aussi des chants de lamentation et des chants de deuil ; car les hommes ne chantent pas seulement des hyménées, mais aussi des chants funèbres[1]. Ainsi le bienheureux Moïse, lorsqu'il fit aux Juifs les terribles prédictions que l'on sait, a également appelé « cantique » son adjuration. Symmaque, quant à lui, a traduit ainsi ce passage : « Je vais maintenant chanter à mon bien-aimé le chant que mon amour adresse à son vignoble. » Or, le nom de « bien-aimé », c'est au Fils Unique de Dieu, le Verbe, qu'il est appliqué : « Car Dieu, dit l'Écriture, a tellement aimé le monde qu'il lui a donné son Fils Unique, afin que tout homme qui croit en lui ne meure pas, mais possède la vie éternelle. » De plus, le Père lui a rendu personnellement témoignage du haut des cieux en disant : « Celui-ci est mon Fils bien-aimé, en qui j'ai mis ma complaisance. » C'est lui qui dès l'origine a planté le vignoble d'Israël.

Un vignoble, dit-il, *vit le jour pour mon bien-aimé sur un coteau, en un lieu fertile.* 2. *Je l'ai entouré d'une clôture, je l'ai entouré de pieux ; j'ai planté une vigne de choix — du soreq —, j'ai édifié en son milieu une tour, j'y ai creusé un réservoir pour pressoir et j'ai espéré une bonne vendange, mais elle a produit des épines.* C'est le peuple qu'il nomme « vignoble » ; telles sont aussi les paroles du bienheureux David : « Tu as arraché la vigne d'Égypte, tu as chassé

1. La précision s'impose pour justifier l'interprétation (θρηνεῖ) : ce chant est pour Théodoret un « thrène » ; pour Chrysostome, c'est une réprimande, une accusation (56, 56, l. 46 s.) ; mais les deux interprétations ont en commun la référence à Moïse (Chrysostome cite *Deut.* 32, 6).

465 ἔθνη καὶ κατεφύτευσας αὐτήν », καὶ διὰ τοῦ Ἱερεμίου αὐτὸς ὁ θεός · « Ἐγὼ δὲ ἐφύτευσα ἄμπελον καρποφόρον πᾶσαν ἀληθινήν », καὶ ὁ κύριος ἐν τοῖς εὐαγγελίοις · « Ἄνθρωπός τις ἐφύτευσεν ἀμπελῶνα καὶ ἐξέδοτο αὐτὸν γεωργοῖς καὶ ἀπεδήμησεν » —, πύργον δὲ τὸν ὀπωροφυ-
470 λακίῳ προσεοικότα — οὕτω γὰρ αὐτὸν ὠνόμασεν ἄνω —, προλήνιον δὲ τὸ θυσιαστήριον. Οὐδὲ γὰρ ἦν ἐκεῖνο ληνὸς ἀλλὰ προλήνιον · ἐν αὐτῷ γὰρ ἑαυτὴν ἡ ἀλήθεια προδιέγραφεν · ληνοὺς γὰρ νῦν ἔχομεν τὰ θεῖα θυσιαστήρια, ἐν αἷς τῆς ἀληθινῆς ἀμπέλου τὸν μυστικὸν ἀποθλίβομεν οἶνον
475 καὶ τὰ ἐπιλήνια λέγομεν ᾄσματα. Τὸ δὲ σωρὴκ ὁ Σύμμαχος « ἐκλεκτὴν » ἡρμήνευσεν. Ἔχει δὲ ἡ ἑρμηνεία τὸ ἀληθές · ἐκλεξάμενος γὰρ Ἀβραὰμ τὸν πατριάρχην ὁ τῶν ὅλων θεὸς ἐκ τῶν τούτου κλημάτων τὸν ἀμπελῶνα ἐφύτευσεν. Κέρας δὲ τὴν βασιλείαν τροπικῶς ὀνομάζει · ὥσπερ γὰρ
480 τὰ κερασφόρα ζῷα ὅπλον ἔχει τὰ κέρατα, οὕτως ὁ βασιλεὺς τῶν ὑπηκόων ὑπερμαχεῖ. Τόπον δὲ πίονα τὴν Παλαιστίνην καλεῖ · ταύτην γὰρ καὶ ἐν τῷ Νόμῳ ὠνόμασε « γῆν ῥέουσαν γάλα καὶ μέλι ». [Ἀλλ' ὅμως] πάσης ἀπολαύσας τῆς

C : 471-475 προλήνιον — ᾄσματα || 479-481 κέρας — ὑπερμαχεῖ

N : 471-475 προλήνιον — ᾄσματα || 476-478 ἔχει — ἐφύτευσεν || 479-481 κέρας — ὑπερμαχεῖ

471 προλήνιον δὲ KCE : ἢ προλήνιον N || 476 δὲ N : γὰρ K || 479 κέρας δὲ KCE : ἢ κέρας N || 483 .... πάσης K : τοσαύτης δὲ E

466 Jér. 2, 21 468 Matth. 21, 33 469-470 cf. Is. 1, 8 482 Ex. 3, 8

1. Eusèbe (*GCS* 30, 1-2) et Cyrille (70, 137 BD) voient dans cette « tour » le Temple et dans le προλήνιον l'autel des holocaustes (θυσιαστήριον). Chrysostome rapporte cette même interprétation (τινές), mais préfère donner à ces mots un sens métaphorique qui traduit l'attention de Dieu pour son peuple (56, 58, l. 33 s.). Basile, comme le fait ici Théodoret (προδιέγραφεν), a recours à l'interprétation typologique : la « tour » étant le Temple et le προλήνιον la synagogue des Juifs, ce προλήνιον est la figure du ληνός, i.e. de l'Église de Dieu (30, 349 BC). Sur cette relation entre προλήνιον et ληνός, cf. *In Psal.*, 80, 913 AB.

des nations et tu l'as plantée » ; Dieu lui-même fait dire à Jérémie : « Pourtant je t'ai planté comme une vigne qui donne des fruits, une vigne dont on est tout à fait sûr » ; et le Seigneur, dans les Évangiles : « Un homme planta un vignoble et le confia à des vignerons, puis partit pour l'étranger. » Par « tour », (il désigne) la construction qui ressemble à une cabane de gardien dans un verger — c'est du reste le nom qu'il lui a donné plus haut —, et par « réservoir » l'autel du sacrifice. De fait, il ne s'agissait pas d'un pressoir, mais d'un réservoir devant le pressoir : en lui s'est dessinée par avance la vérité[1] ; car nous avons maintenant les autels divins pour pressoirs, où nous exprimons le vin mystique de la vigne véritable et sur lesquels nous disons les chants qui président aux pressoirs[2]. Symmaque a traduit le terme « soreq » par « plant de choix ». Son interprétation est juste : Dieu a, en effet, choisi le patriarche Abraham parmi les ceps de cette vigne pour planter son vignoble. Par « coteau », il nomme de manière figurée la royauté : de même que les animaux porteurs de cornes s'en servent comme d'une arme défensive, le roi combat pour la défense de ses sujets[3]. De plus, c'est la Palestine qu'il appelle « lieu fertile » : dans la Loi également[4] il l'a nommée « terre qui répand à flots le lait et le miel ». Néanmoins, malgré tous les soins dont il a bénéficié, le

2. Sur cette métaphore, cf. *In Cant.*, 81, 89 AB : ληνοὺς καλεῖ τὰς τοῦ θεοῦ Ἐκκλησίας, ἐν αἷς ὁ πνευματικὸς οἶνος ἀποθλιβόμενος, καὶ οἱονεὶ ληνοβατούμενος εὐφραίνει τῶν εὐσεβῶν τὰς ψυχάς.

3. Pour un verset d'Isaïe aussi connu, nous avons conservé la traduction habituelle de κέρας par « coteau » ; mais, pour comprendre l'interprétation de Théodoret, il faut rappeler que le terme grec désigne proprement la corne d'un animal. Eusèbe donne déjà la même interprétation : λέγεσθαι δὲ ἐν κέρατι . . . βασιλείας ὀνομάζειν (*GCS* 29, 15-17) ; cf. aussi Didyme l'Aveugle, *In Zach.* I, 100. Chrysostome, en revanche, entend « corne » au sens propre de « lieu fortifié, inexpugnable » (56, 58, l. 8 s.). Sur les différents sens de « corne » dans l'Écriture selon Théodoret, cf. *In Ez.*, 81, 1109 D ; *In Psal.*, 80, 1909 C.

4. Chrysostome cite aussi *Ex.* 3, 8.

ἐπιμελείας ὁ ἀμπελὼν μεμένηκεν ἄκαρπος · ἀκάνθας γὰρ
485 ἀντὶ σταφυλῆς τῷ φυτουργῷ προσήνεγκε καὶ τοιούτῳ
στεφάνῳ τὴν δεσποτικὴν ἐταινίωσε κεφαλὴν καὶ ὄξος
πάλιν ὡς ἄχρηστος αὐτῷ προσεκόμισεν ἀμπελών.

Ταύτην ποιησάμενος τὴν γραφὴν αὐτοὺς ποιεῖται τοὺς
ὑπευθύνους κριτάς καί φησιν · [3] **Καὶ νῦν, ἄνθρωπος τοῦ**
490 **Ἰούδα καὶ οἱ κατοικοῦντες ἐν Ἱερουσαλήμ, κρίνατε ἐν**
ἐμοὶ καὶ ἀνὰ μέσον τοῦ ἀμπελῶνός μου. [4] **Τί ποιήσω τῷ**
ἀμπελῶνί μου ἔτι καὶ οὐκ ἐποίησα αὐτῷ ; Διότι ἔμεινα ἵνα
ποιήσῃ σταφυλήν, ἐποίησε δὲ ἀκάνθας. Τοῦτο καὶ ἐν τοῖς
ἱεροῖς εὐαγγελίοις ὁ αὐτὸς δεσπότης πεποίηκεν · τὴν γὰρ
495 τοῦ ἀμπελῶνος παραβολὴν τοῖς Ἰουδαίοις προσενεγκὼν
αὐτοὺς κυρίους τῆς ψήφου κατέστησεν. Ἐπήγαγε γάρ ·
« Τί οὖν ποιήσει ὁ κύριος τοῦ ἀμπελῶνος τοῖς γεωργοῖς
ἐκείνοις ; » Οὐ μόνον δὲ αἱ ἐρωτήσεις ἀλλήλαις ἐοίκασιν,
ἀλλὰ καὶ αὐτὴ τῶν ῥητῶν ἡ διάνοια. Ἐνταῦθα γὰρ λέγει ·
500 « Τί ποιήσω τῷ ἀμπελῶνί μου καὶ οὐκ ἐποίησα αὐτῷ ; »
Ἐν δὲ τοῖς εὐαγγελίοις · « Ποσάκις ἠθέλησα ἐπισυναγαγεῖν
τὰ τέκνα σου (ὃν τρόπον) ὄρνις ἐπισυνάγει τὰ νοσσία ἑαυτῆς
ὑπὸ τὰς πτέρυγας αὐτῆς, καὶ (οὐκ ἠθελήσατε · ἰδοὺ) ἀφίεται
ὁ οἶκος ὑμῶν ἔρημος. »

505 Ταύτην κἀνταῦθα κα[τὰ τῶν Ἰουδαίων ἐξήνεγκε τὴν]
ψῆφ[ον] · [5] **Νῦν οὖν ἀναγγελῶ ὑμῖν τί ἐγὼ ποιήσω τῷ**
ἀμπελῶνί μου · ἀφελῶ τὸν φ(ραγμὸν) αὐτοῦ καὶ ἔσται εἰς
διαρπαγήν, καὶ καθελῶ τὸν τοῖχον αὐτοῦ καὶ ἔσται εἰς κατα-
πάτημα, [6] **καὶ ἀνήσω τὸν ἀμπελῶνά μου (καὶ) οὐ μὴ τμηθῇ**
510 **οὐδὲ μὴ σκαφῇ (καὶ) ἀναβήσεται εἰς αὐτὸν ὡς εἰς χέρσον**

C : 484-487 ἀκάνθας — ἀμπελών || 493-496 τοῦτο — κατέστησεν

N : 484-487 ἀκάνθας — ἀμπελών || 493-498 τοῦτο — ἐκείνοις

484-485 ἀκάνθας — φυτουργῷ KC : καὶ γὰρ καὶ τῷ φυτουργῷ ἀκάνθας ἀντὶ σταφυλῆς N || 485-487 προσήνεγκε ... ἐταινίωσε ... προσεκόμισεν KCE (προσεκόμισεν > E) : προσήνεγκαν ... ἐταινίωσαν ... προσεκόμισαν N

484-487 cf. Matth. 27, 29.34 ; Lc 23, 36   497 Matth. 21, 40   501 Matth. 23, 37-38

vignoble est resté stérile : voilà qu'au lieu d'une bonne vendange, il a produit des épines pour celui qui l'a planté, qu'il a ceint la tête du Maître d'une couronne de même nature et qu'il a, en outre, comme un vignoble bon à rien, procuré du vinaigre !

Jugement et condamnation du vignoble

Après avoir établi cette accusation, il fait d'eux les juges devant qui l'on rend des comptes et dit : 3. *Eh bien, maintenant, homme de Juda et vous habitants de Jérusalem, prononcez entre moi et mon vignoble.* 4. *Que pourrai-je faire encore pour mon vignoble que je n'aie pas fait pour lui? C'est pourquoi, j'ai espéré lui voir donner une bonne vendange, mais il a produit des épines.* Dans les saints Évangiles également, le Maître en personne a procédé de la sorte : après avoir présenté aux Juifs la parabole du vignoble, il les a établis maîtres de la sentence en ajoutant : « Que fera donc le maître du vignoble à ces vignerons-là ? » Entre ces questions il y a donc plus qu'une ressemblance : ces passages ont le même sens[1]. De fait, il dit ici : « Que pourrai-je faire pour mon vignoble que je n'aie pas fait pour lui ? » et dans les Évangiles : « Que de fois j'ai voulu rassembler tes enfants à la manière dont une poule rassemble ses poussins sous ses ailes, et vous n'avez pas voulu ! Eh bien ! votre demeure sera laissée déserte. »

Dans ce passage aussi il a prononcé contre les Juifs la sentence suivante : 5. *Maintenant donc je vais vous annoncer ce que, moi, je vais faire à mon vignoble : j'enlèverai sa clôture et il sera livré au pillage ; j'abattrai son mur et il sera piétiné ;* 6. *j'abandonnerai mon vignoble et il ne sera ni taillé ni pioché ; les épines l'assailliront comme un lieu stérile ; aux*

1. Théodoret souligne de la sorte l'unité qui existe entre l'A.T. et le N.T. : l'un est la « figure » de l'autre.

« Αἶρε αἶρε, σταύρωσον αὐτόν », ποτὲ δέ · « Τὸ αἷμα
535 αὐτοῦ ἐφ' ἡμᾶς καὶ ἐπὶ τὰ τέκνα ἡμῶν ».

Καὶ τὴν ἄλλην δὲ αὐτῶν ἀδικίαν ὁ προφήτης θρηνεῖ · [8] **Οὐαὶ οἱ συνάπτοντες οἰκίαν πρὸς οἰκίαν καὶ ἀγρὸν πρὸς ἀγρὸν ἐγγίζοντες, ἵνα τοῦ πλησίον ἀφέλ(ων)ταί τι.** Ἴδιον τοῦτο τὴν πλεονεξίαν νοσούντων · κόρον γὰρ οὐκ ἀνέχονται
540 τοῦ πλούτου λαβεῖν. Οὐ μόνον δὲ αὐτοὺς θρηνεῖ ὁ προφήτης ἀλλὰ καὶ τοῖς ἐπαγομένοις ἐντρέπει · **Μὴ οἰκήσετε μόνοι ἐπὶ τῆς γῆς ;** Τοῦτο γὰρ οὐ κατὰ ἀπόφασιν ἀλλὰ κατ' ἐρώτησιν ἀναγνωστέον. Ταύτην δὲ τὴν διάνοιαν πεποίηκεν ἡμῖν σαφεστέραν ὁ Σύμμαχος · « Ἆρα κατοικηθήσεσθε μόνοι
545 ὑμεῖς ἐν τῇ γῇ ; » Εἰ τὰ πελάζοντα βούλεσθε συνάπτειν τοῖς ὑμετέροις, ἀεὶ τοῦτο διατελέσετε δρῶντες ; Τί οὖν ; φησι, μόνοι τῆς γῆς ἁπάσης δεσπόται γενήσεσθε ; Καὶ ποῖον ἐντεῦθεν καρπώσεσθε κέρδος ;

Ἐντίθησι δὲ αὐτοῖς καὶ δέος ὑποδεικνὺς τὸν κριτήν ·
550 [9] **Ἠκούσθη γάρ** φησιν **εἰς τὰ ὦτα κυρίου Σαβαὼθ ταῦτα.** Οὐδὲν αὐτὸν λανθάνει τῶν γιγνομένων · οἱ γὰρ ὀφθαλμοὶ αὐτοῦ ἐπιβλέπουσι τὴν οἰκουμένην. Ἀπειλεῖ δὲ αὐτοῖς καὶ παντελῆ ἐρημίαν · **Ἐὰν γὰρ γένωνται πολλαὶ οἰκίαι, εἰς ἔρημον ἔσονται μεγάλαι καὶ καλαί, καὶ οὐκ ἔσονται οἱ ἐνοι-**
555 **κοῦντες ἐν αὐταῖς.** [10] **Οὗ γὰρ ἐργῶνται δέκα ζεύγη βοῶν, ποιήσει κεράμιον ἕν · καὶ ὁ σπείρων ἀρτάβας ἓξ ποιήσει μέτρα τρία.** Πρὸς τῇ ἐρημίᾳ καὶ ἀκαρπίαν ἠπείλησεν ·

C : 551-552 οὐδὲν — οἰκουμένην

N : 536 καὶ — θρηνεῖ || 540-548 οὐ — κέρδος || 549-552 ἐντίθησι — οἰκουμένην || 552-559 ἀπειλεῖ — πλημμελήματα (553-557 ἐὰν — τρία >)

536 καὶ — δὲ K : ἐνταῦθα καὶ τὴν ἄλλην N || 540 δὲ K : οὖν N || θρηνεῖ K : ἐθρήνησεν N || 541 μὴ N : οὐ μὴ K || οἰκήσετε K : +λέγων N || 542 κατ' K : κατὰ N || 549 δὲ K : γὰρ N || 550 ἠκούσθη — ταῦτα KR : καὶ λέγων ὡς N || 551 γιγνομένων KC : γινομένων N || 552 δὲ K : > N || 555 αὐταῖς e tx. rec. : αὐτοῖς K || 557 ἐρημίᾳ K : +δὲ N || ἠπείλησεν K : > N

534 Jn 19, 15 534-535 Matth. 27, 25

tour à tour aux cris de : « A mort! à mort! crucifie-le! » et de « Son sang sur nous et sur nos enfants! »

Malédictions et menaces

Le prophète déplore encore leurs autres injustices : 8. *Malheur à ceux qui ajoutent maison à maison et qui joignent champ à champ, afin d'enlever la part du voisin.* C'est le propre de ceux qui souffrent de convoitise : ils n'éprouvent pas de satiété dans l'acquisition des richesses. Mais le prophète ne se contente pas de se lamenter sur eux ; il ajoute pour leur faire honte : *Serez-vous seuls à habiter la terre?* Il ne faut pas, en effet, lire cette phrase sous forme négative, mais sous forme interrogative[1]. Du reste, Symmaque nous a rendu le sens de ce passage plus clair : « Est-ce que vous habiterez à vous seuls la terre? » Si vous voulez réunir ce qui jouxte vos possessions à elles, n'allez-vous pas continuer à faire cela sans cesse? Eh quoi? dit-il, deviendrez-vous à vous seuls maîtres de la terre tout entière? Et quel profit en retirerez-vous?

Il leur inspire aussi de la crainte en leur faisant entrevoir le Juge : 9. *Car ces pratiques*, dit-il, *sont revenues aux oreilles du Seigneur Sabaoth.* Aucun événement ne lui échappe, car ses yeux embrassent le monde. Il les menace encore d'une totale désolation : *Les maisons, fussent-elles en grand nombre, vastes et belles, deviendront un désert et n'auront plus d'habitants.* 10. *Car là où travailleront dix paires de bœufs, on récoltera un seul vase; qui sème six artabes récoltera trois mesures.* A la menace de la désolation

1. La particule μή a en grec une double valeur : elle marque d'ordinaire la négation, mais c'est aussi une particule interrogative. La remarque de Théodoret s'impose donc pour des raisons de clarté et la citation de Symmaque sert à prouver le bien-fondé de la lecture interrogative (ἆρα). Faute de pouvoir conserver dans le texte français l'ambiguïté du grec, nous avons choisi de traduire sous forme interrogative en respectant la lecture adoptée par Théodoret.

διάφοροι γὰρ αἱ παιδεῖαι, ἐπειδὴ διάφορα τῶν ἀνθρώπων τὰ πλημμελήματα.

560 Μετ(ὰ τ)ὴν πλεονεξίαν τῆς οἰνοφλυγίας καὶ τῆς γαστριμαργίας κατηγορεῖ · [11] **Οὐαὶ οἱ ἐγειρόμενοι τὸ πρωὶ καὶ τὸ σίκερα διώκοντες, οἱ μένοντες τὸ ὀψέ · ὁ γὰρ οἶνος αὐτοὺς συγκαύσει.** [12] **Μετὰ γὰρ κιθάρας καὶ ψαλτηρίου καὶ τυμπάν(ων) καὶ αὐλῶν τὸν οἶνον πίνουσι, τὰ δὲ ἔργα τοῦ θεοῦ 565 οὐκ ἐμβλέπουσι, τὰ (ἔργα τῶ)ν χειρῶν αὐτοῦ οὐ κατανοοῦσιν.** Οὐδεὶς γὰρ κατὰ τὴν κυρίου φωνὴν δυσὶ κυρίοις δουλεύει. [Πῶ]ς γὰρ οἷόν τε τοὺς κωμαστικὸν βίον ἀσπαζομένους καὶ μέθῃ καὶ κορδακισμοῖς κεχρημένους καὶ ἐν τούτοις διημερεύ(οντας) τοῖς θείοις προσέχειν λογίοις καὶ 570 τὴν ἐκεῖθεν ὠφέλειαν καρποῦσθαι ; Τὸ μέντοι σίκερα ὁ Σύμμαχος καὶ ὁ Ἀκύλας « μέθυσμα » ἡρμήνευσαν. Ἐγὼ δὲ οἶμαι διὰ τούτων σημαίνεσθαι τὰς τῶν προπομάτων κ⟨ατα⟩σκευάς · σίκερα δὲ κυρίως τὸ ἐκ φοινίκων ὀνομάζεται πόμα.

575 [13] **Τοίνυν αἰχμ(άλωτος) ἐγενήθη ὁ λαός μου διὰ τὸ μὴ εἰδέναι αὐτοὺς τὸν κύριον, καὶ πλῆθος ἐγενήθη νεκρῶν διὰ λιμ(ὸν καὶ) δίψαν ὕδατος.** Σαφῶς ἐδήλωσε τῶν κακῶν τὴν αἰτίαν. Τὸν δὲ λιμὸν καὶ τὸ δί(ψος καὶ τὴν) αἰχμαλωσίαν ἀκρι(β)έστερον ἡμᾶς αἱ Ἰωσήπου διδάσκουσιν ἱστορίαι · 580 (ἐκεῖνος γὰρ καὶ τὸ) ἀνιαρὸν ἐκεῖνο δρᾶμα τῆς τὸν υἱὸν

N : 560-561 μετὰ — κατηγορεῖ ‖ 567-570 πῶς — καρποῦσθαι ‖ 570-574 τὸ — πόμα ‖ 577-581 σαφῶς — συνέγραψεν

567 ..ς γὰρ K : ἀλλ' οὐδὲ N ‖ 567-570 οἷόν τε — διημερεύοντας (569) / τοῖς — καρποῦσθαι K : ∾ N ‖ 567 ἀσπαζομένους N : ἁρπαζομένους K ‖ 570-574 τὸ — πόμα K : κυρίως οὖν σίκερα τὸ ἐκ φοινίκων ὀνομάζεται πόμα ἐγὼ — κατασκευάς ὁ μέντοι Σύμμαχος καὶ ὁ Ἀκύλας τὸ σίκερα μέθυσμα ἡρμήνευσαν N ‖ 571 μέθυσμα NE : μέθη K ‖ 577 σαφῶς K : +ὁ λόγος N ‖ τῶν K : +συμβησομένων

il a ajouté celle de stérilité : différentes sont les leçons divines, puisque différentes sont les fautes de l'homme.

Après l'accusation de cupidité, il porte (contre eux) celle d'ivrognerie et de gloutonnerie : 11. *Malheur à ceux qui s'éveillent dès le matin pour courir au sikéra et qui s'y attardent jusqu'au soir : le vin les consumera.* 12. *Voilà qu'ils s'accompagnent de la cithare, de la harpe, de tambourins et de flûtes pendant leurs beuveries de vin ; mais les œuvres de Dieu, ils ne les regardent pas ; l'œuvre de ses mains, ils ne la remarquent pas.* De fait, personne, selon la parole du Seigneur, ne peut servir deux maîtres. Comment donc se peut-il que des hommes épris d'une vie de plaisir, adonnés à l'ivresse et aux cordax[1], qui passent leur journée à ces occupations, prêtent attention aux enseignements divins et recueillent les avantages qui en découlent? Quant à « sikéra », Symmaque et Aquila l'ont traduit par « boisson enivrante ». Pour ma part, je pense que ces termes désignent la préparation des boissons apéritives ; mais on appelle proprement « sikéra » la boisson que l'on tire du palmier[2].

13. *Mon peuple est donc devenu captif pour n'avoir pas reconnu le Seigneur ; il est devenu un monceau de cadavres à cause de la faim et de la soif d'eau.* Il a clairement fait voir la cause de (leurs) malheurs. Quant à la faim, à la soif, à la captivité, les histoires de Josèphe nous les apprennent avec plus de précision : il a même relaté ce drame affligeant

Ἰουδαίοις N || 578 αἰτίαν K : +εἰπὼν διὰ τὸ μὴ εἰδέναι αὐτοὺς τὸν κύριον N || 579 διδάσκουσιν N : +αἱ K || 580 καὶ KN^{p} : > N^{1}

566-567 cf. Matth. 6, 24 ; Lc 16, 13

1. Danse bouffonne et indécente d'origine lydienne ; cf. Aristophane, *Nuées* 540.

2. Pour Chrysostome aussi, le « sikéra » provient du suc de palmier ; il ajoute que c'est une boisson soporifique et enivrante (56, 60, l. 36 s. et la note qui donne l'opinion d'Hésychius : « vinum condimentis mixtum »).

διὰ λιμὸν καταφαγούσης συνέγραψεν. [14] **Καὶ ἐ(πλάτυνεν ὁ** ᾅδης **τὴν) ψυχὴν αὐτοῦ καὶ διήνοιξε τὸ στόμα αὐτοῦ τοῦ μὴ διαλιπεῖν.** Τὸ πλῆθος τῶν {νεκρῶν διὰ τούτων} δεδήλωκεν. Προσωποποιΐᾳ δὲ ἐχρήσατο καὶ ὑπέδει(ξεν ἡμῖν)
585 {τὸν θάνατον} (οἷόν τι κῆτος) |104 b| ἀνεῳγὸς ἔχον τὸ στόμα διηνεκῶς καὶ ἀπαύστως ὑποδεχόμενον τοὺς παραπεμπο(μένους νεκρ)ούς.

Καὶ καταβήσονται εἰς αὐτὸν οἱ ἔνδοξοι καὶ οἱ μεγάλοι καὶ οἱ πλούσιοι καὶ οἱ λοιμοὶ αὐτῆς καὶ ὁ ἀγαλλιώμενος
590 **ἐν αὐτῇ.** Λοιμοὺς καλεῖ τοὺς οὐ μόνον σφᾶς αὐτοὺς διαφθείροντας ἀλλὰ καὶ τοὺς ἄλλους εἰς τὴν αὐτὴν νόσον ἐκκαλουμένους. Τοιαύτη γὰρ καὶ ἡ τοῦ λοιμοῦ φύσις · μεταδιδόασι γὰρ οἱ νοσοῦντες τοῦ πάθους τοῖς ὑγιαίνουσιν. [15] **Καὶ ταπεινωθήσεται ἄνθρωπος, καὶ ἀτιμασθήσεται ἀνήρ, καὶ οἱ ὀφθαλ-**
595 **μοὶ οἱ μετέωροι ταπεινωθήσονται.** Μετεώρους ὀφθαλμοὺς τοὺς ἀλαζονικοὺς ὀνομάζει, οὓς ἀναγκάζει διὰ τῆς τιμωρίας βλέπειν εἰς γῆν. [16] **Καὶ ὑψωθήσεται κύριος Σαβαὼθ ἐν κρίματι, καὶ ὁ θεὸς ὁ ἅγιος δοξασθήσεται ἐν δικαιοσύνῃ.** Οἱ γὰρ ὁρῶντες τίνοντας δίκας τοὺς δυσσεβεῖς καὶ παρανόμους
600 τὸν δίκαιον κριτὴν ἀνυμνήσουσιν.

C . 583-587 διὰ — νεκρούς || 590-593 λοιμούς — ὑγιαίνουσιν

N : 583-587 τὸ — νεκρούς || 595-597 μετεώρους — γῆν || 598-600 οἱ — ἀνυμνήσουσιν

583 πλῆθος KE : +δὲ N || 584 προσωποποιΐᾳ — ὑπέδειξεν KC : προσωποποιΐᾳ χρησάμενος καὶ ὑποδείξας N || 595 μετεώρους K : +γὰρ N

---

1. La référence assez vague à Flavius Josèphe permettrait d'appliquer la première partie de la remarque aussi bien au siège de Jérusalem par Nabuchodonosor qu'à celui mené par les Romains ; du reste, à propos d'*Ézéchiel* 5, 10 (« c'est pourquoi des pères dévoreront leurs enfants, au milieu de toi, et des enfants dévoreront leurs pères »), sans faire il est vrai référence à Josèphe, Théodoret déclare que cela s'est produit à l'époque du siège conduit par les Babyloniens et par les Romains (*In Ez.*, 81, 865 B). Toutefois, comme la toile de fond reste constamment dans cette section la guerre menée par Rome contre les Juifs, c'est naturellement au *Bell. Jud.* que Théodoret

d'une mère que la faim a poussé à manger son fils[1]. 14. *Et l'Hadès a dilaté son âme et grand ouvert sa gueule pour ne pas perdre de temps.* Il a fait voir par là le grand nombre des morts. Il a usé d'une personnification et nous a présenté la mort comme un monstre marin qui a la bouche grande ouverte continuellement et qui, sans relâche, engloutit les morts qu'on lui envoie[2].

Et descendront en lui les gens glorieux, les grands, les riches, les pestes de la cité et celui qui vit en elle dans l'allégresse. Il appelle « pestes » ceux qui, non contents de se corrompre eux-mêmes, corrompent aussi les autres en les incitant à contracter la même maladie. Telle est bien la nature de la peste : les malades transmettent leur mal aux bien portants[3]. 15. *Le mortel sera abaissé et l'homme humilié; les yeux orgueilleux seront abaissés.* Il nomme « yeux orgueilleux » les fanfarons que son châtiment contraint à regarder à terre. 16. *Le Seigneur Sabaoth sera exalté dans son jugement et le Dieu Saint sera glorifié dans sa justice.* En effet, ceux qui verront les impies et les criminels subir des châtiments célébreront le juste Juge.

renvoie le lecteur. Josèphe rapporte, en effet, à plusieurs reprises, l'état de disette dans lequel se trouve la population de Jérusalem, au point que l'on s'arrache, au sens propre, la nourriture de la bouche (ἐκ τῶν φαρύγγων), sans respect pour les vieillards, sans pitié pour les enfants (*Bell. Jud.* V, 12, 512-513 ; VI, 3, 193-200) ; c'est précisément après avoir rappelé ce qu'arrivaient à manger les assiégés que Josèphe raconte longuement l'épisode de cette femme anthropophage (*id.* VI, 3, 201-219).

2. Chrysostome signale lui aussi (56, 63, l. 37 s.) qu'il s'agit d'une figure de style (προσωποποιΐα). Cette manière de représenter par un monstre marin la mort et les puissances infernales n'est pas sans faire penser à l'histoire de Jonas ; cf. Eusèbe, *Hist. Eccl.* V, 1, 25 et V, 2, 6, où le monstre qui engloutit n'est autre que le diable.

3. Cf. Chrysostome (56, 63-64, § 6) : « Il les appelle à bon droit ' pestes ', puisqu'ils ne gardaient pas pour eux leur malice, mais transmettaient à autrui également leur maladie. Telle est bien la nature de la peste : d'un seul individu qu'elle atteint au début, elle touche peu à peu le grand nombre. »

[17] **Καὶ βοσκηθήσονται οἱ διηρπασμένοι ὡς ταῦροι, καὶ τὰς ἐρήμους τῶν ἀπειλημμένων ἄρνες φάγονται.** Ὅτι τῶν εἰς τὸν κύριον πεπιστευκότων τὰς οὐσίας διήρπασαν οἱ τοῖς εὐαγγ(ελι)κοῖς ἀντιλέγοντες δόγμασιν, ἄντικρυς ἡμᾶς ἐδί-
605 δαξεν ὁ ἀπόστολος· Θεσσαλονικεῦσι γὰρ ἐπιστέλλων οὕτως ἔφη· « Ὑμεῖς γάρ, ἀδελφοί μου, μιμηταὶ ἐγενήθητε τῶν ἐκκλησιῶν τοῦ θεοῦ τῶν οὐσῶν ἐν τῇ Ἰουδαίᾳ ἐν Χριστῷ Ἰησοῦ· τὰ γὰρ αὐτὰ ἐπάθετε καὶ ὑμεῖς ὑπὸ τῶν ἰδίων συμφυλετῶν καθὼς καὶ αὐτοὶ ὑπὸ τῶν Ἰουδαίων
610 τῶν καὶ τὸν κύριον ἀποκτεινάντων Ἰησοῦν καὶ τοὺς ἰδίους προφήτας καὶ ἡμᾶς ἐκδιωξάντων καὶ θεῷ μὴ ἀρεσκόντων καὶ πᾶσιν ἀνθρώποις ἐναντίων. » Καὶ αὐτοῖς δὲ τοῖς Ἑβραίοις γράφων ὧδέ φησιν· « Ἀναμιμνήσκεσθε τὰς πρότερον ἡμέρας, ἐν αἷς φωτισθέντες πολλὴν ἄθλησιν ὑπεμείνατε
615 παθημάτων, τοῦτο μὲν ὀνειδισμοῖς τε καὶ θλίψεσι θεατριζόμενοι, τοῦτο δὲ κοινωνοὶ τῶν οὕτως ἀναστρεφομένων γενηθέντες. Καὶ γὰρ τοῖς δεσμίοις συνεπαθήσατε καὶ τὴν ἁρπαγὴν τῶν ὑπαρχόντων ὑμῶν μεθ' ἡδονῆς κατεδέξασθε. » Τούτους μετὰ τὸν ἐκείνων ὄλεθρον ταύροις ἀπεικάζει ἀδεῶς
620 νεμομένοις· καὶ γὰρ ἀληθῶς φέροντες τὸν τοῦ κυρίου ζυγὸν πάντα ἐγεώργουν τὰ ἔθνη. Τούτους καὶ ἄρνας ὀνομάζει· οὕτω γὰρ αὐτοὺς καὶ ὁ κύριος καλεῖ· « Ἰδοὺ ἀποστέλλω ὑμᾶς ὡς ἄρνας ἐν μέ(σῳ) λύκων. » Τούτοις ἐπαγγέλλεται δώσειν τῶν ἑαλωκότων καὶ αἰχμαλώτων τὰ
625 ἔρημα. Ἀπειλημμένους γὰρ τοὺς οἱονεὶ ἠγρευμένους καὶ δορυαλώτους ὠνόμασεν· ὁ μέντοι Σύμμαχος τούτους « παρανόμους » ἡρμήνευσεν.

[18] **Οὐαὶ οἱ ἐπισπώμενοι τὰς ἁμαρτίας αὐτῶν ὡς σχοινίῳ μακρῷ καὶ ὡς ζυγοῦ ἱμάντι δαμάλεως τὰς ἀνομίας αὐτῶν.**

N : 602-627 ὅτι — ἡρμήνευσεν

605 Θεσσαλονικεῦσι γὰρ K : καὶ γὰρ Θεσσαλονικεῦσιν N ‖ 606 οὕτως (> N[1]) ἔφη ὑμεῖς γὰρ N : τὴν τιμωρίαν (ιμω ?) K ‖ 608 ὑπὸ N : ὑπὲρ K ‖ 610 Ἰησοῦν K : > N ‖ 612 τοῖς N : > K ‖ 617 δεσμίοις K : δεσμοῖς μου N ‖ 618 ὑμῶν KE : ὑμῖν N ‖ κατεδέξασθε K : προσεδέξασθε NE ‖ 622 καὶ K : > N ‖ 624 αἰχμαλώτων K : +γενομένων N ‖ 626 δορυαλώτους E : +τούτους K +γεγενημένους N

17. *Les victimes du pillage paîtront comme des bœufs, et des agneaux brouteront les terres délaissées de ceux qui auront été dépouillés.* Ceux qui refusaient les enseignements de l'Évangile ont pillé les biens de ceux qui ont cru au Seigneur : l'Apôtre nous l'a nettement enseigné. Dans sa lettre aux Thessaloniciens, il a parlé en ces termes : « Car vous vous êtes mis, frères, à imiter les Églises de Dieu dans le Christ Jésus qui sont en Judée : vous avez souffert, vous aussi, de la part de vos compatriotes les mêmes traitements qu'ils ont soufferts de la part des Juifs ; ils ont mis à mort le Seigneur Jésus et leurs propres prophètes, ils nous ont persécutés, ils ne plaisent pas à Dieu, ils sont ennemis de tous les hommes. » Et lorsqu'il écrit aux Hébreux eux-mêmes, voici ce qu'il dit : « Rappelez-vous les jours passés, où après avoir été illuminés, vous avez soutenu un grand assaut de souffrances, tantôt exposés publiquement aux opprobres et aux tribulations, tantôt vous rendant solidaires de ceux qui étaient ainsi traités. Et, en effet, vous avez pris part aux souffrances des prisonniers et vous avez accepté avec joie la spoliation de vos biens. » Ce sont eux qu'après leur mort il compare à des bœufs qui paissent sans crainte ; et, en effet, ils portaient en vérité le joug du Seigneur et cultivaient toutes les Nations. Ce sont eux qu'il nomme encore « agneaux », car le Seigneur à son tour les appelle de la sorte : « Voici que je vous envoie comme des agneaux au milieu des loups. » C'est à eux qu'il promet de donner les lieux déserts appartenant aux prisonniers et aux captifs. Car il a nommé « dépouillés » ceux qui ont été, pour ainsi dire, pris à la chasse et soumis par la lance. Symmaque, toutefois, a traduit ce terme par « criminels ».

18. *Malheur à ceux qui tirent leurs péchés comme avec un long licol et leurs iniquités comme avec la courroie d'atte-*

606 I Thess. 2, 14-15 613 Hébr. 10, 32-34 622 Lc 10, 3

630 Χαλεπὸν μὲν τὸ ἁμαρτάνειν, τὸ δὲ ἐπιμένειν καὶ αὔξειν τὴν ἁμαρτίαν πολλῷ χαλεπώτερον. Τῶν τοιούτων ἐπὶ τοῦ παρόντος κατηγορεῖ ὡς τοῖς κακοῖς ἐπιμενόντων καὶ μεταμελείᾳ χρῆσθαι μὴ βουλομένων ἀλλὰ καὶ ταῖς προφητικαῖς ἀντιλεγόντων προρρήσεσιν. Τοῦτο γὰρ διὰ τῶν 635 ἐπιφερομένων ἐδήλωσεν · 19 **Οἱ λέγοντες · Τὸ τάχος ἐγγισάτω ἃ ποιήσει ὁ θεός, ἵνα ἴδωμεν, καὶ ἐλθέτω ἡ βουλὴ τοῦ ἁγίου Ἰσραήλ, ἵνα γνῶμεν.** Ταῦτα δὲ ἀπιστούντων ἐστὶ καὶ ψεῦδος τῆς προφητείας κατηγορούντων · τὸ δὲ καὶ ψεῦδος τῆς προφητείας κατηγορεῖν νικᾷ πᾶσαν ἀσεβείας ὑπερβολήν.

640 Ἐντεῦθεν ἐπ' ἄλλην κατηγορίαν ἐτρέπετο · 20 **Οὐαὶ οἱ λέγοντες τὸ πονηρὸν καλὸν καὶ τὸ καλὸν (πον)ηρόν, οἱ τιθέντες τὸ φῶς σκότος καὶ τὸ σκότος φῶς, οἱ τιθέντες τὸ πικρὸν γλυκὺ καὶ τὸ γλυκὺ (πικρόν).** Τοιοῦτος δὲ τῶν κολάκων ὁ βίος · ἐπαινοῦσι τοὺς πονηρούς, κωμῳδοῦσι τοὺς ἀγαθούς, 645 {πάντα τῆς γα}στρὸς ἕνεκα δρῶσιν. Τοιοῦτοι δὲ καὶ οἱ ἄδικοι δικασταί, οἱ δωροδόκοι, οἱ πωλοῦντες {τὸ δίκαιον}. (Κατηγ)ορεῖ καὶ τῶν ἐπὶ σοφίᾳ βρενθυομένων καὶ μὴ πειθομένων τῇ σοφωτάτῃ Ἄννῃ λε(γούσῃ · « Μὴ καυχάσ)θω ὁ σοφὸς ἐν τῇ σοφίᾳ αὐτοῦ. » 21 **Οὐαὶ** γάρ φησιν **οἱ συνετοὶ ἐν ἑαυτοῖς** 650 **καὶ ἐνώ(πιον ἑαυ)τῶν ἐπιστήμονες.** Ἀναλαμβάνει καὶ τὴν τῶν μεθυόντων κατηγορίαν · 22 **Οὐαὶ οἱ** |105 a| **(ἰσχύον)τες ὑμῶν οἱ τὸν οἶνον πίνοντες καὶ οἱ δυνάσται οἱ κιρνῶντες τὸ**

C : 630-634 χαλεπὸν — προρρήσεσιν ‖ 637-638 ταῦτα — κατηγορούντων ‖ 643-646 τοιοῦτος — δίκαιον

N : 630-638 χαλεπὸν — κατηγορούντων (636-637 καὶ — γνῶμεν>) ‖ 640-646 ἐντεῦθεν — δίκαιον (640-643 οὐαὶ — πικρόν>) ‖ 646-649 κατηγορεῖ — αὐτοῦ ‖ 650-651 ἀναλαμβάνει — κατηγορίαν

630 χαλεπὸν K : ἀλλὰ καὶ ἁπλῶς εἰπεῖν χαλεπὸν N ‖ τὸ¹ CN : > K ‖ 633 χρῆσθαι KC : χρήσασθαι N ‖ 634-635 διὰ — ἐδήλωσεν K : ἐδήλωσε διὰ τοῦ ἐπαγαγεῖν N ‖ 638-639 τὸ — ὑπερβολήν E : > KCN ‖ 640 ἐντεῦθεν — ἐτρέπετο Mö. : κατηγορίαν ἐτρέπετο K ἢ ἐπ' ἄλλην κατηγορίαν ἐντεῦθεν τρέπεται N ‖ 643 δὲ KC : γὰρ N ‖ 645 τῆς CN : > E ‖ 646-647 κατηγορεῖ / καὶ — βρενθυομένων K : ∾ N ‖ 650 ἀναλαμβάνει καὶ K : ἐπαναλαμβάνει N

648 I Sam. 2, 10

lage d'une génisse. Il est grave de commettre un péché, mais persévérer dans son péché et l'accroître est encore beaucoup plus grave. Dans le cas présent, c'est cette espèce d'hommes qu'il accuse, parce qu'ils persévèrent dans le mal et que, loin de vouloir pratiquer le repentir, ils refusent même les prédictions des prophètes. C'est ce qu'il fait voir par ce qui suit : 19. *A ceux qui disent: Qu'approche vite ce que Dieu va faire, afin que nous le voyions ! Que s'accomplisse le dessein du Saint d'Israël, afin que nous le connaissions !* Voilà bien les paroles d'hommes incrédules, d'hommes qui accusent de mensonge la prophétie ; or, aller jusqu'à accuser la prophétie de mensonge surpasse tout excès dans l'impiété[1].

A partir de là, il s'est tourné vers une autre accusation : 20. *Malheur à ceux qui appellent le mal bien et le bien mal ; qui changent la lumière en ténèbres et les ténèbres en lumière, qui changent l'amertume en douceur et la douceur en amertume.* Telle est la conduite des flatteurs : ils louent les gens pervers, se moquent des gens de bien, font tout pour leur ventre. Tels sont aussi les juges injustes qui se laissent acheter, qui vendent le droit. Il accuse aussi ceux qui se rengorgent à propos de leur sagesse au lieu de suivre l'avis que donne Anne dans sa profonde sagesse : « Que le sage ne se glorifie pas de sa sagesse. » 21. *Malheur*, dit-il, *aux gens avisés selon eux-mêmes, savants à leurs propres yeux.* Il reprend aussi son accusation contre ceux qui s'enivrent : 22. *Malheur à ceux d'entre vous qui sont forts pour boire le vin et qui sont des champions pour mélanger le sikéra.*

1. On ne saurait, en effet, selon Théodoret, déclarer la prophétie mensongère sans que cette accusation atteigne Dieu lui-même. Or Dieu est par essence incapable de mensonge (ἀψευδής 12, 63) et la prophétie est parole de Dieu. Aussi Théodoret met-il beaucoup de soin dans ses commentaires à établir la vérité de la prophétie (v.g. *In Is.*, 2, 40.182-183 ; 3, 489-490 ; 4, 552 ; 5, 346-347.543 ; etc.). Rapprocher ce passage d'*In Dan.*, 81, 1264 A, où Théodoret écrit que s'en prendre au prophète, c'est s'en prendre à Dieu.

σίκερα. Κατηγορεῖ δὲ τῶν αὐτῶν ὡς ἀρχόντων μέν, ἀδίκως δὲ ἡγουμένων · [23] **Οἱ δικαιοῦντες τὸν ἀσεβῆ ἕνεκεν δώρων**
655 **καὶ τὸ δίκαιον τοῦ δικαίου αἴροντες ἀπ' αὐτοῦ.** Τῆς γὰρ δίκης τούτῳ τὴν νικῶσαν ὀρεγούσης ψῆφον ὑμεῖς παρανόμως ταύτην ἁρπάζοντες τοῖς ἀδικοῦσι δίδοτε.

Μετὰ τὴν κατηγορίαν ἐπιφέρει τῆς τιμωρίας τὴν ἀπειλήν · [24] **Διὰ τοῦτο, ὃν τρόπον καυθήσεται καλάμη ὑπὸ ἄνθρακος**
660 **πυρὸς καὶ συγκαυθήσεται ὑπὸ φλογὸς ἀνημμένης, ἡ ῥίζα αὐτῶν ὡς χοῦς ἔσται καὶ τὸ ἄνθος αὐτῶν ὡς κονιορτὸς ἀναβήσεται.** Τῇ μὲν εὐπρήστῳ ὕλῃ αὐτοὺς ἀπεικάζει, τῷ δὲ πυρὶ τὴν δίκην · ὥσπερ γὰρ ἐκείνην μετὰ τοῦ ἄνθους καὶ τὴν ῥίζαν δαπανηθῆναι · καλεῖ δὲ ῥίζαν μὲν αὐτούς,
665 ἄνθος δὲ τῆς εὐημερίας τὸ πρόσκαιρον. **Οὐ γὰρ ἠθέλησαν τὸν νόμον κυρίου Σαβαὼθ ποιεῖν, ἀλλὰ τὸ λόγιον τοῦ ἁγίου Ἰσραὴλ παρώξυναν.** Αὐτὸς γὰρ ἐδεδώκει τοῦ νόμου τὰ λόγια.

[25] **Καὶ ἐθυμώθη κύριος Σαβαὼθ ἐπὶ τὸν λαὸν αὐτοῦ καὶ**
670 **ἐπέβαλε τὴν χεῖρα αὐ(τοῦ) ἐπ' αὐτοὺς καὶ ἐπάταξεν αὐτούς · καὶ παρωξύνθη ἐπὶ τὰ ὄρη, καὶ ἐγένετο τὰ θνησιμαῖα αὐτῶν (ὡς) κοπρία ἐν (μέσῳ) ὁδοῦ.** Διὰ τῶν ὀρῶν τοὺς ἐν τοῖς ὄρεσι παρ' αὐτῶν τιμωμένους ᾐνίξατο δαίμον{ας}. (Τῶν) δὲ εἰρημένων ἁπάντων ἕνεκα καὶ αὐτὰ τὰ ὄρη καὶ τὰς ὁδοὺς
675 ἐπλήρωσε νεκρῶν κόπρου δίκην ἐπὶ τῆς γῆς ἐρριμμένων κατὰ τὸ ὑπὸ τοῦ ψαλμῳδοῦ εἰρημένον · « Ἐγενήθησαν ὡσεὶ κόπρος τῇ γῇ. » **Καὶ ἐπὶ πᾶσι τούτοις οὐκ ἀπεστράφη ὁ θυμὸς αὐτοῦ, ἀλλ' ἔτι ἡ χεὶρ αὐτοῦ ὑψηλή.** Οὐδὲ γὰρ αὐτοὶ

C : 653-654 κατηγορεῖ — ἡγουμένων || 672-673 διὰ — δαίμονας || 678-683 οὐδὲ — ὑψούντων

N : 653-657 κατηγορεῖ — δίδοτε (654-655 οἱ — αὐτοῦ>) || 658-665 μετὰ — πρόσκαιρον (659-662 διὰ — ἀναβήσεται>) || 667-668 αὐτὸς — λόγια (solum in Np) || 672-677 διὰ — γῇ || 678-683 οὐδὲ — ὑψούντων

653 δὲ KC : > N || 656 ὑμεῖς K : +φησι N || 662 ἀπεικάζει KE : ἀπεικάζων N || 663 τοῦ ἄνθους N : τὸ ἄνθος K || 665 τὸ NE : > K || 672 διὰ KC : +μέντοι N || 673-674 δὲ εἰρημένων K : εἰρημένων τοίνυν N || 676 τοῦ N : > K || 678 οὐδὲ KC : οὐκ ἀπεστράφη τοίνυν ὁ θυμὸς τοῦ θεοῦ οὐδὲ N

D'autre part, il accuse les mêmes individus en tant qu'ils détiennent le commandement, mais l'exercent avec injustice : 23. *Malheur à ceux qui justifient l'impie pour des présents et privent le juste de la justice.* Alors que la décision judiciaire accorde à ce dernier la majorité des votes, vous la lui enlevez de manière illégale pour la donner aux gens injustes.

Après l'accusation, il ajoute la menace du châtiment : 24. *C'est pourquoi, tout comme la paille sera brûlée par le charbon du feu et consumée par la flamme qu'on aura allumée, leur tige deviendra comme la poussière et leur fleur s'envolera comme la cendre.* Il les compare à une matière qui s'enflamme facilement et compare leur châtiment au feu : à l'exemple d'une telle matière, leur tige avec sa fleur s'est consumée ; or, ce sont eux qu'il appelle « tige », tandis qu'il appelle « fleur » le court moment de leur prospérité[1]. *Car ils n'ont pas voulu observer la loi du Seigneur Sabaoth, mais ils ont méprisé le commandement du Saint d'Israël.* C'est lui, en effet, qui avait donné les commandements de la Loi.

La colère du Seigneur

25. *Le Seigneur Sabaoth s'est emporté contre son peuple, il a étendu la main contre eux et les a frappés ; il s'est irrité contre les montagnes, et leurs cadavres ont été comme du fumier au milieu de la route.* Par « montagnes », il a fait allusion aux démons qu'ils honoraient sur les montagnes[2]. Pour toutes les raisons qu'on vient d'énoncer, il a rempli les montagnes elles-mêmes et les routes de cadavres, jetés sur le sol comme du fumier, conformément à la parole du Psalmiste : « Ils ont servi de fumier à la terre. » *Et malgré tout cela, sa colère ne s'est pas détournée, mais sa main reste encore levée.* C'est qu'eux non plus ne se sont pas écartés de

676 Ps. 82, 11

1. L'époque de David et de Salomon (1000 à 900 environ av. J.-C.).
2. Cf. *supra*, p. 191, n. 1.

τῆς παρανομίας ἀπέστησαν. Τοῦτο γὰρ καὶ ἐν τοῖς μετὰ
680 ταῦτά φησιν · « Καὶ ὁ λαὸς οὐκ ἀπέστη ἕως ἐπλήγη. »
Τὸ δέ · ἡ χεὶρ αὐτοῦ ὑψηλή, ἐκ μεταφορᾶς τέθεικε τῶν
ἱμάντι ἢ ῥάβδῳ μαστιγούντων οἰκέτην καὶ τὴν χεῖρα
ὑψούντων.

[26] **Τοιγαροῦν ἀρεῖ σύσσημον ἐν τοῖς ἔθνεσι τοῖς μακρὰν**
685 **καὶ συριεῖ αὐτοὺς ἀπ' ἄκρου τῆς γῆς · καὶ ἰδοὺ αὐτοὶ κούφως**
ἔρχονται. Τοὺς Ῥωμαίους διὰ τούτων ᾐνίξατο · τοὺς γὰρ
Βαβυλωνίους καὶ τοὺς Ἀσσυρίους πολλάκις μὲν ἐξ ὀνόματος,
πολλάκις δὲ ἀπὸ τοῦ κλίματος προσαγορεύει, ὡς ὅταν
λέγῃ · « Ἀπὸ βορρᾶ ἐκκαυθήσεται τὰ κακά », καί · « Τὸν
690 ἀπὸ βορρᾶ ἐκδιώξω ἀφ' ὑμῶν », καί · « Ἐρῶ τῷ βορρᾷ ·
ἄγε. » Διὰ δὲ τοῦ συριεῖ τὸ δεσποτικὸν ἔδειξε κράτος ·
καθάπερ γὰρ δεσπότης οἰκέτην συρίζων καλεῖ, ὁ δὲ μετὰ
δέους τρέχει πρὸς τὴν ἠχήν, οὕτως ὁ τῶν ὅλων θεὸς νεύει
φησὶ καὶ σ{υν}τρέχου{σι} Ῥ{ωμαῖοι}.
695 Εἶτα αὐτῶν τὴν πολεμικὴν ἐμπειρίαν καὶ τὴν ἀνδρείαν
καὶ τὴν ἐν στρατείαις διδ(άσ)κει κακοπάθειαν · [27] **Οὐ**
πεινάσουσιν οὐδὲ κοπιάσουσιν οὐδὲ νυστάξουσιν οὐδὲ κοι-
μηθήσονται οὐδὲ λύσουσι τὰς ζώνας αὐτῶν ἀπὸ τῶν ὀσφύων
αὐτῶν, οὐδὲ μὴ ῥαγῶσιν οἱ ἱμάντες τῶν ὑποδημάτων αὐτῶν.
700 Νικῶσί φησι τῇ πολεμικῇ προθυμίᾳ τὰ πάθη τῆς φύσεως,

C : 686-688 τοὺς — προσαγορεύει || 700-702 νικῶσί — βούλονται

N : 686-691 τοὺς — ἄγε || 691-694 διὰ — Ῥωμαῖοι || 695-702 εἶτα — βούλονται (696-699 οὐ — αὐτῶν>)

681 τέθεικε KC : εἴρηται N || 685 αὐτοὺς K* : αὐτοῖς K^{corr} || 687 ὀνόματος KNE : +καλεῖ C || 691 δὲ K : μέντοι N || 695 εἶτα — ἐμπειρίαν K : καὶ τὴν πολεμικὴν ἐμπειρίαν αὐτῶν N || 696 ἐν K : +ταῖς N || 700 νικῶσι KNE : νικῶντες C || φησι KCE : λέγων N || προθυμίᾳ KCE : ἐμπειρίᾳ N (cf. 695) || τῆς φύσεως CNE : τοῦ σώματος K (γρ. τῆς φύσεως K sup. l.)

680 Is. 9, 12 689 Jér. 1, 14 ; Joël 2, 20 690 Is. 43, 6

l'iniquité. Il le dit encore dans un passage suivant : « Et le peuple n'est pas revenu aussi longtemps qu'il a été frappé. » Quant à l'expression « sa main reste levée », il l'a employée par métaphore (en songeant) à ceux qui fouettent leur serviteur avec une lanière ou une verge et qui lèvent la main (sur lui).

L'intervention romaine

26. *C'est pourquoi il dressera un signal au sein des Nations lointaines et les sifflera depuis les extrémités de la terre : les voici qui arrivent d'un pas léger.* Il a fait allusion par là aux Romains. De fait, quand il s'agit des Babyloniens et des Assyriens, il les désigne souvent par leur nom, souvent encore d'après leur région[1]. Il dit par exemple : « C'est du Nord que s'enflammeront les malheurs » ; « Celui qui vient du Nord, je le chasserai loin de vous » et : « Je dirai au Nord : Rend-les. » Par l'expression « il les sifflera », il a montré le pouvoir du Maître : comme un maître appelle son serviteur en le sifflant et voici qu'il se hâte avec crainte à son appel, le Dieu de l'univers fait un signe, dit-il, et les Romains accourent.

Puis il enseigne l'expérience qu'ils ont de la guerre, leur bravoure et leur endurance durant les campagnes : 27. *Ils n'auront pas faim, ils n'éprouveront pas de fatigue, ils ne dormiront pas, ils ne se reposeront pas, ils ne détacheront pas leurs baudriers de leurs hanches et les courroies de leurs sandales ne se rompront pas.* Leur ardeur guerrière, dit-il, leur fait vaincre les défaillances de la nature : ils repoussent

1. En prenant, bien sûr, Jérusalem pour point de référence comme le souligne nettement Théodoret dans l'*In Jer.*, 81, 501 B : « Car Babylone est située au nord de Jérusalem ». La dépendance à l'égard d'Eusèbe paraît ici presque évidente (*GCS* 35, 5-10). Cf. aussi *In Ez.*, 81, 1005 A.

ἀπωθοῦνται τοῦ ὕπνου τὴν προσβολήν, ἀναπαύλης ἀπολαύειν οὐ βούλονται. Εἶτα τὴν πανοπλίαν αὐτῶν προδιαγράφει· [28] **Ὧν τὰ βέλη ὀξέα ἐστὶ καὶ τὰ τόξα αὐτῶν ἐντεταμένα· οἱ πόδες αὐτῶν ὡς στερεὰ πέτρα ἐλογίσθησαν, οἱ τροχοὶ**
705 **τῶν ἁρμάτων αὐτῶν ὡς καταιγίδες·** [29] **ὁρμῶσιν ὡς λέοντες καὶ παρεστήκασιν ὡς σκύμνοι λεόντων, καὶ ἐπιλήψεται καὶ βοήσει ὡς θηρίον καὶ ἐκβαλεῖ, καὶ οὐκ ἔσται ὁ ῥυόμενος.** Ἀλαλάζειν εἰώθασιν ἐν τοῖς πολέμοις, τοὺς ἀντιπαραταττομένους τῇ κοινῇ φωνῇ δεδιττόμενοι. Ταύτην τὴν β(οὴν)
710 {βρυχη}θμῷ λεόντων ἀπείκασεν· ὥσπερ γὰρ ὁ λέων βρυχώμενος καὶ τὰ θηρία καὶ τὰ κτήνη (φοβεῖ, οὕτως) οὗτοι αὐτοβοεὶ τῶν πολεμίων περιγενέσθαι δυνήσονται. [30] **Καὶ βοήσει δι' αὐ(τοὺς) ἐν τῇ ἡ(μέρᾳ) ἐκείνῃ ὡς φωνὴ θαλάσσης κυμαινούσης.** Ἐνταῦθα καὶ τὸ πλῆθος ἔδειξε (καὶ τοὺς
715 λόχους |105 b| κ)ύμασιν ἐοικότας καὶ τῇ φωνῇ κατακτυποῦντας τῶν ἀντιπάλων τὰς ἀκοάς.

Καὶ ἐμβ(λέψον)ται εἰς τὸν οὐρανὸν ἄνω καὶ εἰς τὴν γῆν κάτω, καὶ ἰδοὺ σκότος σκληρόν, σκότος ἐν τῇ ἀπορίᾳ αὐτῶν. Τότε φησὶν οἱ τῆς κατ' ἐμοῦ μανίας τίνοντες δίκας ἀνα-
720 βλέψουσι μὲν εἰς τὸν οὐρανὸν ἐπικουρίας τινὸς ἀντιβολοῦντες τυχεῖν, ὄψονται δὲ οὐ τὴν πρόνοιάν μου δίκην φωτὸς ἐπιφαι-

C : 708-712 ἀλαλάζειν — δυνήσονται ‖ 714-716 ἐνταῦθα — ἀκοάς ‖ 719-723 τότε — ἐπιφέρουσαν

N : 702-703 εἶτα — ἐστί ‖ 708-712 ἀλαλάζειν — δυνήσονται ‖ 714-716 ἐνταῦθα — ἀκοάς ‖ 719-723 τότε — ἐπιφέρουσαν

701 ἀπολαύειν KNE : ἀπόλαυσιν C ‖ 702-703 εἶτα — ἐστὶ KE : προδιαγράφει δὲ καὶ τὴν πανοπλίαν αὐτῶν εἰπών· ὧν — ἐστὶ καὶ τὰ ἑξῆς N ‖ 708 ἐν CNE : οἱ K ‖ 710 βρυχηθμῷ KNE : βρυγμῷ C ‖ ὁ CN : > K ‖ 714 ἐνταῦθα KC : διὰ τούτων δὲ N ‖ 715 λόχους C : λόγους N ‖ 719 τότε KC : +τοίνυν N

---

1. Théodoret entend le texte au sens littéral, en raison de l'endurance traditionnellement reconnue au légionnaire romain ; il peut y avoir aussi quelques souvenirs de FLAVIUS JOSÈPHE (*Bell. Jud.* III, 5, 70-109). CHRYSOSTOME, en revanche, pense qu'il faut entendre ce

l'assaut du sommeil, ils ne veulent pas profiter du repos[1]. Puis il décrit par anticipation leur armement : 28. *Leurs flèches sont acérées et leurs arcs bien tendus; leurs pieds sont comparables à de la pierre dure, les roues de leurs chars à des ouragans;* 29. *ils s'élancent comme des lions, ils se tiennent là comme les petits de lions; il s'emparera (de sa proie), rugira comme un fauve et l'emportera: il n'y aura personne pour la défendre.* Ils ont coutume, au cours des combats, de pousser de grands cris, pour effrayer par le concert de leurs voix l'ennemi qu'ils ont en face d'eux. Il a comparé ces cris au rugissement des lions : à la manière du lion dont le rugissement effraie les bêtes sauvages comme les bêtes domestiques, ils pourront par leurs seuls cris l'emporter sur leurs ennemis[2]. 30. *Et il rugira à cause d'eux, en ce jour-là, comme gronde la mer gonflée de vagues.* Il a montré ici leur grand nombre : leurs bataillons, pareils aux vagues, frappent avec force de leurs cris l'oreille de leurs adversaires.

Ils lèveront les yeux vers le ciel et les abaisseront vers la terre: et voici les ténèbres épaisses, les ténèbres planant sur leur détresse. Alors, dit-il, ceux qui paieront le châtiment de leur folie à mon égard lèveront les yeux vers le ciel, pour que leur supplication leur obtienne quelque assistance ; mais loin de voir ma Providence luire comme une lumière,

verset en un sens hyperbolique (56, 67, l. 7 s.), mais il est vrai qu'à la différence de Théodoret, il ne voit pas constamment dans ces chapitres d'Isaïe l'annonce de la guerre menée par Rome contre les Juifs.

2. L'habitude de pousser des cris pour effrayer l'adversaire au moment d'engager le combat n'est pas propre aux Romains ; les récits de bataille de l'antiquité font tous état de semblables pratiques ; les Grecs, par ex., ont coutume, avant ou pendant la bataille, d'« entonner le péan ». Il reste qu'un combat romain s'engage rarement sans qu'ait retenti l'« ingens clamor » dont font état la plupart des historiens latins.

νομένην ἀλλὰ τὴν τιμωρητικὴν δύναμιν ζόφον αὐτῶν τοῖς ὀφθαλμοῖς ἐπιφέρουσαν.

Ἐκεῖνοι μὲν οὖν ἐκεῖνα πεπλημμεληκότες ταύτην ἔτισαν
725 τὴν δίκην · ἡμεῖς δὲ τῆς πονηρίας τὴν μίμησιν φύγωμεν, ἵνα καὶ τὴν τῆς τιμωρίας διαφύγωμεν κοινωνίαν καὶ μετὰ παρρησίας ἴδωμεν τὸν δεσπότην Χριστόν, ᾧ καὶ μεθ' οὗ τῷ πατρὶ σὺν <τῷ> ἁγίῳ πνεύματι δόξα πρέπει, τιμὴ καὶ μεγαλοπρέπεια νῦν καὶ ἀεὶ καὶ εἰς τοὺς αἰῶνας τῶν αἰώνων.
730 Ἀμήν.

ils verront ma puissance vengeresse jeter sur leurs yeux l'obscurité.

Parénèse

Voilà donc le châtiment qu'ont payé ceux qui ont commis ces fautes. Quant à nous, gardons-nous d'imiter leur perversité, afin d'éviter de partager leur châtiment et afin de voir en toute liberté notre Maître le Christ. A lui et, avec lui, au Père dans l'unité du Saint Esprit, conviennent gloire, honneur et magnificence, maintenant et toujours et pour les siècles des siècles. Amen.

ΤΟΜΟΣ Γ΄

6[1] Καὶ ἐγένετο τοῦ ἐνιαυτοῦ οὗ ἀπέθανεν Ὀζίας ὁ βασιλεὺς εἶδον τὸν κύριον καθήμενον ἐπὶ θρόνου ὑψηλοῦ καὶ ἐπηρμένου, καὶ πλήρης ὁ οἶκος τῆς δόξης αὐτοῦ. Ἅπαντα μὲν τὰ προηρμηνευμένα βασιλεύοντος Ὀζίου προεθέσπισεν ὁ προφήτης, ταῦτα δὲ τὰ νῦν ἀνεγνωσμένα ἐπὶ Ἰωάθαμ ἐθεάσατο, ὃς υἱὸς ὢν Ὀζίου τὴν ἐκείνου διεδέξατο βα(σι)λείαν.

{Αἰνί}ττεται δὲ ὁ προφήτης τὴν γεγενημένην παῦλαν τῆς προφητείας διὰ τὴν τοῦ Ὀζίου παρανομί{αν}. Οὗτος γὰρ ἀπέλαυσε μὲν εὐθὺς βασιλεύσας τῆς τοῦ θεοῦ κηδεμονίας καὶ τῶν τε Ἀλλοφύλων τῶν τε ἄλλων πλησιοχώρων ἐκράτησε πολεμίων · τυφωθεὶς δὲ μετὰ τὴν νίκην καὶ τῆς ἱερωσύνης ἥρπασε τὴν ἀξίαν καὶ τῶν ἀδύτων τοῦ ναοῦ κατατολμήσας προσενεγκεῖν ἐτόλμησε τὸ θυμίαμα, ὃ οὐδὲ πᾶσιν ἐξῆν προσφέρειν τοῖς ἱερεῦσιν · μόνῳ γὰρ εἰσιτητὸν ἦν τῷ ἀρχιερεῖ εἰς τὰ ἅγια τῶν ἁγίων. Καὶ ἐπειράθη μὲν αὐτὸν ἐπισχεῖν Ἀζαρίας ὁ ἱερεὺς καὶ ἕτεροι σὺν τούτῳ τῆς ἱερωσύνης ἠξιωμένοι · ἐπειδὴ δὲ οὐδὲ τὴν τούτων ἐδέξατο συμβουλήν, φιλάνθρωπον αὐτῷ παιδείαν ὁ δεσπότης ἐπήγαγεν · οὐ γὰρ ἐκέλευσεν αὐτῷ χῆναι τὴν γῆν οὐδὲ πρηστῆρα

N : 4-31 ἅπαντα — ἀπέλαβεν

4 μὲν K : +οὖν N || 8 προφήτης KE : +ὡς ἔφην N || 15 μόνῳ N : μόνον K || 18 οὐδὲ N : o cancellat K* || τούτων KN : +οὐκ K^corr || 19 ἐπήγαγεν N : ἐπήνεγκεν K || 20 χῆναι N : χᾶναι K

9-25 cf. II Chr. 26

1. La succession des règnes permet habituellement (cf. *infra*, *Is.* 7, 1 s.) à Théodoret de déterminer le cadre général de son inter-

TROISIÈME SECTION

Circonstances et date de la vision d'Isaïe

6, 1. *Il arriva, en l'année où mourut le roi Ozias, que je vis le Seigneur assis sur un trône élevé et sublime; et la Maison était remplie de sa gloire.* Tout ce qu'on vient précédemment d'expliquer, c'est sous le règne du roi Ozias que le prophète l'a prophétisé ; mais ce qu'on vient de lire à l'instant, il l'a contemplé sous le règne de Joatham : fils d'Ozias, il a succédé à ce dernier dans l'exercice de la royauté[1].

Or, le prophète laisse entendre que c'est la prévarication d'Ozias qui a provoqué la cessation de l'activité prophétique. De fait, au début de son règne, Ozias a joui de la faveur de Dieu et remporté la victoire sur les Allophyles et sur les autres peuples voisins, ses ennemis ; mais, aveuglé par l'orgueil à la suite de sa victoire, il usurpa la dignité du sacerdoce, eut l'audace de pénétrer jusque dans le sanctuaire du Temple et osa présenter l'encens, alors qu'il n'était même pas permis à tous les prêtres de le présenter : seul le grand-prêtre avait droit d'accès au Saint des Saints[2]. Le prêtre Azarias et avec lui d'autres qui avaient obtenu le sacerdoce tentèrent de le retenir ; mais il n'accepta pas leur conseil. Aussi le Maître lui a-t-il infligé une leçon empreinte de bonté : il n'a pas, pour le

prétation (cf. Introd., ch. II, p. 40) ; c'est aussi un moyen de « dater » la prophétie et d'en souligner l'historicité.

2. Le grand-prêtre n'avait accès au Saint des Saints qu'une fois l'an, le jour du jeûne général en l'honneur de Dieu ; cf. *In Jer.*, 81, 784 AB ; *In Dan.*, 81, 1481 D ; *Quaest. in Levitic.*, 80, 328 A - 333 ; voir aussi FLAVIUS JOSÈPHE, *Bell. Jud.* V, 5, 236.

οὐρανόθεν ἐπήνεγκεν, ἀλλὰ τὴν τοῦ σώματος ἐνήλλαξε χρόαν καὶ τῆς λέπρας αὐτῷ τὴν ἀτιμίαν ἐπέθηκεν. Ταύτην δεξάμενος τὴν παιδείαν παραυτίκα μὲν ἐξελήλυθε τοῦ νεώ, οἴκοι δὲ καθήμενος διὰ Ἰωάθαμ τοῦ παιδὸς διεῖπε τὴν
25 βασιλείαν. Τούτου χάριν ὁ τῶν ὅλων θεὸς χαλεπαίνει μὲν τῷ λαῷ καὶ οὐδεμίαν αὐτοῖς προσφέρει χρησμολογίαν, ἀγανακτεῖ δὲ καὶ κατὰ τοῦ προφήτου σεσιγηκότος καὶ μὴ προσενηνοχότος τὸν ἔλεγχον. Μετὰ μέντοι τὴν ἐκείνου τελευτὴν ταύτην δείκνυσι τῷ προφήτῃ τὴν ὀπτασίαν.
30 Εἰκότως τοίνυν τῆς ἐκείνου μέμνηται τελευτῆς διδάσκων πότε μὲν ἐσίγησε πότε δὲ πάλιν τὴν προφητείαν ἀπέλαβεν.

Καὶ [λέγ]ει τεθεᾶσθαι τὸν κύριον ἐπὶ θρόνου ὑψηλοῦ καὶ ἐπηρμένου καθήμενον καὶ τὸν οἶκον τῆς δόξης πεπληρωμένον. Εἰδέναι δὲ χρή, ὡς οὐκ αὐτὴν εἶδε τοῦ κυρίου τὴν
35 φύσιν · « Θεὸν » γὰρ « οὐδεὶς ἑώρακε πώποτε · ὁ μο(νογ)ενὴς υἱὸς ὁ ὢν εἰς τὸν κόλπον τοῦ πατρὸς ἐκεῖνος ἐξηγήσατο. » Αὐτοῦ δέ ἐστι φωνή · « Οὐχ ὅτι τὸν πατέρα τις

N : 34-50 εἰδέναι — ὄψεις

22 λέπρας N : χρόας K || 24 οἴκοι K : οἴκαδε N || διεῖπε N : διεῖλεν K || 27 καὶ¹ KE : > N || 33 ἐπηρμένου Mö. : ἐπὶ θρόνου K || 34-50 εἰδέναι — ὄψεις KE : (42) μαρτυρεῖ — ὄψεις ante εἰδέναι — ἐστίν transp. N || 34 δὲ K : οὖν N

35 Jn 1, 18   37 Jn 6, 46

---

1. C'est l'explication retenue par la plupart des exégètes — Eusèbe (*GCS* 37, 19 s.), Chrysostome (56, 67, 1 - 68, 23), Cyrille (70, 172 CD) — qui rappellent de façon plus ou moins circonstanciée, comme le fait Théodoret, l'histoire d'Ozias. Toutefois, Théodore de Mopsueste juge cette interprétation dénuée de tout fondement ; mais les preuves qu'il avance d'une activité prophétique sous le règne d'Ozias ne sont guère convaincantes dans la mesure où aucun des exemples produits n'oblige à situer cette activité prophétique après le sacrilège d'Ozias. Cf. note suivante.

2. Pour Théodoret, le prophète Isaïe s'est donc rendu coupable d'une faute en ne dénonçant pas le sacrilège d'Ozias : en punition, il se voit privé de l'inspiration prophétique. Théodoret se sépare ici de la plupart des exégètes qui mettent en cause le roi (cf. note

punir, ordonné à la terre de s'entrouvrir ni envoyé du haut du ciel un tourbillon de feu, mais il a fait subir à son corps un changement superficiel en lui imposant l'infamie de la lèpre. Dès qu'il eut reçu cette leçon, il sortit du Temple ; il se confina dans son palais et exerça la royauté par l'intermédiaire de son fils Joatham. Voilà pourquoi le Dieu de l'univers est mal disposé contre son peuple et ne lui adresse aucun oracle[1] ; il s'irrite aussi contre son prophète qui a gardé le silence au lieu d'adresser un blâme. Toutefois, après la mort de ce roi, il donne cette vision au prophète. C'est donc à juste titre qu'il a fait mention de la mort du roi pour indiquer l'époque où il a gardé le silence et celle où il a recouvré son activité prophétique[2].

La nature de Dieu est impossible à contempler

Il déclare avoir contemplé le Seigneur assis sur un trône élevé et sublime ainsi que la Maison remplie de sa gloire. Il faut savoir, toutefois, qu'il n'a pas vu la nature même du Seigneur, car « Personne n'a jamais vu Dieu ; le Fils Unique qui est dans le sein du Père, lui, l'a fait connaître. » Ce sont, du reste, ses propres paroles : « Non que quelqu'un ait vu le Père, si ce n'est

précédente), mais innocentent le prophète Isaïe. L'insistance mise par Théodoret (cf. *infra*, *In Is.*, 3, 104-109.114-115.130-135) à établir la faute d'Isaïe ne peut manquer d'être polémique. Car il ne peut ignorer que Théodore de Mopsueste (*In Amos*, *PG* 66, 245 B) et plus encore Jean Chrysostome (56, 73, 5, l. 30 s.-74) contestent vivement l'interprétation de ceux qui prétendent qu'Isaïe a failli à sa mission : pour Théodore un prophète ne peut se dérober à la volonté divine, pour Chrysostome — qui invoque l'autorité de *Rom.* 10, 20 — la dérobade n'est pas dans le tempérament d'Isaïe ; Cyrille, avec plus de discrétion dans la polémique, innocente lui aussi le prophète (70, 172 C : Σεσίγηκεν ὁ Δεσπότης οὐκ ἀτιμάζων προφήτας ἁγίους...). Théodoret se sépare donc volontairement de ses maîtres antiochiens en reprenant à son compte l'interprétation qu'ils ont rejetée. Il semble, en effet, que pour lui le prophète, tout en restant l'instrument de Dieu, conserve son libre arbitre, témoin Jonas et sa fuite (*In Jonam*, 81, 1724 B et 1725 AB).

ἑώρακεν εἰ μὴ ὁ ὢν ἐκ τοῦ θεοῦ, οὗτος ἑώρακε τὸν πατέρα »,
καί · « Οὐδεὶς οἶδε τὸν υἱὸν εἰ μὴ ὁ πατήρ, οὐδὲ τὸν πατέρα
40 τις οἶδεν εἰ μὴ ὁ υἱὸς καὶ ᾧ ἐὰν βούληται ὁ υἱὸς ἀποκαλύψαι. »
Ἀπεκάλυψε δὲ ὅτι πατήρ (ἐστιν), οὐ τί τὴν φύσιν ἐστίν.
Μαρτυρεῖ δὲ καὶ τὰ διάφορα τῶν ὄψεων σχήματα, ὡς
οὐδεὶς τὴν θείαν ἐθεώρησε φύσιν · ἄλλως γὰρ ὤφθη τῷ
Ἀβραὰμ καὶ ἄλλως τῷ Μωυσεῖ, (ἑτέρ)ως τῷ Μιχαίᾳ καὶ
45 ἄλλως τῷ Δανιήλ, καὶ μέντοι καὶ ὁ Ἰεζεκιὴλ ἕτερον ἐθεάσατο
σχῆμα. {Τὸ δὲ θεῖο}ν οὐ πολύμορφον ἀλλ' ἀνείδεόν τε καὶ
ἀσχημάτιστον, ἀσύνθετόν τε καὶ ἁπλοῦν (καὶ ἀόρατον καὶ)
ἀνέφικτον. Διά τοι τοῦτο καὶ αὐτὸς ὁ θεός φησιν · « Ἐγὼ
ὁράσεις ἐπλήθυνα (καὶ ἐν χερσὶ προ)φητῶν ὡμοιώθην »,
50 οὐκ ὤφθην · ὡς γὰρ βούλεται, σχηματί(ζ)ει τὰς ὄψεις.

42 δὲ καὶ KE : τοίνυν N || τὰ — σχήματα E : > K

39 Matth. 11, 27 48 Os. 12, 11

1. On trouve la même mise au point dans le commentaire d'Eusèbe (*GCS* 36, 2 s.) et dans celui de Chrysostome (56, 68, l. 26 s.), qui citent tous deux, comme le fait Théodoret, et dans le même ordre *Jn* 1, 18 et 6, 46.

2. Malgré la neutralité du ton, le caractère polémique du passage paraît évident : prétendre connaître la nature de Dieu est pour Théodoret le comble de l'impiété et de l'impudence, le propre de « la folie d'Eunomius » (*In Dan.*, 81, 1448 D), puisque même dans les visions qu'il accorde aux prophètes Dieu ne révèle pas son essence (οὐσία), mais se manifeste sous une forme (σχῆμα) que peuvent saisir les sens de l'homme (*In Ez.*, 81, 820 D : οὐκ οὐσίαν Θεοῦ, ἀλλ' « ὅρασιν » · ἀποκάλυψίν τινα, καὶ οἱονεὶ ἀνατύπωσιν, τὴν ἐφικτὴν ἀνθρωπείᾳ φύσει). En outre, la distinction entre le σχῆμα / εἶδος et la φύσις / οὐσία est nécessaire pour prévenir toute espèce de conception anthropomorphique de la Divinité. Un tel développement est presque un « topos » dans l'exégèse de Théodoret, cf. *In Ez.*, 81, 833 AD, *In Dan.*, 81, 1421 BC, *In Os.*, 81, 1620 CD où il est également question de la nature de Dieu et *In Ez.*, 81, 824 C, 893 B, *In Zach.*, 81, 1880 CD où des développements comparables concernent la nature des anges et celle des Puissances invisibles. De la même manière, Eusèbe s'attache à montrer (*GCS* 36, 13 - 37, 10) que,

celui qui vient de Dieu ; celui-là a vu le Père », et « Personne ne connaît le Fils si ce n'est le Père, et personne ne connaît le Père si ce n'est le Fils et celui à qui le Fils veut bien le révéler. » Il a donc révélé l'existence du Père, non ce qu'est sa nature[1]. Du reste, les différentes formes sous lesquelles il se fait voir témoignent également que personne n'a contemplé la nature de Dieu. Abraham l'a vue sous une apparence, Moïse sous une autre ; différente, celle qu'a vue Michée et autre, celle qu'a vue Daniel ; et, de plus, Ézéchiel a contemplé encore une autre forme[2]. Ce n'est pas que l'Être divin soit multiforme : il est sans figure et sans forme, sans parties et simple, invisible et inaccessible[3]. Voilà bien ce qui fait dire aussi à Dieu lui-même : « Moi, j'ai multiplié les visions et dans les mains des prophètes j'ai pris diverses ressemblances », on ne m'a pas vu ; car il donne à son gré forme aux visions[4].

dans l'A.T., Dieu s'est manifesté sous des apparences diverses à Abraham, à Jacob, à Moïse, à Ézéchiel (δι' ὧν ἁπάντων μανθάνομεν οὐχ ὁμοίας τὰς ὀπτασίας γεγονέναι τοῖς προλεχθεῖσιν, ἀλλὰ διαφόρους, 36, 29-31) ; on retrouve donc presque toujours les mêmes exemples.

3. De la démonstration de l'exégète visant à établir que les formes (σχήματα) sous lesquelles Dieu se révèle ne sont pas réductibles à sa nature (φύσις) pourrait naître, en effet, l'idée d'un Dieu polymorphe, d'une espèce de Protée : la précision de Théodoret vise donc à prévenir cette seconde erreur. Cette définition apophatique de la nature divine accompagne, du reste, presque toujours de tels développements (*In Ez.*, 81, 833 D ; *In Dan.*, 81, 1421 B) et réapparaît plusieurs fois, sans grand changement, dans les commentaires de Théodoret (*In Jer.*, 81, 561 A ; *In Ez.*, 81, 848 A ; *In Is.*, 12, 145-147 ; 13, 366-367) ; cf. aussi *Thérap.* V, 51 ; X, 70.

4. Chrysostome cite également *Osée* 12, 10, et fait à partir de là mention des diverses formes prises par Dieu pour se manifester, mais sans nommer les personnages qui ont bénéficié des différentes visions (56, 68, l. 50-69). Théodoret, à l'inverse, nomme les bénéficiaires, mais sans préciser la nature des visions ; Eusèbe, en revanche, indique à la fois la nature de la vision et le nom du bénéficiaire.

[2] (Καὶ σεραφὶμ εἱστήκεισαν) κύκλῳ αὐτοῦ, ἓξ πτέρυγες τῷ ἑνὶ καὶ ἓξ πτέρυγες τῷ ἑνί· καὶ |106 a| ταῖς μὲν δυσὶ κατεκάλυπτον τὰ πρόσωπα αὐτῶν, ταῖς δὲ δυσὶ κατεκάλυπτον τοὺς πόδας αὐτῶν καὶ ταῖς δυσὶν ἐπέτοντο. [3] Καὶ ἐκέκραγεν
55 ἕτερος πρὸς τὸν ἕτερον καὶ ἔλεγον· Ἅγιος ἅγιος ἅγιος κύριος Σαβαώθ, πλήρης πᾶσα ἡ γῆ τῆς δόξης αὐτοῦ. Τοῦ ἀλαζόνος βασιλέως κατηγορ(εῖ) τῶν ἁγίων σεραφὶμ ἡ εὐλάβεια. Ὁ μὲν γὰρ ἀναιδῶς τῆς μηδαμόθεν αὐτῷ προσηκούσης κατετόλμησε λειτουργίας, αἱ δὲ ἀόρατοι δυνάμεις
60 τὴν ἐπουράνιον ὑμνῳδίαν πεπιστευμέν(αι) τῷ σχήματι τὸ δέος ἐμήνυον· ἐκάλυπτον γὰρ τὰ πρόσωπα ὡς οὐδὲ τὴν αἴγλην ἰδεῖν δυνάμεναι τὴν ἐκ τῆς δεσποτικῆς ἀπαστράπτουσαν θέας, κατέκρυπτον δὲ καὶ τοὺς πόδας καὶ διὰ τούτου τὴν δουλείαν σημαίνουσαι καὶ τὸ δέος ἐμφαίνουσαι καὶ τὴν
65 λειτουργίαν εὐσχημόνως ἀποπληροῦσαι. Ἡ δὲ πτῆσις τὸ μετάρσιον αἰνίττεται τοῦ φρονήματος. Τοῦτον δὲ τὸν ὕμνον προσέφερον καὶ τὴν μίαν τῆς θεότητος φύσιν διὰ τῆς κύριος φωνῆς αἰνιττόμεναι — ἑνικῶς γὰρ τοῦτο προσέφερον — καὶ τῆς τριάδος τὸν ἀριθμὸν ὑπεμφαίνουσαι — τρὶς γὰρ ἐπεφώ-
70 νουν τὸ ἅγιος. Τὸ μὲν γὰρ ἅγιος ἅγιος ἅγιος τῆς τριάδος δηλωτικόν, τὸ δὲ κύριος Σαβαὼθ τῆς φύσεως τῆς μιᾶς

C : 61-72 ἐκάλυπτον — σημαντικόν

N : 56-65 τοῦ — ἀποπληροῦσαι || 65-66 ἡ — φρονήματος || 66-72 τοῦτον — σημαντικόν

56-57 τοῦ ... κατηγορεῖ KE : ἔοικε δὲ καὶ τοῦ ... κατηγορεῖν N || 60 ἐπουράνιον N : ὑπουράνιον K οὐράνιον E || 65-66 ἡ — φρονήματος KCE (δὲ πτῆσις ∾ E) : αἰνίττεται γὰρ ἡ πτῆσις τὸ μετάρσιον τοῦ φρονήματος N || 66-67 τοῦτον — προσέφερον KC : προσέφερον γὰρ τοῦτον τὸν ὕμνον N || 67 κ̅ς̅ KNE : κυρίας C || 68-69 αἰνιττόμεναι ... ὑπεμφαίνουσαι KC : αἰνιττόμενα ... ὑπεμφαίνοντα N || 68 γὰρ KN : δὲ C

1. Pour la plupart des commentateurs, comme pour Théodoret, l'attitude des séraphins qui se voilent la face est le signe de leur effroi, de leur incapacité à supporter la vision de Dieu (Eusèbe, *GCS* 39, 1-10 ; Chrysostome, 56, 71, l. 14 s.). Mais, si Théodoret ne

Le chant de louange des Séraphins : Unicité et Trinité de Dieu

2. *Des Séraphins se tenaient en cercle autour de Lui ; ils avaient chacun six ailes : de deux ils se couvraient la face, de deux ils se couvraient les pieds, des deux autres ils volaient.* 3. *Ils se crièrent l'un à l'autre ces paroles : Saint, Saint, Saint le Seigneur Sabaoth, toute la terre est remplie de sa gloire.* La crainte respectueuse que manifestent les saints Séraphins est une accusation pour la prétention du roi : il a avec impudence osé usurper une charge qui n'était nullement de son ressort, tandis que l'attitude des Puissances invisibles qui ont reçu mission de chanter l'hymne céleste révélait leur effroi. Elles se couvraient, en effet, le visage, comme s'il leur était même impossible de regarder l'éclat fulgurant du spectacle qu'offrait le Maître ; elles se cachaient aussi les pieds : par cette attitude, elles traduisaient leur soumission, manifestaient leur effroi et, avec gravité dans le maintien, remplissaient leur charge. Quant au vol, il fait allusion à l'élévation de leur pensée[1]. D'autre part, elles présentaient cet hymne en faisant par le mot « Seigneur » allusion à la nature unique de la Divinité — puisqu'elles présentaient ce titre au singulier — et en laissant entendre le nombre de la Trinité, puisqu'elles répétaient trois fois le mot « saint ». Car l'acclamation « Saint, Saint, Saint » est propre à indiquer la Trinité, et le titre « Seigneur Sabaoth » à signifier l'unicité de la

voit là qu'une occasion de mesurer l'ampleur du sacrilège d'Ozias, Chrysostome se sert du verset pour dénoncer la folie de ceux qui prétendent connaître la nature de Dieu (le développement n'est pas sans rappeler celui de Théodoret dans l'*In Dan.*, 81, 1548 D). Quant au vol des séraphins, il est interprété par CHRYSOSTOME (56, 70, § 3, l. 1 s.) et plus nettement encore par CYRILLE (70, 173 D) dans le sens moral où l'entend Théodoret, qui juge sans doute superflu de rappeler, comme le font EUSÈBE (*GCS* 38, 10-30) et CHRYSOSTOME *(ibid.)*, que la nature des anges est incorporelle et que cette manière de s'exprimer n'est qu'une concession faite à la faiblesse humaine.

σημαντικόν. Ὑμνεῖ δὲ τὰ σεραφὶμ τὴν ἀΐδιον φύσιν ὡς μὴ μόνον τὸν οὐρανὸν ἀλλὰ καὶ τὴν γῆν ἅπασαν τῆς δόξης ἐμπλήσασαν. Τοῦτο δὲ ἡ τ(οῦ) θεοῦ καὶ (σωτῆρο)ς ἡμῶν
75 πεποίηκεν ἐνανθρώπησις · μετὰ γὰρ δὴ τὴν δεσποτικὴν ἐπιφάνειαν ἐδέξατο τὰ ἔθνη τὴν τῆς θεογνωσίας ἀκτῖνα.

[4] **Καὶ ἐπήρθη τὸ ὑπέρθυρον ἀπὸ τῆς φωνῆς ἧς ἐκέκραγον, καὶ ὁ οἶκος ἐπλήσθη καπνοῦ.** Τὰ γὰρ ἐσόμενα μετὰ τὴν τοῦ σωτῆρος ἡμῶν ἐνανθρώπησιν προδεδηλωκότων τῶν
80 σεραφίμ, ἀναγκαίως μηνύεται καὶ τῶν δύο λαῶν ἡ συνάφεια. Ἀπὸ γὰρ τῆς φωνῆς, ἣ τὴν γῆν ἅπασαν πεπληρῶσθαι τῆς θείας δόξης ἐμήνυεν, ἐπήρθη τὸ ὑπέρθυρον · τοῦτο δὲ γενόμενον περιττὴν τῶν θυρῶν ἐδείκνυ τὴν χρείαν · τῶν δὲ θυρῶν οὐκ ἐπικειμένων εἰσιτητὸν ἦν εἰς τὸν οἶκον τῷ
85 βουλομένῳ λοιπόν. Ἐπειδὴ γὰρ Ὀζίας τοῦ νόμου κρατοῦντος ἔτι παρανόμως κατετόλμησε τῶν ἀδύτων, προσημαίνεται διὰ τῆς ὄψεως τῶν ἐθνῶν ἁπάντων ἡ κλῆσις. Μὴ γὰρ δή τις νομιζέτω φησὶν ἐν τῷ ναῷ περιγεγράφθαι τοῦ θεοῦ τῶν ὅλων τὴν δόξαν · ὁ γὰρ τῶν ὅλων δεσπότης τὰ πάντα
90 πληροῖ. Καὶ τοῦτο δὲ οὐκ εἰς μακρὰν δῆλον γενήσεται ·

C : 78-85 τὰ — λοιπόν

N : 72-76 ὑμνεῖ — ἀκτῖνα || 78-97 τὰ — ἔδειξεν

72 δὲ K : γὰρ N || 74 θεοῦ ... σωτῆρος ἡμῶν K : ∾ N || 78 γὰρ KC : τοίνυν N || 81 ἣ KN : > C || 84 οὐκ CNE : > K || 86 προσημαίνεται N : + δὲ K

1. Cf. *Thérap.* II, 60-61, où Théodoret utilise ce passage d'Isaïe pour montrer à son lecteur que la Trinité est révélée dans l'A.T. L'interprétation de cette triple acclamation est, du reste, habituelle chez les Pères (Chrysostome, 56, 71, l. 31 s.; Cyrille, 70, 173 C - 176). On ne la retrouve pas, toutefois, chez Eusèbe, qui voit seulement dans cette acclamation une manière d'affirmer la sainteté incommensurable de Dieu (*GCS* 40, 5-7).

2. La prophétie n'a donc pas seulement une portée théologique, elle est aussi une prophétie messianique ; la même idée est déjà développée par Eusèbe (*GCS* 30, 36-40, 1-4) et par Chrysostome

nature[1]. De plus, les Séraphins dans leur hymne louent la nature éternelle de n'avoir pas seulement rempli le ciel, mais encore la terre entière, de sa gloire. Or, cela, c'est l'incarnation de notre Dieu et Sauveur qui l'a réalisé ; car, après la Manifestation du Maître, les Nations ont reçu le rayon lumineux de la connaissance divine[2].

L'appel des Nations

4. *Et le linteau de la porte se souleva aux paroles qu'ils crièrent et la Maison se remplit de fumée.* Étant donné que les Séraphins ont fait voir à l'avance ce qui arriverait après l'incarnation de notre Sauveur, il est nécessaire que soit également révélée l'union des deux peuples. De fait, c'est aux paroles dont ils se sont servi pour révéler que la terre entière était remplie de la gloire de Dieu que se souleva le linteau de la porte. Or, l'accomplissement de ce prodige rendait manifestement superflue la fonction des portes : une fois supprimé l'obstacle qu'elles représentaient, n'importe qui avait la possibilité d'entrer dans la Maison à l'avenir. Puisque Ozias, alors que la Loi exerçait encore son autorité, eut l'audace de pénétrer jusqu'au sanctuaire au mépris de la Loi, c'est l'appel de toutes les Nations qui est signifié à l'avance par la vision. Que personne n'aille penser, dit-il, que la gloire du Dieu de l'univers est circonscrite au Temple : le Maître de l'univers remplit le monde entier[3]. Cela aussi deviendra sous peu évident, car tous les hommes

(56, 71, l. 47 s.), même si ce dernier n'utilise pas expressément le terme d'Incarnation.

3. La nature de Dieu, à la différence de celle des idoles, est impossible à circonscrire. Théodoret le souligne constamment dans ses commentaires, à la fois dans un but théologique, pour prévenir toute représentation qui opérerait une réduction de la Divinité, et, comme ici, dans un but polémique pour abaisser l'orgueil des Juifs, jaloux de faire de Dieu uniquement le Dieu d'Israël résidant dans le Temple (*In Is.*, 12, 145-147.187-188 ; 20, 532-535 ; *In Ez.*, 81, 821 A ; 833 D ; 1228 B ; *In Dan.*, 81, 1276 C ; 1336 CD ; 1421 C ; *In Jer.*, 81, 632 A ; *In Mich.*, 81, 1744 AB).

ἅπαντες γὰρ οἱ ἄνθρωποι τὸ τῆς θεογνωσίας εἰσδεξάμενοι φῶς πανταχοῦ ναοὺς ἀναστήσουσι τῷ τῶν ὅλων δημιουργῷ, ἐκείνων δὲ πληρουμένων τῆς δόξης οὗτος τῆς προτέρας γυμνωθήσεται δόξης καὶ ἀντὶ τοῦ θείου φωτὸς τοῦ Ῥωμαϊκοῦ
95 πυρὸς εἰσδέξεται τὸν καπνόν. Τοῦτο δὲ καὶ κατὰ τὸν καιρὸν γεγένητ(αι) τοῦ σταυροῦ · ἐσχίσθη γὰρ τὸ καταπέτασμα καὶ τῆς ἐπανθούσης τῷ ναῷ χάριτος τὴν ἀπόστασιν ἔδει(ξεν).

[5] **Καὶ εἶπον · Ὦ τάλας ἐγώ, ὅτι κατανένυγμαι, ὅτι ἄνθρωπος ὢν καὶ ἀκάθαρτα χείλη ⟨ἔχων ἐν μέσῳ λαοῦ ἀκάθαρτα**
100 **χείλη⟩ ἔχοντος ἐγὼ οἰκῶ καὶ τὸν βασιλέα κύριον Σαβαὼθ εἶδον τοῖς ὀφθαλμοῖς μου.** Τοῦτο σαφέστερον ὁ Σύμμαχος ἡρμήνευσεν · « Οἴμοι ὅτι ἐσιώπησα · ἀνὴρ γὰρ ἀκάθαρτος χείλεσιν ἐγὼ καὶ (ἐν) μέσῳ λαοῦ ἀκαθάρτου χείλεσιν ἐγὼ οἰκῶ. » Σύμφωνος δὲ καὶ τῶν Ἄλλων ἡ ἑρμη(νεία). Αἰνίτ-
105 τεται δὲ τὴν γεγενημένην ἐπὶ τῇ παρανομίᾳ τοῦ Ὀζίου σιγήν · καὶ διὰ {τοῦτο ἑαυτὸν} ἀκάθαρτον χείλεσιν ὀνομάζει ὡς κεκοινωνηκὼς τῷ τολμήματι διὰ {τῆ}(ς) {σιωπῆ}(ς) — τὴν αὐτὴν δὲ καὶ τοῦ λαοῦ κατηγορίαν πεποίηται — καὶ τὴν θείαν δέδιεν ἐ{πιφάνειαν ὡς δι}καστικὴν παρουσίαν.

C : 94-97 καὶ — ἔδειξεν

N : 101-109 τοῦτο — παρουσίαν

94 καὶ ἀντὶ KNE : ἀντὶ γὰρ C || 97 τῷ CN : > K || 101 τοῦτο σαφέστερον K : σαφέστερον δὲ ταῦτα N || 102 ἡρμήνευσεν K : +οὕτως N || 105 δὲ K : +καὶ N || 109 παρουσίαν NE : χάριν K

96 cf. Matth. 27, 51 ; Mc 15, 38 ; Lc 23, 45

---

1. Même interprétation chez Eusèbe (*GCS* 40, 11-18), très proche de celle de Théodoret, et chez Chrysostome (56, 72, § 4, l. 1-11). La polémique anti-juive se prolonge avec le thème du salut des Nations, preuve que Dieu n'est pas seulement le Dieu des Juifs (*In Is.*, 12, 414-415 ; *In Joel.*, 81, 1721 D ; *In Jer.*, 81, 725 B). Cf. Jérôme, *In Isaiam, PL* 24, 95 BC.

2. Le déchirement du voile du Temple réalise ce dont le soulèvement du linteau était la « figure » ; sur l'interprétation concernant le voile du Temple, cf. *In Dan.*, 81, 1481 C - 1484 A.

qui ont reçu la lumière de la connaissance divine élèveront en tous lieux des temples en l'honneur du démiurge de l'univers ; et, tandis que ces derniers seront remplis de gloire, le Temple sera dépouillé de sa gloire antérieure et accueillera, au lieu de la lumière divine, la fumée de l'incendie romain[1]. Cela, du reste, s'est également produit au moment de la crucifixion : le voile du Temple se déchira en deux, preuve que s'éloignait la grâce qui s'épanouissait dans le Temple[2].

La purification d'Isaïe

5. *Et je dis : Malheur à moi, parce que j'ai été silencieux, parce que je suis un mortel, que j'ai les lèvres impures, que j'habite au milieu d'un peuple qui a les lèvres impures et que c'est le Roi Seigneur Sabaoth que j'ai vu de mes yeux.* Symmaque a traduit ce passage plus clairement[3] : « Malheur à moi parce que je me suis tu : car je suis un homme aux lèvres impures et j'habite au milieu d'un peuple aux lèvres impures. » La traduction des autres interprètes s'accorde également avec la sienne. Le prophète fait donc allusion au silence qui a accompagné la prévarication d'Ozias ; voilà pourquoi il se nomme lui-même (homme) aux lèvres impures, à la pensée que son silence le fait complice de l'audace — il a également porté la même accusation contre le peuple —, et redoute la Manifestation de Dieu comme la présence d'un juge[4].

3. La clarté de Symmaque, souvent reconnue par Théodoret (cf. Introd., ch. II, p. 53) tient sans doute ici à l'emploi de ἐσιώπησα préféré au κατανένυγμαι des LXX, dont le sens « être silencieux » n'est qu'un sens figuré.

4. Sur la faute d'Isaïe selon Théodoret, cf. *supra*, p. 257, n. 2. Eusèbe (*GCS* 39, 20-23), comme Jérôme (*PL* 24, 95 C) qui semble reprendre son interprétation, pense que le prophète se lamente de n'avoir pas pu joindre sa voix à celle des séraphins en raison de l'impureté de ses lèvres souillées par les paroles que la perversité du peuple l'oblige à prononcer (*id.*, 39, 20-23 et 40, 31-34). L'interprétation de Chrysostome paraît aller dans le même sens (56, 72, § 4, l. 26 s.).

110 [6] **Καὶ ἀπεστάλη πρός με ἓν τῶν σεραφίμ, (καὶ ἐν τῇ χειρὶ αὐτοῦ εἶχεν) ἄνθρακα (ὃν τ)ῇ λαβίδι ἔλαβεν ἀπὸ τοῦ θυσιαστηρίου [7] καὶ ἥψα(το τοῦ στόματός μου καὶ)** |106 b| **εἶπεν. Ἰδοὺ ἥψατο τοῦτο τῶν χειλέων σου καὶ ἀφελεῖ τὸ ἀνόμιμ[όν] (σου) καὶ τὰς ἁμαρτίας περικ(αθαριεῖ).** Καὶ τοῦτο δηλοῖ
115 τῆς σιωπῆς τὸ πλημμέλημα· οὐκ ἄλλῳ γάρ τινι μορίῳ τοῦ σώματος ἀλλὰ τῷ στόματι τὸν ἄνθρακα τὸ σεραφὶμ προσενήνοχεν. Ἐλέγχει δὲ καὶ τὴν τοῦ Ὀζίου παρανομίαν τὸ σγεγονός· ὁ μὲν γὰρ τοῦ θυσιαστηρίου λίαν ἀναιδῶς κατετόλμησεν, τὸ δὲ σεραφὶμ καὶ πυρὸς ἔχον προσηγορίαν καὶ
120 θείας λειτουργίας ἠξιωμένον οὐ γυμνῇ τῇ χειρὶ τῇ δὲ λαβίδι τὸν ἄνθρακα ἔλαβε καὶ τοῦτον ἐπιθὲν τῷ τοῦ προφήτου στόματι ἐμήνυσεν αὐτῷ τὴν τῆς ἁμαρτίας ἀπαλλαγήν. Προδιαγράφεται δὲ καὶ προδιατυποῦται διὰ τούτων ἡ τῶν ἡμετέρων ἀγαθῶν μετουσία, ἡ διὰ τοῦ δεσποτικοῦ σώματός
125 τε καὶ αἵματος τῶν ἁμαρτημάτων ἀπαλλαγή.

[8] **Καὶ ἤκουσα τῆς φωνῆς κυρίου λέγοντος· Τίνα ἀποστείλω, καὶ τίς πορεύσεται πρὸς τὸν λαὸν τοῦτον;** Οὐκ ἀγνοῶν ὃν ἀποστεῖλαι προσήκει ταῦτά φησιν ὁ δεσπότης ἀλλὰ τὸν

C : 123-125 προδιαγράφεται — ἀπαλλαγή

N : 114-125 καὶ² — ἀπαλλαγή || 127-129 οὐκ — προτρέπων

115 τῆς σιωπῆς K : τῆς ἐπὶ τῷ Ὀζίᾳ σιωπῆς τοῦ προφήτου N || 127 ἀγνοῶν KE : +οὖν N

---

1. Même remarque sur le sens de « séraphin » chez Eusèbe (*GCS* 41, 11-12) et Chrysostome (56, 70, l. 8-9 ; voir aussi Jérôme, *In Isaiam*, *PL* 24, 96 AB). Sur le fait que le séraphin utilise une pince, cf. le commentaire de Chrysostome (*id.*, 73, l. 12 s.) et sa sixième homélie sur Isaïe (56, 139, l. 1 s.).

2. La purification d'Isaïe est pour Théodoret la figure du rachat de l'humanité par la mort et la résurrection du Christ et sans doute aussi celle du sacrement de pénitence. Pour Eusèbe — qui cite *Matth.* 3, 11 — elle préfigure le baptême « dans l'Esprit-Saint et dans le feu » qui libère l'homme de ses fautes (*GCS* 40, 15-23) ; telle est aussi l'interprétation de Cyrille (70, 181 C) qui, par ailleurs, fait

6. *Et l'un des Séraphins fut envoyé vers moi ; il tenait dans sa main un charbon qu'il avait pris avec la pince sur l'autel des sacrifices,* 7. *il (en) toucha ma bouche et dit : Voici, ceci a touché tes lèvres : tu seras dépouillé de ton iniquité et purifié de tes péchés.* Voilà encore une preuve manifeste que sa faute est d'avoir gardé le silence : ce n'est pas sur une autre partie de son corps, mais sur sa bouche, que le Séraphin a appliqué le charbon. D'autre part, le geste accompli prouve aussi la prévarication d'Ozias : ce dernier, sans la moindre crainte, a osé approcher de l'autel du sacrifice, tandis que le Séraphin — bien qu'il porte le nom du feu[1] et qu'il ait reçu la charge d'un service divin — n'a pas pris le charbon à main nue, mais avec la pince, pour l'appliquer sur la bouche du prophète et lui révéler qu'il était libéré de son péché. Or, par là, sont par anticipation décrites et figurées la possession des biens qui nous appartiendront et la libération de nos fautes grâce au corps et au sang du Maître[2].

La mission d'Isaïe

8. *Et j'entendis la voix du Seigneur qui disait : Qui enverrai-je et qui ira vers ce peuple?* Ce n'est pas parce qu'il ignore l'homme qu'il convient d'envoyer que le Maître dit

du charbon ardent une figure du Christ, Verbe incarné, puisque la nature divine est souvent comparée au feu *(ibid.)*. Basile, de son côté (30, 436), voit dans l'autel du Temple une figure de l'autel céleste capable de purifier l'âme. Quant à Chrysostome, s'il fait état de ces diverses interprétations (« certains affirment qu'il y a là comme un symbole des mystères futurs »), il ne les reprend pas à son compte et préfère s'en tenir à une exégèse historique (56, 72, § 4, l. 54-59). C'est du moins la position qu'il adopte dans son commentaire *(ibid.)*, car les homélies présentent une tout autre interprétation (56, 139, l. 1 s.) : l'autel est « le type et l'image » de l'autel du sacrifice chrétien et le charbon ardent, une figure du corps du Christ, de l'Eucharistie que le chrétien reçoit dans la main au moment de la communion. Cette divergence d'interprétation témoigne des préoccupations différentes de l'exégète et du prédicateur.

προφήτην εἰς διακονίαν προτρέπων. Δηλοῖ δὲ τοῦτο καὶ τὰ
130 ἑξῆς· **Καὶ εἶπον· Ἰδοὺ ἐγώ, ἀπόστειλόν με.** Ὑπὲρ τῆς
προτέρας ὁ προφήτης ἀπολογεῖται σιγῆς καὶ ἕνα ἐλέγξαι
μὴ βουληθεὶς παντὸς τοῦ λαοῦ τὸν ἔλεγχον ἀναδέχεται. Οὐδὲ
γὰρ τὴν τιμὴν ἁρπάζων αὐτοχειροτόνητος τρέχει ἀλλ' ὑπὲρ
τῆς προτέρας ἀπολογούμενος σιωπῆς καὶ τοὺς παρὰ τοῦ
135 λαοῦ κινδύνους ἀναδεχόμενος.

[9] **Καὶ εἶπε· Πορεύθητι καὶ εἶπον (τῷ) λαῷ τούτῳ· Ἀκοῇ
ἀκούσητε καὶ οὐ μὴ συνῆτε καὶ βλέποντες βλέψετε καὶ οὐ
μὴ ἴδητε.** Τὴν ἐσομένην Ἰουδαίοις ἐπὶ τῆς δεσποτικῆς
ἐπιφανείας ἀντιλογίαν προαγορεύει· καὶ γὰρ ἀκούσαντες
140 τῶν θείων λογίων οὐκ ἤκουσαν καὶ τὰ μυρία θαύματα
θεωροῦντες συνιδεῖν οὐκ ἠθέλησαν. Οὗ δὴ χάριν ὁ κύριος
ἐν τοῖς ἱεροῖς εὐαγγελίοις προέλεγεν· « Εἰς κρίμα ἐγὼ
εἰς τὸν κόσμον τοῦτον ἦλθον, ἵνα οἱ μὴ βλέποντες βλέπωσι
καὶ οἱ βλέποντες τυφλοὶ γένωνται. » Οἱ μὲν γὰρ τὸ σῶμα
145 τυφλώττοντες ἑώρων αὐτὸν τοῖς τῆς ψυχῆς ὀφθαλμοῖς, οἱ
δὲ ὑγιεῖς ἔχοντες τοὺς τοῦ σώματος ὀφθαλμοὺς τυφλὸν
εἶχον τῆς διανοίας τὸ ὀπτικόν. Οὐ μόνον δὲ τοὺς ὀφθαλμοὺς
μεμυκότας εἶχον ἀλλὰ καὶ τὰς ἀκοὰς βεβυσμένας. Τούτου
χάριν ὁ κύριος ἔλεγεν· « Ὁ ἔχων ὦτα ἀκούειν ἀκουέτω. »

C : 130-135 ὑπὲρ — ἀναδεχόμενος || 138-141 τὴν — ἠθέλησαν

N : 130-135 ὑπὲρ — ἀναδεχόμενος || 138-169 τὴν — σωτηρίας

129 προτρέπων NE : προτρέπει K || 130 ὑπὲρ K : τάχα δὲ ὑπὲρ N || 131 σιγῆς KCE : +τῆς ἐπὶ τῷ Ὀζίᾳ N || 132 βουληθεὶς KNE : +φημὶ δὴ τὸν Ὀζίαν C || 138 τὴν KE : καὶ τὴν N || 139 προαγορεύει KCE : προηγόρευσε N^p ἐδήλου N^1 || 142 εὐαγγελίοις προέλεγεν K : ἔλεγεν εὐαγγελίοις N || 143 βλέπωσι K : βλέψωσι N

142 Jn 9, 39 149 Matth. 11, 15 et passim

---

1. Dieu qui est toute science ne peut rien ignorer; Théodoret prend toujours soin d'expliquer de telles formules qui pourraient faire croire que la connaissance divine est limitée; cf. *In Jer.*, 81, 641 B : Τὸ « ἴσως » οὐχ ὡς ἀγνοῶν εἴρηκεν... ; *In Ez.*, 81, 837 D -

cela[1], mais pour pousser le prophète à remplir cet office. C'est ce que fait voir précisément la suite du passage : *Et je dis : Me voici, envoie-moi.* Le prophète se rachète de son silence antérieur : alors qu'il n'a pas voulu établir la culpabilité d'un seul individu, il se charge d'établir celle de tout le peuple. Ce n'est pas, en effet, pour s'emparer de l'honneur qu'il accourt spontanément, mais pour se racheter d'avoir autrefois gardé le silence et se charger des dangers dont le peuple est la source[1].

9. *Et il dit : Va et dis à ce peuple : Écoutez de toutes vos oreilles et vous ne comprendrez pas ! regardez de vos yeux et vous ne verrez pas !* Il prédit l'attitude de refus qui sera celle des Juifs à l'époque de la Manifestation du Maître : bien qu'ils aient entendu les paroles divines, ils n'ont pas entendu ; et, bien qu'ils eussent sous les yeux la foule des miracles, ils n'ont pas voulu comprendre. Voilà pourquoi le Seigneur prédisait dans les saints Évangiles : « C'est pour un jugement que je suis venu en ce monde, pour que voient ceux qui ne voient pas et pour que ceux qui voient deviennent aveugles. » De fait, ceux dont la cécité était physique le voyaient avec les yeux de l'âme ; en revanche, ceux qui physiquement avaient des yeux sains étaient atteints de cécité dans la faculté visuelle de leur intelligence. Mais leurs yeux n'étaient pas seuls à être fermés : ils avaient aussi les oreilles bouchées. Voilà pourquoi le Seigneur disait : « Que celui qui a des oreilles pour entendre, entende. »

840 AD : Τὸ « ἐὰν ἄρα » οὐκ ἀγνοίας ὑπάρχει σημαντικόν... Suivent d'autres exemples dont *Is.* 5, 4 pour justifier ce mode d'expression.

2. Pour Théodoret, l'attitude d'Isaïe s'explique tout naturellement par le désir du prophète de racheter sa faute ; c'est précisément cette interprétation que conteste Chrysostome (56, 73, § 5, l. 30-74). Du reste, selon lui, prétendre qu'Isaïe s'est rendu coupable en ne dénonçant pas le sacrilège d'Ozias est une affirmation gratuite puisque, nulle part, l'Écriture ne dit que le prophète était présent au moment du sacrilège.

150 Ὁ μέντοι προφήτης, μᾶλλον δὲ ὁ τοῦ προφήτου θεός, διδάσκει διὰ τῶν ἑξῆς, ὡς κατὰ γνώμην αὐτοῖς προσγέγονε ταῦτα τὰ πάθη. Ἐπάγει γάρ· [10] **Ἐπαχύνθη γὰρ ἡ καρδία τοῦ λαοῦ τούτου καὶ τοῖς ὠσὶ βαρέως ἤκουσαν καὶ τοὺς ὀφθαλμοὺς αὐτῶν ἐκάμμυσαν, μήποτε ἴδωσι τοῖς ὀφθαλμοῖς**
155 **καὶ τοῖς ὠσὶν ἀκούσωσι καὶ τῇ καρδίᾳ συνῶσι καὶ ἐπιστρέψωσι, καὶ ἰάσομαι αὐτούς.** Οὐχ ἡ φύσις ἀλλ' ἡ γνώμη τὰ πάθη ταῦτα εἰργάσατο· οὐ γὰρ τυφλοὶ κατὰ φύσιν ἦσαν, ἀλλ' αὐτοὶ τοὺς ὀφθαλμοὺς ἐκάμμυσαν καὶ βαρέως τῶν θείων λογίων ἤκουσαν ὥσπερ ἑαυτοῖς πολεμοῦντες καὶ τὴν
160 διὰ τῆς θέας καὶ τὴν διὰ τῆς ἀκροάσεως καὶ τῆς ἐντεῦθεν φυομένης μεταμελείας ἀπωθούμενοι σωτηρίαν. Καὶ τοῦτο δὲ ὁ Σύμμαχος σαφέστερον εἴρηκεν· « Ὁ λαὸς οὗτος τὰ ὦτα ἐβάρυνε καὶ τοὺς ὀφθαλμοὺς αὐτοῦ ἔμυσε, μήπως ἴδῃ ἐν τοῖς ὀφθαλμοῖς αὐτοῦ καὶ ἐν τοῖς ὠσὶν (ἀκ)ούσῃ καὶ
165 ἡ καρδία αὐτοῦ οὐ μὴ συνῇ καὶ ἐπιστραφῇ καὶ ἰαθῇ. » Ταῦτα δὲ πάντα οὐ φυσικὴν (τῶν μ)ορίων ἀσθένειαν ἀλλὰ τὴν γνωμικὴν ἀπιστίαν σημαίνει· ἑκόντες γάρ φησι καὶ τυφλώ(ττουσι καὶ κωφ)εύουσι καὶ πάντα πόρον κινοῦσιν, ἵνα μὴ τύχωσι σωτηρίας.

170 [11] **Καὶ εἶπον· Ἕως (πότε κύριε;** Ἠρό)μην δὲ ἐγὼ τῆς ἀπειθείας τὸν χρόνον μαθεῖν ποθῶν. **Καὶ εἶπεν· Ἕως ἂν ἐρημω(θῶσι πόλεις παρὰ) τὸ μὴ κατοικεῖσθαι καὶ οἶκοι παρὰ τὸ μὴ εἶναι ἀνθρώπους καὶ ἡ γῆ καταλειφ(θήσεται ἔρημος).** Μέχρι τέλους φησὶν ἐπιμενοῦσι τῇ πονηρίᾳ, καὶ
175 οὐδὲ (ἡ) τιμωρία μετα |107 a| (βο)λὴν αὐτοῖς τινα πραγματεύσεται· οὔτε γὰρ ἡ τῶν πόλεων πόρθησις οὔτε ἡ τῶν

C : 156-161 οὐχ — σωτηρίαν

N : 170-171 ἠρόμην — ποθῶν || 174-180 μέχρι — κακά

156 φύσις KCE : +φησί N || 157 ταῦτα KNE : ταῦτ' C || 158-159 τῶν θείων λογίων / ἤκουσαν KN : ∾ C || 159 ἑαυτοῖς CN : ἑαυτούς K || 159-160 τὴν διὰ τῆς θέας CN : διὰ τὴν (?) τῆς θείας K || 160 τὴν διὰ τῆς KC : δι' N || 165 οὐ μὴ K : > N || συνῇ N : συνη$^{σ'}$ K || 167 γνωμικὴν K : +αὐτῶν N || 170 ... μην K : μονονουχὶ λέγων

Du reste, le prophète — ou plutôt le Dieu du prophète — enseigne par le passage suivant qu'ils ont délibérément consenti au développement de ces infirmités. Il ajoute en effet : 10. *Voilà que le cœur de ce peuple s'est épaissi, que leurs oreilles ont entendu avec peine, qu'ils ont fermé leurs yeux, de peur de voir un jour avec leurs yeux, d'entendre avec leurs oreilles, de comprendre avec leur cœur, de se convertir, et je les guérirai.* Ces infirmités ne sont pas l'œuvre de la nature, mais celle d'un choix délibéré : alors qu'ils n'étaient pas aveugles de nature, ils ont d'eux-mêmes fermé les yeux et entendu avec peine les paroles divines ; pour ainsi dire, ils se livraient à eux-mêmes la guerre, et le salut, fruit de ce qu'ils voyaient, de ce qu'ils entendaient et du repentir que cela faisait naître, ils le repoussaient loin d'eux. Cela aussi Symmaque l'a dit de façon plus claire : « Ce peuple a endurci ses oreilles et il a fermé ses yeux, pour qu'en aucune manière ses yeux ne lui permettent de voir et ses oreilles d'entendre, et son cœur ne comprendra pas, ne se convertira pas et ne sera pas guéri. » Or, tout cela ne dénote pas une faiblesse physique des organes, mais le refus délibéré de croire ; car c'est de leur plein gré, dit-il, qu'ils sont aveugles et sourds, qu'ils mettent tout en œuvre pour ne pas obtenir le salut.

La ruine infligée par les Romains

11. *Et je dis: Jusques à quand Seigneur?* J'ai posé la question par désir de savoir la durée de leur obstination. *Et il dit: Jusqu'à ce que les villes aient été dévastées au point de n'être plus habitées, que les maisons l'aient été au point de n'avoir plus d'occupants ; et le pays restera désert.* Jusqu'à la fin, dit-il, ils persisteront dans leur perversité et même le châtiment ne produira chez eux aucun changement : la dévastation de leurs villes, la ruine de leurs

ἠρόμην N || 171 ἀπειθείας NE : ἀπαθείας K || χρόνον NE : τρόπον K || ποθῶν KE : θέλων N || 174 μέχρι KE : +τοίνυν N

οἰκιῶν κατάλυσις οὔτε τῆς γῆς ἁπάσης ἡ ἐρημία αἴσθησιν αὐτοῖς τινα καὶ τῆς παρανομίας πραγματεύσεται γνῶσιν. Αἰνίττεται δὲ διὰ τούτων τὰ ὑπὸ Ῥωμαίων αὐτοῖς ἐπενεχ-
180 θέντα κακά. Καὶ ὁ θεῖος δέ γε ἀπόστολος τὰ αὐτὰ τῷ προφήτῃ φησίν · « Ἡ ἐκλογὴ ἐπέτυχεν, οἱ δὲ λοιποὶ ἐπωρώθησαν, καθὼς γέγραπται · Ἔδωκεν αὐτοῖς ὁ θεὸς πνεῦμα κατανύξεως, ὀφθαλμοὺς τοῦ μὴ βλέπειν καὶ ὦτα τοῦ μὴ ἀκούειν, ἕως τῆς σήμερον ἡμέρας. » Τὸ δὲ ἔδωκεν
185 οὐκ ἐνεργητικῶς δεῖ νοεῖν · εἰ γὰρ αὐτὸς ἔδωκε καὶ μὴ βλέπειν ἠνάγκασε, πῶς εὐθύνας εἰσπράττεται ; Πῶς ἀπειθοῦντας κολάζει ; Οὐκοῦν τὸ ἔδωκεν ἀντὶ τοῦ συνεχώρησε τέθεικεν · ἐριστικῶς γὰρ καὶ φιλονείκως διακειμένους τοῖς οἰκείοις εἴασεν ἀκολουθεῖν λογισμοῖς · αὐτεξούσιον γὰρ
190 πεποίηκε τῶν ἀνθρώπων τὴν φύσιν.

[12] **Καὶ μετὰ ταῦτα μακρυνεῖ ὁ θεὸς τοὺς ἀνθρώπους.** Τὸ μακρυνεῖ « μακρὰν ποιήσει » ὁ Σύμμαχος εἴρηκε, τουτέστιν · εἰς αἰχμαλωσίαν ἐκπέμψει αὐτούς. **Καὶ πληθυνθήσονται οἱ καταλειφθέντες ἐπὶ τῆς γῆς** · [13] **Καὶ ἔτι ἐπ' αὐτῆς**
195 **ἐστι τὸ ἐπιδέκατον, καὶ πάλιν ἔσται εἰς προνομὴν ὡς τερέβινθος καὶ ὡς βάλανος ὅταν ἐκπέσῃ ἐκ τῆς θήκης αὐτῆς.** Διὰ τούτων σημαίνει καὶ τὴν προτέραν αὐτῶν καὶ τὴν δευτέραν

C : 193 τουτέστιν — αὐτούς

N : 192-193 τὸ — αὐτούς || 196-221 διὰ — γεγυμνωμέναι

192 τὸ K : +δὲ N || μακρυνεῖ E : +ἀντὶ τοῦ K +ὁ θεὸς τοὺς ἀνθρώπους N || 193 ἐκ(> KE)πέμψει αὐτούς KNE : ∾ C || 197 τούτων K : +οὖν N

181 Rom. 11, 7-8

1. Même interprétation chez Eusèbe (*GCS* 42, 33 - 43, 2), tandis que Chrysostome rapporte le verset à la ruine et à la captivité des dix tribus (56, 76, l. 6 s.).

2. Théodoret a pour habitude de citer sans accommodation ; il faut donc entendre le passage par référence au début du verset paulinien : « Ce que recherche Israël, il ne l'a pas atteint » et sous-entendre τούτου (c'est-à-dire ὃ ἐπιζητεῖ Ἰσραήλ) comme complément de ἐπέτυχεν ; cf. *In Ep. S. Pauli* (82, 173 B). Le verset est à rappro-

maisons, la désolation de leur pays entier ne produiront chez eux aucun sentiment et aucune conscience de leur prévarication. Il fait allusion par là aux malheurs que leur ont infligés les Romains[1]. Du reste, le divin Apôtre à son tour fait la même déclaration que le prophète : « Le groupe élu (l')a atteint[2], mais le reste a été endurci, selon ce qui est écrit : Dieu leur a donné un esprit de torpeur, des yeux pour ne pas voir et des oreilles pour ne pas entendre, jusqu'à ce jour. » Pourtant, il ne faut pas comprendre le verbe « il a donné » dans un sens actif : si c'est Dieu qui leur a donné de ne pas voir et les y a contraints, comment peut-il exiger des comptes ? Comment peut-il châtier ceux qui désobéissent ? Il a donc écrit « il a donné » à la place de « il a permis » ; il a laissé ceux dont le caractère est enclin à la controverse et à la dispute, libres de suivre leurs propres raisonnements : car il a créé la nature humaine libre[3].

12. *Et après cela Dieu éloignera les hommes.* Au lieu de « éloignera », Symmaque a dit : « mettra au loin », c'est-à-dire : il les enverra en captivité[4]. *Et ceux qui auront été laissés sur la terre se multiplieront :* 13. *Sur elle, il reste encore le dixième des habitants ; de nouveau, il sera livré au pillage comme un térébinthe et comme un chêne lorsqu'il tombe de sa propre souche.* Il signifie par là le premier et le second siège de leur ville. Ce fut d'abord Vespasien qui,

cher de *Rom.* 9, 30-31 : « Que conclure ? Que des nations qui ne poursuivaient pas de justice ont atteint une justice, la justice de la foi, tandis qu'Israël qui poursuivait une loi de justice, n'a pas atteint la loi. »

3. Sur cette interprétation de ἔδωκεν, reprise dans l'*In Ep. S. Pauli* (82, 173 C) avec la citation d'*Isaïe* 6, 10, cf. *supra*, p. 213, n. 1. La notion de libre arbitre est plusieurs fois réaffirmée par Théodoret, qui s'explique assez longuement à ce sujet dès la *Thérap.* V, 3-7 ; cf. aussi *In Mich.*, 81, 1765 C ; *In Ez.*, 81, 900 D ; 1184 B et C.

4. Même interprétation et même référence à Symmaque chez Eusèbe (*GCS* 43, 2-6).

πολιορκίαν. Οὐεσπ⟨ασ⟩ιανὸς (μὲν) ⟨γὰρ⟩ πρῶτος στρατηγῶν αὐτοῖς ἐπεστράτευσεν · εἶτα μετὰ τὴν Νέρωνος τελευτὴν
200 τὸν υἱὸν Τίτον καταλιπὼν αὐτὸς διὰ τὴν βασιλείαν ἀνέστρεψεν. Ὁ Τίτος τοίνυν τὴν πόλιν πολιορκήσας καὶ τὸν ναὸν ἐμπρήσας καὶ πολλοὺς δορυαλώτους λαβὼν εἰς τὴν Ῥωμαίων ἐπανῆλθε μητρόπολιν. Ἀλλ' οἱ τὰς ἐκείνων διαφυγόντες χεῖρας πάλιν ἐπανῆλθον καὶ τὴν πόλιν ᾤκησαν ·
205 πολλῷ δὲ οὗτοι τῶν προτέρων οἰκητόρων ἦσαν ἐλάττους · οὗ δὴ χάριν αὐτοὺς τὸ ἐπιδέκατον ἐκείνων καλεῖ, τουτέστι δεκατημόριον. Ἀλλὰ πάλιν Ἀδριανὸς αὐτοῖς στασιάσασι παντελῆ ἐπήγαγεν ὄλεθρον καὶ αὐτὴν δὲ τῆς πόλεως τὴν προσηγορίαν ἐνήλλαξεν ἐκ τῆς οἰκείας ἐπωνυμίας ταύτην
210 καλεῖσθαι κελεύσας · Αἰλία γὰρ ἐκεῖθεν προσηγορεύθη · Αἴλιος γὰρ ἐπίκλην ὠνομάζετο. Ταῦτα τῷ προφήτῃ διαγορεύων εἶπεν ὁ θεὸς ὅτι πάλιν ἔσται εἰς προνομήν. Καὶ τὴν ἐρημίαν αὐτῆς σημαίνων καὶ τῆς καρδίας τὸ ἄκαρπον καὶ ἀντίτυπον, οὐκ ἀπῄκασε δένδρῳ καρπίμῳ ἀλλὰ τερεβίνθῳ
215 καὶ βαλάνῳ καὶ τούτοις φύλλω⟨ν ἐστ⟩ερημένοις. Ἡ κατὰ τὸν Σύμμαχον · « Ἔσται εἰς καταβόσκησιν ὡς δρῦς καὶ ὡς βάλανος, ἥτις ἀποβαλοῦσα τὰ φύλλα ἵσταται μόνη. » Σαφῶς γὰρ διὰ τούτων δεδήλωκεν ὅτι κατεβοσκήθη ὑπὸ ἀλλ⟨ογενῶν⟩ ἀνθρώπων καθάπερ ὑπὸ χοίρων αἱ βάλανοι
220 καὶ μεμένηκεν ἔρημος τῶν ἀγαθῶν ὡς δρῦς καὶ βάλανος καρπῶν καὶ φύλλων γεγυμνωμέναι.

Ταῦτα ἐν τῇ βασιλείᾳ Ἰωάθαμ καὶ ἰδὼν καὶ μαθὼν ὁ προφήτης — μετὰ γὰρ τὸν Ὀζίαν αὐτὸς ἐβασίλευσεν — τὰ ἐπὶ Ἄχαζ λοιπὸν — υἱὸς δὲ αὐτὸς τοῦ Ἰωάθαμ —

N : 222-264 ταῦτα — παρεκελεύσατο (234-245 ἡ — καὶ>)

204 διαφυγόντες KE : διεκφυγόντες N || 206 τὸ K : > N || 210 καλεῖσθαι κελεύσας K : καλέσας N || 219 αἱ N : οἱ KE || 222 ταῦτα K : τὰ μὲν οὖν περὶ τῆς ἀνωτέρω ὁράσεως N || 224 αὐτὸς K : οὗτος N

1. Dès 130, Hadrien décide la reconstruction de Jérusalem sous le nom d'Aelia Capitolina et du Temple qu'il dédiera à Zeus. La révolte de Siméon ben Koséba éclate en 132 ; Jérusalem est prise au début

en qualité de général, fit campagne contre eux ; puis, après la mort de Néron, il abandonna les opérations à son fils Titus, tandis que son accession à l'Empire le ramena (à Rome). Titus fit donc le siège de la ville, mit le feu au Temple et s'empara d'un grand nombre de prisonniers avant de rentrer dans la capitale romaine. Mais, ceux qui avaient échappé aux mains de l'ennemi revinrent dans la ville pour y habiter : or, par rapport aux habitants antérieurs, leur nombre était bien moindre ; voilà donc pourquoi il les appelle « le dixième » de ceux-là, c'est-à-dire la dixième partie. Mais, à l'occasion d'une nouvelle révolte, Hadrien leur infligea une ruine totale ; il changea jusqu'au nom de la ville et ordonna de l'appeler d'après son propre surnom : à partir de ce moment-là, on lui donna le nom d'Aelia, puisqu'il portait le surnom d'Aelius[1]. Voilà ce que Dieu expose en détail au prophète, par les mots « de nouveau, il sera livré au pillage ». Et, pour signifier sa désolation, la stérilité et la dureté de son cœur, il ne l'a pas assimilée à un arbre fruitier, mais à un térébinthe et à un chêne, et encore dépouillés de leur feuillage. Ou bien, selon Symmaque : « Elle sera livrée en pâture comme le chêne et comme l'arbre à glands qui a perdu ses feuilles et se dresse dénudé. » Il a par là clairement montré qu'elle a été la pâture d'hommes d'une autre race, comme les glands sont celle des porcs, et qu'elle est restée dépourvue de ses biens, comme le chêne et l'arbre à glands dépouillés de leurs fruits et de leurs feuilles[2].

Le règne d'Achaz. L'impiété du roi

Voilà ce que le prophète a vu et appris sous le règne de Joatham qui succéda à Ozias sur le trône. Puis il consigne par écrit les événements et les prophéties qui ont marqué le règne d'Achaz, le fils de

de 134 ; en 135 le Temple devient le sanctuaire de Zeus et d'Hadrien. Même interprétation chez Eusèbe (*GCS* 43, 15-19).

2. Notons que Théodoret commente ici le texte de Symmaque de préférence à celui des Septante.

225 γεγενημένα τε καὶ τεθεσπισμένα συγγράφει. Ἀλλ' ὁ μὲν Ἰωάθαμ εὐσεβείας τρόφιμος ἦν, ὁ δὲ Ἄχαζ ἐκ δι(αμέτρου) παράνομός τε ἅμα καὶ δυσσεβής. Οὗ δὴ χάριν τῆς θείας κηδεμονίας οὐκ ἔτυχεν, ἀλλὰ πολέμου συγκροτηθέντος καὶ τοῦ βασιλέως τῶν δέκα φ(υλῶν) παραταξαμένου — Φακεὲ 230 δὲ ἦν ὄνομα τούτῳ Ῥομελίου υἱός — ἀ(ποβάλλει) μὲν ἑκατὸν εἴκοσι χιλιάδας ἐν τῷ πολέμῳ, ἐξανδ(ραποδίζουσι δὲ) οἱ νενικηκότες γυναικῶν καὶ παιδίων ἑτέρας χιλιά(δας διακοσίας. Ἀλλὰ) τοὺς μὲν αἰχμαλώτους Ὠδὴδ ὁ προφήτης ἀφεθῆναι π(εποίηκεν) — [ἡ δὲ τῶν] |107 b| Παραλειπομένων 235 ἱστορία διδάσκει ταῦτα — πρὸς τοὺς νενικηκότας εἰπών· « Ἰδοὺ ὀργὴ τοῦ θεοῦ τῶν πατέρων ὑμῶν ἐπὶ τὸν Ἰούδαν, καὶ παρέδωκεν αὐτοὺς εἰς τὰς χεῖ(ρας) ὑμῶν, καὶ ἀπεκτείνατε ἐν αὐτοῖς ἐν ὀργῇ, καὶ ἕως τῶν οὐρανῶν ἔφθασεν. Καὶ νῦν υἱοὺς Ἰούδα καὶ Ἱερουσαλὴμ ὑμεῖς λέγετε κατα-240 κτήσασθαι εἰς δούλους καὶ δούλας· Οὐκ ἰδοὺ οὔκ εἰμι μεθ' ὑμῶν, μαρτύρεται κύριος ὁ θεὸς ὑμῶν· πλημμέλεια μεθ' ὑμῶν κυρίῳ τῷ θεῷ ὑμῶν. Καὶ νῦν ἀκούσατέ μου καὶ ἀποστρέψατε τὴν αἰχμαλωσίαν ἣν ᾐχμαλωτεύσατε ἀπὸ τῶν ἀδελφῶν ὑμῶν, ὅτι ὀργὴ κυρίου ἐφ' ὑμᾶς. » Οὗτος ὁ 245 θαυμάσιος προφήτης καὶ τὴν αἰτίαν ὑποδείξας τῆς ἥττης — διὰ γὰρ τὴν ἀσέβειαν παρέδωκεν αὐτοὺς ὀργισθεὶς ὁ θεός — καὶ τῆς συγγενείας ἀναμνήσας ἔπεισεν ἀφεῖναι τοὺς δοριαλώτους γεγενημένους. Καὶ ἄλλα δὲ πολλὰ τοιαῦτα πέπονθεν ὁ δυσσεβὴς βασιλεύς· καὶ γὰρ Ἰδουμαῖοι τοὺς 250 πελάζοντας καὶ Ἀλλόφυλοι τοὺς γειτονεύοντας ἐξηνδραπόδισαν. Ὁ δὲ παράνομος βασιλεύς, δέον παρὰ τοῦ θεοῦ τὴν

227 ἅμα K : > N || 233 μὲν K : > N || Ὠδὴδ KR : Ὠδὴτ N || 246 διὰ γὰρ K : ὅτι διὰ N || παρέδωκεν K : παραδέδωκεν N || 247-248 ἔπεισεν — γεγενημένους K : ὡς ἡ τῶν Παραλειπομένων ἱστορία διδάσκει N || 251 τοῦ N : > K

225-253 cf. II Chr. 28, 1-18

Joatham[1]. Mais, alors que Joatham était nourri de piété, Achaz était à l'inverse inique et impie. Voilà pourquoi, loin d'obtenir la sollicitude de Dieu, lorsque la guerre eut éclaté et que le roi des dix tribus eut rangé son armée en bataille — le nom de ce roi était Phakée ; il était fils de Romélias —, il perd cent vingt mille hommes dans le combat et les vainqueurs réduisent en esclavage deux cent mille autres prisonniers, femmes et enfants. Mais le prophète Oded fit relâcher les captifs — c'est le récit des Paralipomènes qui nous l'apprend —, pour avoir dit aux vainqueurs : « Voici la colère du Dieu de vos pères contre Juda : il les a livrés entre vos mains et vous les avez massacrés avec une fureur qui est parvenue jusqu'aux cieux. Et vous dites maintenant que vous vous êtes emparés des fils de Juda et de Jérusalem pour en faire vos serviteurs et vos servantes ; ' Non, voici, que je ne suis pas avec vous ', atteste le Seigneur votre Dieu : c'est à vous qu'appartient la faute contre le Seigneur votre Dieu. Et maintenant, écoutez-moi et renvoyez l'ensemble des captifs que vous avez pris chez vos frères pour les emmener en captivité, parce que la colère du Seigneur vous menace. » Cet admirable prophète a d'abord indiqué la cause de la défaite (des habitants de Juda) — leur impiété a irrité Dieu qui les a livrés —, et rappelé aux Israélites leurs liens de parenté (avec eux) ; puis il les a persuadés de relâcher ceux qu'ils avaient faits prisonniers à la guerre. Pourtant, le roi impie eut à subir encore bien d'autres revers du même genre. De fait, les Iduméens réduisirent leurs voisins en esclavage et les Allophyles leurs frontaliers. Mais, alors

1. Comme Eusèbe (*GCS* 44, 12-34), mais en restant plus proche encore que ce dernier du récit de *II Chr.* 28, 1-18, Théodoret a soin de préciser pour le lecteur le contexte historique de la prophétie qu'il va commenter.

συμμαχίαν αἰτῆσαι, πρὸς τὸν τῶν Ἀσσυρίων κατέφυγε βασιλέα.

Ὁ δὲ φιλάνθρωπος δεσπότης καὶ μὴ καλούμενος συμμαχεῖ
255 καὶ καταφρονούμενος προμηθεῖται. Τοῦτο δὴ κἀνταῦθα πεποίηκεν· τοῦ γὰρ Φακεὲ τὸν βασιλέα τῶν Σύρων εἰς συμμαχίαν καλέσαντος καὶ μετ' ἐκείνου τὴν Ἱερουσαλὴμ ἐπὶ πολιορκίᾳ κατειληφότος ἐξεδειματώθη μὲν εἰκότως ὁ ἀνόσιος βασιλεύς, ἔδεισε δὲ καὶ ὁ λαός· ἡ γὰρ πεῖρα τῶν
260 ἤδη συμβεβηκότων ἠνάγκαζεν ὀρρωδεῖν. Οὕτως δὲ αὐτοὺς τὸ δέος κατέσεισεν ὡς ἐοικέναι δένδροις ὑπὸ σφοδροτέρας ἀνέμων προσβολῆς κλονουμένοις.

Ὁ δὲ φιλάνθρωπος δεσπότης ταῦτα δρᾶσαι τῷ προφήτῃ παρεκελεύσατο· **7[3]Ἔξελθε εἰς συνάντησιν τῷ Ἄχαζ ⟨σὺ⟩
265 καὶ ὁ καταλειφθεὶς Ἰασοὺβ ὁ υἱός σου πρὸς τῇ κολυμβήθρᾳ τῆς ἄνω ὁδοῦ τοῦ κναφέως.** Οὐδαμοῦ μετὰ τοῦ παιδὸς ὁ προφήτης ἐκελεύσθη θεσπίσαι, ἐνταῦθα δὲ μόνον παραλαβεῖν τὸν υἱὸν προσετάχθη, ἐπειδὴ μέλλει τοῦ Ἐμμανουὴλ προαγορεύειν τὴν γέννησιν καὶ τὸν Ἄχαζ διδάσκειν, ὡς
270 διὰ τὸν ἐξ αὐτοῦ τεχθησόμενον τῆς θείας ἀπολαύσεται κηδεμονίας αὐτὸς διὰ τὴν οἰκείαν παρανομίαν τιμωρίας ἄξιος ὤν.

N : 266-272 οὐδαμοῦ — ὤν

258 εἰκότως K : > NE ‖ 259 ἀνόσιος NE : ἀνόητος K ‖ 263-264 ταῦτα — παρεκελεύσατο K : ὅπως αὐτῶν ἀντελάβετο διὰ τῶν ἑξῆς ἔσται δῆλον N ‖ 266 οὐδαμοῦ K : πλὴν οὐδαμοῦ N

---

1. Pour obtenir l'appui de Téglat-Phalasar, Achaz lui verse en réalité un lourd tribut (*IV Rois* 16, 8-9 ; *II Chr.* 28, 21) — Théodoret le rappelle plus loin (*In Is.*, 11, 99-100) — et pour lui plaire fait dresser un autel assyrien dans le Temple (*IV Rois* 16, 10 s. ; *II Chr.* 28, 22 s.). Théodoret ne retient, pourtant, comme signe de son impiété que l'appel adressé au roi d'Assur : Achaz n'aurait dû mettre sa confiance qu'en Dieu comme le fera plus tard Ézéchias (*In Is.*, 11, 100-101).

que le roi inique devait demander l'assistance de Dieu, il eut recours au roi d'Assyrie[1].

Toutefois, même sans qu'on l'invoque, le Maître de Bonté prête assistance dans le combat ; même si on le méprise, il prodigue ses soins. C'est précisément ce qu'il a fait dans cette circonstance : Phakée avait réclamé l'alliance du roi de Syrie et, avec lui, il était venu assiéger Jérusalem[2] ; le roi sacrilège fut alors, comme c'est naturel, rempli d'effroi et le peuple de son côté rempli de crainte : c'est que l'expérience qu'ils avaient des événements antérieurs[3] les faisait nécessairement trembler (de peur). Or la crainte les secoua à tel point qu'ils ressemblaient aux arbres qu'ébranle un coup de vent fort violent.

Ambassade d'Isaïe auprès d'Achaz

Alors, voici ce que le Maître de Bonté ordonna à son prophète de faire : **7**, 3. *Va trouver Achaz, toi et le Reste-Iasoub*[4], *ton fils, à proximité de la piscine sise sur le chemin d'en haut, celui du foulon.* Nulle part le prophète n'a reçu l'ordre de prophétiser en compagnie de son fils ; c'est seulement dans le cas présent, qu'on lui a enjoint de prendre avec lui son fils, puisqu'il va annoncer la naissance de l'Emmanuel et apprendre à Achaz que celui qui naîtra de lui lui vaudra de jouir de la sollicitude divine, alors que sa prévarication lui valait personnellement de mériter un châtiment.

2. Théodoret se contente de résumer ici *Isaïe* 7, 1-2, où il est fait état de cette menace contre Jérusalem et de l'échec du siège entrepris par les deux rois, celui d'Israël et celui de Syrie (cf. *IV Rois* 16, 5).

3. Ceux que Théodoret vient de rappeler (*In Is.*, 3, 228 s.).

4. Mot à mot « Jasoub-qui-est-resté », nom symbolique du fils d'Isaïe (Schear-Iaschoub) dont les Septante n'ont traduit que la première partie (cf. Vulgate : « qui derelictus est Jasub ») et qui signifie « Un-reste-reviendra », i.e. se convertira au Seigneur et obtiendra de ce fait d'échapper au châtiment (cf. *Is.* 10, 21-22). Le nom rassurant de cet enfant explique sa présence aux côtés du prophète.

[4]**Καὶ ἐρεῖς αὐτῷ· Φύλαξαι τοῦ ἡσυχάσαι, μὴ φοβοῦ, μηδὲ ἡ ψυχή σου ἀσθενείτω, μηδὲ φοβηθῇς ἀπὸ τῶν δύο**
275 **ξύλων τῶν δαλῶν τῶν καπνιζομένων τούτων· ὅταν γὰρ ὀργὴ τοῦ θυμοῦ μου γένηται, πάλιν ἰάσομαι.** Τὸ φύλαξαι τοῦ ἡσυχάσαι ὁ (μὲν) Σύμμαχος « φύλαξαι καὶ ἡσύχασον » ἡρμήνευσεν, ὁ δὲ Ἀκύλας « φύλαξαι καὶ ἡσύχαζε », ὁ δὲ Θεοδοτίων « πρόσεχε καὶ ἡσύχαζε ». Ἀντὶ τοῦ· Μὴ
280 (πολεμήση)ς μηδὲ παρατάξῃ, νικήσεις γὰρ ἡσυχάζων διὰ τὴν ἐμὴν (ἀγαθότητα). (Ἐγ)ὼ πατάσσω καὶ ἐγὼ ἰῶμαι· καὶ γὰρ τὴν προτέραν παι(δείαν δι)ὰ τὴν σὴν ἐπήγαγον παρανομίαν καὶ νῦν ἐπαμύνω διὰ τὸν (ἐκ σοῦ τεχθη)σόμενον. Μὴ τοίνυν δείσῃς τούτους· δαλοῖς γὰρ ἐοίκασι κα-|108 a|
285 πνιζομένοις ἀλλ' οὐ φλεγομέν(οις) — ἀντὶ τοῦ· φοβοῦσι μέν, οὐ βλάψουσι δέ. Δαλὸς δέ ἐστιν (ἡμι)φλεγὲς ξύλον ἔχον μὲν τοῦ πυρὸς τὰ λείψανα, τῆς δὲ φλογὸς ἐστερημέν(ον. **Καὶ) ὁ υἱὸς τοῦ Ἀρὰμ καὶ ὁ υἱὸς τοῦ Ῥομελίου,** [5]**ὅτι ἐβουλεύσαντο βουλὴν πονηρὰν Ἐφραὶμ καὶ ὁ υἱὸς τοῦ**
290 **Ῥομελίου κατὰ σοῦ λέγοντες·** [6]**Ἀναβησόμεθα εἰς τὴν Ἰουδαίαν καὶ κακώσομεν αὐτὴν καὶ συλλαλήσαντες αὐτοῖς ἀποστρέψομεν αὐτοὺς πρὸς ἡμ(ᾶς) καὶ βασιλεύσομεν αὐτοῖς τὸν υἱὸν Ταβεήλ,** [7]**τάδε λέγει κύριος Σαβαώθ· Οὐ μὴ μείνῃ ἡ βουλὴ αὕτη οὐδὲ ἔσται.** Καὶ τοὺς ἐκείνων ἐγύμνωσε
295 λογισμοὺς καὶ τὴν ἰδίαν δεδήλωκε ψῆφον· Ἐγὼ γάρ φησι διασκεδάσω τὴν ἐκείνων βουλήν. [8]**Ἀλλ' ἡ κεφα(λὴ) Ἀρὰμ Δαμασκὸς καὶ ἡ κεφαλὴ Δαμασκοῦ Ῥασήν.** Ἀρὰμ τοὺς Σύρους

C : 286-287 δαλὸς — ἐστερημένον

N : 276-281 τὸ — ἀγαθότητα || 281-284 ἐγώ[1] — τούτους || 284-287 μὴ — ἐστερημένον || 294-296 καὶ — βουλήν || 297-301 Ἀρὰμ — βασιλείαν

276 τὸ K : +δὲ N || φύλαξαι N : φύλαξον K || 281 ἐγώ[1] K : +οὖν N || 285-286 ἀντὶ — δέ KE : > N || 294 ἐκείνων KE : +τοίνυν N || 296 βουλήν K : +καὶ οὐ μὴ μείνῃ οὐδὲ ἔσται N

281 cf. Deut. 32, 39

1. Souvenir de *Deut.* 32, 39 cité à plusieurs reprises par Théodoret dans son commentaire.

2. Cette définition pourrait provenir de l'*In Zach.* de Didyme

4. *Et tu lui diras : Veille à te tenir tranquille, ne crains pas, que ton cœur ne faiblisse pas ; ne sois pas effrayé devant ces deux bouts de tisons fumants, car, une fois que la colère de mon cœur aura eu lieu, j'apporterai de nouveau la guérison.* L'expression : « Veille à te tenir tranquille », Symmaque l'a traduite par « Prends garde et tiens-toi tranquille » ; Aquila par « Prends garde et reste tranquille » ; Théodotion par « Fais attention et reste tranquille ». Ce qui revient à dire : Ne fais pas la guerre et ne range pas tes troupes en ordre de bataille, car tu remporteras la victoire tout en restant en repos par un effet de ma bonté. C'est moi qui frappe et c'est moi qui guéris[1]. En effet, la leçon que je t'ai précédemment infligée est le fruit de ta prévarication ; maintenant, celui qui va naître de toi te vaut ma protection. Ne crains donc point ces (hommes) : ils ressemblent à des tisons fumants, mais non enflammés, ce qui revient à dire : ils font peur, mais ils ne causeront pas de dommages. Car un tison est un morceau de bois à demi brûlé qui conserve les résidus du feu, mais qui est privé de flamme[2].

Et le fils d'Aram et le fils de Romélias, 5. *parce qu'Éphraïm et le fils de Romélias ont conçu un dessein pervers contre toi en disant :* 6. *Nous monterons contre la Judée et nous la mettrons à mal ; après des pourparlers avec eux, nous les ramènerons à nous et nous établirons sur eux comme roi le fils de Tabéel ;* 7. *voici ce que dit le Seigneur Sabaoth : Ce dessein ne tiendra pas et ne sera pas.* Il a mis à nu leurs raisonnements et fait connaître sa propre sentence : Moi, dit-il, je ruinerai leur dessein. 8. *Mais la tête d'Aram, c'est Damas ; et la tête de Damas, c'est Rasin.* Ce sont les

L'Aveugle (*SC* 83, p. 298 : Ἡμίκαυτον δὲ ξύλον ὁ δαλός, ἐγγὺς τοῦ εἰς ἄνθρακα μεταβαλεῖν φθάσας, μηκέτι ἔχων τὴν ἰσχὺν καὶ στερρότητα τοῦ ξύλου. Suit la citation d'*Is.* 7, 4) ; on la trouve déjà, en effet, dans l'*In Zach.* de Théodoret (81, 1892 D : δαλὸς δέ ἐστιν ἡμιφλεγὲς ξύλον ἀπὸ πυρὸς ἁρπαγέν). Si tant est que Théodoret emprunte, on peut constater qu'il ne le fait jamais de façon servile.

ὀνομάζει · τούτων φησὶ Δαμασκὸς μητρόπολις · τῆς δὲ Δαμασκοῦ ὁ βασι(λεὺς) Ῥασὴν τούτων ἄρχει μόνων, τῆς δὲ
300 Ἱερουσαλὴμ οὐκέτι · τὴν γὰρ τῶν Σύρων αὐτῷ δέδωκε βασιλείαν. **Καὶ ἔτι ἑξήκοντα καὶ πέντε ἔτη καὶ ἐκλείψει ἡ βασιλεία Ἐφραὶμ ἀπὸ λαοῦ.** Τὴν αἰχμαλωσίαν προλέγει τὴν ὑπὸ Σαλμανάσαρ καὶ Σεναχηρὶμ γενομένην. Πρῶτος μὲν γὰρ ὁ Φουὰ τὸν φόρον ἐπέθηκε, μετ' ἐκεῖνον δὲ Θεγλαφα-
305 λασὰρ ἐνίας ἐξηνδραπόδισε πόλεις, εἶτα Σαλμανάσαρ τὰς πλείστας, καὶ τὰς ὑπολειφθείσας Σεναχηρίμ. [9] **Καὶ ἡ κεφαλὴ Ἐφραὶμ Σομόρων καὶ ἡ κεφαλὴ Σομόρων υἱὸς τοῦ Ῥομελίου.** Σομόρων τὴν Σαμάρειαν ἀπὸ τοῦ ὄρους καλεῖ · Σομόρων δὲ ἐκλήθη τὸ ὄρος ἀπὸ τοῦ πρώτου κτησαμένου, ἀπὸ δὲ τοῦ
310 ὄρους ἡ πόλις. Σαμάρεια δέ ἐστιν ἡ νῦν Σεβαστὴ καλουμένη. Λέγει τοί(νυν) ὅτι τῶν δέκα φυλῶν ἡ Σαμάρεια βασιλεύει, τῆς δὲ Σαμαρείας ὁ τοῦ ⟨Ῥομελίου⟩ υἱός, καὶ τούτους αὐτοὺς ὑπερβῆναι τοὺς ὅρους οὐ συγχωρήσω.

Κα(ὶ τὴν) ἀπιστίαν αὐτῶν εἰδὼς ἐπήγαγεν · **Καὶ ἐὰν μὴ**
315 **πιστεύσητε, οὐ(δὲ μὴ συνῆτε).** Ὁ δὲ Σύμμαχος οὕτως · « Ἐὰν μὴ πιστεύσητε, οὐ διαμενεῖτε », ὁ δὲ Θεοδοτίων · « (Ἐὰν) μὴ πιστεύσητε, οὐδὲ μὴ πιστευθείητε » — τῆς γὰρ πίστεως ἡ σωτηρία καρπός —, (κατὰ δὲ) τοὺς Ἑβδομήκοντα · Οὐ μὴ συνῆτε, ὃ δηλοῖ ὅτι διὰ τῆς πίστεως τῶν
320 θείων ἡ γν⟨ῶσις⟩.

N : 302-306 τὴν — Σεναχηρίμ ‖ 308-313 Σομόρων¹ — συγχωρήσω ‖ 314-320 καὶ¹ — γνῶσις

298 τούτων K : +οὖν N ‖ 303 γενομένην N : γεναμένην K ‖ 308 Σομόρων¹ K : +δὲ N ‖ Σομόρων² K : Σομορ NE ‖ 309 δὲ¹ K : γὰρ N ‖ 314 καὶ — αὐτῶν K : τὴν οὖν ἐκείνων ἀπιστίαν N ‖ καὶ² K : τό N ‖ 315 οὐδὲ K : οὐδ' οὐ N ‖ ὁ δὲ K : ὅπερ ὁ N ‖ 317 οὐδὲ K : οὐδ' οὐ N ‖ 319 ὃ N : > K

303-306 cf. IV Rois 15, 19.29 ; 17, 3   308-310 cf. III Rois 16, 24

1. Théodoret, ignorant sans doute le surnom babylonien de Téglat-Phalasar, voit en Phoua un roi distinct de ce dernier ; cette

Syriens qu'il nomme Aram : Damas est, dit-il, leur capitale ; le roi de Damas, Rasin, détient sur eux seuls le commandement, il ne le détient pas encore sur Jérusalem, puisque c'est sur la Syrie que Dieu lui a donné la royauté. *Et encore soixante-cinq ans et la royauté d'Éphraïm disparaîtra de son peuple.* Il prédit la captivité qui eut lieu à l'époque de Salmanasar et de Sennachérim. Phoua, le premier, imposa un tribut ; après lui, Théglatphalasar réduisit en esclavage plusieurs villes ; puis Salmanasar la presque totalité (des villes) et Sennachérim celles qui restaient[1]. 9. *Et la tête d'Éphraïm, c'est Somorôn ; et la tête de Somorôn, c'est le fils de Romélias.* Il appelle la ville de Samarie « Somorôn » du nom de la montagne : on a appelé la montagne « Somorôn » du nom de son premier possesseur et c'est la montagne qui a donné son nom à la ville. Or, Samarie est la ville qui s'appelle actuellement Sébaste. Il dit donc que Samarie règne sur les dix tribus et le fils de Romélias sur Samarie : « Je ne leur permettrai pas de franchir ces frontières. »

Et, parce qu'il connaît leur incrédulité, il a ajouté : *Et si vous ne croyez pas, vous ne comprendrez pas.* Voici la version de Symmaque : « Si vous ne croyez pas, vous ne subsisterez pas » et celle de Théodotion : « Si vous ne croyez pas, vous ne sauriez être crus », car le fruit de la foi c'est le salut ; quant à la version des Septante : « Vous ne comprendrez pas », elle prouve que la connaissance des choses divines passe par la foi.

énumération ne laisse en outre aucune place à Sargon II, dont Théodoret ne fait jamais état (cf. Introd., ch. III, p. 63, note 2). Enfin, il s'abstient de commenter le chiffre de « 65 ans » difficile à justifier (prise de Samarie en 722) et corrigé parfois aujourd'hui en « 6 ou 5 ans » ; sur ce point, cf. Chrysostome (56, 81, § 4, l. 1 s.) et surtout Eusèbe qui justifie longuement cette datation (*GCS* 46, 14-32).

[10] **Καὶ προσέθετο κύριος λαλῆσαι τῷ Ἄχαζ λέγων· [11] Αἴτησαι σεαυτῷ σημ(εῖον παρὰ κυρίου) τοῦ θεοῦ σου εἰς βάθος ἢ εἰς ὕψος.** Ἐπειδὴ ἀπιστεῖς τ{οῖς εἰρημένοις} φησὶ καὶ ψεῦδος τὴν ἐμὴν νομίζεις ὑπόσχεσιν, ἐγὼ βεβαιώ{σω
325 θαυματουργίᾳ} τοὺς λόγους. Αἴτησον τοίνυν ὅπερ βούλει σημεῖον εἴτε οὐράνιον (εἴτε ἐπίγειον · τοῦτο γὰρ) λέγει εἰς βάθος ἢ εἰς ὕψος. Ἀμφότερα δὲ τῷ τούτου παρέσχε παιδὶ Ἐζ{εκίᾳ} (τῷ βασιλεῖ), ἐν οὐρανῷ μὲν ἀναστρέψαι κελεύσας τὸν ἥλιον, ἐν δὲ τῇ γῇ τοὺς {Ἀσσυρίους κολάσας}
330 καὶ μέντοι καὶ τὴν σωματικὴν αὐτῷ δωρησάμενος {ὑγείαν}. [12] **(Καὶ εἶπεν Ἄχαζ) · Οὐ μὴ αἰτήσω οὐδὲ μὴ πειράσω κύριον.** Τούτοις δὲ τ{οῖς λόγοις οὐχ ὡς} (καὶ δίχα σημείου) {πιστεύων} |108 b| ἀλλ' ὡς ἀντιλέγων ἐχρήσατο.

Οὗ δὴ χάριν {ὁ πρ}οφήτης οὐκ (αὐτῷ λοι)πὸν ἀλλὰ
335 πάσῃ τῇ τοῦ Δαυὶδ διαλέγεται συγγενείᾳ καί φησιν · [13] **Ἀκούσατε δὴ οἶκος Δαυίδ · Μὴ μικρὸν ὑμῖν ἀγῶνα παρέχειν ἀνθρώποις ; Καὶ πῶς κυρίῳ παρέχετε ἀγῶνα ; [14] Διὰ τοῦτο δώσει κύριος αὐτὸς ὑμῖν σημεῖον.** Τοῦτο σαφέστερον ὁ Σύμμαχος καὶ ὁ Ἀκύλας ἡρμήνευσαν · « Μὴ οὐκ αὔταρκες
340 ὑμῖν κοποῦν ἀνθρώπους, ὅτι κοποῦτε ἔτι καὶ τὸν θεόν μου ; » Οὐκ ἀπόχρη φησὶν ὑμῖν τὸ τοῖς προφήταις ἀντιλέγειν, τὸ τοῖς θείοις ἀντιτείνειν θεράπουσιν, ἀλλὰ καὶ αὐτῷ τῷ δεσπότῃ κελεύοντι προφανῶς ἀπειθεῖτε ; ἀλλ' ὅμως καὶ μὴ βουλομένοις σημεῖον ὑμῖν δώσει καινὸν καὶ παρά-
345 δοξον.

C : 332-335 τούτοις — συγγενείᾳ

N : 323-330 ἐπειδὴ — ὑγείαν || 332-335 τούτοις — φησιν || 341-345 οὐκ — παράδοξον

323 ἐπειδὴ KE : +οὖν N || 324 φησὶ KE : > N || τὴν ἐμὴν / νομίζεις K : ∾ N || 332 δὲ KC : οὖν N || καὶ C : > N || σημείου C : σημείων N || 334 προφήτης CNE : +λέγων K || 341 φησὶν ὑμῖν KE : τοίνυν ὑμῖν φησι N || 342 θεράπουσιν N : θεραπεύουσιν K

327-330 cf. Is. 37.38

1. Eusèbe cite toute une série de signes donnés par Dieu tour à tour « sur terre et dans le ciel » (*GCS* 47, 6-15) — les plaies d'Égypte

Deuxième avertissement donné à Achaz : le signe de l'Emmanuel

10. *Et de nouveau le Seigneur décida de s'adresser à Achaz en ces termes:* 11. *Demande pour toi un signe venant du Seigneur ton Dieu, dans l'abîme ou dans la hauteur.* Puisque, dit-il, tu mets en doute mes paroles et que tu considères comme un mensonge ma promesse, je donnerai force à mes propos par une action merveilleuse. Demande donc le signe que tu veux, dans les cieux ou sur la terre — c'est là le sens des mots « dans l'abîme ou dans la hauteur ». Or, il a fourni l'un et l'autre (signe) à son fils, le roi Ézéchias : dans le ciel, il ordonna au soleil de revenir en arrière ; sur terre[1], il châtia les Assyriens et, qui plus est, fit présent à Ézéchias de la guérison du corps. 12. *Et Achaz dit: Je ne le demanderai pas et je ne mettrai pas à l'épreuve le Seigneur.* S'il a fait cette réponse, ce n'est pas qu'il croyait, même en l'absence de signe, mais qu'il marquait son refus.

Voilà pourquoi le prophète, sans s'adresser davantage à lui, s'adresse à toute la famille de David, en ces termes : 13. *Écoutez donc, Maison de David: Est-ce peu pour vous de fatiguer les hommes? Comment fatiguez-vous encore le Seigneur?* 14. *C'est pourquoi le Seigneur lui-même vous donnera un signe.* Symmaque et Aquila ont traduit plus clairement ce passage : « Ne vous suffit-il pas de briser les hommes de fatigue, puisque vous brisez encore de fatigue même mon Dieu. » Vous ne vous contentez pas, dit-il, de contredire les prophètes, de résister aux serviteurs de Dieu : vous désobéissez encore ouvertement aux ordres personnels du Maître ! Néanmoins, malgré votre refus, il vous donnera un signe nouveau et étonnant.

à l'époque de Moïse, la mort annoncée à Saül par l'ombre de Samuel, Jonas et son poisson — et parmi eux le prodige solaire survenu sous le règne d'Ézéchias (Εἴποι δ' ἄν τις καὶ τὸ ἐπὶ τοῦ 'Εζεκίου γενόμενον σημεῖον ἐξ οὐρανοῦ γεγονέναι, ὅτε ἀναποδίσαντος τοῦ ἡλίου ἔδραμεν εἰς τὰ ὀπίσω ἡ σκία τοὺς δέκα ἀναβαθμούς).

Ἰδοὺ ἡ παρθένος ἐν γαστρὶ λήψεται καὶ τέξεται υἱόν, καὶ καλέσουσι τὸ ὄνομα αὐτοῦ Ἐμμανουήλ. Τοῦτο ἀληθῶς σημεῖον καὶ εἰς βάθος καὶ εἰς ὕψος. Καὶ γὰρ ὁ Θεοδοτίων καὶ ὁ Ἀκύλας οὕτως τοῦτο ἡρμήνευσαν· « Βάθυνον εἰς
350 ᾅδην ἢ ὕψωσον ἄνω. » Ὁ δὲ Ἐμμανουὴλ καὶ εἰς τὸν ᾅδην κατελήλυθε καὶ εἰς τὸν οὐρανὸν ἀνελήλυθε καὶ τὸν εἰς τὸν ᾅδην κείμενον Ἀδὰμ εἰς οὐρανοὺς ἀνεβίβασεν. Ταύτην μέντοι τὴν προφητείαν οὐχ ὡς ἔτυχεν ἐπὶ τοῦ παρόντος προήνεγκεν ἀλλ', ἐπειδὴ ἐδεδίεσαν τῶν πολεμίων τὴν προσ-
355 βολὴν καταλύσειν ἀπειλούντων τὴν Δαυιτικὴν βασιλείαν, ἀναγκαίως διδάσκει ὡς ἀδυνάτοις ἐπιχειροῦσιν· Δεῖ γάρ φησι φυλαχθῆναι τὸ Δαυιτικὸν γένος, « ἕως ἂν ἔλθῃ ᾧ ἀπόκειται » καὶ παράσχῃ τὴν προσδοκωμένην εὐλογίαν τοῖς ἔθνεσιν.

360 Ἐγὼ δὲ τὴν ἀναίδειαν Ἰουδαίων θαυμάζω μὴ δεχομένων τῆς παρθένου τὴν πρόρρησιν· Ἀκύλας γάρ φασι καὶ Θεοδοτίων καὶ Σύμμαχος οὐ παρθένον ἀλλὰ « νεᾶνιν » ἡρμήνευσαν. Ἔδει δὲ αὐτοὺς συνιδεῖν πρῶτον μὲν ὡς τῶν ἑβδομήκοντα ἀνδρῶν ἡ μαρτυρία τῆς ὑπὸ τριῶν γιγνομένης
365 ἀληθεστέρα, μάλιστα ἐν πλήθει τοσούτῳ τὸ σύμφωνον ἔχουσα. Ἔχουσι δὲ ἀπὸ τοῦ χρόνου καὶ τὸ ἀξιόπιστον· πρὸ γὰρ τῆς τοῦ σωτῆρος ἡμῶν ἐνανθρωπήσεως μετέ(βαλον) τὴν θείαν γραφὴν εἰς τὴν Ἑλλάδα φωνὴν οὐδεμίαν πρόφασιν ἔχοντες κα(κουργί)ας. Πρὸς δὲ τούτῳ, ὅτι καὶ θεία χάρις

C : 347-352 τοῦτο — ἀνεβίβασεν

N : 347-384 τοῦτο — προσαγορεύεται

347 ἀληθῶς KCE : οὖν ἀληθὲς N ‖ 348 βάθος ... ὕψος KNE : ∾ C ‖ 350 ἢ KN : > C ‖ 351 τὸν² KNE : > C ‖ 352 εἰς KCE : +τοὺς N ‖ 354 προήνεγκεν N : προσήνεγκεν KE ‖ 361 φασι Mö. : φησι KN ‖ 364 γιγνομένης K : γινομένης N

357 Gen. 49, 10

---

1. Cf. Eusèbe, *GCS* 48, 20-21 : εἰς βάθος μὲν δι' ἣν ποιήσεται μέχρις ᾅδου κατάβασιν, εἰς ὕψος δὲ διὰ τὴν εἰς οὐρανοὺς ἐπάνοδον.

2. C'est sans doute pour répondre à ceux qui contestent le sens messianique de la prophétie et l'appliquent à Ézéchias que Théodoret

Annonce de l'Emmanuel ; sa conception virginale

Voici que la Vierge concevra dans son sein et enfantera un fils, et on l'appellera du nom d'Emmanuel. Voici en vérité un signe à la fois « dans l'abîme et dans la hauteur ». De fait, Théodotion et Aquila ont traduit ainsi ce passage : « Descends dans l'Hadès et élève-toi dans les hauteurs. » Or l'Emmanuel est descendu dans l'Hadès, il est monté au ciel, il a fait monter aux cieux Adam qui gisait dans l'Hadès[1]. Toutefois, ce n'est pas sans raisons sérieuses qu'il a proclamé cette prophétie à ce moment-là ; mais, puisque les Juifs redoutaient l'attaque des ennemis qui menaçaient de détruire le royaume de David, il se sent obligé d'apprendre que leur entreprise est vouée à l'échec : Il faut, dit-il, que soit protégée la race de David, « jusqu'à ce que vienne celui à qui (la royauté) est réservée » et qu'il procure aux Nations la Bénédiction qu'elles attendent[2].

Je m'étonne, pour ma part, de l'impudence des Juifs qui n'acceptent pas la prédiction qui concerne la Vierge : Aquila, Théodotion et Symmaque, disent-ils, n'ont pas traduit par « vierge », mais par « jeune fille ». Il faudrait pourtant qu'ils comprennent, en premier lieu, que le témoignage de soixante-dix hommes est plus véridique que celui qui émane de trois hommes, surtout quand ce témoignage recueille l'accord unanime d'une aussi nombreuse assemblée. D'autre part, ils ont aussi la preuve digne de foi que fournit la chronologie : c'est avant l'incarnation de notre Sauveur que les Septante ont traduit la divine Écriture en langue grecque : ils n'avaient aucune raison de falsifier (le texte). En outre, il y a encore le fait

tient à justifier la présence de cette prophétie dans l'ensemble qui se rapporte à la guerre syro-éphraïmite (cf. *supra*, 3, 268-272.282-283 et *infra*, 3, 406-408). La promesse de l'Emmanuel est donc la raison dernière de l'annonce faite à Achaz (*Is.* 7, 4) de la ruine des assaillants ; inversement cette ruine viendra confirmer (βεβαίωσις) la véracité de la prophétie messianique.

370 αὐτοῖς εἰς τὴν συμφωνίαν συνήργησεν. (Θεοδο)τίων δὲ καὶ Ἀκύλας καὶ Σύμμαχος μετὰ τὴν δεσποτικὴν ἐπιφάνειαν ἡρμήνευσαν τὴν θείαν γραφὴν καὶ τὰ Ἰουδαίων φρονοῦντες κακοήθως τὰς δεσποτικὰς (προ)ρρήσεις κατέβαλον. Ἀλλ' ὅμως οὐδὲ τοῦτο συνεσκίασε τὴν ἀλήθειαν. Καὶ γὰρ (τὸ 375 τῆς) νεάνιδος ὄνομα Μωυσῆς ὁ νομοθέτης ἀντὶ τῆς παρθένου προσηγορίας δείκνυτ(αι τε)θεικώς · « Ἐὰν γάρ τίς » φησιν « εὕρῃ νεᾶνιν ἐν τῷ πεδίῳ καὶ κοιμηθῇ μετ' αὐτῆς », τόδε καὶ τόδε ποιήσατε. Πλὴν μηδὲ τοῦτο δῶμεν εἰρηκέναι τὸν νομοθέτην. Ἀρκεῖ γὰρ εἰς ἀπόδει(ξιν ἡ) τοῦ σημείου προση-380 γορία. Σημεῖον γὰρ καὶ σημεῖον μέγιστον οὗτος ὁ τόκος καλεῖται · οὐδεὶς (δὲ σημεῖ)ον (κα)λεῖ τὸ καθ' ἑκάστην ἡμέραν γιγνόμενον · εἰ γὰρ μὴ παρθενικός ἐστιν ἀλλὰ γα(μικὸς ὁ τό)κος, πῶς τὸ συνήθως κατὰ φύσιν ὁδεῦον

C : 381-384 σημεῖον[1] — προσαγορεύεται

375 Μωυσῆς K : Μωσῆς N || 382 γιγνόμενον KC : γινόμενον N || 383 συνήθως CN : σύνηθες καὶ K

376 Deut. 22, 25 (νεᾶνις in 26)

---

1. C'est sous le règne de Ptolémée II Philadelphe que les Septante traduisirent en grec la Bible hébraïque pour en rendre la lecture plus facile aux Juifs hellénisés d'Alexandrie (cf. *Lettre d'Aristée à Philocrate*, éd. A. Pelletier, *SC* 89, Paris 1962). Théodoret tient cette version pour inspirée (*In Psal.*, 80, 864 A-C, où l'argumentation est très proche de celle qu'on a ici).

2. Sur Aquila, Symmaque et Théodotion, cf. Introd., ch. II, p. 53.

3. Un aussi long développement est inhabituel dans les commentaires de Théodoret, mais aucun verset biblique sans doute n'a suscité autant de controverses que celui-ci. En effet, si la plupart des exégètes chrétiens l'entendent dans un sens littéral messianique, les Juifs contestent une telle interprétation en se fondant sur le sens du terme hébreu « 'alma » et sur la traduction qu'il faut en donner. Pour réfuter la thèse des Juifs qui n'acceptent pas la traduction des LXX et opposent à leur παρθένος le νεᾶνις donné par les autres traducteurs, Théodoret avance successivement quatre arguments : 1) l'argument numérique d'abord, selon lequel l'accord des 70 traducteurs sur un même terme (παρθένος) est plus convaincant que la traduction

que c'est la grâce de Dieu qui les a aidés à parvenir à un accord unanime[1]. En revanche, Théodotion, Aquila et Symmaque ont traduit la divine Écriture après la Manifestation du Maître ; partisans des Juifs, ils ont rejeté avec malignité les prédictions qui concernaient le Maître[2]. Néanmoins, cela n'a pas suffi à cacher la vérité. En effet, on a la preuve que Moïse, le législateur, a employé le nom de « jeune fille » au lieu de l'appellation de « vierge » : « Si quelqu'un, dit-il, rencontre une jeune fille dans la plaine et qu'il couche avec elle », faites telle et telle chose. Au reste, concédons que le législateur n'ait pas même dit cela : l'appellation de « signe » suffit à fournir une preuve. Cet enfantement est, en effet, appelé « signe » et signe très grand ; or, personne n'appelle « signe » ce qui se produit chaque jour ; si cet enfantement n'est pas le fait d'une vierge, mais d'une femme mariée, comment donne-t-on le nom de « signe » à la démarche habituelle de la nature[3] ?

(νεᾶνις) de trois individus isolés ; 2) en second lieu, l'argument tiré de la chronologie : les LXX ont fait leur traduction avant l'Incarnation et n'ont obéi qu'à l'Esprit, tandis qu'Aquila, Symmaque et Théodotion ont cédé à des vues partisanes à l'égard du christianisme ; 3) le troisième argument, fourni par *Deut.* 22, 25-26, permet d'établir qu'il n'y a pas opposition de sens entre νεᾶνις et παρθένος et ruine par conséquent l'interprétation des Juifs fondée sur ce νεᾶνις ; 4) enfin, la notion même de « signe » suppose un phénomène hors du commun et convient parfaitement pour annoncer cette parthénogénèse. Partiellement au moins, l'argumentation de Théodoret est déjà celle de ses devanciers. Pour Eusèbe (*GCS* 49, 28 - 50, 1) également, νεᾶνις ne contredit pas παρθένος, mais la raison avancée n'est pas celle de Théodoret. Chrysostome (56, 84, l. 5 s.) se borne à insister longuement sur la notion de « signe », qui disparaît si cet enfantement n'est pas le fait d'une « vierge », et à déclarer que le prophète n'a pas précisé le mode de la conception, selon l'Esprit-Saint, de peur que les Juifs ne détruisent le livre. Cyrille (70, 204 BD) donne lui aussi la variante νεᾶνις pour rejeter l'interprétation qu'en tirent certains : rien ne permet de dire que la νεᾶνις n'est pas vierge ; pour lui, le « signe » extraordinaire n'est autre que la Sainte Vierge. Basile (30, 464 AB) part également du fait que les Juifs contestent le παρθένος et lui préfèrent νεᾶνις ; il se demande alors

σημεῖον προσαγορεύεται ; Ἀλλὰ [τὴν Ἰουδαίων κ]ατηγορίαν
385 ἐπὶ τοῦ παρόντος καταλίπωμεν, τῆς δὲ ἑρμηνείας ἐχώμεθα.

Προθεσπίσας (τῆς παρθένου τὴν σύλληψ)ιν ὁ προφήτης καὶ τὸν παράδοξον τόκον, καὶ τὴν προσηγορίαν ἐ(πέθηκεν · Ἐμμανουὴλ) γὰρ τὸ βρέφος ὠνόμασεν. Δηλοῖ δὲ τοὔνομα τὸν μεθ' ἡμῶν |109 a| θεόν, τὸν ἐνανθρωπήσαντα θεόν, τὸν
390 τὴν ἀνθρωπείαν φύσιν ἀνειληφότα θεόν, τὸν ἑνωθέντα ταύτῃ θεόν, τὴν τοῦ θεοῦ μορφὴν καὶ τὴν τοῦ δούλου μορφὴν ἐν ἑνὶ υἱῷ γνωριζομένην.

Εἶτα προαγορεύει κατὰ ταὐτὸν καὶ τὰ ἀνθρώπεια καὶ τὰ θεῖα · [15] **Βούτυρον καὶ μέλι φάγεται.** Τοῦτο ἀνθρώπειον.
395 **Πρὶν ἢ γνῶναι αὐτὸν ἢ προελέσθαι πονηρίαν ἐκλέξεται τὸ ἀγαθόν.** [16] **Διότι πρὶν ἢ γνῶναι τὸ παιδίον ἀγαθὸν ἢ κακόν, ἀπειθεῖ πονηρίᾳ τοῦ ἐκλέξασθαι τὸ ἀγαθόν.** Τοῦτο οὐ κατὰ ἄνθρωπον ἀλλ' ὑπὲρ ἄνθρωπον. Τῶν γὰρ ἀνθρώπων ἡ φύσις οὐκ εὐθὺς τικτομένη τὴν διάκρισιν δέχεται τοῦ ἀγαθοῦ
400 καὶ τοῦ χείρονος, ἀλλὰ δεῖται χρόνων καὶ μέτρων ἡλικίας καὶ τότε μανθάνει τί μὲν ἀγαθὸν τί δὲ πονηρόν · ὁ δὲ

C : 397-404 τοῦτο — σωτηρίαν

N : 386-392 προθεσπίσας — γνωριζομένην || 393-403 εἶτα — αἵρεσιν (396-397 διότι — ἀγαθόν : καὶ τὰ ἑξῆς)

388 τοὔνομα K : τὸ ὄνομα N || 393 εἶτα προαγορεύει KE : προαγορεύει τοίνυν N || ταὐτὸν καὶ NE : ταὐτὸ K || 393-394 ἀνθρώπεια ... ἀνθρώπειον K : ἀνθρώπινα ... ἀνθρώπινον τὸ δέ NE || 395 πονηρίαν K : πονηρὰ N || 397 τοῦτο KC : > NE || 401 πονηρόν CN : κακόν K

---

ce que devient la notion de « signe » s'il s'agit d'une femme mariée, puis il montre, en s'autorisant comme Théodoret de *Deut.* 22, 25-27, que le terme νεᾶνις peut très bien s'appliquer à une vierge ; il conclut que la Vierge est restée pure après la conception et, pour montrer sans doute que cette parthénogénèse n'est pas tout à fait inconcevable, il prétend qu'on trouve dans la nature des femelles qui donnent la vie sans le secours du mâle (vautours). Cf. aussi JÉRÔME, *In Isaiam*, *PL* 24, 107 C-108 AC : le « signe » disparaît s'il s'agit d'une « puella aut juvencula » et non d'une

Mais abandonnons pour l'instant la mise en accusation des Juifs et tenons-nous-en au commentaire[1].

L'Emmanuel : le sens de son nom ; les attributs de sa nature

Après avoir prophétisé la conception virginale et l'étonnant enfantement, il a ajouté aussi le nom (de l'enfant) : il a nommé le nouveau-né « Emmanuel ». Or, ce nom signifie : Dieu avec nous, Dieu qui s'est incarné, Dieu qui a assumé la nature humaine, Dieu qui s'est uni à elle, forme du Dieu et forme de l'esclave qui se fait connaître dans un Fils Unique[2].

Puis il annonce en même temps des réalités humaines et des réalités divines : 15. *Il se nourrira de laitage et de miel.* Voilà une réalité humaine. *Avant de connaître la perversité ou de la préférer, il choisira le bien.* 16. *Car, avant que l'enfant connaisse le bien ou le mal, il s'écartera de la perversité pour choisir le bien.* Cela n'est pas naturel à l'homme, mais dépasse l'homme. Car la nature humaine ne reçoit pas dès la naissance la faculté de distinguer le bien et le mal : il lui faut (attendre) des années et croître en âge avant d'apprendre ce qui est bien et ce qui est

« virgo » ; il explique longuement le sens de l'hébreu « 'alma ». L'argumentation de Théodoret n'est donc pas nouvelle en tous points, mais elle se distingue de celle des autres exégètes par le nombre des arguments avancés et leur mode très rigoureux de présentation.

1. Sur le goût de Théodoret pour la concision, cf. Introd., ch. II, p. 38 et *infra*, 4, 481-482 ; 14, 35-36 ; 20, 525-526 ; cf. aussi *In Daniel.*, 81, 1448 D, où il refuse comme ici de prolonger la polémique contre Eunomius pour s'en tenir au strict commentaire.

2. Sur l'importance de cette interprétation pour apprécier la christologie de Théodoret, cf. Introd., ch. V, p. 100. A la différence d'Eusèbe (*GCS* 49, 5-27) et de Chrysostome (56, 84, l. 18 s. - 85), Théodoret ne se préoccupe pas de répondre à l'objection de ceux qui font remarquer que le Christ n'a pas reçu le nom d'« Emmanuel », mais celui de « Jésus ».

Ἐμμανουὴλ εὐθὺς ἀπὸ σπαργάνων ἀπώσατο τὴν τοῦ χείρονος αἵρεσιν.

Οὕτω τὸ σημεῖον δεδωκὼς προλέγει τὴν σωτηρίαν· 405 **Καὶ καταλειφθήσεται ἡ γῆ ἣν σὺ φοβῇ ἀπὸ προσώπου τῶν δύο βασιλέων.** Διὰ τοῦτόν φησι τὸν Ἐμμανουὴλ τεύξῃ τῆς σωτηρίας, ἐπειδὴ τέως ἐν τῷ σῷ γένει ἡ ἀνθρωπεία τούτου πεφύλακται φύσις.

Ἐπειδὴ δὲ μικρὸν ὕστερον ἔμελλον ἄλλοι ἐπιέναι πολέμιοι, 410 προλέγει κἀκεῖνα διδάσκων ὡς οὐδὲν ἀγνοεῖ τῶν ὅλων ὁ ποιητὴς ἀλλ' αὐτὸς ἅπαντα πρυτανεύει καὶ πρὸς τὸ συμφέρον ἰθύνει. Διά τοι τοῦτο ἐπήγαγεν· 17 **Ἀλλ' ἐπάξει ὁ θεὸς ἐπὶ σὲ καὶ ἐπὶ τὸν λαόν σου καὶ ἐπὶ τὸν οἶκον τοῦ πατρός σου ἡμέρας αἳ οὔπω ἥκασιν ἀφ' ἧς ἡμέρας ἀφεῖλεν Ἐφραὶμ ἀπὸ** 415 **Ἰούδα, τὸν βασιλέα τῶν Ἀσσυρίων.** Τὸ δέ· ἀφ' ἧς ἡμέρας ἀφεῖλεν Ἐφραὶμ ἀπὸ Ἰούδα, οὕτως ὁ Σύμμαχος ἡρμήνευσεν· « ἀπὸ τῆς ἡμέρας ἧς ἀπέστη Ἐφραὶμ ἀπὸ Ἰούδα ». Οὕτω δὲ καὶ ὁ Ἀκύλας. Δηλοῖ δὲ ὁ λόγος ὅτι, ἀφ' ἧς ἡμέρας ἀπέστησαν αἱ δέκα φυλαὶ τῆς τοῦ Ἰούδα φυλῆς καὶ τῆς 420 Δαυιτικῆς βασιλείας, τοιαύτη κακοπραγία καὶ δυσημερία οὐ κατέλαβε τὴν τοῦ Ἰούδα φυλήν, οἵαν αὐτὸν ἀπειλεῖ καταλήψεσθαι. Τίς δὲ αὕτη ; ὁ βασιλεὺς τῶν Ἀσσυρίων. Καὶ κατὰ τοὺς Ἑβδομήκοντα δὲ τοιαύτας φησὶν ἡμέρας ἐπάξει ἐπὶ σὲ ὁ θεός, οἵας ἡμέρας οὐκ εἶδες ἀφ' ἧς ἡμέρας

C : 418-422 δηλοῖ — Ἀσσυρίων

N : 404-408 οὕτω — φύσις (405-406 καὶ — βασιλέων>) || 409-412 ἐπειδὴ — ἰθύνει || 415-430 τὸ — χωρισμόν

404 οὕτω ... δεδωκὼς KC : μετὰ γοῦν ... δεδωκέναι N || 409-410 ἐπειδὴ — κἀκεῖνα K : καὶ τοὺς μικρὸν ὕστερον ἐπιέναι μέλλοντας πολεμίους προλέγει N || 419 ἀπέστησαν N : ἐπέστησαν K ἀφέστησαν C || 420 καὶ δυσημερία KN : > C || 421 τὴν τοῦ Ἰούδα φυλήν K : τοῦ > N τὸν Ἰούδαν C

1. L'impossibilité de rapporter tous les termes de la prophétie à un homme quelconque confirme l'interprétation christologique du v. 14 : seul le Christ, en raison de sa double nature, peut rendre

pervers ; tandis que l'Emmanuel a, dès ses langes, repoussé loin de lui le choix du mal[1].

Après avoir de la sorte donné le signe, il prédit le salut : *Et elle sera abandonnée la terre que tu redoutes à la vue des deux rois.* Cet Emmanuel, dit-il, te vaudra d'obtenir le salut, puisque c'est ta race qui a eu la garde, jusqu'à sa venue, de sa nature humaine.

L'invasion des Assyriens

Mais puisque, peu après, d'autres ennemis allaient faire irruption, il prédit également ces événements-là pour enseigner que le Créateur de l'univers n'ignore rien, mais qu'en personne il gouverne et dirige absolument tout vers ce qui est utile. Voilà la raison pour laquelle il a ajouté : 17. *Mais Dieu suscitera contre toi, contre ton peuple et contre la Maison de ton père des jours tels qu'il n'en est point encore venu depuis le jour où il a séparé Éphraïm de Juda : le roi d'Assyrie.* L'expression « depuis le jour où il a séparé Éphraïm de Juda », Symmaque l'a traduite ainsi : « depuis le jour où Éphraïm s'est détaché de Juda ». C'est aussi l'interprétation d'Aquila. Voici donc le sens du texte : depuis le jour où les dix tribus se sont détachées de la tribu de Juda et du royaume de David, jamais n'ont atteint la tribu de Juda calamités et infortunes semblables à celle dont il la menace pour l'avenir. Quelle est-elle donc ? Le roi d'Assyrie. Même interprétation également selon les Septante : « Dieu suscitera, dit-il, contre toi des jours tels que tu n'en as pas vu depuis le jour où Éphraïm s'est

pleinement compte de la prophétie (cf. EUSÈBE, *GCS* 50, 5-19 ; CHRYSOSTOME, 56, 85, l. 37 s.). Du même coup, Théodoret rejette indirectement l'interprétation de ceux (les Juifs) qui veulent voir dans la prophétie de l'Emmanuel l'annonce de la naissance du roi Ézéchias ; c'est, du reste, sur ce verset que se fonde en grande partie la vigoureuse réfutation faite par CYRILLE d'une telle interprétation (70, 204 B). Enfin, tout le passage permet à Théodoret de prouver avec discrétion le bien-fondé des thèses antiochiennes en matière de dyophysisme.

425 ἀφεῖλεν ἑαυτὸν ἀπὸ σοῦ ὁ Ἐφραίμ. Τίνες δὲ αὗται ; τῶν Ἀσσυρίων ὁ βασιλεὺς ἐν ταύταις ἐπάγων σοι τὰ κακά. Οὐδὲ γὰρ τὸν βασιλέα τῶν Ἀσσυρίων Ἐφραὶμ ἀφεῖλεν, ἀλλ' ὁ θεὸς ἐπάξει τὸν βασιλέα τῶν Ἀσσυρίων καὶ τοιαῦτα διὰ τούτου κακά, οἷα οὐκ εἶδεν ὁ Ἰούδας μετὰ τὸν τοῦ
430 Ἐφραὶμ χωρισμόν.

[18] **Καὶ ἔσται ἐν τῇ ἡμέρᾳ ἐκείνῃ συριεῖ κύριος μυίαις αἳ κυριεύσουσι μέρ(ους) ποταμοῦ Αἰγύπτου, καὶ τῇ μελίσσῃ ἥ ἐστιν ἐν χώρᾳ Ἀσσυρίων.** Ἀντὶ δὲ τοῦ αἳ κυριεύσουσιν « ὅ (ἐστιν) ἐν μέρει ποταμοῦ Αἰγύπτου » ὁ Θεοδοτίων
435 εἴρηκεν · οὕτω δὲ καὶ ὁ Σύμμαχος. Μυίας δὲ τοὺς Αἰγυ(πτίους) καλεῖ ὡς ἐλάττονα βλάψαντας, μελίττας δὲ τοὺς Ἀσσυρίους · σφοδρότερον γὰρ τῆς μελίττης τὸ (κέντρον). Μέμνηται δὲ καὶ τῶν Αἰγυπτίων καὶ τῶν Ἀσσυρίων ἡ τῶν Βασιλειῶν ἱστορία. Φαρ(αὼ γὰρ) Νεχαὼ τῶν Αἰγυπτίων
440 ὁ βασιλεὺς καὶ τὸν Ἰωσίαν ἀνεῖλε καὶ τὸν Ἰωάχαζ τὸν τούτου (παῖδα) τῆς βασιλείας γυμνώσας αἰχμάλωτον ἔλαβε καὶ φόρον τελεῖν κατηνάγκασε τὸν Ἰούδαν · Ἀσσύριοι δὲ πρῶτον μὲν μετὰ τοῦ Σεναχηρὶμ τὰς ἄλλας τῆς Ἰουδαίας ἐξεπόρθησαν πόλεις, μετὰ δὲ ταῦτα (σὺν τῷ) Ναβουχοδο-
445 νόσορ καὶ αὐτὴν ἐπολιόρκησαν τὴν Ἱερουσαλὴμ καὶ τὸν θεῖον νεὼν ἐνέπρησ(αν καὶ) τοὺς διαφυγόντας τὸν θάνατον δορυαλώτους ἀνήγαγον. Τοῦτο τὸ πλῆθος διδάσκων [ἐπή-

C : 435-437 μυίας — κέντρον

N : 433-435 ἀντὶ — Σύμμαχος || 435-447 μυίας — ἀνήγαγον

433 δὲ K : γὰρ N || 435 μυίας δὲ KC : ἢ μυίας μὲν N || 440 ἀνεῖλε K : +καθὼς προείρηται N || 442 φόρον K : φόρους N || κατηνάγκασε K : ἠνάγκασε N || Ἀσσύριοι δὲ K : οἱ δὲ Ἀσσύριοι N || 443 μὲν N : > K || 446 νεὼν K : ναὸν N || 447 ἀνήγαγον K : ἤγαγον N

439-442 cf. IV Rois 23, 29-33 442-447 cf. IV Rois 18, 13 ; 25

1. Le commentaire de Théodoret tend à supprimer l'ambiguïté de la construction et de la ponctuation ; on pourrait, en effet, faire de τὸν βασιλέα τῶν Ἀσσυρίων le complément d'objet direct de ἀφεῖλεν et comprendre : « depuis le jour où Éphraïm a séparé de Juda le roi d'Assyrie », alors que pour Théodoret le groupe τὸν

séparé de toi.» Quels sont donc ces jours? Ceux que le roi d'Assyrie emploiera à t'infliger le malheur. Car ce n'est pas Éphraïm qui a séparé (de Juda) le roi d'Assyrie, mais Dieu qui suscitera le roi d'Assyrie et, par son intermédiaire, un malheur tel que Juda n'en a pas vu depuis la sécession d'Éphraïm[1].

18. *Et il arrivera qu'en ce jour-là le Seigneur sifflera des mouches qui régneront sur une partie du fleuve d'Égypte et l'abeille qui habite le pays d'Assyrie.* Au lieu de « qui régneront », Théodotion a dit : « ce qui habite dans une partie du fleuve d'Égypte » ; telle est aussi l'interprétation de Symmaque. Il appelle « mouches » les Égyptiens, parce qu'ils ont causé de moins grands dommages, et « abeilles » les Assyriens, car l'aiguillon de l'abeille est plus douloureux[2]. L'histoire des Règnes, du reste, fait mention à la fois des Égyptiens et des Assyriens. C'est le Pharaon Nékao, roi d'Égypte, qui fit périr Josias ; qui dépouilla son fils Joachaz de la royauté et l'emmena comme captif ; qui contraignit Juda à verser un tribut. Mais ce sont les Assyriens qui, d'abord avec Sennachérim, saccagèrent les autres villes de la Judée avant d'assiéger à son tour Jérusalem, avec Nabuchodonosor, de mettre le feu au temple de Dieu et de déporter comme prisonniers ceux qui avaient échappé à la mort[3]. Pour indiquer le grand

βασιλέα τῶν Ἀσσυρ. n'est que l'explication de l'expression ἡμέρας αἳ οὔπω ἥκασιν.

2. Même interprétation sur le fond, bien que les raisons invoquées soient parfois différentes, chez Eusèbe (*GCS* 50, 36 - 51, 2), Chrysostome (56, 88, l. 9 s.) et Cyrille (70, 209 CD) ; Basile, en revanche, qui met beaucoup de soin à distinguer la nature des mouches de celle des abeilles, voit sous ces termes une manière de désigner les dieux égyptiens (30, 468 CD - 469 D).

3. Théodoret ne fait pas une distinction très nette entre les Assyriens et les Babyloniens. Il suit en cela l'Écriture (cf. *Is.* 7, 20) qui dit constamment « Assyrien » pour « Babylonien » (*In Nahum*, 81, 1808 B) comme s'il s'agissait d'un seul et même royaume (*In Dan.*, 81, 1348-49) ; il en vient même à conclure qu'Assyrie et Babylonie

γαγεν] · [19] **Καὶ ἐλεύσονται καὶ ἀναπαύσονται πάντες ἐν ταῖς φάραγξι τῆς χώρας καὶ ἐν ταῖς τρ(ώγλαις τῶν) πετρῶν καὶ**
450 **εἰς τὰ σπήλαια καὶ εἰς πᾶσαν ῥαγάδα καὶ ἐν παντὶ ξύλῳ.** {Διὰ τούτων} (ἁπάντων) τὸ πλῆθος τῶν πολεμίων ᾐνίξατο.

Προαγορεύει δὲ μετὰ ταῦτ(α τὴν παντελῆ τῶν) |109 b| Ἀσσυρίων κατάλυσιν. Φησὶ γάρ · [20] **Ἐν τῇ ἡμέρᾳ ἐκείνῃ (ξυρήσ)ει κύριος ἐν τῷ ξυρῷ τῷ με(με)θυσμένῳ πέρα⟨ν⟩ τοῦ**
455 **ποταμοῦ βασιλέως Ἀσσυρίων τὴν κεφαλὴν καὶ τὰς τρίχας τῶν ποδῶν, ἔτι καὶ τὸν πώγωνα ἀφελεῖ.** Ξυρὸν καλεῖ μεμεθυσμένον τὸν τῶν Μήδων καὶ Περσῶν βασιλέα. Οὗτος γὰρ τῆς δίκης γενόμενος ὄργανον τὴν βασιλείαν τῶν Βαβυλωνίων κατέλυσεν · ταύτην γὰρ καλεῖ κεφαλήν. Καὶ τοὺς πόδας
460 ἐγύμνωσε τῶν τριχῶν, τῶν ὑπ' αὐτοῦ στρατευομένων ἀφελὼν τὴν ἀνδρείαν. Ἀφελεῖ δὲ καὶ τοῦ πώγωνος τὴν εὐπρέπειαν — ἀντὶ τοῦ · γυναῖκας ἀντὶ ἀνδρῶν δείξει τοὺς πολεμίους.

[21] **Καὶ ἔσται ἐν τῇ ἡμέρᾳ ἐκείνῃ θρέψει ἄνθρωπος δάμαλιν βοῶν καὶ δύο πρόβατα ·** [22] **καὶ ἔσται ἀπὸ τοῦ πλεῖστον**
465 **ποιεῖν γάλα φάγεται βούτυρον, ὅτι βούτυρον καὶ μέλι φάγεται πᾶς ὁ καταλειφθεὶς ἐπὶ τῆς γῆς.** Μετὰ τὴν ἀπὸ τῆς Ἰουδαίας τοῦ Ναβουχοδονόσορ ἐπάνοδον συνηθροίσθησαν ὅσοι διαπεφεύγασι καὶ πενίᾳ πλείστῃ συμβιοτεύσαντες ἐν τῇ Ἰουδαίᾳ διέτριβον ἀπὸ θρεμμάτων ὀλίγων τὴν ἀναγκαίαν
470 ποριζόμενοι χρείαν. Τῆς δὲ γῆς μηκέτι γεωργουμένης διὰ

C : 451 διὰ — ᾐνιξατο ‖ 456-462 ξυρὸν — πολεμίους

N : 451 διὰ — ᾐνίξατο ‖ 452-462 προαγορεύει — πολεμίους (453-456 φησὶ — ἀφελεῖ>) ‖ 466-474 μετὰ — λόγος

451 ἁπάντων C : δὲ πάντων ὡς εἴρηται N > KE ‖ 452 δὲ μετὰ ταῦτα K : διὰ τούτων N ‖ 456 καλεῖ μεμεθυσμένον KC : μεμεθυσμένον καλῶν N ‖ 466 μετὰ KE : +γὰρ N

---

sont une même réalité (*ibid.*, 1297 A). En tout cas, dans l'*In Isaiam*, l'emploi du terme « assyrien » là où l'on attendrait « babylonien » est constant (5, 3-8.236-240 ; 6, 439-444 ; 7, 1-2 ; 9, 387-390 ; 14, 474-476 ; 15, 419-423). Même confusion entre Assyriens et Babyloniens chez HÉRODOTE I, 184, 188.

nombre de ces (assaillants) il a ajouté : 19. *Ils viendront et ils s'arrêteront tous dans les vallées escarpées de la région, dans les creux des rochers, dans les grottes, dans toute crevasse et sur tout arbre.* Il a fait allusion par toutes ces expressions au grand nombre des ennemis.

Les Assyriens vaincus par les Perses

Il annonce ensuite la ruine totale des Assyriens. Voici ses paroles : 20. *En ce jour-là, le Seigneur avec le rasoir d'ivresse rasera au-delà du Fleuve la tête du roi d'Assyrie et les poils de ses pieds, et il lui enlèvera en outre la barbe.* Il appelle « rasoir d'ivresse » le roi des Mèdes et des Perses[1]. C'est lui qui, devenu l'instrument de la justice, détruisit le royaume de Babylone, car voilà ce qu'il appelle la « tête ». Il dépouilla aussi les pieds de leurs poils en enlevant à ceux qui combattaient sous les ordres du roi (d'Assur) leur courage. Il enlèvera même la barbe qui donne fière allure, ce qui revient à dire : il montrera les ennemis changés en femmes, d'hommes qu'ils étaient.

Désolation du pays

21. *En ce jour-là, il arrivera que l'homme nourrira une vache et deux brebis ; 22. et il arrivera qu'en raison de la quantité de lait qu'elles donneront on mangera du laitage, parce que tout homme qui sera resté dans le pays se nourrira de laitage et de miel.* Après que Nabuchodonosor eut quitté la Judée pour s'en retourner, tous ceux qui (lui) avaient échappé se rassemblèrent ; malgré une existence passée dans un dénuement extrême, ils continuaient à séjourner en Judée où un petit nombre d'animaux leur fournissait le strict nécessaire. D'autre part, comme le manque d'hommes empêchait encore le travail de la terre,

1. Il s'agit de Cyrus le Grand qui prit Babylone en 539.

τὴν τῶν ἀνδρῶν ἐρημίαν εὐπόρει πόας ἀφθόνου τὰ θρέμματα, ἡ δὲ πλείων τροφὴ πηγάζειν ἐποίει τὸ γάλα · οὗ δὴ χάριν καὶ τὰ ὀλίγα πρόβατα τὴν χρείαν ἐπλήρου. Ἐρημίαν τοίνυν ὁ προφητικὸς προεθέσπισε λόγος.

475 Καὶ δῆλον ἐκ τῶν ἐπαγομένων · πάλιν γὰρ προδηλοῖ τὴν ἀκαρπίαν τῆς γῆς · [23] **Καὶ ἔσται ἐν τῇ ἡμέρᾳ ἐκείνῃ ἔσται πᾶς τόπος οὗ ἐὰν ὦσι χίλιαι ἄμπελοι χιλίων σίκλων εἰς χέρσον ἔσονται καὶ εἰς ἄκανθαν.** Καὶ αὐτὴ γὰρ ἡ εὔγεως καὶ πολλῆς ἠξιωμένη φιλοπονίας ἐρημίαν δέξεται παντελῆ.

480 [24] **Μετὰ βέλους καὶ τοξεύματος εἰσελεύσονται ἐκεῖ, ὅτι χέρσος καὶ ἄκανθα ἔσται πᾶσα ἡ γῆ.** Ποιεῖ δὲ τὴν ἐρημίαν τῶν πολεμίων ἡ προσβολή. [25] **Καὶ πᾶν ὄρος ἀροτριώμενον ἀροτριωθήσεται · οὐ μὴ ἐπέλθῃ ἐκεῖ φόβος, ἔσται γὰρ ἀπὸ τῆς χέρσου καὶ ἀκάνθης εἰς βόσκημα προβάτου καὶ καταπά-**

485 **τημα βοός.** Τὰ αὐτὰ διαφόρως λέγει ὅτι καὶ τὰ ἄγαν ἠροτριωμένα καὶ πολλῆς ἐπιμελείας ἀξιούμενα ὄρη, ἔνθα πάλαι φόβος οὐκ ἦν, καὶ αὐτὰ διὰ τὴν πολλὴν ἐρημίαν νομὴ βουκολίων καὶ ποιμνίων γενήσεται. Εἰ δὲ καὶ τροπικῶς ἐθέλοι τις τὸ χωρίον νοῆσαι, εὑρήσει καὶ οὕτω τῆς προφητείας

490 τὸ ἀληθές · ὄρος γὰρ {ἦν} ἀροτριούμενον ὁ Ἰουδαίων λαὸς ὑπὸ νόμου καὶ προφητῶν γεωργούμενος, ἀδεῶς πολιτευ(όμεν)ος, ἡνίκα τῆς θείας συμμαχίας ἀπέλαυεν. Ἀλλὰ τοῦτο τὸ ὄρος ἐστέρηται τῶν {γε}ωργούντων διὰ τὴν ἀκαρπίαν καὶ νομὴ τῶν ἀλόγων ἐγένετο λογισμῶν.

C : 479 καὶ — παντελῆ || 481-482 ποιεῖ — προσβολή

N : 475-479 καὶ — παντελῆ (476-478 καὶ — ἄκανθαν>) || 481-482 ποιεῖ — προσβολή || 485-494 τὰ[1] — λογισμῶν

474 προεθέσπισε N : προεθέσπιζε K || 475 καὶ K : ὅτι διὰ τῶν προειρημένων ἐρημίαν τῆς Ἰουδαίας ὁ προφητικὸς προεθέσπισε λόγος N (λόγος προεθέσπισε Np) || ἐπαγομένων K : +τούτων N || 477 χίλιαι e tx. rec. : χίλιοι K || 478 αὐτὴ γὰρ KC : ὅτι καὶ αὐτὴ N || εὔγεως C : εὔγειος N εὔγηος K || 481 ἡ γῆ e tx. rec. : πηγή K || ποιεῖ — ἐρημίαν K : δὲ > C ἢ διὰ τούτου ἐμφαίνεται ὅτι τὴν ἐρημίαν ποιεῖ N || 485 τὰ[1] — λέγει K : ἔφη δέ τις τὰ αὐτὰ καὶ ἐνταῦθα διαφόρως λέγειν τὸν προφήτην N || 486 ἠροτριωμένα K : ἀροτριώμενα N || 489 οὕτω K : οὕτως N || 490 ἀροτριούμενον K : ἀροτριώμενον N

les animaux avaient à satiété une herbe abondante et ce surplus de pâture faisait jaillir le lait à flots ; voilà pourquoi, même en petit nombre, les brebis comblaient leurs besoins. Le texte prophétique a donc prophétisé la désolation[1].

Ce qu'ajoute le prophète en donne la preuve, puisque de nouveau il fait voir par avance la stérilité de la terre : 23. *Et il arrivera en ce jour-là, il arrivera que tout lieu où il y a mille ceps de mille sicles deviendra friche et épines.* Même elle, la terre fertile, la terre qui a bénéficié de soins attentifs subira une désolation totale. 24. *Ils y entreront avec la flèche et l'arc, parce que tout le pays deviendra friche et épines.* L'attaque des ennemis provoque la désolation. 25. *Et toute montagne labourée sera labourée ; la crainte ne pénétrera point en ce lieu, car en raison de la friche et des épines elle deviendra un pacage de moutons et une terre piétinée par les bœufs.* Il dit de façon différente la même chose : les montagnes qu'on labourait beaucoup et qui bénéficiaient d'une foule de soins, quand jadis la crainte n'existait pas, deviendront elles aussi, à cause de l'ampleur de la désolation, un pâturage pour les troupeaux de bœufs et de moutons. Si, pourtant, on voulait comprendre le passage de manière figurée, on découvrira dans ce cas aussi le caractère véridique de la prophétie : « la montagne labourée », c'était le peuple juif que cultivaient la Loi et les prophètes, qui vivait sans crainte à l'époque où il jouissait de l'alliance de Dieu. Mais cette montagne a été privée de ses cultivateurs à cause de sa stérilité et elle est devenue un pâturage de raisonnements insensés[2].

|| 491 γεωργούμενος NE : γεωργούμενον K || πολιτευόμενος N : πολιτευόμενον K

---

1. Même interprétation chez Eusèbe (*GCS* 52, 26 s.) et plus encore chez Chrysostome (58, 89, l. 28 s.).

2. Sur ce thème du transfert des Promesses et sur le symbolisme de la montagne cultivée transformée en désert, cf. la polémique anti-juive : Introd., ch. IV, p. 83-84.

495 Οὕτω ταῦτα [τοῖς] Ἰουδαίοις προαγορεύσας ἀναλαμβάνει πάλιν τὸν περὶ τοῦ Ἐμμανουὴλ λόγον· **8[1] Καὶ εἶπε κύριος πρός με· Λάβε σεαυτῷ τόμον καινὸν μέγαν καὶ γράψον εἰς αὐτὸν γραφίδι ἀνθρώπου· (τοῦ ὀξ)έως προνομὴν ποιῆσαι σκύλων· πάρεστι γάρ. [2] Καὶ μάρτυράς μοι ποίησον πιστοὺς**
500 **ἀνθρώπους, τὸν Οὐρίαν τὸν ἱερέα καὶ Ζαχαρίαν υἱὸν Βαραχίου.** Οὐρίου τοῦ ἱερέως ἡ τετάρτη μέμνηται τῶν Βασιλειῶν, Ζαχαρίου δὲ τοῦ προφήτου ἡ δευτέρα τῶν Παραλειπομένων. Συνήκμασαν δὲ ἀλλήλοις (κατὰ) τοὺς χρόνους Ὀζίου καὶ Ἰωάθαμ καὶ Ἄχαζ γενόμενοι. Διὰ μέντοι τούτων ἑκάτερον
505 τάγμα (εἰς μαρ)τυρίαν τοῦ παραδόξου τόκου καλεῖ.

Καὶ ἐπειδὴ προηγόρευσεν ἤδη τῆς παρθένου τὴν (γέννησιν), ὑπὲρ φύσιν δὲ ἦν τὸ εἰρημένον, διδάσκει τῆς συλλήψεως τὸν τρόπον. Καὶ καθά(περ τὴν ἁγίαν) παρθένον τὸ τῶν εὐαγγελίων δεξαμένην παράδοξον καὶ πυθομένην· « Πῶς
510 ἔσται μοι (τοῦτο, ἐπεὶ ἄν)δρα οὐ γινώσκω », ὁ ἅγιος ἐδίδαξε Γ(αβ)ριὴλ τὸν τῆς συλλήψεως (τρόπον εἰρηκώς)· « Πνεῦμα ἅγιον ἐπελεύσεται ἐπὶ σέ, καὶ δύναμις ὑψίστου ἐπισκιάσει σοι, |110 a| (διὸ) καὶ τὸ γεννώμενον ἅγιον κληθήσεται, υἱὸς θεοῦ », οὕτως ἐνταῦθα τοὺς τῇ προρρήσει διαπιστοῦντας
515 ὁ προφητικὸς πιστεύειν διδάσκει λόγος τὸν θεῖον τρόπον ἐπιδεικνὺς καὶ τὸ πανάγιον εἰσάγων πνεῦμα διαρρήδην λέγον· **[3] Καὶ προσῆλθον πρὸς τὴν προφῆτιν, καὶ ἐν γαστρὶ ἔλαβε καὶ ἔτεκεν υἱόν.**

Εἶτα καὶ θεῖναι προσηγορίαν ὁ προφήτης τῷ τεχθέντι
520 κελεύεται· **Εἶπε** γάρ **μοί** φησι **κύριος· Κάλεσον τὸ ὄνομα**

N : 501-505 Οὐρίου — καλεῖ || 506-518 καὶ — υἱόν || 519-526 εἶτα — εἵλκυσεν

501 Οὐρίου K : +μὲν οὖν N || 504 Ἰωάθαμ N : Ἰοάθαν K || 507 ὑπὲρ N : +δὲ K || 508 τρόπον NE : λόγον K || 519-521 εἶτα — προνόμευσον K : καὶ θείαν προσηγορίαν ὁ προφήτης ἐπιθεῖναι τῷ τεχθέντι προστάττεται N

501-502 cf. IV Rois 16, 10-16 ; II Chr. 26, 5 508-514 Lc 1, 34-35

1. Pour Théodoret comme pour EUSÈBE (*GCS* 55, 25-31) qui cite

L'Emmanuel : le mode de sa conception, le symbolisme de son nom

Telles sont les prédictions qu'il a faites pour les Juifs avant de reprendre son propos sur l'Emmanuel : **8**, 1. *Et le Seigneur me dit : Prends en main une grande tablette neuve et écris dessus avec un stylet d'homme : « Pour — Faire — Rapidement — le Pillage — des — Dépouilles » car il est là ! 2. Et établis pour moi comme témoins des hommes dignes de foi : le prêtre Ourias et Zacharie, fils de Barachie.* Le quatrième livre des Règnes fait mention du prêtre Ourias et le deuxième des Paralipomènes du prophète Zacharie. Ils ont en même temps brillé d'un grand éclat à l'époque d'Ozias, de Joatham et d'Achaz. Et, par leur intermédiaire, il appelle l'un et l'autre corps constitués à témoigner de cet enfantement étonnant.

Et, puisqu'il a précédemment annoncé que la Vierge enfanterait et que cette déclaration dépassait l'ordre des choses naturelles, il indique la manière dont se fera la conception. Lorsque la sainte Vierge eut reçu la nouvelle étonnante entre toutes et se fut informée : « Comment cela m'arrivera-t-il, puisque je ne connais pas d'homme », saint Gabriel lui apprit en ces termes la manière dont se ferait la conception : « L'Esprit-Saint viendra sur toi et la Puissance du Très-Haut te couvrira de son ombre ; c'est pourquoi l'enfant sera appelé Saint, Fils de Dieu »[1] ; de même ici, à ceux qui n'ajoutaient aucune foi à la prédiction, les paroles du prophète apprennent à croire, en exposant le mode d'action de Dieu et en mettant en scène le très saint Esprit qui déclare en termes précis : 3. *Je m'approchai de la prophétesse, elle conçut et enfanta un fils.*

Puis le prophète reçoit également l'ordre d'imposer un nom au nouveau-né : *Le Seigneur*, dit-il, *me dit : Donne-lui*

également *Lc* 1, 35, la prophétesse dont parle Isaïe n'est autre que la παρθένος, i.e. la Sainte Vierge ; pour CHRYSOSTOME (56, 92, l. 13 s.) il s'agit peut-être (ἴσως) de la femme d'Isaïe.

αὐτοῦ Ταχέως - σκύλευσον - ὀξέως - προνόμευσον. Καὶ γίνεται αὐτῷ ὄνομα τὸ πρᾶγμα · αὐτοῦ γάρ ἐστι τοῦ κυρίου φωνή · « Ἐὰν μή τις εἰσέλθῃ εἰς τὴν οἰκίαν τοῦ ἰσχυροῦ καὶ δήσῃ τὸν ἰσχυρόν, πῶς τὰ σκεύη αὐτοῦ διαρπάσει ; » Καὶ εὐθὺς
525 δὲ τεχθεὶς τὰ πρῶτα σκεύη τοῦ διαβόλου, τοὺς μάγους, εἰς προσκύνησιν εἵλκυσεν. Καὶ μέντοι καὶ πρὸ τοῦ τόκου κατὰ τὸν τῆσδε τῆς προφητείας καιρὸν καὶ τῆς Δαμασκοῦ καὶ τῆς Συρίας διὰ τοῦ Ἀσσυρίου κατέλυσε τὴν ἰσχύν. Τοῦτο γὰρ διὰ τῶν ἐπαγομένων δηλοῖ · [4] **Διότι πρὶν**
530 **ἢ γνῶναι τὸ παιδίον καλεῖν πατέρα ἢ μητέρα λήψεται δύναμιν Δαμασκοῦ καὶ τὰ σκῦλα Σαμαρείας ἔναντι βασιλέως Ἀσσυρίων.** Καθάπερ γὰρ ὁ Λευὶ πρὶν εἰς τόνδε παραχθῆναι τὸν βίον πρὸ ἑ⌊ξή⌋κοντα καὶ ἑκατὸν ἐτῶν διὰ τοῦ Ἀβραὰμ ἀποδεκατωθῆναι λέγεται ἐν τῇ ὀσφύι τοῦ πατριάρχου
535 κρυπτόμενος, οὕτω καὶ πρὸ τῆς κατὰ σάρκα γεννήσεως ὁ Ἐμμανουὴλ διὰ τοῦ Ἀσσυρίου καὶ τὴν Δαμασκὸν καὶ τὴν Σαμάρειαν δίκ⌊ας⌋ ὑπὲρ τῶν κατὰ τὴν Ἱερουσαλὴμ γεγενημένων εἰσέπραξεν.

Ταύτῃ κελεύσας ὁ δεσπότης ἐπὶ τῶν πιστοτάτων μαρ-
540 τύρων τὸν προφήτην συγγράψαι ἐν τῷ καινῷ τόμῳ — ἔδει γὰρ ἐν τόμῳ καινῷ τὰ περὶ τοῦ καινοῦ καὶ παραδόξου τόκου γραφῆναι —, ἀπειλεῖ λοιπὸν τοῖς τὴν Ἱερουσαλὴμ καὶ τὴν Ἰουδαίαν οἰκοῦσιν ὡς τῆς Δαυιτικῆς βασιλείας καταφρονοῦσι καὶ ταύτης προτιμῶσι τῆς Δαμασκοῦ καὶ
545 τῆς Σαμαρείας τὸν βασιλέα καὶ προλέγει τοῦ βασιλέως

C : 521-524 καὶ — διαρπάσει

N : 526-538 καὶ[1] — εἰσέπραξεν ‖ 540-542 ἔδει — γραφῆναι ‖ 542-562 ἀπειλεῖ — πλημμυροῦντι (546-552 λέγει — αὐτοῦ>)

526 καὶ μέντοι καὶ K : ἀλλὰ μὴν καὶ ἱστορικῶς N ‖ 529 διὰ τῶν ἐπαγομένων KE : > N ‖ διότι K : τό N ‖ 534 λέγεται NE : > K ‖ 535 ὁ N : τοῦ K ‖ 539 ταύτῃ K : ταῦτα Br. ‖ 542 λοιπὸν K : τοίνυν διὰ τούτων N ‖ 543-544 ὡς — καταφρονοῦσι K : > N

523 Matth. 12, 29   532-535 cf. Hébr. 7, 9-10

---

1. Cf. *In Cant.*, 81, 97 B, où les Mages sont également présentés

le nom de « Dépouille — Rapidement — Pille — Promptement ». L'accomplissement de cet acte lui tient lieu de nom ; car c'est la propre parole du Seigneur : « A moins qu'on ne soit entré dans la maison d'un homme fort et qu'on n'ait ligoté cet homme fort, comment s'emparera-t-on de ses dépouilles ? » Or, dès sa naissance, il a amené les premières dépouilles du diable — les Mages — à l'adorer[1]. Et qui plus est, avant même d'être enfanté, à l'époque de cette prophétie, il a mis fin à la puissance de Damas et de la Syrie par l'intermédiaire de l'Assyrien[2]. Ce qui suit le prouve : 4. *Car, avant que l'enfant sache appeler père ou mère, il prendra la puissance de Damas et les dépouilles de Samarie, en présence du roi d'Assyrie.* Lévi, cent soixante ans avant d'arriver à la vie de ce monde, a payé, dit-on, la dîme par l'intermédiaire d'Abraham, alors qu'il était caché dans les reins du Patriarche ; de façon identique, même avant sa naissance selon la chair, l'Emmanuel a tiré de Damas et de Samarie, par l'intermédiaire de l'Assyrien, un châtiment pour leurs agissements contre Jérusalem.

Contre Jérusalem et Juda : l'invasion assyrienne

Voilà comment le Maître a ordonné au prophète d'écrire devant les témoins les plus dignes de foi sur la tablette neuve, car il fallait que fût écrit sur une tablette neuve ce qui concernait un enfantement d'un type nouveau et étonnant. Il menace ensuite les habitants de Jérusalem et de Judée, parce qu'ils méprisent le royaume de David et lui préfèrent le roi de Damas et de Samarie ; il prédit aussi l'attaque du roi

comme les suppôts du diable dont la conversion s'opère dès la venue du Christ. L'interprétation de BASILE n'est pas fondamentalement différente : ces « dépouilles » sont pour lui les hommes de Damas et de Samarie qui, après la venue du Christ, ont eu la foi (30, 477 C - 480 A).

2. La ruine historique du royaume de Damas est donc la « figure » de celle qui attend le règne du diable ; cf. l'interprétation voisine d'EUSÈBE (*GCS* 55, 34 - 56, 6).

Ἀσσυρίων τὴν ἔφοδον, λέγει δὲ οὕτω · [5] **Καὶ προσέθετο κύριος λαλῆσαί μοι ἔτι · [6] Διὰ τὸ μὴ βούλεσθαι τὸν λαὸν τοῦτον τὸ ὕδωρ τοῦ Σιλωὰμ τὸ πορευόμενον ἡσυχῇ ἀλλὰ βούλεσθαι ἔχειν τὸν Ῥαασὶν καὶ τὸν υἱὸν τοῦ Ῥομελίου**
550 **βασιλέα ἐφ' ὑμῶν, [7] διὰ τοῦτο ἰδοὺ ἀνάγει κύριος ἐφ' ὑμᾶς τὸ ὕδωρ τοῦ ποταμοῦ τὸ ἰσχυρὸν καὶ τὸ πολύ, τὸν βασιλέα τῶν Ἀσσυρίων καὶ πᾶσαν τὴν δόξαν αὐτοῦ.** Ὕδωρ τοῦ Σιλωὰμ οὐ τὸν Ἄχαζ καλεῖ τὸν παράνομον ἀλλὰ τὸν ἐν (αὐτῷ) κρυπτόμενον βασιλέα τὸν Ἐμμανουὴλ προσαγο-
555 ρευθέντα, τὸν δεξάμενον προσηγορίαν Ταχέως - σκύλευσον - ὀξέως - προνόμευσον, περὶ οὗ εἴρηται · « Οὐκ ἐρίσει οὐδὲ κραυγάσει, οὐδὲ ἀκουσθήσεται ἐν ταῖς πλατείαις ἡ φωνὴ αὐτοῦ. » Οὕτω γὰρ καὶ ἐνταῦθα καλεῖται τὸ ὕδωρ τὸ πορευόμενον ἡσυχῇ. Ἐπειδὴ τοίνυν καὶ μετὰ τὴν πρόρρησιν
560 ταύτην προετίμων τὴν τῆς Σαμαρείας καὶ Δαμασκοῦ βασιλείαν, μάλα δικαίως αὐτοῖς τὸν βαρύτατον ἀπειλεῖ βασιλέα καὶ ποταμῷ ἀπεικάζει μεγίστῳ πλημμυροῦντι. **Καὶ ἀναβήσεται ἐπὶ πᾶσαν φάραγγα ὑμῶν καὶ περιπατήσει ἐπὶ πᾶν τεῖχος ὑμῶν [8] καὶ ἀφελεῖ ἀπὸ τῆς Ἰουδαίας ἄνθρωπον**
565 **ὃς δυνήσεται κεφαλὴν ἆραι ἢ δυνατὸν συντελέσασθαί τι. Καὶ ἔσται ἡ παρεμβολὴ αὐτοῦ ὥστε πληρῶσαι τὸ πλάτος τῆς χώρας σου.** Τ(αῦτα) καὶ ἡ τετάρτη τῶν Βασιλειῶν διδάσκει καὶ ἡ δευτέρα τῶν Παραλειπομένων καὶ ὁ προ(φή-της) Ἱερεμίας · πάντας γὰρ τοὺς δυνατοὺς ἀπαγαγὼν
570 ὀλίγους τῶν πενήτων τ(ῆς γῆς) κατέλιπε γεωργούς.

Μεθ' ἡμῶν ὁ θεός · [9] Γνῶτε ἔθνη καὶ ἡττᾶσθε, ἐπακο(ύσατε ἕως) ἐσχάτου τῆς γῆς, ἰσχυκότες ἡττᾶσθε. Τὸ μεθ' ἡμῶν ὁ

C : 572-576 τὸ — πολεμίων

N : 567-570 ταῦτα — γεωργούς ‖ 572-593 τὸ — ἐστιν (578-582 καὶ — νοητέον : καὶ τὰ ἑξῆς)

552 ὕδωρ K : +δὲ N ‖ 570 κατέλιπε N : κατέπεμπε K ‖ 572 τὸ KC : +δὲ N

556 Matth. 12, 19 ; cf. Is. 42, 2 567-570 cf. IV Rois 24, 14-16 ; Jér. 39, 9-10

1. Pour Chrysostome, l'expression « eau de Siloam » désigne le

d'Assyrie et parle en ces termes : 5. *Et, de nouveau, le Seigneur m'adressa la parole pour me dire encore :* 6. *Puisque ce peuple ne veut pas l'eau de Siloam qui coule paisiblement, mais que vous voulez avoir Rasin et le fils de Romélias comme rois sur vous,* 7. *eh bien, voici que le Seigneur pousse contre vous l'eau du Fleuve, puissante et abondante : le roi d'Assyrie et toute sa gloire.* Ce n'est pas Achaz l'inique qu'il appelle « eau de Siloam », mais le roi qui est caché en lui, celui qui a été appelé Emmanuel, celui qui a reçu le nom de « Dépouille — Rapidement — Pille — Promptement », lui dont il a été dit : « Il ne fera point de querelles ni de cris et l'on n'entendra pas sa voix sur les grands chemins. » De même, ici encore, on l'appelle « l'eau qui coule paisiblement[1] ». Donc, puisque même après cette prophétie ils avaient une préférence pour le royaume de Samarie et de Damas, il les menace très justement du roi le plus redoutable, qu'il compare à un très grand fleuve en crue. *Il passera par-dessus toutes vos digues et il se promènera sur tous vos remparts ;* 8. *il enlèvera de Judée tout homme qui pourra lever la tête ou sera capable d'accomplir quelque chose. Et son irruption sera telle qu'elle remplira l'étendue de ton pays.* Voilà les événements qu'apprennent le quatrième livre des Règnes, le deuxième des Paralipomènes et le prophète Jérémie : il a, en effet, déporté tous ceux qui étaient puissants et laissé un petit nombre de pauvres gens pour cultiver la terre.

Pouvoir universel de l'Emmanuel

Dieu avec nous ! 9. *Apprenez, Nations, et soyez vaincues ! écoutez, vous (tous) jusqu'aux extrémités de la terre, malgré votre force soyez vaincus.* L'expression « Dieu avec

roi de Jérusalem (Achaz) plein de douceur et de modération dans l'exercice du pouvoir (56, 93, l. 12 s.) ; or Théodoret rejette une telle interprétation pour appliquer la prophétie à l'Emmanuel comme le font Eusèbe (*GCS* 56, 17-23) et Basile (30, 480) qui fondent tous deux leur interprétation sur le sens de « Siloam » (ἀπεσταλμένος) donné par *Jn* 9, 7.

θεὸς « Ἐμμανουὴλ » παρὰ τῷ (Ἑβραίῳ) κεῖται. Ἐπειδὴ τοίνυν τὴν τούτου σύλληψιν καὶ τὸν τόκον προεθέσπι(σεν)
575 ὁ προφή(της), (εἰκότως) |110 b| ἐπ' αὐτῷ μέγα φρονεῖ καὶ γαυριᾷ κατὰ τῶν πο(λεμίω)ν καὶ λέγει τοῖς ἤδη νενι(κη)κόσιν Ἰσραηλίταις καὶ Σύροις · **Ἐὰν γὰρ πάλιν ἰσχύσητε, πάλιν ἡττηθήσεσθε.** [10] **Καὶ ἣν ἂν βουλὴν βουλεύσησθε διασκεδάσει κύριος, καὶ λόγον ὃν ἐὰν λαλήσητε οὐ μὴ ἐμμείνῃ**
580 **ἐν ὑμῖν, ὅτι μεθ' ἡμῶν ὁ θεός.** Ταῦτα μὲν οὖν κατὰ τὴν πρόχειρον ἔννοιαν καὶ κατὰ τὴν τῶν προηρμηνευμένων ἀκολουθίαν νοητέον. Ἐπειδὴ δὲ τοὺς τὰς ἐσχατιὰς κατοικοῦντας ὁ προφήτης ἐκάλεσε καὶ αὐτοῖς προλέγει τὴν ἧτταν, ἀληθέστερον ἄν τις ταῦτα τοῖς ἱεροῖς ἀποστόλοις
585 προσαρμόσειε τὰ ῥήματα. Ἐκεῖνοι γὰρ τὴν οἰκουμένην περινοστοῦντες ἐβόων τό · Μεθ' ἡμῶν ὁ θεός, γνῶτε ἔθνη καὶ ἡττᾶσθε, καταδέξασθε τὴν σωτήριον ἧτταν, ὑποτάγητε τῷ κυρίῳ καὶ ἱκετεύσατε αὐτόν, φύγετε τῶν δαιμόνων τὴν δεσποτείαν καὶ τὴν ἀγαθὴν τοῦ κυρίου δουλείαν ἀσπάσασθε ·
590 κἂν γὰρ νῦν ἀντείπητε καὶ τὸν καθ' ἡμῶν τυρεύσητε θάνατον, ἀλλὰ μικρὸν ὕστερον ἡττηθήσεσθε, καὶ τὰς πονηρὰς ὑμῶν βουλὰς διασκεδάσει τῶν ὅλων ὁ κύριος · μεθ' ἡμῶν γὰρ οὗτός ἐστιν. Σαφέστερον δὲ οἱ Τρεῖς ἡρμήνευσαν τὸ χωρίον · « Συναθροίσθητε λαοὶ καὶ ἡττᾶσθε, καὶ ἐνωτίσασθε πάντα
595 τὰ πόρρωθεν τῆς γῆς, περιζώννυσθε καὶ ἡττάσθε καὶ πάλιν ζώννυσθε καὶ ἡττᾶσθε · βουλεύσεσθε βουλὴν καὶ διασκεδασθήσεται, λαλήσετε λόγον καὶ οὐ στήσεται · μεθ' ἡμῶν γὰρ ὁ θεός. » Ταῦτα πᾶσι τοῖς τὴν οἰκουμένην οἰκοῦσιν ὁ προφητικὸς λόγος παρεγγυᾷ ὅτι, κἂν μυριάκις περιζώσωνται
600 καὶ παρατάξωνται κατὰ τῶν ἱερῶν ἀποστόλων, ὕστερον ἡττηθήσονται · ὁ γὰρ Ἐμμανουὴλ ἔχει κατὰ πάντων τὸ κράτος.

C : 584-589 ἀληθέστερον — ἀσπάσασθε

N : 593-602 σαφέστερον — κράτος

581 τὴν N : > K ‖ 582 κατοικοῦντας K : οἰκοῦντας N ‖ 585 προσαρμόσειε Br. Po. : -σει K -σοι C -σῃ N ‖ 589 δεσποτείαν KC : ἐξουσίαν N ‖ 593 χωρίον K : +τοῦτο N ‖ 596 διασκεδασθήσεται N : διασκεδασθήσεσθε K

nous » se trouve dans le texte hébreu sous la forme « Emmanuel »[1]. Puisque le prophète a prophétisé sa conception et sa naissance, il s'enorgueillit donc à juste titre de lui, en tire fierté contre les ennemis et déclare aux Israélites et aux Syriens qui ont déjà remporté la victoire : *Car, si à nouveau vous êtes forts, à nouveau vous serez vaincus.* 10. *Tout projet que vous ferez, le Seigneur le brisera et tout plan que vous discuterez ne subsistera pas en vous : car Dieu est avec nous !* Il faut donc comprendre cela selon le sens obvie et en relation avec les explications précédentes. Mais, puisque le prophète a lancé son appel à ceux qui habitent les extrémités de la terre et qu'il leur annonce la défaite, on pourrait à plus juste titre appliquer ces paroles aux saints apôtres. De fait, ce sont eux qui faisaient le tour du monde sans cesser de crier : Dieu avec nous ! Apprenez, Nations, et soyez vaincues ! Acceptez la défaite salvatrice, soumettez-vous au Seigneur et venez le supplier ! Fuyez le pouvoir despotique des démons et embrassez le bon esclavage du Seigneur ! Car, même si maintenant vous marquez votre refus et si vous machinez la mort contre nous, vous serez malgré tout vaincues un peu plus tard et le Seigneur de l'univers brisera vos projets pervers : car il est avec nous ! D'autre part, les trois interprètes ont plus clairement traduit ce passage : « Rassemblez-vous, peuples, et soyez vaincus ! Écoutez, vous tous les confins de la terre, ceignez vos armes et soyez vaincus ! Ceignez-les de nouveau, et soyez vaincus ! Vous ferez un projet : il sera brisé ; vous discuterez d'un plan : il ne tiendra pas ; car Dieu est avec nous ! » Voici ce que le texte prophétique fait savoir à tous les habitants du monde : ils auront beau ceindre dix mille fois leurs armes et se ranger en bataille contre les saints apôtres, plus tard ils seront vaincus : car l'Emmanuel détient sur tous le pouvoir.

1. Même remarque chez Eusèbe (*GCS* 57, 5-9), tandis que Chrysostome entend la prophétie de la victoire accordée par Dieu à Ézéchias (56, 94, l. 18 s.).

[11] **Οὕτως λέγει κύριος· Τῇ ἰσχυρᾷ χειρὶ ἀπειθοῦσι καὶ τῇ πορείᾳ τῆς ὁδοῦ τοῦ λαοῦ τούτου λέγοντες· [12] Μὴ εἴπητε**
605 **σκληρόν. Πᾶν γὰρ ὃ ἐάν εἴπῃ ὁ λαὸς οὗτος σκληρόν ἐστιν.** Ὁρῶσί φησι τῆς τοῦ θεοῦ δεξιᾶς τὴν ἰσχὺν καὶ τὰ ὑπὸ ταύτης γιγνόμενα θαύματα καὶ ἀντιλέγουσι τὰ αὐτὰ Ἰουδαίοις τολμῶντες καὶ τὴν ἐκείνων πορείαν μιμούμενοι· καὶ γὰρ Ἰουδαῖοι τοῖς ἱεροῖς παρηγγύων ἀποστόλοις τὸν δεσπότην
610 μὴ κηρύττειν Χριστόν. « Οὐ παραγγελίᾳ » γὰρ ἔλεγον « παρηγγείλαμεν ὑμῖν μὴ λαλεῖν ἐπὶ τῷ ὀνόματι τούτῳ; καὶ ἰδοὺ πεπληρώκατε τὴν Ἱερουσαλὴμ τῆς διδαχῆς ὑμῶν. » Τοῦτον ἐνταῦθα καλεῖ σκληρὸν ὡς τῇ πονηρᾷ τῶν Ἰουδαίων οὐκ ἀρέσκοντα γνώμῃ.

615 Ἀλλ' ὅμως παρεγγυᾷ διὰ τοῦ προφήτου τὸ πανάγιον πνεῦμα μὴ φοβεῖσθαι τούτων τὰς ἀπειλάς. Τοῦτο γὰρ ἐπήγαγεν· **Τὸν δὲ φόβον αὐτοῦ,** ⟨τουτέ⟩στι τοῦ λαοῦ τούτου, **οὐ μὴ φοβηθῆτε οὐδ' οὐ μὴ ταραχθῆτε ἀπ' αὐτῶν.** Οὕτω καὶ τῷ θείῳ ⟨Παύ⟩λῳ καθειρχθέντι ἔφη ὁ δεσπότης Χριστός·
620 « Μὴ φοβοῦ Παῦλε· ὡς γὰρ διεμαρτύρω τὰ περὶ ἐμοῦ εἰς Ἱ(ερου)σαλήμ, οὕτως σε δεῖ καὶ εἰς Ῥώμην μαρτυρῆσαι. » Καὶ τὴν μεγάλην δὲ ξυνωρίδα τῶν ἀποστόλων, Πέτρον καὶ Ἰωάννην, τῶν δεσμῶν ἀπαλλάξας παρηγγύησεν ἀδεῶς ἐν τῷ ἱερῷ προσενεγκεῖν ⟨τῷ λαῷ⟩ τὰ ῥήματα τῆς
625 ζωῆς. Οὕτω κἀνταῦθα τὸν ἀνθρώπινον ἐξώρι(σε φόβ)ον, ἐκέλευσε (δὲ) τὸν τῶν ὅλων φοβεῖσθαι θεόν. [13] **Κύριον** γάρ φησιν **αὐτὸν ἁγιάσατε· καὶ αὐτὸς ἔσται σου φόβος.**

Εἶτα (δείκνυσι) τοῦδε τοῦ φόβου τὸ κέρδος· **Καὶ ἐὰν ἐπ' αὐτῷ πεποιθὼς ᾖς, [14] ἔσται σοι εἰς ἁγίασμα· (καὶ οὐδ')**

C : 606-610 ὁρῶσι — Χριστόν

N : 606-614 ὁρῶσι — γνώμῃ ‖ 615-627 παρεγγυᾷ — φόβος (616-618 τοῦτο — αὐτῶν>) ‖ 628-638 εἶτα — γλώττης (628-631 καὶ — τοῦ>)

606 ὁρῶσι KCE : εἰ καὶ ὁρῶσι τοίνυν N ‖ 607 γιγνόμενα C : γινόμενα KN ‖ θαύματα CN : θαυμαστὰ K ‖ καὶ KC : ἀλλὰ N ‖ τὰ αὐτὰ Ἰουδαίοις KN : ταὐτὰ Ἰουδαῖοι C ‖ 609 παρηγγύων KNE : παρεγγύων C ‖ 615 παρεγγυᾷ K : +γοῦν N^p +οὖν N^1 ‖ 615-616 πανάγιον πνεῦμα K : πνεῦμα τὸ ἅγιον N ‖ 618 οὕτω NE : τοῦτο K

11. *Ainsi parle le Seigneur: Ils désobéissent à ma main puissante et au trajet que suit la route de ce peuple en disant:* 12. *Ne dites pas: c'est dur! Car tout ce que peut dire ce peuple est dur.* Ils voient, dit-il, la force de la droite de Dieu et les merveilles qu'elle accomplit ; ils marquent, pourtant, leur refus avec les mêmes audaces que les Juifs dont ils imitent la conduite. De fait, les Juifs interdisaient aux saints apôtres de proclamer notre Maître le Christ : « Ne vous avons-nous pas prescrit formellement, disaient-ils, de ne pas parler en ce nom? et voici que vous avez rempli Jérusalem de votre doctrine. » C'est le Christ qu'il appelle ici « dur », parce qu'il ne plaisait pas à l'esprit pervers des Juifs.

Dieu délivre ses serviteurs de la crainte

Néanmoins, le très saint Esprit, par l'intermédiaire du prophète, ordonne de ne pas craindre leurs menaces. Voici, en effet, ce qu'il a ajouté : *Et sa crainte*, c'est-à-dire (la crainte qu'inspire) ce peuple, *vous ne la craindrez pas, et vous ne serez pas troublés par eux.* De même, lorsque le divin Paul fut emprisonné, le Christ notre Maître lui dit : « Ne crains pas, Paul, de même que tu as rendu témoignage de moi à Jérusalem, ainsi il te faut encore témoigner à Rome. » Et, lorsqu'il eut tiré de ses liens le grand couple des apôtres — Pierre et Jean —, il lui recommanda de présenter sans crainte au peuple dans le Sanctuaire les paroles de la vie. De même, ici aussi, il a banni la crainte qui vient des hommes et ordonné de craindre le Dieu de l'univers : 13. *Sanctifiez*, dit-il, *le Seigneur, lui seul: et c'est lui qui sera ta crainte.*

Puis il montre le profit que l'on retire de cette crainte : *Et si tu as mis en lui ta confiance*, 14. *il sera pour toi un*

|| 625 οὕτω N : τοῦτο K || 627 σου N : ὁ K || 628 εἶτα — φόβου K : δείκνυσι τοιγαροῦν τοῦ φόβου τοῦ κυρίου N

610 Act. 5, 28   620 Act. 23, 11   622-625 cf. Act. 5, 19-20

630 **ὡς λίθου προσκόμματι συναντήσεσθε οὐδ' ὡς πέτρας πτώματι.** Ἀντὶ τοῦ · ⌊αὐτὸς ὑμ⌋ᾶς ἁγιάσει, αὐτὸς ὑμᾶς ποδηγήσει, κατευθυνεῖ, τὴν ὁδὸν λείαν ἐργάσεται, οὐ⌊κ ἐάσει⌋ προσπταῖσαι. Τούτου τοῦ λίθου ὁ μακάριος ἐμνημόνευσε Παῦλος. Τὴν αἰτίαν γὰρ τῆς ⌊Ἰουδαίων ἀ⌋πιστίας διδάσκων τήνδε
635 τὴν μαρτυρίαν παρατέθεικεν · « Προσέκοψαν γὰρ ⌊τῷ λίθῳ τοῦ⌋ προσκόμματος. » Καὶ ἐπειδὴ (τὸ) αὐτὸ πνεῦμα διά τε προφητικῆς |111 a| δι(ά τε) ἀποστολικῆς ἐφθέγξατο γλώττης, εἰκότως ἐπήγαγεν · **Οἱ δὲ οἶκοι Ἰακὼβ ἐν παγίδι, καὶ ἐν κοιλώματι ἐγκαθήμενοι ἐν Ἱερουσαλήμ.** Οἴκους ἐκά-
640 λεσε καὶ οὐκ οἶκον διὰ τὴν τῆς βασιλείας διαίρεσιν καὶ σημαίνει κατὰ ταὐτὸν τόν τε τοῦ Ἐφραὶμ οἶκον καὶ τὸν τοῦ Ἰούδα · καὶ οὗτοι δὲ κἀκεῖνοι εἶχον πρόγονον τὸν Ἰακώβ. Διδάσκει δὲ ἡ προφητεία, ὡς οἱ μὲν τῷ κυρίῳ πιστεύσαντες αὐτὸν ἔχουσι ποδηγὸν καὶ τὰς κατὰ τὴν ὁδὸν ἐξευμαρίζοντα
645 δυσκολίας, οἱ δὲ ἀπιστήσαντες τῶ<ν> οἴκω<ν> Ἰακὼβ ὡς ἐν παγίδι τινὶ καὶ ἐν κοιλώματι ἢ « σκώλῳ » κατὰ τὸν Ἀκύλαν ἢ « σκανδάλῳ » κατὰ τοὺς Ἄλλους κάθηνται ἐν Ἱερουσαλήμ, ἐν ᾗ παντελῶς αὐτοὺς ὁ Ῥωμαϊκὸς πόλεμος καταλύσει καὶ ὡς ἐν παγίδι θηρεύσει.

650 15 **Διὰ τοῦτο ἀδυνατήσουσιν ἐν αὐτοῖς πολλοὶ καὶ πεσοῦνται καὶ συντριβήσονται καὶ ἐγγιοῦσι καὶ ἁλώσονται ἄνθρωποι ἐν ἀσφαλείᾳ.** Τὸ ἀδυνατήσουσιν ὁ μὲν Σύμμαχος « προσκόψουσιν » εἴρηκεν, ὁ δὲ Ἀκύλας « σκανδαλωθήσονται ». Προσπταίσαντες γὰρ τῷ τοῦ κυρίου σταυρῷ καὶ ἔπεσον

N : 639-658 οἴκους — πολεμίοις (650-652 διὰ — ἀσφαλείᾳ>)

630 λίθου e tx. rec. : +πρὸς λίθου K || 631 ἁγιάσει K : +λέγων N || 635 λίθῳ N : +φησὶ E || 636 καὶ K : > N || 638 γλώττης N : γλώσσης K || δὲ e tx. rec. : +οἱ K || 639 οἴκους KE : ἢ οἴκους N || 640 καὶ οὐκ οἶκον KE : > N || 641 τοῦ² N : τῆς K || 645 τῶν οἴκων Ἰακὼϐ Po. : τῷ οἴκῳ Ἰακὼϐ K > NE || 646 σκώλῳ NE : σκωλωπα K σκόλοπι R || 652 τὸ K : +δὲ N || 653 σκανδαλωθήσονται N : σκανδαλισθήσονται K

635 Rom. 9, 32

sanctuaire et vous n'achopperez pas comme on heurte une pierre ou comme on trébuche sur un caillou. Ce qui revient à dire : c'est lui qui vous sanctifiera, c'est lui qui guidera vos pas, qui vous dirigera en droite ligne, qui rendra la route unie, qui ne vous laissera pas trébucher. De cette pierre, le bienheureux Paul a fait mention. Pour apprendre la cause de l'incrédulité des Juifs, voici le témoignage qu'il a déposé : « Car ils ont trébuché sur la pierre d'achoppement. » Et, puisque le même Esprit a parlé par la bouche du prophète et par celle de l'Apôtre[1], il a ajouté à juste titre : *Les Maisons de Jacob (sont) dans un filet, et dans un gouffre ceux qui résident à Jérusalem.* Il a dit « les Maisons » et non pas « la Maison » à cause de la division du royaume, et il désigne à la fois la Maison d'Éphraïm et celle de Juda : les uns et les autres avaient Jacob pour ancêtre[2]. La prophétie enseigne que ceux qui ont cru au Seigneur ont en lui un guide, quelqu'un qui est capable d'aplanir les difficultés de la route ; tandis que les incrédules des Maisons de Jacob demeurent dans Jérusalem comme dans un filet et dans un gouffre ou bien, selon Aquila, « pour servir d'obstacle » ou, selon les autres interprètes, « de scandale ». C'est dans Jérusalem que la guerre menée par Rome les détruira complètement et les prendra comme dans un filet.

15. *C'est pourquoi beaucoup parmi eux seront sans force ; ils tomberont et ils seront foulés aux pieds ; ils s'approcheront et ils seront pris au milieu de leur sécurité.* Au lieu de « ils seront sans force », Symmaque a dit : « ils trébucheront » et Aquila : « ils seront scandalisés ». De fait, ils se heurtèrent à la croix du Seigneur et tombèrent ; ils furent foulés aux

1. Théodoret aime à marquer l'unité d'inspiration de l'Écriture et notamment celle de l'A. et du N.T., cf. *In Is.*, 12, 320-322, *In Ez.*, 81, 1073 B.

2. Eusèbe justifie également le pluriel par l'existence de deux « Maisons d'Israël » (*GCS* 58, 8-11), mais la parenté des interprétations se limite à cela.

655 καὶ συνετρίβησαν καὶ ἑάλωσαν ὑπὸ τῶν πολεμίων ὡς ἐν πανάγρῳ τινὶ συλληφθέντες τῇ πόλει. Ἀσφάλειαν γὰρ τοὺς περιβόλους ἐκάλεσεν ὡς φρουρήσαντας αὐτοὺς καὶ παραδεδωκότας τοῖς πολεμίοις.

[16] **Τότε φανεροὶ ἔσονται οἱ σφραγιζόμενοι τὸν νόμον** 660 **τοῦ μὴ μαθεῖν.** Τοὺς τῇ χάριτι προσεληλυθότας διὰ τούτων δεδήλωκεν οἷόν τινας σφραγῖδας ἐπιτιθέντας τῷ νόμῳ καὶ πολιτεύεσθαι κατὰ τοῦτον οὐ βουλομένους. Σαφέστερον δὲ οἱ Τρεῖς ἡρμηνεύκασι· « Δῆσον τὸ μαρτύριον, σφράγισον νόμον ἐν διδακτοῖς μου. » Περιττὸς γὰρ οὗτος τοῖς ἐμοῖς 665 διδακτοῖς. Περὶ τούτων τῶν διδακτῶν καὶ ἕτερος ἔφη προφήτης· « Ἔσονται πάντες διδακτοὶ θεοῦ. » [17] **Καὶ ἐρεῖ⟨ς⟩**, τουτέστιν ὁ πεπιστευκώς· **Μενῶ τὸν θεὸν τὸν ἀποστρέψαντα τὸ πρόσωπον αὐτοῦ ἀπὸ τοῦ οἴκου Ἰακὼβ καὶ πεποιθὼς ἔσομαι ἐπ' αὐτῷ.** Ὁρῶν γὰρ τοὺς ἀπιστή- 670 σαντας τοῦ οἴκου Ἰακὼβ ἐρήμους τῆς ἐμῆς κηδεμονίας γεγενημένους, βεβαιότερόν μοι πιστεύσεις καὶ τὰς ἐμὰς ἀναμενεῖς ὑποσχέσεις.

[18] **Ἰδοὺ ἐγὼ καὶ τὰ παιδία ἅ μοι ἔδωκεν ὁ θεός.** Ταύτην ἐπὶ τοῦ κυρίου τὴν μαρτυρίαν τέθεικεν ὁ μακάριος Παῦλος. 675 Εἰρηκὼς γὰρ τὸ « ἀπαγγελῶ τὸ ὄνομά σου τοῖς ἀδελφοῖς μου, ἐν μέσῳ ἐκκλησίας ὑμνήσω σε » ἐπήγαγεν· « Καὶ πάλιν· Ἰδοὺ ἐγὼ καὶ τὰ παιδία ἅ μοι ἔδωκεν ὁ θεός », εἶτα τοῖς ῥητοῖς τὴν ἑρμηνείαν προσήνεγκεν· « Ἐπεὶ οὖν τὰ παιδία κεκοινώνηκε σαρκὸς καὶ αἵματος, παρα- 680 πλησίως καὶ αὐτοὺς μετέσχηκε τῶν αὐτῶν παθημάτων, ἵνα διὰ τοῦ θανάτου καταργήσῃ τὸν τὸ κράτος ἔχοντα τοῦ θανάτου. » Καὶ τὰ ἐπιφερόμενα δὲ αὐτοῖς τῆς ἀκολουθίας

C : 660-662 τοὺς — βουλομένους ‖ 667 τουτέστιν ὁ πεπιστευκώς

N : 660-666 τοὺς — θεοῦ ‖ 667-672 ἐρεῖς — ὑποσχέσεις (669 καὶ — αὐτῷ >) ‖ 673-682 ταύτην — θανάτου

655 καὶ[1] N : > K ‖ ἑάλωσαν N : ἥλωσαν KE ‖ 660 χάριτι KCE : +οὖν N ‖ 661 δεδήλωκεν KCE : ἐδήλωσεν N ‖ ἐπιτιθέντας KC : ἐπιτεθέντας E ἐπιθέντας N ‖ 665 καὶ K : > N ‖ 667 ἐρεῖ K : γάρ φησι N ‖ τουτέστιν KN : +σὺ C ‖ 671 πιστεύσεις KE : πιστεύσει N ‖ 672 ἀναμενεῖς K : ἀναμενεῖ N ‖ 673 ταύτην KE : +τοίνυν N ‖ 674

pieds et pris par les ennemis pour s'être rassemblés dans la cité comme dans un grand filet. Il a, en effet, appelé les remparts « sécurité », parce qu'ils les ont gardés pour les livrer aux ennemis.

Supériorité de la Loi nouvelle

16. *Alors, on verra à l'évidence ceux qui scellaient la Loi pour ne pas l'apprendre.* Il a fait voir par là que ceux qui se sont approchés de la grâce ont placé comme des sceaux sur la Loi et qu'ils ne veulent pas se conduire selon ses exigences. Les trois interprètes ont, du reste, traduit de manière plus claire : « Enferme le témoignage, scelle la Loi parmi mes disciples. » Car la voici inutile pour mes disciples. Au sujet de ces disciples, un autre prophète a dit à son tour : « Et ils seront tous disciples de Dieu. »
17. *Et tu diras* — c'est-à-dire : toi qui as cru — : *J'attendrai Dieu qui a détourné sa Face de la Maison de Jacob et je mettrai ma confiance en Lui.* Parce que tu verras que les incrédules de la Maison de Jacob ont été privés de ma sollicitude, tu croiras plus fermement en moi et tu attendras patiemment les promesses que j'ai faites.

18. *Nous voici, moi et les enfants que Dieu m'a donnés.* Le bienheureux Paul a appliqué ce témoignage au Seigneur. Lorsqu'il eut dit : « J'annoncerai ton nom à mes frères ; au milieu de l'assemblée je te chanterai », il a ajouté : « Et encore : Nous voici, moi et les enfants que Dieu m'a donnés » ; puis il a fait suivre ces paroles de ce commentaire : « Puisque les enfants avaient en commun la chair et le sang, il a donc lui aussi participé semblablement à ce même état, afin de réduire à néant par sa mort celui qui détient la puissance de la mort. » Les mots qui figurent après ceux-là se rattachent à la suite du passage : *Et il y*

κυρίου KE : Χριστοῦ N || 680 μετέσχηκε Mö. : μετασχηκὼς K μετέσχε N || 681 διὰ N : δὲ K

666 Jn 6, 45 ; cf. Is. 54, 13   675 Hébr. 2, 12-14

ἐξήρτηται · **Καὶ ἔσται σημεῖα καὶ τέρατα ἐν τῷ οἴκῳ Ἰσραὴλ παρὰ κυρίου Σαβαὼθ ὃς κατοικεῖ ἐν τῷ ὄρει Σιών.** Ταῦτα δὲ
685 τὰ παιδία τοῖς σημείοις οἱ Ἄλλοι συνῆψαν Ἑρμηνευταί. Οὕτω γὰρ οἱ Τρεῖς συμφώνως ἔφασαν · « (Ἰδοὺ ἐγὼ) καὶ τὰ παιδία ἅ μοι ἔδωκεν ὁ θεὸς εἰς σημεῖα καὶ εἰς τέρατα ἐν Ἰσραὴλ παρὰ κυρίου τῶν δυ(νάμεων) τοῦ κατοικοῦντος ἐν ὄρει Σιών. » Σαφέστερον τοίνυν ἡμῖν τὸν ἀποστολικὸν
690 χορὸν καὶ (ἄκοντες) δεδηλώκασιν οὗτοι · δεδόσθαι γὰρ ἔφασαν τὰ παιδία εἰς σημεῖα καὶ τέρατα ἐν Ἰσραήλ. Μαρτ(υρεῖ) δὲ τῇ προρρήσει ἡ ἔκβασις · διὰ τούτων γὰρ μετὰ τὴν τοῦ σωτῆρος ἀνάληψιν τὰ μυρία (ἐθαυμα)τουργήθη σημεῖα εἰς ὠφέλειαν καὶ τοῦ Ἰσραὴλ καὶ πάσης τῆς
695 οἰκουμένης.

[19] **Καὶ ἐὰν (εἴ)πωσ(ι πρὸς) ὑμᾶς · Φωνήσατε τοὺς ἐγγαστριμύθους καὶ τοὺς ἀπὸ τῆς γ(ῆς) φωνοῦντας τ(οὺς) κενολογοῦντας οἳ ἐκ τῆς κοιλίας φωνήσ(ουσιν), οὐκ ἔθνος πρὸς θεὸν αὐτοῦ, ὅτι (ἐκζητοῦσι)** |111 b| **περὶ τῶν ζώντων**
700 **τοὺς νεκρούς ;** Τῆς ἀντιτύπου γνώμης τῶν Ἰουδαίων διὰ τούτων κατηγορεῖ · τῇ γὰρ πλάνῃ παρὰ πάντα τὸν βίον δεδουλευκότες καὶ νεκυίαις κεχρημένοι καὶ τοὺς νεκροὺς περὶ τῶν ζώντων ἐρωτῶντες καὶ τοὺς στερνομάντεις περισκοποῦντες τοῖς ἀληθέσι τῶν ἀποστόλων οὐκ ἐπίστευσαν
705 θαύμασιν. Καίτοι τὸν νόμον ἐπίκουρον σωτηρίας ἐδέξαντο, καὶ δώρων οὗτος δίχα πρὸς τὴν ἀλήθειαν ἐποδήγει · [20] **Νόμον γάρ** φησιν **εἰς βοήθειαν ἔδωκεν, ἵνα μὴ εἴπωσιν ὡς τὸ ῥῆμα τοῦτο, περὶ οὗ οὐκ ἔστι δῶρα δοῦναι περὶ αὐτοῦ.**

C : 701-706 τῇ — ἐποδήγει

N : 684-695 ταῦτα — οἰκουμένης || 700-706 τῆς — ἐποδήγει

687 εἰς² N : > K || 691 ἔφασαν KE : ἔφησαν N || 700 τῆς KE : ἡ τῆς N || 702 νεκυίαις C : νεκύεσι K νεκρομάντεσι N¹ νεκρομαντίαις Nᵖ

1. Ce passage de critique textuelle est intéressant : même une faute (?) de lecture peut avoir une signification. Eusèbe (*GCS* 60,

aura des signes et des prodiges dans la Maison d'Israël, de la part du Seigneur Sabaoth qui habite sur la montagne de Sion. Pourtant, les autres interprètes ont mis « ces enfants » en relation avec les signes. C'est ainsi que les trois interprètes ont dit avec un ensemble parfait : « Nous voici, moi et les enfants que Dieu m'a donnés, pour être des signes et des prodiges en Israël de la part du Seigneur des Puissances qui habite sur la montagne de Sion. » Ainsi, plus clairement, bien que de façon involontaire, ils nous ont fait voir le chœur des apôtres, puisqu'ils ont dit que « les enfants ont été donnés pour être des signes et des prodiges en Israël »[1]. Or, ce qui s'est accompli témoigne en faveur de la prophétie : c'est grâce à eux qu'après l'ascension du Sauveur une infinité de signes a été miraculeusement opérée dans l'intérêt d'Israël et du monde entier.

Incrédulité des Juifs

19. *Et si l'on vous dit : Consultez les ventriloques, ceux dont la voix sort de terre, les diseurs de rien dont la voix vient d'une cavité ; une nation ne (s'adresse-t-elle) pas à son dieu, puisqu'on consulte les morts au sujet des vivants?* Par là il accuse les Juifs d'avoir l'esprit d'opposition : alors que pendant toute leur vie ils ont été esclaves de l'erreur, qu'ils ont pratiqué les évocations de morts, qu'ils interrogeaient les morts au sujet des vivants et qu'ils prêtaient attention aux devins ventriloques, ils n'ont pas accordé foi aux miracles véritables qu'accomplissaient les apôtres. Et pourtant, ils ont reçu la Loi pour les aider (à atteindre) le salut ; sans exiger de présents, elle guidait leurs pas vers la vérité : 20. *Car il a*, dit-il, *donné la Loi pour les secourir, de peur qu'ils ne disent une parole de ce genre : il n'est pas possible de faire des présents en ce qui la concerne.*

5-12) donne également cette variante et applique lui aussi le texte aux disciples et aux apôtres du Christ, auteurs de signes et de prodiges.

Ἐπειδὴ δὲ οὔτε τῷ νόμῳ πείθεσθε ποδηγοῦντι οὔτε τοῖς
710 ἀποστόλοις δᾳδουχοῦσι πρὸς τὴν ἀλήθειαν ἀλλὰ μόνην τὴν
πλάνην ἀσπάζεσθε, ταῖς πολλαῖς ὑμᾶς περιβαλῶ συμφοραῖς·
**21 Ἥξει γὰρ ἐφ' ὑμᾶς σκληρὰ λιμός, καὶ ἔσται, ὡς ἐὰν
πεινάσητε, λυπηθήσεσθε καὶ κακῶς ἐρεῖτε τὸν ἄρχοντα
καὶ τὰ πάτρια.** Ἔνια δὲ τῶν ἀντιγράφων « πάτ{αχ}ρα »
715 ἔχει. Καὶ αὕτη ἡ διάνοια καὶ τῷ Ἑβραίῳ σύμφωνος καὶ
τοῖς Ἄλλοις Ἑρμηνευταῖς· τὸ γὰρ παταχρ(ὴ) Σύρων μέν
ἐστιν ὄνομα, σημαίνει δὲ τῇ Ἑλλάδι φωνῇ τὰ εἴδωλα.
Ταῦτα δὲ ὁ Ἑβραῖος « βελ(οαῦ) » καλεῖ, διὸ δὴ καὶ οἱ
Τρεῖς, Ἀκύλας καὶ Σύμμαχος καὶ Θεοδοτίων, οὕτως
720 ἡρμήνευσαν· « Καὶ καταρᾶται ἐν βασιλεῖ αὐτοῦ καὶ ἐν
θ(εοῖς) αὐτοῦ. » Καὶ γὰρ ὁ Ἑβραῖος τὸν ἄρχοντα « βασιλέα »
κέκληκεν. Τὴν ὑπερβολὴν δὲ τοῦ λιμοῦ διὰ τούτων ἐσήμανεν·
τοσαύτη γάρ φησιν ἔσται ἔνδεια ὡς καὶ τοὺς ἄρχοντας καὶ
τοὺς παρ' ὑμῶν σεβομένους καὶ προσκυνουμένους βλασφη-
725 μηθῆναι θεούς.

**Καὶ ἀναβλέψονται εἰς τὸν οὐρανὸν ἄνω 22 καὶ εἰς τὴν
γῆν κάτω ἐμβλέψονται, καὶ ἰδοὺ ἀπορία στενὴ καὶ σκότος,
θλῖψις καὶ στενοχωρία καὶ σκότος ὥστε μὴ βλέπειν· 23 καὶ
οὐκ ἀπορηθήσεται ὁ ἐν τῇ στενοχωρίᾳ ὢν ἕως καιροῦ.** Πάντα
730 φησὶ περισκοπήσεις, τὸν οὐρανόν, τὴν γῆν, τοὺς ἄρχοντας,
τὰ εἴδωλα, καὶ πάντα σοι ἔσται ἄπορα· καὶ ἡ τῆς θλίψεως
ὑπερβολὴ σκότος αὐτοσχέδιον ἐπιπάσει σοι, καὶ τοῦτο
οὐδενὶ περιωρισμένον καιρῷ ἀλλ' ἕως θανάτου ταῦτά σοι
καθέλξει τὰ ἀλγεινά, τοῦτο γὰρ σημαίνει τό· οὐκ ἀπορη-
735 θήσεται ὁ ἐν τῇ στενοχωρίᾳ ὢν ἕως καιροῦ — ἀντὶ τοῦ·
οὐ μέτρῳ τινὶ χρόνου ταῦτα περιώρισται, ἀλλ' ἀεὶ ἐν τούτοις
ἔσονται.

C : 709-711 ἐπειδὴ — συμφοραῖς

N : 709-725 ἐπειδὴ — θεούς || 729-737 πάντα — ἔσονται

709 ἐπειδὴ δὲ KC : ἁπλῶς δὲ εἰπεῖν ἐπειδή φησι N || 720 βασιλεῖ K : βασιλείᾳ N[1] βασιλείαις N[p] || 721 θεοῖς N : θεῷ (?) K || 724 σεβομένους καὶ K : > N || προσκυνουμένους K : +ὑφ' ὑμῶν N || 727 ἀπορία στενὴ e tx. rec. : ἀπορίας σκηνὴ K || 729 πάντα K : ἢ καὶ οὕτως πάντα N || 733-734 σοι καθέλξει K : σε καθέξει N || 736 ἀλλ' K : ἀλλὰ N

L'idolâtrie des Juifs et son châtiment

Pourtant, puisque vous n'obéissez pas à la Loi qui guide vos pas ni aux apôtres qui vous conduisent vers la vérité, mais que vous chérissez la seule erreur, je vais vous frapper d'une foule de calamités : 21. *En effet, va s'abattre sur vous une famine tenace, et il arrivera qu'en proie à la faim vous serez dans l'affliction et que vous maudirez votre chef et vos dieux ancestraux.* Quelques copies portent : « patachra ». Et ce sens s'accorde avec le texte de l'hébreu et celui de tous les autres interprètes ; car « patachré » est un mot syrien qui signifie en langue grecque « les idoles »[1]. Or, ce sont elles que l'hébreu appelle « béloau », et c'est pourquoi les trois interprètes — Aquila, Symmaque et Théodotion — ont traduit de cette manière : « Il fait des imprécations contre son roi et contre ses dieux. » En effet, l'hébreu a appelé « roi » le chef. Par là, il a signifié l'ampleur démesurée de la famine : si grande sera la disette, dit-il, que les chefs et les dieux que vous vénérez et adorez seront maudits.

Ils élèveront leurs regards vers le ciel 22. *et les abaisseront vers la terre; voici le dénuement extrême et les ténèbres, l'accablement, la détresse et les ténèbres, de sorte qu'ils ne voient pas;* 23. *celui qui est dans la détresse ne sera pas dans le dénuement pour un moment.* Tu parcourras tout du regard, dit-il, — le ciel, la terre, les chefs, les idoles — et tout sera pour toi sans résultat. La grandeur excessive de l'accablement répandra sur toi des ténèbres inattendues : aucun moment ne les limitera mais jusqu'à la mort elles t'apporteront ces souffrances ; telle est la signification du passage : « Celui qui est dans la détresse ne sera pas dans le dénuement pour un moment », ce qui revient à dire : cela n'est pas limité à un espace de temps, mais ils demeureront toujours dans cet état.

1. Sur l'importance de cette variante pour apprécier la connaissance du syriaque par Théodoret, cf. Introd., ch. II, p. 50.

Οὕτω τοῖς ἀπιστοῦσι ταῦτα προαγορεύσας πρὸς τὸν τῶν ἀποστόλων μεταβαίνει χορὸν καί φησιν · **Τοῦτο πρῶτον**
740 **πίε, ταχὺ ποίει χώρα Ζαβουλών, γῆ Νεφθαλὶμ ὁδὸν θαλάσσης καὶ οἱ λοιποὶ οἱ τὴν παραλίαν κατοικοῦντες καὶ πέραν τοῦ Ἰορδάνου, Γαλιλαία τῶν ἐθνῶν. 9[1] Ὁ λαὸς ὁ πορευόμενος ἐν σκότει εἶδε φῶς μέγα · οἱ κατοικοῦντες ἐν χώρᾳ καὶ σκιᾷ θανάτου φῶς λάμψει ἐφ' ὑμᾶς.** Ἡ Γαλιλαία τῶν ἱερῶν
745 ἀποστόλων ἦν πατρίς, καὶ μάρτυρες οἱ ἅγιοι ἄγγελοι οὕτως αὐτοὺς μετὰ τὴν τοῦ σωτῆρος ἀνάληψιν ὀνομάζοντες · « Ἄνδρες Γαλιλαῖοι, τί ἑστήκατε ἐμβλέποντες εἰς τὸν οὐρανόν ; » Ζαβουλὼν δὲ καὶ Νεφθαλὶμ ἐκείνην {ἔλ}αχον κλῆρον. Ἐν ἐκείνῃ τὰ πλεῖστα τῶν θαυμάτων ὁ δεσπότης
750 εἰργάσατο, ἐ(κεῖ) τὸν λεπρὸν ἐ(κά)θηρεν, ἐκεῖ τῷ ἑκατοντάρχῃ τὸν οἰκέτην ἀπέδωκεν ὑγιᾶ, ἐκεῖ τὸν τῆς Πέτρου πενθερᾶς (κατέσ)βεσε πυρετόν, ἐκεῖ τὴν Ἰαΐρου θυγατέρα τὸν βίον ὑπεξελθοῦσαν ἐπανήγαγε πρὸς ζωήν, ἐκεῖ (τὰ τῆς θα)λάττης ἐστόρεσε κύματα, ἐκεῖ τοὺς ἄρτους ἐπήγασεν,
755 ἐκεῖ τὸ ὕδωρ εἰς οἶνον (με)τέβαλεν. Τοῦτο δὲ τῶν θαυμάτων ἁπάντων προοίμιον κατὰ τὴν τοῦ Ἰωάννου τοῦ θε(ολόγου διδασ)καλίαν · διὸ καὶ ἡ χάρις ἐνταῦθα τοῦ πνεύματος διὰ τοῦ προφήτου βοᾷ τοῖς (ἐκ)είνην οἰκοῦσι τὴν χώραν · Τοῦτο πρῶτον πίε τὸ καινὸν καὶ παράδοξον {πό}μα, πιὼν
760 δὲ μὴ μελλήσῃς ἀλλὰ ταχὺ ποίει, τουτέστι · πίστευσον, ἀκολούθησον, κατὰ τὰς |112 a| θείας ἐντολὰς πολιτεύου.

Γαλιλ(αίαν δὲ) τῶν ἐθνῶν καλεῖ ὡς καὶ ἀλλοφύλων ἐθνῶν συγκατοικούντων τοῖς Ἰουδαίοις. Διὰ τοῦτο καὶ ἐν σκότει πορευομένους καὶ σκιᾶς θανάτου χώραν οἰκοῦντας

N : 738-761 οὕτω — πολιτεύου (739-744 καὶ — ὑμᾶς>) || 762-769 Γαλιλαίαν — ἔθνη

738 ταῦτα K : τὰ προειρημένα N || 744 Γαλιλαία K : +γὰρ N || 753 ὑπεξελθοῦσαν N : > K || 754 θαλάττης K : θαλάσσης N || 763 συγκατοικούντων K : συνοικούντων NE || 764 σκιᾶς Mö. secundum Lucianum : σκιᾷ K ἐν σκιᾷ N || χώραν K : καὶ χώρᾳ N

747 Act. 1, 11 748-749 cf. Jos. 19, 10-16.32-39

Les apôtres et le salut des Nations

Telles sont les prédictions qu'il a faites pour les incrédules, avant d'en venir au chœur des apôtres, en ces termes : *En premier lieu, bois ceci, fais vite, pays de Zabulon, terre de Nephtalim, route de la mer et vous tous les autres qui habitez le littoral de la mer et au-delà du Jourdain, (toi) Galilée des Nations.* **9, 1**. *Le peuple qui marchait dans les ténèbres a vu une grande lumière ; vous qui habitez dans le pays et à l'ombre de la mort, une lumière resplendira sur vous.* La Galilée était la patrie des saints apôtres, comme en témoignent les saints anges qui, après l'ascension du Sauveur, les nomment de cette manière : « Hommes de Galilée, pourquoi restez-vous à regarder vers le ciel ? » Zabulon et Nephtalim reçurent cette contrée en partage. C'est en elle que le Maître a opéré la plupart de ses miracles : c'est là qu'il a purifié le lépreux, là qu'il a rendu au centurion son serviteur guéri, là qu'il a apaisé la fièvre de la belle-mère de Pierre, là qu'il a ramené à l'existence la fille de Jaïre qui avait quitté la vie, là qu'il a calmé les flots de la mer, là qu'il a multiplié les pains, là qu'il a changé l'eau en vin. Or c'est ce miracle qui, d'après l'enseignement de Jean le théologien, servit de prélude à tous les autres[1] ; c'est pourquoi la grâce de l'Esprit clame ici par l'intermédiaire du prophète aux habitants de cette contrée : En premier lieu bois cette boisson nouvelle et étonnante, ne tarde pas à la boire mais fais-le vite, c'est-à-dire : crois, mets-toi à ma suite, conduis-toi selon les instructions de Dieu.

D'autre part, il l'appelle « Galilée des Nations », parce que des nations étrangères habitaient également avec les Juifs[2]. C'est pourquoi il nomme les habitants de cette

1. EUSÈBE rappelle lui aussi, en citant *Jn* 2, 11, le miracle de Cana en Galilée (*GCS* 62, 35 - 63, 4).

2. EUSÈBE fait lui aussi état de la présence d'« étrangers », de Grecs, en Galilée (*GCS* 62, 22-25).

765 ὀνομάζει τοὺς τῆς χώρας ἐκείνης οἰκήτορας καὶ τοῦ θείου φωτὸς ὑπισχνεῖται τὴν αἴγλην. Οἶμαι δὲ ὅτι καὶ τῶν ἐθνῶν προθεσπίζει τὴν σωτηρίαν · οἱ γὰρ ἐκ τῆς Γαλιλαίας ὁρμώμενοι ἀπόστολοι τὴν τῶν ἐθνῶν ἐνεχειρίσθησαν κλῆσιν · αὐτοῖς γὰρ ὁ κύριος ἔφη · « Μαθητεύσατε πάντα τὰ ἔθνη. »
770 [2] **⟨Τὸ⟩ πλεῖστον τοῦ λαοῦ ὃ κατήγαγες ἐν εὐφροσύνῃ σου εὐφρανθήσεται ἐνώπιόν σου ὡς οἱ εὐφραινόμενοι ἐν ἀμήτῳ καὶ ὃν τρόπον οἱ διαιρούμενοι σκῦλα.** Ἐπειδὴ γὰρ οὐχ ἅπαντες τῆς ἀκτῖνος ἐκείνης ἀπέλαυσαν, ἀλλὰ πολλοὶ σφᾶς αὐτοὺς ἑκόντες ἐστέρησαν τοῦ φωτός, οὗτοί φησιν,
775 οὓς εἵλκυσας διὰ τῶν θαυμάτων καὶ εὐφροσύνης ἐνέπλησας, διηνεκῶς ταύτης ἀπολαύσονται τῆς εὐφροσύνης θεριστὰς μιμούμενοι καὶ νικηφόρους στρατιώτας σκῦλα διαιρουμένους. Θερισταὶ δὲ προσηγορεύθησαν καὶ οἱ θεῖοι ἀπόστολοι · « Ὑμᾶς » γάρ φησι « θερίζειν ἀπέστειλα εἰς ὃ ὑμεῖς οὐκ
780 ἐκοπιάσατε », καὶ πάλιν · « Ὁ μὲν θερισμὸς πολύς, οἱ δὲ ἐργάται ὀλίγοι · δεήθητε οὖν τοῦ κυρίου τοῦ θερισμοῦ, ἵνα ἐκβάλλῃ ἐργάτας εἰς τὸν θερισμὸν αὐτοῦ », καὶ ἀλλαχοῦ · « Ἐπάρατε τοὺς ὀφθαλμοὺς ὑμῶν καὶ βλέπετε τὰς χώρας ὅτι λευκαί εἰσι πρὸς θερισμόν. » Καὶ τοῦ διαβόλου δὲ
785 καταλύσας τὴν τυραννίδα τὰ τούτου σκῦλα τοῖς ἀποστόλοις διένειμεν · « Πορευθέντες » γὰρ ἔφη « μαθητεύσατε πάντα τὰ ἔθνη. »

Εὐφραίνονται δέ φησι, [3] **διότι ἀφῄρηται ὁ ζυγὸς ὁ ἐπ' αὐτῶν κείμενος καὶ ἡ ῥάβδος ἡ ἐπὶ τοῦ τραχήλου αὐτῶν.** Ζυγὸν δὲ
790 καλεῖ τοῦ διαβόλου τὴν δεσποτείαν καὶ ῥάβδον τὴν ἐκείνου

N : 772-777 ἐπειδὴ — διαιρουμένους ‖ 778-787 θερισταὶ — ἔθνη ‖ 788-792 εὐφραίνονται — Χριστός

770 κατήγαγες e tx. rec. : κατήγαγεν K ‖ 772-773 οὐχ ἅπαντες K : οὐ πάντες N ‖ 779-780 οὐκ ἐκοπιάσατε K : οὐ κεκοπιάκατε N ‖ 783 βλέπετε K : ἴδετε N ‖ 784 καὶ N : τὴν K ‖ 788 δέ K : > NE ‖ 788-789 αὐτῶν ... αὐτῶν N : αὐτὸν ... αὐτοῦ K

769 Matth. 28, 19 779 Jn 4, 38 780 Matth. 9, 37-38 783 Jn 4, 35 786 Matth. 28, 19

contrée : « gens qui marchent dans les ténèbres et qui habitent le pays de l'ombre de la mort » et promet l'éclat de la lumière de Dieu. Or, à mon avis, il prophétise aussi le salut des Nations, car les apôtres à leur départ de Galilée reçurent pour mission d'appeler les Nations ; le Seigneur leur dit, en effet : « Enseignez toutes les Nations. »

2. *La plus grande partie du peuple que tu as ramené se réjouira dans ta joie en face de toi, comme ceux qui se réjouissent à la moisson et à la manière de ceux qui partagent un butin.* Puisqu'en effet tous n'ont pas profité de ce rayon (de lumière), mais que beaucoup se sont volontairement privés de la lumière, ceux que tu as attirés, dit-il, grâce aux miracles et que tu as remplis de joie, jouiront éternellement de cette joie, à l'imitation des moissonneurs et des soldats victorieux qui partagent un butin. Or, les divins apôtres ont également reçu le nom de moissonneurs : « Je vous ai envoyés, dit-il, moissonner là où vous n'avez pas peiné » et encore : « La moisson est abondante, mais les ouvriers peu nombreux ; priez donc le Maître de la moisson, pour qu'il envoie des ouvriers à sa moisson » ; et ailleurs : « Levez les yeux et voyez : les champs sont blancs pour la moisson ». Et, lorsqu'il eut aboli le pouvoir tyrannique du diable, il distribua ses dépouilles aux apôtres[1] : « Allez, dit-il, enseignez toutes les Nations. »

Fin du pouvoir despotique du diable

Ils se réjouissent, dit-il, 3. *parce qu'a été enlevé le joug qui pesait sur eux ainsi que la verge (qui s'abattait) sur leur cou.* Il appelle « joug » le pouvoir despotique du diable et « verge » l'esclavage qu'il

1. Sur ces « dépouilles », cf. *supra, In Is.*, 3, 524-527 à propos des Mages ; Eusèbe entend également la prophétie de la ruine du diable et de l'idolâtrie (*GCS* 64, 8-14). Chrysostome s'en tient davantage au sens littéral (*M.*, p. 131).

δουλείαν. Τούτων δὲ τοὺς εἰς αὐτὸν πεπιστευκότας ἠλευθέρωσεν ὁ δεσπότης ἡμῶν Χριστός. **Τὴν γὰρ ῥάβδον τῶν ἀπειθούντων διεσκέδασεν ὡς τῇ ἡμέρᾳ τῇ ἐπὶ Μαδιάμ.** Ἀπειθοῦντας καλεῖ οὐ μόνον τοὺς δαίμονας καὶ τὸν ἐκείνων
795 ἄρχοντα ἀλλὰ καὶ τῶν ἀνθρώπων τοὺς ἀντιλέγοντας τῷ κηρύγματι. Τὴν δὲ τούτων δυναστείαν κατέλυσε δι' ὀλίγων τινῶν καὶ τούτων γυμνῶν, καθάπερ πάλαι διὰ τοῦ Γεδεὼν καὶ τῶν τριακοσίων λαμπαδηφόρων τὰς πολλὰς τοῦ Μαδιὰμ κατηκόντισε χιλιάδας. Ὥσπερ γὰρ ἐκείνους ὅπλων δίχα
800 κατέλυσεν, οὕτω τὴν οἰκουμένην ἅπασαν διὰ δυοκαίδεκα κηρύκων μετέβαλε καὶ τούτων οὐχ ὡπλισμένων ἀλλ' ἕνα χιτῶνα ἐνδεδυμένων, ἀνυποδήτων, οὐδὲ ῥάβδον φέρειν κεκελευσμένων.

[4] **Ὅτι πᾶσαν στολὴν ἐπισυνηγμένην δόλῳ καὶ ἱμάτιον**
805 **μετὰ καταλλαγῆς ἀποτίσουσιν.** Οὗτοι δὲ αὐτοὶ οἱ ἀόρατοι δυσμενεῖς οἱ τὸν ἄνθρωπον δι' ἀπάτης γυμνώσαντες τῆς προτέρας δόξης καὶ τῆς θείας εἰ⟨κόνος⟩ τὴν στολὴν ἀποδύσαντες αὐτοὶ μὲν δώσουσιν ὧν ἐτόλμησαν δί⟨κας⟩, ἣν δὲ ἔλαβον στολὴν μετὰ καταλλαγῆς ἀποτίσουσιν. Θνητὸν γὰρ
810 τῷ θανάτῳ παραδεδωκότες ⟨τοῦ κυρί⟩ου τὸ σῶμα ἀθάνατον ἀποδώσουσιν· καὶ ὁ δόλος, ᾧ κατὰ ⟨τῶν⟩ ἀνθρώπων ἐχρήσαντο, κατὰ τῆς αὐτῶν τραπήσεται κεφαλῆς. **Καὶ θελήσουσιν (εἰ ἐγε)νήθησαν πυρίκαυστοι,** [5] **ὅτι παιδίον ἐγεννήθη**

C : 793-803 ἀπειθοῦντας — κεκελευσμένων

N : 793-803 ἀπειθοῦντας — κεκελευσμένων ‖ 805-818 οὗτοι — σωτηρίαν

793 ἀπειθοῦντας KN : +δὲ C ‖ 794 οὐ μόνον KNE : > C ‖ 797 τούτων CN : > K ‖ 801 μετέβαλε KC : κατέβαλε N ‖ 802 ἀνυποδήτων C : ἀνυποδέτων KN ‖ 805 οὗτοι δὲ αὐτοὶ K : ἢ ὅτι N ‖ ἀόρατοι NE : ἀόριστοι K ‖ 807 εἰκόνος KE : +αὐτὸν N ‖ 812 καὶ θελήσουσιν K : διὸ καὶ θελήσουσί φησι N

797-799 cf. Jug. 7

1. Même interprétation chez Eusèbe (*GCS* 64, 18-22 ; 65, 4-6) ; Chrysostome entend le verset du combat mené contre Satan et les démons (M., p. 131, § 4, 5).

provoquait[1]. Voilà ce dont le Christ notre Maître a libéré ceux qui ont cru en lui. *Car la verge de ceux qui désobéissent, il l'a brisée comme au jour de Madian.* Ce sont non seulement les démons et leur chef qu'il appelle « ceux qui désobéissent », mais aussi ceux des hommes qui refusent le message. Or, il a aboli leur pouvoir despotique grâce à un nombre d'hommes restreint et qui plus est sans armement, comme jadis, grâce à Gédéon et à ses trois cents porteurs de torches, il a abattu les nombreux milliers d'hommes de Madian. Tout comme il a supprimé ces gens-là sans faire usage des armes, il a transformé le monde entier grâce à douze hérauts, qui, loin d'être armés, étaient revêtus d'une seule tunique, allaient pieds nus et avaient reçu l'ordre de ne pas emporter de bâton.

Victoire du Christ sur les démons ; la Rédemption

4. *Parce que tout vêtement et tout manteau rassemblés par ruse, ils les rendront transformés.* C'est des ennemis invisibles eux-mêmes qu'il s'agit ; leur tromperie a dépouillé l'homme de sa gloire première et lui a enlevé son vêtement, c'est-à-dire sa ressemblance avec Dieu[2]. Ils subiront, quant à eux, le châtiment de leurs audaces et, le vêtement dont ils se sont emparés, ils le rendront transformé. De fait, après avoir livré à la mort le corps mortel du Seigneur, ils le restitueront en corps immortel ; et la ruse dont ils ont usé contre les hommes se retournera contre leur tête[3]. *Ils l'auront voulu s'ils sont devenus la proie des flammes,* 5. *car un enfant nous est né,*

2. Pour Eusèbe, les termes de « vêtement » et de « manteau » doivent s'entendre des qualités morales (τὸν κόσμον τῆς ψυχῆς καὶ τὴν στολὴν αὐτῆς, τόν τε τῆς ἀρετῆς χιτῶνα) dont l'homme a été dépouillé par le diable et par les démons (*GCS* 65, 7-12).

3. La résurrection du Christ redonne à l'homme sa dignité première ; l'interprétation figurée donnée par Basile n'est pas fondamentalement différente de celle de Théodoret : l'homme dépouillé par le diable revêtira le vêtement qu'est la foi dans le Christ (30, 512 A).

ἡμῖν καὶ υἱὸς ἐδόθη ἡμῖν. Μεμήνασί φησι καὶ λυττῶσι καὶ
815 τῷ φθόνῳ πυρπολοῦνται τὰς ἡμετέρας θεώμενοι δ(ωρεάς,
τὸ) παιδίον τὸ δι' ἡμᾶς γεννηθέν, τὸν μονογενῆ τοῦ θεοῦ
υἱὸν τὴν ἀνθρω⟨πείαν περι⟩κείμενον φύσιν καὶ τὴν ἡμετέραν
πραγματευόμενον σωτηρίαν.

Οὗ ἡ ἀρχὴ (ἐγενήθη ἐπὶ) τοῦ ὤμου αὐτοῦ. Ἀθλήσας γὰρ
820 καὶ παλαίσας κατέλυσε τὸν ἀντίπαλον. Ὁ δὲ Σύμμαχος
καὶ (Θε)οδοτίων οὕτω τοῦτο ἡρμήνευσαν· « Καὶ ἔσται
ἡ παιδεία ἐπὶ τοῦ ὤμου αὐτοῦ. » « (Παιδεία) » |112 b| γὰρ
« εἰρήνης ἡμῶν ἐπ' αὐτόν », κατὰ τὴν αὐτοῦ τοῦ πρ(οφήτου)
φωνήν, « καὶ αὐτὸς τὰς ἀνομίας ἡμῶν ἔλαβε καὶ τὰς νόσους
825 ἐβάστασε, καὶ τῷ μώλωπι αὐτοῦ ἡμεῖς ἰάθημεν. » Καὶ
αὐτός ἐστιν « ὁ ἀμνὸς τοῦ θεοῦ ὁ αἴρων τὴν ἁμαρτίαν τοῦ
κόσμου » καὶ αὐτὸς « ἡμᾶς ἐξηγόρασεν ἐκ τῆς κατάρας τοῦ
νόμου γενόμενος ὑπὲρ ἡμῶν κατάρα ». Εἰκότως τοίνυν
ἔφασαν· « Ἔσται ἡ παιδεία ἐπὶ τοῦ ὤμου αὐτοῦ » ἢ κατὰ
830 τὸν Ἀκύλαν· « Ἐγένετο τὸ μέτρον ἐπὶ τοῦ ὤμου αὐτοῦ. »
Τῇ γὰρ τοῦ Ἀδὰμ ἀντέταξεν ἁμαρτίᾳ τὴν οἰκείαν δικαιοσύνην. Εἰ δὲ ὑπὸ κατάραν ἐτελοῦμεν ἡμεῖς, κατάρᾳ δὲ
καὶ ὁ σταυρὸς ὑπεβέβλητο, τοῦτον δὲ ὁ δεσπότης ἐβάσταξε,
ἄρα τὰς ἁμαρτίας ἡμῶν ἐβάσταξε καὶ οὕτως τὸ τέλος ἡ
835 προφητεία ἐδέξατο. Ἐγενήθη γὰρ « ἡ παιδεία » κατὰ τὸν
Θεοδοτίωνα καὶ τὸν Σύμμαχον « ἐπὶ τοῦ ὤμου αὐτοῦ ».

Διδάσκει δὲ ἡμᾶς καὶ τὰς θεοπρεπεῖς αὐτοῦ προσηγορίας
ὁ προφητικὸς λόγος· **Καὶ καλεῖται τὸ ὄνομα αὐτοῦ Τῆς-με-
γάλης-βουλῆς-ἄγγελος.** Τὴν πατρικὴν γὰρ ἡμῖν ἀνήγγειλε
840 βουλὴν κατὰ τὴν αὐτοῦ φωνήν· « Πάντα ὅσα ἤκουσα

C : 814-817 μεμήνασι — υἱόν ‖ 819-820 ἀθλήσας — ἀντίπαλον ‖ 839-841 τὴν — ὑμῖν

N : 819-836 ἀθλήσας — αὐτοῦ ‖ 837-841 διδάσκει — ὑμῖν (838-839 καὶ — ἄγγελος>)

814 καὶ υἱός K : ∾ N ‖ μεμήνασι KN : +δὲ C ‖ 819 γὰρ KC : δὲ N ‖ 821 οὕτω K : οὕτως N ‖ 831-833 τῇ — ἐβάσταξε NE : > K ‖ 832 δὲ[1] N : γὰρ E ‖ κατάρᾳ N : ταύτῃ E ‖ 834 ἄρα — ἐβάσταξε E : > KN ‖ 834-836 καὶ — αὐτοῦ N : > KE ‖ 834-835 τὸ τέλος / ἡ προφητεία N[p] : ∾ N[1] ‖ 837-841 διδάσκει — (838) λόγος ... (839) τὴν —

un fils nous a été donné. Ils sont fous, dit-il, ils sont enragés et consumés par le feu de l'envie à la vue des dons que nous avons reçus, de l'enfant qui est né à cause de nous, du Fils Unique de Dieu qui revêt la nature humaine et réalise notre salut.

La souveraineté a été placée sur son épaule. Ce sont la lutte et le combat qui lui ont permis de renverser son adversaire. De leur côté, Symmaque et Théodotion ont traduit ainsi ce passage : « Et le châtiment reposera sur son épaule. » Car, selon la parole même du prophète, « le châtiment qui nous rend la paix est sur lui ; il a pris sur lui nos iniquités, il a pris le fardeau de nos infirmités et c'est par sa meurtrissure que nous avons été guéris ». C'est encore lui « l'agneau de Dieu qui enlève le péché du monde », encore lui qui « nous a rachetés de la malédiction de la Loi, en s'étant fait pour nous malédiction ». Ils ont donc dit à juste titre : « Le châtiment reposera sur son épaule » ou, selon la version d'Aquila, « la juste mesure a été placée sur son épaule ». Car, au péché d'Adam, il a opposé sa propre justice. Nous étions sous la coupe de la malédiction et la croix, à son tour, avait été soumise à la malédiction, mais le Maître en a pris le fardeau sur ses épaules : ce sont donc nos péchés dont il a pris le fardeau et, de cette manière, la prophétie a trouvé son accomplissement. Car, selon Théodotion et Symmaque, « le châtiment » a été placé « sur son épaule ».

Les titres décernés au Christ

Le texte prophétique nous enseigne également les titres, dignes d'un Dieu, qu'on lui décerne : *Et on lui donnera pour nom : Messager-du-grand-Dessein.* Car, selon sa propre parole, il nous a annoncé le dessein du Père : « Tout ce que

ὑμῖν K : ∾ N ‖ 837 προσηγορίας K : + ἐνταῦθα N ‖ 840 φωνήν N : τοῦ σωτῆρος φωνήν C βουλήν K βούλησιν (?) E

822 Is. 53, 4-5 826 Jn 1, 29 827 Gal. 3, 13 840 Jn 15, 15

παρὰ τοῦ πατρός μου δεδήλωκα ὑμῖν. » **Θαῦμα σύμβουλος, σὺ θαυμαστός.** Οὕτω γὰρ κείμενον ἐν ἐνίοις εὕρομεν ἀντιγράφοις. Οὕτω δὲ καὶ τῷ Ἰακὼβ διαλεγόμενος ἑαυτὸν ὠνόμασεν · « Τί τοῦτο ἐρωτᾷς τὸ ὄνομά μου ; καὶ αὐτό
845 ἐστι θαυμαστόν. » Σύμβουλος δὲ καλεῖται ὡς τῆς πατρικῆς βουλῆς κοινωνός, ὡς πάντα εἰδὼς ὅσα ὁ πατήρ.

Εἶτα τῶν ὀνομάτων τὸ μεῖζον · **Θεὸς ἰσχυρός.** Τοῦτο δὲ κακουργήσαντες οἱ περὶ τὸν Ἀκύλαν « ἰσχυρὸς δυνατὸς » ἡρμήνευσαν · κεῖται δὲ παρὰ τῷ Ἑβραίῳ « ἠλγιβώρ »,
850 τὸ δὲ ἦλ « θεὸς » καὶ κατὰ τὴν τούτων ἑρμηνείαν · τὸ γὰρ « μεθ' ἡμῶν ὁ θεὸς » Ἐμμανουὴλ κείμενον οὕτως ἡρμήνευσαν. **Ἐξουσιαστής.** Ἀντὶ τοῦ · οὐχ ὑπ' ἐξουσίαν ἄλλου τελῶν ἀλλ' αὐτὸς πάντων δεσπόζων. Τοῦτο καὶ τὴν Ἀρείου βδελυρίαν ἐλέγχει · δείκνυσι γὰρ αὐτὸν ὁμότιμον ἀλλ' οὐχ

C : 845-846 σύμβουλος — πατήρ || 847-850 τοῦτο — θεός || 852-855 ἀντὶ — πατρός

N : 843-852 οὕτω — ἡρμήνευσαν || 852-855 ἀντὶ — πατρός

843 οὕτω N : τούτῳ K || δὲ K : > N || 849 ἠλγιβώρ KC565 : ἠλγεββώρ Cr.90 ἠλγεβώρ N || 850 καὶ K : > N || 851 κείμενον οὕτως N : ∾ K || 853 τοῦτο KN : +δὲ C || 854 αὐτὸν CN : > K

844 Gen. 32, 30

1. Cette variante provient, en réalité, de la recension lucianique comme permet de l'affirmer le commentaire de Chrysostome (M., p. 132, l. 27 s. - 133 et p. 134, l. 18-23). Les exemplaires (ἀντίγραφα) consultés par Théodoret reflètent donc vraisemblablement sur ce point la recension lucianique dont Chrysostome fait ici l'éloge ; mais c'est aussi la preuve, puisque Théodoret suit habituellement cette recension, qu'elle a perdu au ve s. de sa pureté originelle. Ce que dit Chrysostome des autres interprètes est partiellement au moins confirmé par Eusèbe qui cite (*GCS* 66, 10-16) Symmaque (παραδοξασμός, βουλευτικός), Aquila (θαυμαστός, σύμβουλος) et Théodotion (θαυμαστός, συμβουλεύων). Notons, enfin, que Théodoret, comme Chrysostome (M., p. 131), cite *Gen.* 32, 20 et utilise la variante pour faire entrevoir la consubstantialité du Père et du Fils, mais de façon beaucoup plus discrète que ne le fait Chrysostome.

2. Sur le tour οἱ περὶ τὸν Ἀκύλαν, cf. Introd., ch. II, p. 46, n. 2.

3. Cf. *supra*, *In Is.*, 3, 572-573 ; 593-598. Sur le sentiment de Théodoret à l'égard d'Aquila, de Symmaque et de Théodotion, cf.

j'ai appris de mon Père, je vous l'ai fait connaître. » *Merveilleux conseiller, toi qui es admirable.* Tel est le texte que nous avons trouvé dans quelques exemplaires[1]. Or, c'est ainsi qu'il s'est nommé lui-même lorsqu'il s'entretenait avec Jacob : « Pourquoi me demandes-tu mon nom ? il est lui aussi Admirable. » Et on l'appelle « conseiller », parce qu'il participe au dessein du Père, parce qu'il sait tout ce que sait le Père.

Puis, le plus grand des noms : *Dieu fort.* Aquila et les autres[2] interprètes ont dénaturé ce nom et l'ont traduit par « Fort-Puissant » ; mais il se trouve en hébreu sous la forme « Èlgibôr » ; or, le « El », même selon leur interprétation, (signifie) « Dieu », puisque c'est ainsi qu'ils ont traduit par « Dieu avec nous » le mot qui se trouvait (en hébreu) sous la forme « Emmanuel »[3]. *Maître Souverain.* Ce qui revient à dire : Qui n'est pas soumis au pouvoir d'autrui, mais qui est lui-même le maître de tout. Voilà ce qui confond aussi l'impudence d'Arius : cela montre, en effet, que loin d'être le serviteur du Père, il est d'un rang

supra, In Is., 3, 361 s. et Introd., ch. II, p. 53. Eusèbe, qui cite les trois versions mais sans polémique (Aquila et Symmaque : ἰσχυρός, δυνατός et Théodotion : ἰσχυρός, δυνάστης φύλαξ), s'autorise également de la traduction du terme « Emmanuel » par « Dieu avec nous » pour traduire le ἧλ de l'hébreu ἧλ γιββώρ par θεός ; selon lui les LXX effrayés par la grandeur de telles appellations (ὑπειδομένους τὸ ἐξαίσιον καὶ ὑπερβάλλον μέγεθος τῆς τῶν τοιούτων προσηγοριῶν) auraient préféré les passer sous silence (*GCS* 66, 17-35). Quant à Chrysostome, après avoir commenté sans remarque de critique textuelle le « Deus fortis » (M., p. 133, l. 10 s.) et le verset suivant, il revient brusquement en arrière (« Rursus ad principium hujus loci revertamur ») et donne successivement, pour *Isaïe* 9, 5, la version des LXX, celles d'Aquila, de Symmaque et de Théodotion et la transcription de l'hébreu où figurent les mots « El Kippovr » (*id.*, p. 133-134). Il se borne ensuite à constater que la version lucianique, sans rien ajouter ni retrancher au texte, l'emporte par sa correction sur le texte hexaplaire des LXX (« Non est igitur contemnenda interpretatio Luciani, sed immo praestantior atque correctior est quam textus Palaestinorum »).

855 ὑπουργὸν τοῦ πατρός. **Ἄρχων εἰρήνης.** « Αὐτὸς γάρ ἐστι » κατὰ τὸν ἀπόστολον « ἡ εἰρήνη ἡμῶν, ὁ ποιήσας τὰ ἀμφότερα ἓν καὶ τὸ μεσότοιχον τοῦ φραγμοῦ λύσας. » **Πατὴρ τοῦ μέλλοντος αἰῶνος.** Ὥσπερ γὰρ ὁ Ἀδὰμ τοῦ παρόντος αἰῶνος πατὴρ ὀνομάζεται, οὕτως αὐτὸς τοῦ μέλλοντος. 860 « Εἴ τις » γὰρ « ἐν Χριστῷ » φησι, « καινὴ κτίσις · τὰ ἀρχαῖα παρῆλθεν, ἰδοὺ γέγονε καινὰ τὰ πάντα. »

Ἄξω γὰρ εἰρήνην ἐπὶ τοὺς ἄρχοντας, εἰρήνην καὶ ὑγείαν αὐτῷ. [6]Μεγάλη ἡ ἀρχὴ αὐτοῦ, καὶ τῆς εἰρήνης αὐτοῦ οὐκ ἔστιν ὅριον ἐπὶ τὸν θρόνον Δαυὶδ καὶ ἐπὶ τὴν βασιλείαν 865 αὐτοῦ, τοῦ κατορθῶσαι αὐτὴν καὶ ἀντιλαβέσθαι αὐτῆς ἐν κρίματι καὶ δικαιοσύνῃ ἀπὸ τοῦ νῦν καὶ εἰς τὸν αἰῶνα. Τῷ Δαυὶδ ὑπέσχετο ὁ θεὸς ἐκ καρποῦ τῆς ὀσφύος αὐτοῦ θήσειν ἐπὶ τοῦ θρόνου αὐτοῦ, τούτῳ δὲ ἐπαγγέλλεται βασιλείαν αἰώνιον · « Ὁ γὰρ θρόνος αὐτοῦ » φησιν « ὡς ὁ ἥλιος 870 ἐναντίον μου καὶ ὡς ἡ σελήνη κατηρτισμένη εἰς τὸν αἰῶνα. » Ταύτης τῆς ὑποσχέσεως ἐπὶ τοῦ παρόντος ἐμνημόνευσεν ὑποδείξας ἡμῖν τὸ παιδίον ἐκ τοῦ Δαυὶδ κατὰ σάρκα γεγενημένον. Οὕτω καὶ ἐν τῷ ἑβδομηκοστῷ πρώτῳ λέγει Ψαλμῷ · « Ὁ θεός, τὸ κρίμα σου τῷ βασιλεῖ δὸς καὶ τὴν δικαιοσύνην 875 σου τῷ υἱῷ τοῦ βασιλέως, κρίνειν τὸν λαόν σου ἐν δικαιοσύνῃ καὶ τοὺς πτωχούς σου ἐν κρίσει. » Καὶ ἐνταῦθα μὲν λέγει · Ἀπὸ τοῦ νῦν καὶ εἰς τὸν (αἰῶνα), ἐκεῖ δὲ πάλιν · « Συμπαραμενεῖ τῷ ἡλίῳ καὶ πρὸ τῆς σελήνης (γενεὰ)ς γενεῶν. » Λέγει (δὲ αὐτ)οῦ καὶ τὴν ἀρχὴν μεγίστην καὶ ἀπεριόριστον 880 αὐτοῦ τὴν εἰρήνην. Οὕτω δὲ καὶ ἐν τῷ Ψαλμῷ · « (Ἀν)ατελεῖ ἐν ταῖς ἡμέραις αὐτοῦ δικαιοσύνη καὶ πλῆθος εἰρήνης, ἕως οὗ ἀνταναιρεθῇ ἡ σελήνη. »

C : 855-857 αὐτὸς — λύσας ‖ 858-861 ὥσπερ — πάντα

N : 855-857 αὐτὸς — λύσας ‖ 858-861 ὥσπερ — πάντα ‖ 866-882 τῷ — σελήνη

860 φησι CN : > K ‖ 861 παρῆλθεν ... γέγονε CN : παρῆλθον ... γέγοναν K ‖ καινὰ τὰ πάντα K : ∾ N C partim ‖ 864 τὴν βασιλείαν e tx. rec. : τῆς βασιλείας K ‖ 866 τῷ K : +μὲν οὖν N

855 Éphés. 2, 14 860 II Cor. 5, 17 869 Ps. 88, 37-38 874 Ps. 71, 1-2.5.7

égal au sien[1]. *Prince de la Paix.* « Car c'est lui », selon les termes de l'Apôtre, « qui est notre paix, lui qui des deux n'a fait qu'un peuple et qui a détruit la barrière qui les séparait ». *Père du siècle à venir.* Tout comme Adam porte le nom de « père du siècle présent », il porte lui le nom de « Père du siècle à venir ». « Si quelqu'un est dans le Christ, dit-il, c'est une créature nouvelle : les choses anciennes ont disparu, voici que tout est devenu nouveau[2]. »

L'économie divine

Car j'amènerai la paix sur les chefs, paix et santé pour lui. 6. Son empire est grand et il n'y a pas de limites à sa paix sur le trône de David et dans son royaume; afin qu'il le dirige droitement et s'empare de lui dans le droit et dans la justice, dès maintenant et pour l'éternité. Dieu a promis à David de placer sur son trône (un successeur) issu du fruit de ses reins et c'est à ce dernier qu'il promet la royauté éternelle : « Car son trône, dit-il, (sera) comme le soleil devant moi et comme la lune disposée pour l'éternité. » Il a fait mention dans le présent passage de cette promesse, après nous avoir fait entrevoir l'enfant né de David selon la chair. De même, dans le Psaume soixante et onze, il dit également : « Dieu, donne ton jugement au roi et ta justice au fils du roi, pour qu'il juge ton peuple en toute justice et tes malheureux en toute droiture. » Il dit ici : « dès maintenant et pour l'éternité » et là encore : « il durera en compagnie du soleil et devant la lune pour les générations des générations ». Il parle, enfin, de l'immensité de son empire et de la durée sans borne de sa paix. De même aussi dans le Psaume : « En ses jours se lèveront justice et abondance de paix ; jusqu'à ce que la lune ait disparu. »

1. Sur la polémique anti-arienne dans le commentaire, cf. Introd., ch. IV, p. 86. Le terme ἐξουσιαστῆς que ne donnent ni Eusèbe ni Cyrille provient de la recension lucianique.

2. Eusèbe (*GCS* 67, 1-7) fait le même parallèle entre Adam et le Christ, mais cite *I Cor.* 15, 22-23.

[Εἶτα] ἐπήγαγεν · **Ὁ ζῆλος κυρίου Σαβαὼθ ποιήσει ταῦτα.** Ζηλώσας γὰρ καὶ τὴν τῶν δαιμόνων δυν(αστείαν μισ)ήσας
885 καὶ τῶν ἀνθρώπων οἰκτείρας τὸ γένος τήνδε τὴν οἰκονομίαν ἐπραγμα(τεύσατο) · « Οὕτως γὰρ ἠγάπησεν ὁ θεὸς τὸν κόσμον ὅτι τὸν υἱὸν αὐτοῦ τὸν μονογενῆ ἔδωκεν, (ἵνα) πᾶς ὁ πιστεύων εἰς αὐτὸν μὴ ἀπόληται ἀλλ' ἔχῃ ζωὴν αἰώνιον. »

Ἀκήρατον τοί[νυν ἣν] παρελάβομεν διαφυλάξωμεν πίστιν,
890 ἵνα τῆς αἰωνίου ζωῆς ἀπολαύσωμεν χάριτι |113 a| τοῦ σεσωκότος ἡμᾶς Χριστοῦ, με[θ' οὗ τ]ῷ πατρὶ ἡ δόξα πρέπει σὺν τῷ παναγίῳ πνεύματι νῦν καὶ ἀεὶ καὶ εἰς τοὺς αἰῶνας τῶν αἰώνων. Ἀμήν.

C : 884-886 ζηλώσας — ἐπραγματεύσατο

N : 884-888 ζηλώσας — αἰώνιον

886 γὰρ KE : +φησιν N

886 Jn 3, 16

Puis il a ajouté : *Le zèle du Seigneur Sabaoth fera cela.* C'est parce que son zèle lui a fait haïr le pouvoir absolu des démons et prendre en pitié la race humaine qu'il a réalisé cette économie[1] : « Car Dieu a tant aimé le monde qu'il a donné son Fils Unique, afin que tout homme qui croit en lui ne périsse pas, mais possède la vie éternelle. »

Parénèse

Veillons donc à garder pure la foi que nous avons reçue afin de jouir de la vie éternelle par la grâce du Christ qui nous a sauvés. Avec lui, la gloire convient au Père dans l'unité du très saint Esprit, maintenant et pour toujours et pour les siècles des siècles. Amen.

1. Le terme οἰκονομία qui peut désigner, comme chez S. Paul, l'ensemble du dessein de Dieu pour le salut de l'humanité, s'applique ici plus particulièrement, comme souvent chez les Pères grecs, à l'Incarnation (cf. *In Is.*, 4, 414-484 ; 7, 428-429 ; 10, 127). Cf. EUSÈBE, *GCS* 68, 22-24.

TABLE DES MATIÈRES

TEXTE ET TRADUCTION

SOURCES CHRÉTIENNES

N. B. — L'ordre suivant est celui de la date de parution (nº 1 en 1942) et il n'est pas tenu compte ici du classement en séries : grecque, latine, byzantine, orientale, textes monastiques d'Occident ; et série annexe : textes para-chrétiens.

Sauf indication contraire, chaque volume comporte le texte original, grec ou latin, souvent avec un apparat critique inédit.

Pour abréger cette liste, nous ne donnons le détail des volumes qu'à partir du nº 200. Cependant, tous les volumes sont mentionnés dans la liste alphabétique.

200. LÉON LE GRAND : **Sermons,** tome IV. Sermons 65-98, Éloge de S. Léon, Index. R. Dolle (1973).
201. **Évangile de Pierre.** M.-G. Mara (1973).
202. GUERRIC D'IGNY : **Sermons.** Tome II. J. Morson, H. Costello, P. Deseille (1973).
203. NERSÈS ŠNORHALI : **Jésus, Fils unique du Père.** I. Kéchichian. Trad. seule (1973).
204. LACTANCE : **Institutions divines,** livre V. Tome I. Introd., texte et trad. P. Monat (1973).
205. **Id.** — Tome II. Commentaire et index. P. Monat (1973).
206. EUSÈBE DE CÉSARÉE : **Préparation évangélique,** livre I. J. Sirinelli, É. des Places (1974).
207. ISAAC DE L'ÉTOILE : **Sermons.** A. Hoste, G. Salet, G. Raciti. Tome II. Sermons 18-39 (1974).
208. GRÉGOIRE DE NAZIANZE : **Lettres théologiques.** P. Gallay (1974).
209. PAULIN DE PELLA : **Poème d'action de grâces et Prière.** C. Moussy (1974).
210. IRÉNÉE DE LYON : **Contre les hérésies,** livre III. A. Rousseau, L. Doutreleau. Tome I. Introduction, notes justificatives et tables (1974).
211. **Id.** — Tome II. Texte et traduction (1974).
212. GRÉGOIRE LE GRAND : **Morales sur Job.** L. XI-XIV. A. Bocognano (1974).
213. LACTANCE : **L'ouvrage du Dieu créateur.** Tome I. Introduction, texte critique et traduction. M. Perrin (1974).
214. **Id.** — Tome II. Commentaire et index. M. Perrin (1974).
215. EUSÈBE DE CÉSARÉE : **Préparation évangélique,** livre VII. G. Schroeder, É. des Places (1975).
216. TERTULLIEN : **La chair du Christ.** Tome I. Introduction, texte critique et traduction. J. P. Mahé (1975).
217. **Id.** — Tome II. Commentaire et Index. J. P. Mahé (1975).
218. HYDACE : **Chronique.** Tome I. Introduction, texte critique et traduction. A. Tranoy (1975).
219. **Id.** — Tome II. Commentaire et index. A. Tranoy (1975).
220. SALVIEN DE MARSEILLE : **Œuvres,** t. II. G. Lagarrigue (1975).
221. GRÉGOIRE LE GRAND : **Morales sur Job.** L. XV-XVI. A. Bocognano (1975).
222. ORIGÈNE : **Commentaire sur S. Jean.** Tome III. L. XIII. C. Blanc (1975).
223. GUILLAUME DE SAINT-THIERRY : **Lettre aux Frères du Mont-Dieu (Lettre d'or).** J. Déchanet (1975).
224. **Actes de la Conférence de Carthage en 411.** Tome III. Texte et traduction des Actes de la 2e et de la 3e séance. S. Lancel (1975).
225. DHUODA : **Manuel pour mon fils.** P. Riché, B. de Vregille et C. Mondésert (1975).
226. ORIGÈNE : **Philocalie 21-27 (Sur le libre arbitre).** E. Junod (1976).
227. ORIGÈNE : **Contre Celse.** M. Borret. Tome V. Introduction et index (1976).
228. EUSÈBE DE CÉSARÉE : **Préparation évangélique.** L. II-III. É. des Places (1976).

229. Pseudo-Philon : **Les Antiquités Bibliques.** D. J. Harrington, C. Perrot, P. Bogaert, J. Cazeaux. Tome I. Introduction critique, texte et traduction (1976).
230. **Id.** — Tome II. Introduction littéraire, commentaire et index (1976).
231. Cyrille d'Alexandrie : **Dialogues sur la Trinité.** Tome I. Dial. I et II. G. M. de Durand (1976).
232. Origène : **Homélies sur Jérémie.** P. Nautin et P. Husson. Tome I. Introduction et homélies I-XI (1976).
233. Didyme l'Aveugle : **Sur la Genèse.** Tome I (Sur Genèse I-IV). P. Nautin et L. Doutreleau (1976).
234. Théodoret de Cyr : **Histoire des moines de Syrie.** Tome I. Introduction et **Histoire Philothée** I-XIII. P. Canivet et A. Leroy-Molinghen (1977).
235. Hilaire d'Arles : **Vie de S. Honorat.** M. D. Valentin (1977).
236. **Rituel cathare.** Ch. Thouzellier (1977).
237. Cyrille d'Alexandrie : **Dialogues sur la Trinité.** Tome II. Dial. III-V. G. M. de Durand (1977).
238. Origène : **Homélies sur Jérémie.** Tome II. Homélies XII-XX et homélies latines, index. P. Nautin et P. Husson (1977).
239. Ambroise de Milan : **Apologie de David.** P. Hadot et M. Cordier (1977).
240. Pierre de Celle : **L'école du cloître.** G. de Martel (1977).
241. **Conciles gaulois du IVe siècle.** J. Gaudemet (1977).
242. S. Jérôme : **Commentaire sur S. Matthieu.** Tome I. Livres I et II. É. Bonnard (1978).
243. Césaire d'Arles : **Sermons au peuple.** Tome II. Sermons 21-55. M.-J. Delage (1978).
244. Didyme l'Aveugle : **Sur la Genèse.** Tome II (Sur Genèse V-XVII). Index. P. Nautin et L. Doutreleau (1978).
245. **Targum du Pentateuque.** Tome I : **Genèse.** R. Le Déaut et J. Robert. Trad. seule (1978).
246. Cyrille d'Alexandrie : **Dialogues sur la Trinité.** Tome III. Dial. VI-VII, index. G. M. de Durand (1978).
247. Grégoire de Nazianze : **Discours** 1-3. J. Bernardi (1978).
248. **La doctrine des douze apôtres.** W. Rordorf et A. Tuilier (1978).
249. S. Patrick : **Confession et Lettre à Coroticus.** R.P.C. Hanson et C. Blanc (1978).
250. Grégoire de Nazianze : **Discours** 27-31 (Discours théologiques). P. Gallay (1978).
251. Grégoire le Grand : **Dialogues.** Tome I. Introduction, bibliographie et cartes. A. de Vogüé (1978).
252. Origène : **Traité des principes.** Tome I. Livres I et II : Introduction, texte critique et traduction. H. Crouzel et M. Simonetti (1978).
253. **Id.** — Tome II. Livres I et II : Commentaire et fragments. H. Crouzel et M. Simonetti (1978).
254. Hilaire de Poitiers : **Sur Matthieu.** Tome I. Introduction et chap. 1-13. J. Doignon (1978).
255. Gertrude d'Helfta : **Œuvres spirituelles.** Tome IV. **Le Héraut.** Livre IV. J.-M. Clément, B. de Vregille et les Moniales de Wisques (1978).
256. **Targum du Pentateuque.** Tome II. **Exode et Lévitique.** R. Le Déaut et J. Robert. Trad. seule (1979).
257. Théodoret de Cyr : **Histoire des moines de Syrie.** Tome II. **Histoire Philotée** (XIV-XXX), **Traité sur la Charité** (XXXI) et Index. P. Canivet et A. Leroy-Molinghen (1979).
258. Hilaire de Poitiers : **Sur Matthieu.** Tome II. Chap. 14-33, appendice et index. J. Doignon (1979).
259. S. Jérôme : **Commentaire sur S. Matthieu.** Tome II. Livres III et IV, index. É. Bonnard (1979).
260. Grégoire le Grand : **Dialogues.** Tome II. Livres I-III. A. de Vogüé et P. Antin (1979).
261. **Targum du Pentateuque.** Tome III. **Nombres.** R. Le Déaut et J. Robert. Trad. seule (1979).

262. EUSÈBE DE CÉSARÉE : **Préparation évangélique,** livres IV, 1 - V, 17. O. Zink et É. des Places (1979).
263. IRÉNÉE DE LYON : **Contre les hérésies,** livre I. A. Rousseau, L. Doutreleau. Tome I. Introduction, notes justificatives et tables (1979).
264. **Id.** — Tome II. Texte et traduction (1979).
265. GRÉGOIRE LE GRAND : **Dialogues.** Tome III. Livre IV, tables et index. A. de Vogüé et P. Antin (1980).
266. EUSÈBE DE CÉSARÉE : **Préparation évangélique,** livres V, 18 - VI. É. des Places (1980).
267. **Scolies ariennes sur le concile d'Aquilée.** R. Gryson (1980).
268. ORIGÈNE : **Traité des principes.** Tome III. Livres III et IV : Texte critique et traduction. H. Crouzel et M. Simonetti (1980).
269. **Id.** — Tome IV. Livres III et IV : commentaire et fragments. H. Crouzel et M. Simonetti (1980).
270. GRÉGOIRE DE NAZIANZE : **Discours** 20-23. J. Mossay (1980).
271. **Targum du Pentateuque.** Tome IV. **Deutéronome,** bibliographie, glossaire et index des tomes I - IV. Trad. seule. R. Le Déaut (1980).
272. JEAN CHRYSOSTOME : **Sur le sacerdoce (dialogue et homélie).** A.-M. Malingrey (1980).
273. TERTULLIEN : **A son épouse.** C. Munier (1980).
274. **Lettres des premiers Chartreux,** tome II : les moines de Portes. Par un Chartreux (1980).
275. PSEUDO-MACAIRE : **Œuvres spirituelles,** t. I. V. Desprez (1980).
276. THÉODORET DE CYR : **Commentaire sur Isaïe.** Tome I : Introduction et sections 1-3. J.-N. Guinot (1980).

Hors série :

Directives pour la préparation des manuscrits (de « Sources Chrétiennes »). A demander au Secrétariat de « Sources Chrétiennes », 29, rue du Plat, 69002 Lyon.

La Règle de S. Benoît. VII. Commentaire doctrinal et spirituel. **A.** de Vogüé (1977).

SOUS PRESSE

TERTULLIEN : **Contre les Valentiniens.** J.-C. Fredouille (2 volumes).

JEAN CHRYSOSTOME : **Homélies sur Ozias.** J. Dumortier.

CLÉMENT D'ALEXANDRIE : **Stromate V.** A. Le Boulluec (2 volumes).

ROMANOS LE MÉLODE : **Hymnes,** t. V. J. Grosdidier de Matons.

GRÉGOIRE DE NAZIANZE : **Discours** 24-26. J. Mossay.

PROCHAINES PUBLICATIONS

IRÉNÉE DE LYON : **Contre les hérésies,** livre II. A. Rousseau et L. Doutreleau.

THÉDORET DE CYR : **Commentaire sur Isaïe,** t. II. J.-N. Guinot.

CYPRIEN DE CARTHAGE : **A Donat** et **La vertu de patience.** J. Molager.

GUILLAUME DE BOURGES : **Livre des guerres du Seigneur.** G. Dahan.

JEAN CHRYSOSTOME : **Panégyriques de S. Paul.** A. Piédagnel.

ORIGÈNE : **Homélies sur le Lévitique.** M. Borret.

LACTANCE : **La colère de Dieu.** C. Ingremeau.

EUSÈBE DE CÉSARÉE : **Préparation Évangélique,** livre XI. G. Favrelle et É. des Places.

FRANÇOIS D'ASSISE : **Écrits.**

Les Règles des saints Pères. A. de Vogüé (2 volumes).

SOURCES CHRÉTIENNES

(1-276)

Également aux Éditions du Cerf :

IMPRIMERIE A. BONTEMPS
LIMOGES (FRANCE)

Éditeur n° 7245 - Imprimeur n° 1616
Dépôt légal : 4e trimestre 1980